Criminele opzet

Van dezelfde auteur:

Belastend bewijs

Sheldon Siegel

CRIMINELE OPZET

2003 – De Boekerij – Amsterdam

Oorspronkelijke titel: Criminal Intent
Vertaling: Joost van der Meer en William Oostendorp
Omslagontwerp/artwork: Hesseling Design, Ede

ISBN 90-225-3459-6

Voor Margret McBride, Katherine V. Forrest
en Elaine en Bill Petrocelli

1
'HIJ IS MORSDOOD'

'Richard "Big Dick" MacArthur gold ooit als een jonge, veelbelovende regisseur. Nu maakt hij op z'n best alleen nog maar B-films, en op z'n slechtst softporno. Voor degenen onder ons die zijn eerdere werk nog kennen een jammerlijk verlies van een buitengewoon talent.'
Filmcriticus Rex Lucas, *San Francisco Chronicle*, vrijdag 4 juni

'Hij is dood, Mike,' zegt de bekende stem zonder ook maar een zweem van emotie. Zelfs midden in de nacht straalt Rosita Carmela Fernandez, mijn ex-vrouw en huidige juridische partner, een kalm professionalisme uit. Als we een paar jaar geleden een dergelijke gereserveerdheid in onze relatie hadden gebezigd, waren we nu misschien nog getrouwd geweest.

Terwijl ik met mijn mobieltje rommel, proberen mijn ogen te wennen aan de duisternis in de onbekende slaapkamer. Even later ontwaar ik de groene cijfertjes op de wekkerradio. Kwart over vier in de ochtend. Het is vandaag 5 juni en ik heb het stervenskoud. Het is weer eens zomer in San Francisco. 'Wie is er dood, Rosie?' vraag ik. Ik heb het niet zo op nachtelijke raadspelletjes.

'Richard MacArthur.'

Drie decennia geleden werd Richard 'Big Dick' MacArthur binnengehaald als de wedergeboorte van Stanley Kubrick. Al op zijn vijfentwintigste maakte hij zijn eerste film, *The Master*, later genomineerd als beste nieuwe film, en won hij een oscar voor het scenario. Daarna richtte hij zijn eigen productiemaatschappij op om, zoals hij het noemde, 'kwaliteitsfilms' te gaan maken. Niet al zijn films werden even artistiek, maar ze hadden wel één ding gemeen: ze overschreden het budget. Een paar jaar later ging het bergafwaarts toen hij zijn bankrekeningen plunderde om de gigantische budgetoverschrijdingen op zijn films weg te werken. Zijn royale uitgavepatroon bracht hem aan de rand van het faillissement. De afgelopen jaren heeft hij zijn schuldeisers op afstand kunnen houden met een formule van geijkte actiefilms en softporno. Als je de kranten mag geloven, kunnen MacArthurs schulden zich meten met die van enkele derdewereldlanden.

Maar ondanks deze ietwat onevenwichtige scorelijst wist Big Dick om de paar jaar de grote filmstudio's nog altijd over te halen diep in de buidel te tasten voor een mainstreamfilm. Met wisselend resultaat. Zijn honkbalfilm *The Lead-off Man* bracht meer dan honderd miljoen dollar in het laatje. De opvolger, de noodlottige *Extra Innings*, leek zelfs een langere zit dan de wedstrijd van zeventien innings waar de film over ging. Het grootste deel van zijn spaargeld is opgegaan aan alimentatie voor zijn twee ex-vrouwen en het onderhoud aan zijn wijngaard in Napa Valley, die een cabernet oplevert waarvan de kwaliteit zich goed kan meten met die van zijn B-films. Zijn nieuwste film, *The Return of the Master*, moet volgende week uitkomen en wordt aangeprezen als een hernieuwde poging zich een respectabele plek binnen de mainstream te verwerven. We zullen wel zien. De voorbeschouwingen zijn tot dusver vrij lauw ontvangen.

Mijn hersenen schakelen een tandje hoger. Ik ga rechtop zitten en reik naar het bedlampje. Een telefoontje vóór zonsopgang betekent voor de meeste mensen maar één ding: problemen. Maar voor iemand die zijn brood verdient als strafpleiter hoort het er gewoon bij. De meeste van mijn cliënten hebben niet de beleefde gewoonte zich te laten arresteren tijdens kantooruren. Ik knip het licht aan, kijk even naar het elegante hemelbed en de ranke eikenhouten ladekast, en werp een blik door het venster dat Alcatraz omlijst. Maar het enige wat ik zie, is een dikke mist. Ik wijs mezelf erop dat dit modieuze appartement op Telegraph Hill niet bepaald overeenkomt met de gewone arbeidersbuurt even buiten Sunset waar ik opgroeide. Maar ja, dit is ook niet mijn eigen appartement.

'Waar hebben ze hem gevonden?' vraag ik Rosie.

'Op Baker Beach. Het klonk alsof-ie van zijn balkon is gevallen.'

Of het nu films, echtscheidingen of huizen waren, Big Dick pakte alles groots aan. Zijn villa balanceert boven op een steile afgrond bij Sea Cliff, een exclusieve wijk iets ten westen van het district Presidio, met een weids uitzicht op de Marin Headlands en de Golden Gate Bridge. Een zeer riant uithoekje van de stad. Volgens het tijdschrift de *Chronicle* sloot hij voor het huis een hypotheek van drie miljoen dollar af.

Ik vecht tegen de nevel in mijn kop en vraag: 'Weten ze zeker dat het Big Dick is?'

Een pregnante stilte. 'O, het is 'm, hoor,' zegt ze. 'Hij is morsdood.'

Rosie. Ze is een van de beste strafpleiters van Noord-Californië. We leerden elkaar kennen bij het pro-Deocollectief en stapten na een stormachtige romance in het huwelijksbootje. Ze vond het leuk getrouwd te zijn met een ex-priester; ik vond het leuk om getrouwd te zijn. Drie jaar later zetten we er een punt achter vanwege onverenigbare leefgewoonten. Dat was negen jaar geleden. Helaas hebben we allebei een merkwaardig talent elkaar op sleeptouw te nemen. Kort nadat we uit elkaar waren gegaan, verliet ze het collectief en begon haar eigen praktijk. Ik kwam bij het degelijke Simpson & Gates, een advocatenkantoor op de bovenste verdieping van het gebouw van de Bank of America. Drie jaar geleden kwamen Rosie en ik weer bij elkaar omdat ik te weinig vermogende cliënten binnenbracht. Rosie haalde me binnen en sindsdien zijn we partners. Niet ideaal, maar samenwerken is ons altijd beter afgegaan dan samenleven.

'Angel heeft een boodschap achtergelaten,' vertelde ze verder. 'De politie vond haar op de parkeerplaats bij de zuidtoren van de Golden Gate Bridge.'

O jee. Dit komt wel heel erg dicht bij huis. Angelina Chavez is Mac-Arthurs derde vrouw. Hij is oud genoeg om haar vader te kunnen zijn en zij speelt de hoofdrol in zijn nieuwste film. Bovendien is ze Rosies nichtje, maar daarmee zijn we er nog lang niet. Rosie is niet alleen Angels tante, ze is haar surrogaatmoeder. Theresa, Rosies jongere zus, trouwde op haar achttiende en kreeg twee kinderen. Angels jongere broer stierf op zijn vijfde aan een lymfkliergezwel en kort daarna verliet haar vader Theresa. Terwijl Angel nog op de middelbare school zat, raakte haar moeder verslaafd aan antidepressiva en alcohol. Ze heeft een paar jaar in de opvang gezeten. Angel kwam heel vaak bij ons over de vloer toen Rosie en ik getrouwd waren. Maar ondanks haar privé-omstandigheden was ze een goede leerling en ze kreeg een beurs voor de toneelschool aan de universiteit van Californië. Daarnaast deed ze zo nu en dan wat modellenwerk en 's zomers deed ze mee in het studententheater. Dit leidde tot een vaste rol in *All My Children*.

Angel ontmoette Big Dick op een feestje. Hij was meteen van haar gecharmeerd en gaf haar wat kleine rollen. Ongeveer een jaar geleden trouwden ze, tot groot verdriet van de familie Fernandez, Rosie en Theresa meegerekend. Angels hoofdrol in *The Return of the Master* kan haar grote doorbraak worden. Van het geld van haar eerste voorschot kocht ze voor haar moeder een bescheiden flat in Mission District, niet ver vanwaar Rosie ooit opgroeide. Theresa richtte hem in met foto's en andere aandenkens van haar dochter.

'Wat had ze op dat uur daar bij die brug te zoeken?' vraag ik.

'Dat vertelde ze niet.'

Merkwaardig. Voor een jongedame die tegenwoordig in limo's rondrijdt, heeft ze alles goed op een rijtje. Ondanks alle verleidingen staat ze nog met beide benen op de grond en heeft ze zich nog niet in de nesten gewerkt. 'Waar is ze?' vraag ik.

'Paleis van justitie.'

'Waarom brachten ze haar niet naar huis?'

'Weet ik niet.' Ze heeft maar weinig informatie. We praten nog wat en ik hoor de spanning in haar stem als ze zegt: 'Ik kan Grace niet alleen thuis laten. Je weet wat ze voor Angel voelt. Ze zal behoorlijk overstuur zijn.'

Grace is ons dochtertje van tien. Ze woont bij Rosie, maar is om het weekend bij mij. Haar slaapkamer hangt vol met foto's van haar tante uit *InStyle*, *Elle* en *Vanity Fair*.

'En haar op dit uur meenemen, daar begin ik niet aan,' voegt ze eraan toe.

Een uiterst loffelijk ouderlijk besluit.

'Kun jij erheen? Dan breng ik eerst Grace naar mijn moeder, en dan zie ik je daar.'

'Ben al onderweg, Rosie.' Ik zwijg even, en vraag: 'Kun je het aan?'

Ik bespeur een kleine aarzeling. 'Ja,' antwoordt ze en ze zwijgt even. Dan: 'Mike?'

'Ja?'

'Bedankt.'

'Rosie?' hoor ik een stem achter me vragen.

Ik draai me om. 'Wie anders?'

'Natuurlijk.' Hoewel Leslie Shapiro's verfijnde gezicht en kastanjebruine haar een leeftijd van ergens in de dertig doen vermoeden, onthullen de kraaienpootjes links en rechts van haar doordringende ogen een vrouw die afgelopen september haar achtenveertigste verjaardag vierde. Ze is een jaar jonger dan ik. 'Waarom belt je ex-vrouw altijd wanneer we met ons tweeën zijn?' vraagt ze.

In de kamer ruikt het nog steeds naar de geurkaarsen die hier een paar uur geleden brandden. Leslie houdt van het exotische. 'Dat is maar schijn,' antwoord ik.

We gaan nu ongeveer een halfjaar met elkaar om. Na een dineetje van het genootschap van advocaten nodigde ze me uit voor een drankje, en van het een kwam het ander. In een perfecte wereld zouden rechters en strafpleiters nimmer het bed met elkaar delen – het leidt alleen maar tot belangenconflicten – maar de wereld is nu eenmaal niet perfect. Ik vind het nog steeds raar om een zittende rechter van een hogere rechtbank van Californië aan te duiden als mijn vriendin. Maar toegeven dat je het bed deelt met een katholieke strafpleiter van Ierse afkomst die ooit pro-Deoadvocaat en priester is geweest? Voor de dochter van een rechter van het Hooggerechtshof van Californië en iemand die behoort tot een prominente joodse familie moet dat heel wat moeilijker zijn.

Voorlopig houden we het nog binnenskamers. Dat wil zeggen, we vermoeden dat het nog geheim is. Rosie weet ervan, natuurlijk, maar voor de rest tast de juridische wereld van San Francisco vooralsnog in het duister. En ook de familie van rechter Shapiro, tot nu toe. Inmiddels naderen we het punt waarop we een permanentere vorm moeten overwegen. Een gecompliceerde zaak. Haar naam prijkt op de shortlist voor de eerstvolgende openingszitting van de federale arrondissementsrechtbank en sinds ons eerste afspraakje heb ik mijn entree in haar rechtszaal godzijdank nog niet hoeven maken. Maar dat kan elk moment veranderen. Ik denk dat je kunt zeggen dat de advocatuur interessante bedpartners kan opleveren.

'Gewoon zaken,' zeg ik.

'Dat is haar geraden.' Leslie heeft alleen een UC Berkeley-T-shirt aan. Ze staat op en trekt mijn gezicht dicht naar zich toe. Terwijl ze me kust en me daarna loslaat, kijkt ze me voortdurend aan. 'Ik slaap met één iemand tegelijk,' zegt ze. 'En van jou verwacht ik hetzelfde.'

Het is al eerder ter sprake gekomen. 'Geen probleem,' reageer ik. 'Mijn relatie met Rosie is tegenwoordig puur zakelijk.' Dat is wel eens anders geweest. Zelfs na onze scheiding hebben we nog af en toe gerollebold. Oude gewoonten. Aan dit recreatieve aspect van onze relatie kwam ongeveer een jaar geleden een eind toen Rosie een advocaat van het Openbaar Ministerie leerde kennen. Eerder dit jaar zijn ze uit elkaar gegaan. In de tijd dat ze met elkaar omgingen, werd ik door Leslie uitgenodigd.

Haar blik verzacht. 'Hoe gaat het met haar?'

'Alles welbeschouwd niet slecht.' Afgelopen herfst werd er bij Rosie borstkanker geconstateerd. Ze had geen duidelijke symptomen, maar ze controleerde zichzelf altijd heel zorgvuldig en had elk jaar een borstonderzoek. Je kunt immers maar nooit weten. Haar arts noemde het een infiltrerend buiscarcinoom in het tweede stadium, de meest voorkomende variant. Het begint in een melkklier, of -buisje, doorbreekt de wand en dringt door in het vetweefsel. Daarna kan het zich naar andere delen van het lichaam verspreiden. Hoe verder het stadium, hoe ernstiger de ziekte. Gelukkig waren ze er snel bij. In januari volgde de operatie en daarna zes weken bestraling. De eerste onderzoekstests wezen uit dat de behandeling geslaagd leek. Ik heb goede hoop. Zoals je van haar kunt verwachten, laat ze zich niet kennen. Vorige week heeft ze zich voor het eerst weer laten onderzoeken.

'Wat was dat over Richard MacArthur?' vraagt Leslie.

'Hij is dood. Ze hebben zijn vrouw bij de Golden Gate Bridge opgepikt.'

'Wat had ze daar te zoeken?'

'Daar vraag je me wat.'

Ze kijkt me sceptisch aan. 'Ik heb over haar gelezen.'

'Ze is pas vijfentwintig.' Ik vertel haar iets over Angels carrière als fotomodel en haar rollen in soaps. Daarna vertel ik haar in het kort over haar huwelijk.

'Denk je dat ze iets met zijn dood te maken heeft?'

'Nog te vroeg om te zeggen. Ze heeft talent en ambitie. Hij is een egotripper.' Als je de roddelbladen mag geloven, hebben ze elkaar het afgelopen halfjaar op de set voortdurend de huid vol gescholden.

Ze vraagt waar het lichaam werd gevonden.

'Op Baker Beach. Ze denken dat-ie van het balkon is gevallen. Een val van ongeveer tienhoog.'

Ze huivert even. 'Een ongelukje?'

Ik haal mijn schouders op. 'Zou kunnen. Of zelfmoord.' Andere mogelijkheden laat ik even voor wat ze zijn.

Ze denkt even na en vraagt vervolgens: 'Sorry dat ik het vraag, maar vind jij het ook niet wat vreemd dat Angelina Chavez jou en Rosie voor juridisch advies belt?'

Op zich een terechte vraag. Op de eerste verdieping van een oud, twee verdiepingen tellend bakstenen kantoorgebouw op 84 First Street, een blok verwijderd van de Transbay-busterminal, houden Rosie en ik ons bezig met het strafpleiten, en voornamelijk op goed geluk. We runnen een bescheiden toko vlak boven het El Faro, een Mexicaans restaurant, in een kantoorsuite waar ooit waarzegster Madame Lena zat, die ons verzekerde dat het ons geluk zou brengen als we de ruimte overnamen. Het is zelfs een kleine verbetering ten opzichte van ons voormalig kantoor in een oude vechtsportschool op de hoek van Mission Street, naast de Lucky Corner, een Chinees restaurant. Vorige maand, toen ons kantoor werd gesloopt om plaats te maken voor nieuwe hoogbouw, zijn we verhuisd. Ook de Lucky Corner viel ten prooi aan stadsvernieuwing. Het culinaire landschap van San Francisco zal nooit meer hetzelfde zijn. Het bemiddelen bij gevallen van rijden onder invloed en het vertegenwoordigen van kleine criminelen, en zo nu en dan een drugshandelaar, maakt dat we de rekeningen kunnen betalen. De laatste categorie beschikt in elk geval over wat geld om ons te kunnen betalen. En als het echt meezit, worden we gebeld door een onfortuinlijke *corporate executive* die wordt aangeklaagd wegens fraude met aandelen. Maar de laatste tijd zit het ons niet zo mee. Vanwege haar ziekte is Rosie gedwongen geweest het wat rustiger aan te doen. Eens per tien jaar krijgen we een belletje van iemand uit Sea Cliff.

Ondanks ons bescheiden profiel hebben Rosie en ik de nodige in het oog springende zaken behandeld. Drie jaar geleden verdedigden we een advocaat van mijn vorige werkgever die werd aangeklaagd wegens het neerschieten van twee van onze voormalige collega's. Een compleet mediacircus. Een jaar later verdedigden we de officier van justitie van San Francisco toen hem moord op een jonge, mannelijke prostitué in een kamer van het Fairmont Hotel ten laste werd gelegd. Ook dat leverde ons de nodige publiciteit op. Hoewel het best lollig is jezelf op tv te zien, zijn dergelijke zaken voor ons tot nu toe de uitzondering op de regel geweest.

'Daar is anders een heel logische verklaring voor,' zeg ik.

'En die luidt?'

'Ze is Rosies niet.'

Leslie laat het even bezinken. 'Dat heb je nooit verteld. U houdt bewijsmateriaal achter, raadsman.'

Ik grijns even en reageer ad rem: 'U vroeg er ook niet naar.'

Ook zij grijnst nu. 'Hebt u nog andere belangrijke informatie voor me achtergehouden?'

'Nee, Edelachtbare.'

Haar grijns vervaagt. De Edelachtbare Leslie Shapiro geeft me een rechterlijk knikje en zegt: 'Het is een vuistregel dat je beter geen familieleden kunt verdedigen. Dan ben je er te persoonlijk bij betrokken.'

'Aan vuistregels kun je je niet altijd te houden.'

'Het wordt spitsroeden lopen, hm?'

'Absoluut.'

2
'KAN IK ME NIET MEER HERINNEREN'

'Het recentere werk van mijn echtgenoot heeft bij de critici niet die waardering geoogst die het verdiende. Hij zal worden herinnerd als een van de grote regisseurs van zijn generatie. Ik ben ontzettend dankbaar dat ik samen met hem aan The Return of the Master *heb mogen werken.'*
Angelina Chavez, KGO Radio

Ik heb een kwartier nodig om vanaf Leslies appartement via de verlaten wegen het paleis van justitie te bereiken, een monolithisch bouwwerk van vijf verdiepingen op de hoek van Seventh Street en Bryant, dat twee huizenblokken beslaat en tevens onderdak biedt aan de districtsgevangenis, het gerechtsgebouw, het kantoor van de officier van justitie, het forensisch lab en het hoofdbureau van politie. Een dikke mist omhult het grijze, mausoleumachtige bolwerk, terwijl ik me door de persmeute naar de treden van de hoofdingang worstel. De portier van deze tempel van de rechtspraak is totaal niet blij me te zien nu ik door het poortje van de metaaldetector loop. Op dit uur straalt het donkere gebouw binnen een onheilspellende kalmte uit. Mijn vader werkte hier 's nachts als politieagent en vertelde altijd dat het er spookte op de gangen.

Aangekomen bij de receptiebalie van de nieuwe gevangenisvleugel, onder smerissen beter bekend als de 'Glamour Slammer', toon ik de dienstdoende, achter een rij beeldschermen zittende brigadier mijn advocatenpasje en rijbewijs. De smetteloze, moderne faciliteit werd begin jaren negentig in gebruik genomen en ligt ingeklemd tussen het oude paleis van justitie en de verhoogde 101-freeway. De pakhuisachtige architectuur gaat schuil achter mat plexiglas en is het eerste wat een toerist ziet wanneer hij of zij het centrum van de stad nadert. Het is ons welkom aan bezoekers van San Francisco.

De brigadier leidt me naar een bijkamertje dat riekt naar ontsmettingsmiddelen voor industrieel gebruik. Daar word ik opgewacht door een pezige man met een militair voorkomen, een kaalgeschoren hoofd en degelijke straatkledij. Rechercheur Jack O'Brien was ooit undercoveragent en is nu begin vijftig. Twintig jaar geleden werd hij gepromoveerd naar Moord-zaken nadat hij in zijn eentje een drugsbende in de Tenderloin had opge-rold. Hij geeft me een onverschillige handdruk. 'Mevrouw Chavez zit in de verhoorkamer.'

Dat hij hier is, en niet in de woning van MacArthur, komt mij wat merk-waardig voor. Ik probeer collegiaal te klinken. 'Jack,' begin ik, 'wat is er aan de hand?'

Zijn keurig getrimde snor op zijn gelooide gelaat gaat schuil onder een haviksneus. Het diepe litteken over zijn gehele rechterwang vormt een her-innering aan zijn dagen als undercoveragent. 'Om drie uur dertig vannacht werd MacArthurs lichaam gevonden op Baker Beach. Meer weten we niet.'

Hij weet wel degelijk meer. De meeste rechercheurs werken in teams. Toen zijn laatste teamgenoot meer dan tien jaar geleden met pensioen ging, weigerde de opgefokte, minzame workaholic een nieuwe partner. 'Weet je iets over de doodsoorzaak?' vraag ik.

'Te vroeg om daar al iets over te kunnen zeggen.'

'Misschien een vermoeden?'

'Nee.'

Precies het antwoord dat ik verwacht. Ik opper dat het wellicht een on-geluk is geweest.

'Misschien.' Het tijdstip van overlijden weet hij niet, zo vertelt hij me. 'Een buurman vond het lichaam.'

Wel een beetje vroeg om op een koud, mistig strand rond te hangen, lijkt me. 'Was-ie in het holst van de nacht aan de wandel, of zo?'

'Hij was bezig de hond uit te laten.' Robert Neils, heet de buurman, ver-telt O'Brien me. Hij heeft een klein beleggingskantoor in het centrum van de stad. Als hij en zijn medeburen hun middelen combineren, zouden ze een kapitaalfonds van een miljard dollar kunnen opzetten.

Ik vraag hem of Neils als een verdachte wordt beschouwd.

'Ik heb nog niet met hem gesproken.'

'Waarom zit mevrouw Chavez hier?'

'Ze moest toch ergens heen?'

Daar neem ik geen genoegen mee. 'Waarom hebben jullie haar niet thuisgebracht?'

'We wilden even met haar praten.'

'Dat had je ook bij haar thuis kunnen doen.'

Hij aarzelt even en zegt: 'We besloten het hier te doen.'

Hij houdt iets achter. 'Waarom?'

'We zijn bezig haar verhaal na te trekken,' is het antwoord. 'Meer kan ik je niet vertellen.'

Je bedoelt: je wílt me niets meer vertellen. 'Is zij een verdachte?'

'We zijn bezig haar verhaal na te trekken,' herhaalt hij.

Niet echt een antwoord waar ik iets aan heb. 'Waarom zit ze in deze vleugel?'

'Meer konden we niet doen. Op Moordzaken was niemand beschik-baar.'

Gelul. Zelfs midden in de nacht lopen daar altijd uniformen rond. Ik probeer het nog eens. 'Je overweegt haar aan te klagen?'

Ditmaal reageert hij met een schouderophaal.

Een patstelling. Ik wil hem aan de praat houden. 'Ik heb begrepen dat ze bij de brug werd opgepikt?'

'Om drie uur vijfenveertig kregen we een melding van de brugbewa-king. Ze vonden haar buiten bewustzijn achter het stuur van een Jaguar die op naam van haar man stond. De lampen brandden en de motor liep nog. We hebben er meteen een patrouillewagen op afgestuurd.' Ik krijg niet te horen hoelang ze daar heeft gestaan.

Dit lijkt duidelijk niet in orde. 'Wist ze van haar echtgenoot?'

O'Brien kijkt me eventjes behoedzaam aan. 'Ze zei van niet. Die agent heeft het haar verteld. Ze was behoorlijk overstuur.'

Zal best. 'Ik begrijp nog steeds niet waarom hij haar niet even naar huis heeft gebracht.'

'Het lichaam van haar man lag daar nog. Die agent was bang dat het te traumatisch voor haar zou zijn.'

'Maar haar hierheen brengen een stuk minder?'

Hij kijkt me vorsend aan. 'De agent ontdekte dat haar rijbewijs verlopen was.'

'Heeft niks te betekenen. Ze is vaak van huis. Konden jullie haar dan niet gewoon bekeuren, gezien de omstandigheden?'

'We moesten haar meenemen.'

Zijn toon staat me niet aan. Er is meer aan de hand. 'Kom op, Jack,' zeg ik. 'Ik beloof je dat ik haar later vandaag zal terugbrengen. Laat me haar naar huis brengen zodat ze de begrafenis van haar man kan voorbereiden.'

Zijn vinger glijdt over zijn litteken. 'Luister, Mike,' is het antwoord, 'normaliter zou ik haar gewoon hebben laten gaan…'

Er hangt een 'maar' in de lucht.

'Maar er is nog een ander probleem.' Behoedzaam kiest hij zijn woor-den. 'De agent verrichtte vervolgens een visuele routinecheck van de di-recte omgeving, in casu het interieur, dat in het volle zicht was.'

O jee. Smerissen gebruiken codefrasen als 'visuele routinecheck' en 'in vol zicht' juist wanneer ze zich zorgen maken over de toelaatbaarheid van bewijsmateriaal.

'En wat heeft hij toen gevonden?'

'Een zakje met cocaïne. Waarschijnlijk zo'n vijfentachtig gram.'

Godallemachtig. 'Waar?'

'Op de voorste stoel. In het volle zicht,' herhaalt hij, en hij voegt eraan toe: 'Kijk, dat verlopen rijbewijs, en zelfs het rijden onder invloed, hadden we misschien door de vingers kunnen zien, maar niet de coke. Daarom moesten we haar meenemen.'

Ik probeer geen reactie te tonen. 'Waar is haar auto?' vraag ik.

'Die hebben we in beslag genomen.'

'Verder nog iets gevonden?'

'Nog niet.'

Nu ben ik degene die zorgvuldig formuleert. 'Gaan jullie haar cocaïne-bezit ten laste leggen?'

'Daar zijn we nog niet over uit.'

Het te verwachten antwoord. 'Heeft ze nog iets tegen je gezegd?'

'Ze zei dat ze met jou wilde praten.' Hij zwijgt even en verbetert zichzelf. 'Of eigenlijk, ze wil met je partner praten.'

'Ik wil haar graag even spreken.'

Angel lijkt in niets op de actrice op de geretoucheerde foto's uit de bladen die de muren van Graces slaapkamer sieren. Ze zit op een zware houten stoel in een bedompte verhoorkamer. Calvin Klein heeft plaatsgemaakt voor een oranje jumpsuit. Met haar knokige een meter vijfenzeventig ziet ze er broos uit. Haar lange zwarte, steile haar is inmiddels een verwarde bos, twee schotelvormige ogen staren omlaag naar het linoleum en haar wangen zijn bedekt met opgedroogd traanvocht. Haar volle lippen zijn nu slechts een strakke, dunne streep. Hoewel ze soms moeilijk te doorgronden is, rest er van de verstandige, hartelijke actrice slechts een hoopje ellende. Al tien minuten heeft ze geen woord gezegd.

'Als je niet tegen me praat, kan ik je echt niet helpen, Angel,' zeg ik.

Even slaat ze haar ogen naar me op, om ze vervolgens weer neer te slaan.

Ik wacht. Vijf minuten verstrijken. Daarna nog eens vijf. Zeven jaar lang was ik pro-Deoadvocaat, drie jaar lang priester. Beide professies leren je geduld te betrachten.

Ten slotte verbreekt ze de stilte. 'Hoe laat komt tante Rosie?'

'Snel. Ze moest eerst Grace naar oma brengen.'

'Mijn man is dood, en jij moet hier mijn handje vasthouden totdat Rosie eindelijk iemand vindt om op Grace te passen?'

Daar komt het in feite op neer, ja. 'Ik ben hier om je te helpen.' Eigenlijk ben ik hier om ervoor te zorgen dat ze niets tegen de politie zegt voordat Rosie gearriveerd is. Voorlopig zwijg ik over het verlopen rijbewijs en de coke. Ze zullen snel genoeg ter sprake komen. 'Waarom vertel je me niet alvast wat er gebeurd is?'

Haar grimas gaat over in een frons. 'Ik moet hier weg, oom Mike.'

Ik probeer het nog eens. 'Dat zal een stuk sneller gaan als je gewoon even met me praat.'

Stilte. Er wordt op de deur geklopt. Rechercheur O'Brien doet open en laat Rosie naar binnen. Angels roodomrande ogen fleuren op. 'Ik ben op de gang,' deelt O'Brien ons mee. De deur valt met een klap dicht.

Rosie werpt even een blik naar me, loopt naar Angel en omhelst haar.

'Wij zullen je helpen, schat,' fluistert ze en ze krijgt Angel zover dat ze zich, afgezien van een flinke koppijn, wel oké voelt. Zelfs in een raamloos vertrek in het paleis van justitie om vijf uur in de ochtend lukt het Rosie een min of meer normale sfeer te scheppen. Ze begint haar nicht te verleiden tot een gesprek over wat er die nacht gebeurd is. 'Angel,' begint ze, 'je weet dat ik je moet vragen naar wat er is gebeurd. En je weet dat het heel belangrijk is dat je me de waarheid vertelt.'

Twee grote puppyogen. 'Mm-mm.'

'Wat heb je de politie verteld?' Belangrijke zaken eerst.

'Niets. Ze zeiden dat ze me zochten.' Ze slikt nadrukkelijk en voegt eraan toe: 'Ze vertelden dat Dick…' Ze is niet in staat de zin af te maken.

Rosie laat zich niet meeslepen en blijft kalm. 'Je was niet op de hoogte?' Angel schudt haar hoofd.

'Geeft niks,' sust Rosie. 'Laten we beginnen bij het begin.'

Angel slikt haar tranen weg. 'Ik weet niet of ik dat kan…'

'Neem rustig de tijd, schat.' Rosies ogen schieten even mijn kant op. De lichaamstaal van een cliënt zegt vaak meer dan woorden. Later zullen we onze indrukken vergelijken.

Terwijl ze praat, staart ze naar de vloer. 'We hadden thuis een etentje en een vertoning van de nieuwe film.' De opbrengsten van Big Dicks B-films hebben voorzien in bepaalde gemakken, zoals een huisbios.

'Wie waren er allemaal?' vraagt Rosie.

'Dick natuurlijk, en Daniel en zijn vrouw.'

Daniel Crown is Angels tegenspeler in *The Return of the Master*. Deze verrukkelijke adonis begon zijn carrière met een reeks commercials voor een destijds trendy merk mannensportmode. Met de verkregen publiciteit wist hij zich korte tijd een plek te verwerven in een spelprogramma, gevolgd door een reeks gastrollen in een populaire avondsoap. Wat weer leidde tot een bijrol in een van Big Dicks films. Hij is nu op zijn hoogtepunt. De carrièremogelijkheden voor gemodelleerde spiermassa's zijn vaak tamelijk beperkt. *The Return of the Master* kan hem tot een boegbeeld van de nieuwe generatie hoofdrolspelers maken, of hem terug laten vallen naar de anonimiteit van spelprogramma's. Volgens Roger Ebert zou hij een grote ster kunnen worden zolang hij de recreatieve farmaceutische producten, die in het begin van zijn carrière tot verscheidene arrestaties leidden, maar met rust kan laten. De kans was fifty-fifty, aldus Ebert, dat zijn carrière een vlucht zou nemen, dan wel via zijn neus zou vervluchtigen.

Cheryl Springer, Crowns echtgenote, impresario, manager en spreekbuis, is een voormalige reclamevrouw die haar eigen artiestenbureau is begonnen. Crown is haar eerste grote klant én inkomstenbron. Naar het schijnt durft hij alleen met haar toestemming naar het toilet en is het hem tot nu toe gelukt om onder haar wakend oog clean te blijven. In een poging de verlokkingen van de Hollywood-incrowd het hoofd te bieden, hebben ze vorig jaar hun appartement in West-Hollywood verruild voor een nieuw onderkomen in Marin County.

17

'Dicks zoon was er ook,' vertelt Angel.

Rosie heeft de eer gehad Richard MacArthur-junior op Angels huwe-lijksfeest te ontmoeten. Ze omschreef de jonge MacArthur, die ze 'Little Ri-chard' noemde, als een wraakzuchtig onderkruipsel dat aan het hoofd staat van pappa's lopende band voor B-films en het liefst zijn eigen pro-ducten wil gaan regisseren. De jonge knaap geniet de reputatie dat hij zich door niets laat tegenhouden om de films van zijn vader op tijd klaar te heb-ben en binnen het budget te blijven. Hij is bereid honderd keer met zijn kop tegen een muur te lopen, zolang de films uiteindelijk maar in de blikken belanden. Hoewel het hem ontbreekt aan finesse vormt hij een perfecte aanvulling op zijn vader, wiens financiële tekortkomingen inmiddels le-gendarisch zijn.

Helaas werd Little Richards regiedebuut het kostbare bewijs dat som-mige vaardigheden nu eenmaal niet automatisch van vader op zoon over-gaan. Zijn beperkingen kwamen een paar jaar geleden aan het licht toen hij zijn enige product schreef en regisseerde, een amateuristische imitatie van *The Blair Witch Project*. De *Chronicle* noemde het de *Ishtar* van het nieuwe millennium. Het handjevol publiek dat de eerste tien minuten van deze rampvertoning wist te overleven, klaagde over misselijkheid vanwege de beverige beelden als gevolg van de handcamera's. Het feit dat zijn vader daarna tijdens de *Today*-show tegenover heel Amerika bekende zich rot te schamen voor zijn falende zoon, droeg niet echt bij tot de harmonie binnen het gezin. Gezelligheid kent geen 'nijd' in huize MacArthur.

'En Marty ook,' voegt Angel eraan toe.

Martin Kent is een Hollywood-insider. Als advocaat, impresario, talen-tenjager én zakenman vertegenwoordigt hij al zo'n dertig jaar een aantal van de grootste namen binnen de filmindustrie. En al bijna even lang is hij Big Dicks zakenbehartiger en persoonlijk adviseur. De zilvergrijze, gesoig-neerde Kent was als jonge advocaat werkzaam op een van de Century City-kantoren toen MacArthur hem inhuurde om zijn contract met Universal voor *The Return of the Master* uit te onderhandelen. Hij raakte gecharmeerd van de veeleisende ex-marinier en werd Kents eerste cliënt toen deze zijn eigen agentschap begon, dat hij een paar jaar geleden naar Noord-Califor-nië verplaatste. *Business Week* omschreef hem als een man wiens onuitput-telijke vindingrijkheid met alarmerende regelmaat op de proef wordt ge-steld. Toen MacArthur op het randje van het faillissement balanceerde, wist Marty het met de schuldeisers op een akkoordje te gooien. Toen Big Dick werd gearresteerd nadat hij van een undercoveragent cocaïne had ge-kocht, zorgde Marty ervoor dat de zaak werd geseponeerd. Hij is kind aan huis bij alle grote studiobazen en staat aan het hoofd van alle grote alcohol-en drugsverslavingscentra in Zuid-Californië.

Nog niet zo lang geleden kwam hij in het nieuws als wegbereider voor een controversiële joint venture ten bate van een nieuw hoofdkantoor voor MacArthur Films in China Basin, aan de overkant van de Lefty O'Doul-

18

brug tegenover PacBell Park. Het oude rangeerterrein ligt daar al jaren weg te roesten. Toen er aan de zuidkant een campus voor het universitair medisch centrum verrees, wekte de lang verwaarloosde kavel opeens interesse en werd uiteindelijk een economisch en politiek hangijzer. Het stadsbestuur probeerde er een woningbouwproject voor lage inkomens op te starten, maar de financiering liet het afweten. Dat was het moment waarop de bouwcommissie van het Departement voor Stadsvernieuwing schoorvoetend instemde met het plan om China Basin onder Hollywood North te laten vallen. Sindsdien zijn de bewoners massaal in het geweer gekomen.

'En Dom was er,' gaat Angel verder.

Dominic Petrillo is de bombastische directeur van de Millenium Studios, die de financiering voor *The Return of the Master* voor hun rekening nemen en tevens als de belangrijkste investeerders in het China Basin-vastgoedproject gelden. Het plan is om, afgezien van het MacArthur-hoofdkantoor, er tevens vijfhonderd computergraphic-ontwerpers te huisvesten. Als je het verhaal in de *Wall Street Journal* van afgelopen jaar mag geloven, dan doet de omschrijving 'egomaniak' hem enigszins tekort. Als arrogante, hyperactieve ex-projectontwikkelaar bij Disney probeert hij Millennium Studios van een slaperige filmhuisproducent om te toveren tot een belangrijke medespeler. Aanvankelijk met wisselend resultaat. *The Return of the Master* is de eerste grote productie die van Petrillo 'groen licht' kreeg, en hij draagt een groot risico. Zijn nietsontziende methoden worden zowel openlijk geminacht als door zijn concurrenten heimelijk bewonderd. Een grote studiobaas vertelde ooit dat zakendoen met Petrillo te vergelijken is met een onderhoud met Charles Manson, met het verschil dat laatstgenoemde een stuk prettiger in de omgang was. Er gaan geruchten dat de Millennium-investeerders Petrillo's hoofd zullen opeisen als *The Return of the Master* niet het grote geld opbrengt. Ik heb nog niet het genoegen gehad.

'Verder nog iemand?' vraagt Rosie.

Angel rolt eens met haar ogen. 'Die vent uit Vegas – Carl Ellis.'

Rosie kijkt me even veelbetekenend aan. Ellis is de tweede reden waarom de bewoners van China Basin zo furieus zijn. Sinds hij met zijn bedrijf als hoofdaannemer werd geselecteerd, geldt hij als controversieel mikpunt. Zijn bod viel maar liefst tien miljoen dollar lager uit dan dat van de plaatselijke aannemers. Een van hen, uit San Francisco, liet weten dat Ellis de opleverdatum van zijn levensdagen niet zal halen. We zullen zien. Sommigen hebben gesuggereerd dat hij bij het bieden voorkennis moet hebben gehad en er gaan geruchten over omkoperij en smeergeld. De *Chronicle* omschreef hem als een hebzuchtig type dat om de kas te spekken zelfs zijn moeder nog zou verkopen. De *Examiner* ging zelfs zo ver te suggereren dat hij banden met de georganiseerde misdaad heeft, een beschuldiging die door Ellis en zijn advocaten krachtig is ontkend. Desalniettemin heb ik van mijn vrienden in Vegas vernomen dat als je geen echte dan wel vermeende banden met de maffia hebt, je daar niet op respect hoeft te rekenen.

'Waarom was hij er ook?' vraag ik Angel.

'Hij wilde de film zien,' antwoordt ze.

Ellis komt bij mij niet echt over als een filmfan. Maar hij staat wel bekend als een slimme zakenman. Millennium heeft miljoenen geleend om zo het China Basin-project grotendeels te kunnen financieren. MacArthur Films maakt aanspraak op een lening van tien miljoen dollar van de Wells Fargo Bank om zijn minderheidsaandeel in het project veilig te stellen. Als de film flopt, lopen Millennium en MacArthur Films het risico niet te kunnen voldoen aan hun verplichtingen. Misschien wilde Ellis de kredietwaardigheid van zijn nieuwe zakenpartners eens peilen. Het hele project is nu overduidelijk in de gevarenzone beland.

'Hoe was het feestje verder?' vraag ik.

Angel raakt wat meer op haar gemak. 'O, best gezellig. Of de film goed was, weet ik niet – ik vind het vreselijk om naar mezelf te kijken – maar we hadden champagne en daarna kwam het China Basin-project ter sprake. Toen ze allemaal aan de sigaren gingen, heb ik me geëxcuseerd en ben naar boven gegaan. Ik was moe en ik heb een hekel aan rook.'

'Hoe laat was dat?' wil Rosie weten.

'Een paar minuten na enen.' Op haar gezicht verschijnt een gepijnigde blik. 'Dat was het laatste wat ik van Dick heb gezien.'

Rosie slaat een arm om haar nichtje heen. 'Het komt allemaal goed, lieverd.'

'Tuurlijk,' mompelt ze bijna onverstaanbaar.

'Was iedereen nog aanwezig toen je naar boven ging?' vraagt ze nu zachtjes.

'Ja. Ik had een glas champagne mee, nam een douche en stapte rond halftwee in bed. Het enige wat ik daarna nog weet, is dat iemand bij de brug tegen het portierraampje van mijn auto tikte.'

Iets in haar stem verontrust me. Toen haar moeder nog dronk, ontwikkelde ze een aardige pokerface. 'Hoe laat ben je daarheen gereden?' vraag ik.

'Kan ik me niet meer herinneren.'

Wat? Ik kijk even naar Rosie, die het van me overneemt. Ze doet haar best niet argwanend te klinken. 'Hoe bedoel je precies, schat?'

Angel brengt haar handen omhoog en antwoordt: 'Ik kan me niet meer herinneren dat ik naar de brug ben gereden.'

Pardon? Het wekt bij Rosie een verwonderde blik op. 'Kun je je nog iets herinneren van nadat je in bed was gekropen totdat de agent tegen de ruit tikte?'

'Nee, ik moet een black-out hebben gehad, of zo.'

Rosie trekt eventjes met haar mond. 'Angel,' vraagt ze dan, 'is dit wel eens eerder gebeurd?'

Het antwoord is nauwelijks hoorbaar. 'Ja.'

'Hoe vaak?'

'Een paar keer.'

'Meer dan twee keer?'

'Drie keer. En allemaal in de afgelopen paar maanden.'

Rosie hoort het zonder een zichtbare reactie aan. Daarna buigt ze zich wat meer naar haar nicht toe en vraagt: 'Weet je ook waar het door komt?'

Angel schudt kort maar heftig het hoofd. 'Ik weet het niet precies.'

Ik vang een blik op van Rosie. Daarna kijkt ze Angel weer aan. 'Hoeveel champagne had je gisteravond op?'

'Een paar glazen.'

'Te veel om nog achter het stuur van een auto te kruipen?'

'Weet ik niet.'

'Meneer O'Brien vertelde me dat je een blaastest hebt gedaan.'

'Ik dacht dat zoiets verplicht was.'

Je mag weigeren, maar dan wordt je rijbewijs ingenomen. 'Heel verstandig van je,' vertelt Rosie haar. 'Alleen zat je boven de limiet.'

'Weet ik.'

'En ik heb ook begrepen dat je rijbewijs verlopen is.'

'Ik wist dat ik het moest verlengen, maar ik kreeg het druk en ben er niet aan toegekomen.'

'Geeft niks, lieverd.' Een verlopen rijbewijs is wel de minste van onze zorgen. Rosie zucht eens diep en vraagt: 'Heb je afgelopen avond verder nog iets gebruikt?'

Angel sluit haar ogen. 'Een beetje coke,' fluistert ze.

Rosies stem blijft perfect in balans. 'Veel?'

'Genoeg.'

Jezus. Ik wijs mezelf erop dat Rosies nicht geen kind meer is.

'Waar heb je het vandaan?' vraagt Rosie.

'Het is tamelijk gemakkelijk te krijgen.'

Rosie zoekt naar de juiste woorden. 'Gebruik je… regelmatig?'

Opnieuw sluit ze haar ogen. 'Nee,' fluistert ze.

'Die black-outs, kwam dat door de coke?'

'Misschien.'

Rosie werpt me opnieuw een veelbetekenende blik toe. 'Meneer O'Brien vertelde me dat ze op de voorste stoel van je auto een zakje cocaïne aantroffen.'

'Dat hebben ze me verteld, ja…' klinkt het bijna onverstaanbaar.

'Ik moet het je vragen.'

Ze onderbreekt Rosie met een opgestoken hand. 'Ik heb het daar niet neergelegd.'

'Enig idee wie wel?'

'Ik zou het niet weten.'

Daar neemt Rosie geen genoegen mee. 'Het wekt wél een verdachte indruk.'

'Hoef je mij niet te vertellen.'

'Als ze jouw vingerafdrukken vinden, zal het moeilijk uit te leggen zijn,' probeert ze nogmaals.

Angel houdt haar handen omhoog. 'Dat begrijp ik.'

Rosie geeft haar alle gelegenheid zich vrij te pleiten. 'Ze kunnen je aanklagen wegens bezit.'

Geen reactie.

Nog een keer dan maar. Ze pakt de hand van haar nicht. 'Angel, ik ben het – tante Rosie. Even tussen jou en mij: wat je hier in deze kamer vertelt, blijft onder ons. Oké?'

Angel staart nog altijd naar de vloer als ze antwoordt: 'Oké.'

'Is er iets wat je ons wilt vertellen?'

Ze klemt haar kaken opeen. 'Denk je nou echt dat ik met één zak coke naast me een beetje ga rondrijden?' zegt ze, en eventjes lijkt ze weer helemaal de nuchtere actrice.

Rosie kijkt me even aan en draait haar hoofd weer naar haar nicht. 'Nee, Angel.' Ze zwijgt even. 'Hoe liep het tussen jou en Dick?' vraagt ze vervolgens.

Het antwoord komt te snel. 'Prima.'

'Ik moet het je vragen. Er waren berichten op tv over ruzies.'

'Er was echt helemaal niets aan de hand, tante Rosie.'

'En dat geldt ook voor afgelopen avond?'

'Ja.' Haar kobaltblauwe ogen lichten fel op. Ze gebaart met een wijsvinger. 'Luister,' klinkt het iets te nadrukkelijk, 'Dick was voor zijn eerdere vrouwen geen perfecte echtgenoot, maar voor mij was hij lief. Altijd.'

'Angel,' vraagt Rosie, 'had hij een ander?'

'Nee.'

'Ben je daar zeker van?'

'Absoluut.'

Nou, ik niet. Zo onberispelijk is Big Dicks scorelijst niet. Hij was destijds immers nog behoorlijk getrouwd toen hij het met Angel aanlegde.

Rosie slaat haar gade en zwijgt. Ik kan het gezoem van de tl-buizen horen.

Angel slaakt een zucht. 'Luister,' zegt ze. 'Ik ben heus niet zo naïef. Ik heb die geruchten ook gehoord. Op een gegeven moment werd ik zo bezorgd dat ik een privé-detective heb ingehuurd om hem te schaduwen.'

Dat is geen goed teken. 'Wie?' wil ik weten.

Ze boetseert haar gezicht tot een ironische grijns. 'Je broer.'

Nu is het Rosie die duidelijk zucht. Pete, mijn jongere broer, was ooit smeris en is nu privé-detective. Tien jaar geleden moest hij zijn penning inleveren nadat hij en een paar van zijn maten op Mission Station tijdens een ruzie tussen twee vermeende bendeleden iets te enthousiast tussenbeide waren gekomen. Alleen bleken de bendeleden slechts twee opgefokte tieners te zijn die om een grietje vochten. Een van de knapen kreeg van Pete een tik en liep een hersenschudding op. Zijn vader was advocaat... Met voorspelbare gevolgen. Hij is er nog steeds verbitterd over. 'Waarom belde je Pete?' vraag ik.

'Hoeveel privé-detectives moet ik kennen dan? Ik kan moeilijk mijn eigen man om advies vragen.'

Inderdaad. 'Heeft-ie iets ontdekt?'

'Alleen maar meer geruchten.'

Mijn ogen schieten naar Rosie, maar ik hou verder mijn mond. Pete zal me de feiten wel geven.

De deur gaat open en rechercheur O'Brien verschijnt. 'Ik moet even met jullie cliënte praten.'

'Ik ben bang dat ik dat niet kan toestaan,' reageert Rosie.

'Het duurt maar een minuutje.'

'Ik heb nog niet besloten of ik haar door jou laat ondervragen,' zegt ze.

'Daar kom ik ook niet voor.'

'Waar gaat het over, Jack?'

O'Brien kijkt Angel aan en zegt: 'Angelina Chavez, u staat onder arrest.'

Godallemachtig. Net leunde ze nog tegen de muur. Nu zakt ze omlaag naar de grond. Rosie loopt naar haar toe en slaat een arm om haar heen.

'Kom op, Jack,' zeg ik. 'Je wilt haar arresteren wegens bezit? Heeft ze al niet genoeg moeten doormaken vanavond?'

O'Brien kijkt me aan. 'Als het een paar grammetjes waren geweest, hadden we nu allang thuis gezeten.' Hij kijkt haar weer aan. 'Angelina Chavez, u staat onder arrest wegens de moord op Richard MacArthur. U hebt het recht om te zwijgen.'

Angel krimpt langzaam ineen.

'Je maakt een grapje,' zegt Rosie.

'Geen grapje,' reageert O'Brien, en hij gaat verder met Angel op haar rechten te wijzen.

Angel barst in snikken uit.

'Ze heeft er helemaal niks mee te maken!' protesteer ik.

O'Brien is niet onder de indruk. 'Dat vertelt ze jou, ja.'

'Wat zijn de bewijzen?'

'Daar zul je wel achter komen.' Hij kijkt opnieuw naar Angel. 'Mevrouw Chavez, ik mag u niet ondervragen, tenzij uw raadsman mij daar toestemming voor geeft.'

'Zeker weten,' is Rosies reactie. Ze priemt met een wijsvinger naar Angel. 'En ik wil dat je geen wóórd zegt!'

O'Brien hoort het allemaal aan. 'Maar dat weerhoudt me er niet van u een advies te geven. Ik raad u aan ons alles te vertellen wat u weet. In elk geval aan uw advocaat. Het zal het voor alle betrokkenen een stuk makkelijker maken.'

Het is een standaardlist. Als je een verdachte kunt overhalen iets aan zijn of haar advocaat toe te vertrouwen, is de kans groot dat hij of zij dat ook bij een ander zal doen, zelfs bij een smeris.

Ik kijk Angel aan en herhaal Rosies instructie vooral te blijven zwijgen. Ze lijkt wel in trance.

Rosie helpt haar overeind. 'Ik wil dat je met niemand praat. Niet met de politie, niet met de bewakers. Met niemand. Begrepen?'

Angel begint onbeheersbaar te snikken. Haar stem krijgt een kinderlijk timbre, haar ademhaling gaat gepaard met grote halen terwijl ze snikt: 'Ze zeggen dat ik mijn man heb vermoord, tante Rosie!'

Rosie pakt haar beide handen vast en kijkt haar recht in de ogen. 'Ik wil dat je met niemand praat,' herhaalt ze. 'Heb je dat begrepen?'

Ze beeft. Ze knikt en weet er nog net een 'ja' uit te persen. Ze snikt nog steeds als O'Brien haar naar zijn kantoortje afvoert om proces-verbaal op te maken.

3
'HIJ ZAT HELEMAAL ONDER HET BLOED'

Zodra je denkt dat je alles wel hebt gezien, duikt er weer een klootzak op die een nieuwe, nog afgrijselijker manier heeft bedacht om iemand te vermoorden. Ik doe dit werk al heel lang en dan zou je denken dat ik inmiddels een beetje blasé ben geworden, maar het geeft me nog steeds een rotgevoel als ik de plaats delict moet verzegelen.'
Rechercheur Jack O'Brien, KGO Radio, zaterdag 5 juni, 06.30 uur

'Ik heb geen tijd om te praten,' deelt rechercheur Jack O'Brien ons een paar minuten later mee. Hij staat bij de lift om de hoek van de opnameafdeling.

Angel wordt in hechtenis genomen. Ze gaat op de foto, haar vingerafdrukken worden genomen, ze wordt gevisiteerd en bespoten met een desinfecterend middel. Zodra ze haar frisgewassen jumpsuit heeft ontvangen, zal daarmee haar laatste beetje zelfrespect verdwenen zijn.

Rosie probeert een verzoenende toon aan te slaan. 'Ik hoopte eigenlijk op wat informatie.'

O'Brien drukt op de liftknop. 'Maandag wordt ze voorgeleid,' is zijn commentaar. De liftdeur glijdt open. We volgen hem de lift in en de deur sluit zich.

'Een paar minuutjes maar, Jack,' vraagt ze.

Hij weet dat we naar informatie vissen. 'Ik moet naar de plaats van het misdrijf,' laat hij ons weten. 'Ik neem aan dat jullie cliënte niet met me wil praten.'

Rosie knikt. Zo liggen de zaken.

'Dan heb ik jullie verder niets te melden. We spreken elkaar na de voorgeleiding.'

Rosie blijft kalm. 'Kom op, Jack. Dit slaat nergens op. Volgende week komt haar eerste grote film uit. Het wordt haar grote doorbraak. Waarom zou zij haar man hebben vermoord?'

'Dat moet je haar vragen. Van jullie mag ik niet met haar praten.'

Ze probeert het nog eens. 'Misschien was hij dronken. Waarschijnlijk is-ie van het balkon gevallen. Haar rijbewijs is ze al kwijt – leg haar dan rijden onder invloed ten laste, of voor mijn part bezit van cocaïne, maar kom niet met moord aanzetten.'

O'Brien hoort het aan met het onverstoorbare cynisme van iemand die op z'n minst al tien keer met verschillende versies van een en hetzelfde verhaal is geconfronteerd. 'Ben je nu klaar?' is zijn vraag.

'Ja.'

Zijn ogen blijven op de liftdeur gericht. 'Het was geen ongeluk,' zegt hij. 'Iemand heeft hem een mep verkocht en hem van het balkon gegooid.'

'Hoe weet je dat?' vraagt Rosie.

'Dat weten we,' is O'Briens antwoord.

'Wil je soms zeggen dat hij al dood was voordat hij de grond raakte?'

'Ik ben geen lijkschouwer,' is zijn verweer. 'Achter op zijn hoofd zat een flinke wond. Volgens het ambulancepersoneel had hij een schedelbasisfractuur.'

Ik grijp in. 'Hij kan met zijn achterhoofd tegen een rots zijn geklapt.'

'Iemand heeft hem duidelijk een klap op zijn hoofd verkocht,' houdt O'Brien vol.

'Hoe weet je dat?'

'Dat weten we.'

Goddomme. 'Hoe breng je dit in verband met onze cliënte?'

'Ze was ter plaatse. Ze bekende dat ze te veel had gedronken. Ze was high, misschien van de coke. En er lag coke in haar wagen.'

'We weten anders niet hoe die daar terecht is gekomen.'

De opmerking doet O'Brien zijn ogen ten hemel slaan. 'Ze probeerde te vluchten.'

'Dat kun je niet bewijzen,' benadrukt Rosie.

'O jawel. Hoe is ze anders bij de Golden Gate beland?'

'Iemand anders kan haar daarnaartoe hebben gereden.'

'Ze zat zelf achter het stuur.'

'Als ze op de vlucht was, zou ze nooit op zo'n openbare plek zijn gestopt.'

'Ze was dronken en high. Ze reed zo ver ze kon en heeft op een gegeven moment de weg verlaten.' De minachting druipt ervan af als hij zegt: 'Ze mag blij zijn dat ze verder niemand heeft doodgereden...'

Het is lastig in te schatten in hoeverre dit gesprek slechts geraaskal is. 'Je houdt totaal geen rekening met andere mogelijkheden,' zeg ik. 'Er waren veel gasten over de vloer, en hij was nu niet bepaald de meest geliefde figuur van de stad.'

De rechercheur kijkt ons veelbetekenend aan. 'Jullie cliënte is anders niet in staat enige uitleg te geven.'

Rosie vuurt terug: 'Dát is jouw taak. Verder dan een voorgeleiding zal het heus niet komen.'

'Nou en of. Reken maar.'

'Het feit dat jullie cocaïne in haar auto aantroffen, wil nog niet zeggen dat ze haar echtgenoot heeft vermoord.'

'We vonden nog iets anders, in de kofferbak...'

O jee. Rosie kijkt even mijn kant op. 'Wat dan?' vraagt ze.

O'Brien trakteert ons op een triomfantelijke blik. 'De oscar van haar man.'

'Nou en?' werp ik tegen. 'Het was zijn auto. Hij heeft 'm daar waarschijnlijk zelf in gelegd.'

'Dat betwijfel ik.' We zijn aanbeland op de begane grond en de liftdeur glijdt open. 'Hij zat helemaal onder het bloed,' vertelt hij. 'We gaan het onderzoeken, maar ik durf te wedden dat dit het bloed van haar man is.'

4

'DAAR HEBBEN ZE HEM GEVONDEN'

'Dit is een rustige buurt. Ik kan niet geloven dat zoiets in Sea Cliff heeft kunnen gebeuren.'
Robert Neils, KGO Radio, zaterdag 5 juni, 07.00 uur

'Daar is het,' krijg ik van agent Pat Quinn te horen. Hij wijst omhoog naar een balkon, dat aan de achterzijde van MacArthurs huis langs de gehele lengte van de eerste verdieping loopt. De woning is een witgestuukt paleis, balancerend op het klif en met uitzicht op Baker Beach. We staan bij de vloedlijn, ongeveer vijftig meter van het huis, en vlak achter een geel afzettingslint. In de rotswand is een zigzaggende trap uitgehouwen om op het openbare strand te kunnen komen. Een kleine steunmuur aan de voet van de trap is van boven afgezet met prikkeldraad en voorzien van bordjes met VERBODEN TOEGANG en een afsluitbaar hek. De ingezetenen van Sea Cliff hechten zeer aan hun privacy.

Het is kwart over zeven in de ochtend. Rosie is op het paleis van justitie gebleven om met Angel een openhartig gesprek over de oscar te kunnen hebben. Daarna zal ze op zoek gaan naar een rechter die misschien bereid is om over een borgtocht te praten. Zelf ben ik Jack O'Brien achternagereden om de plek van Dick MacArthurs ondergang eens nader te bekijken. O'Brien is in de woning. Ik ben niet verder gekomen dan het begin van de oprijlaan, waar ik Pat Quinn trof.

Huize MacArthur/Chavez staat aan het eind van een korte, doodlopende laan die bekendstaat als North Twenty-fifth Avenue. Via een toegangshek naast de oprijlaan voert een pad via het belendende, vlakke deel omlaag naar het strand. Pat Quinn en zijn collega's hebben het huis, de weg en een stuk van het strand met lint afgezet. Aan hen de ondankbare taak toezicht te houden totdat de fotografen, cameralieden en mannen van de technische recherche klaar zijn met hun werk. Mijn vader zei altijd dat je maar één kans krijgt de plaats delict te onderzoeken. Je moet het dus meteen goed doen.

Pat bewijst me een dienst. Hij heeft me meegetroond voor een inspectierende vlak buiten het afgezette gebied zodat ik kon zien waar ze het lichaam hebben aangetroffen. De meeste advocaten kunnen een dergelijke medewerking wel vergeten. De meeste advocaten, immers, speelden niet samen met Pat als voorste *backfielder* op het St. Ignatius.

De vochtige zeelucht ruikt ziltig. Vanaf hier is het via het strand twintig minuten lopen naar het fort en de Golden Gate Bridge. Op dit moment zijn de oranje brugtorens in een deken van mist gehuld. Ik kan het licht van de vuurtoren op Point Bonita van de Marin Headlands aan de andere kant van de baai nauwelijks zien. Als we geluk hebben, zal de mist rond het middaguur zijn opgetrokken. Maar misschien ook niet. Zomer in San Francisco.

De woning ligt aan de meest rustieke laan van een van San Francisco's duurste woonwijken. Sea Cliff is een wereld van verschil met de bungalow in het achterland waar ik opgroeide. Het is een enclave van elegante, witte villa's, veilig uit het zicht boven op de klippen van de noordwesthoek van de stad die omstreeks de vorige eeuwwisseling nog als een voorstad werd gezien. In het westen ligt de golfbaan van Lincoln Park en de kustlijn van de Grote Oceaan, beter bekend als Land's End. De buren van Big Dick zitten in het bestuur van de opera en het symfonieorkest en spelen domino in de Olympic Club, waar ik als student nog achter de bar heb gestaan. We hebben het hier over twee filmsterren, een directeur van een grote databaseontwikkelaar, de voormalige voorzitter van de Wells Fargo Bank, de orthopedisch chirurg van de Niners en de beherend vennoot van het grootste advocatenkantoor van de stad. Voor een opknappandje in dit deel mag je meer dan twee miljoen dollar ophoesten. Voor een huis als dat van MacArthur minstens driemaal zoveel.

Maar ook zijn zoon kan er wat van. Die woont in zijn eigen protserige kasteeltje, compleet met torentjes, op de hoek van El Camino Del Mar en McLaren, iets verder van de zee af gelegen. Toen hij het twee jaar geleden kocht, viel zijn stukje van de American Dream hopeloos uit de toon tussen de gestuukte villa's. Met de bouw van een tweede verdieping op deze afzichtelijke puist en het installeren van een reusachtig alsmede onooglijk zwembad, dat direct doet denken aan zo'n foute toeristenkolonie in Maui, heeft hij zich niet bepaald geliefd gemaakt bij de buren. Little Richards stijlopvattingen zijn derhalve enigszins afwijkend te noemen.

Agent Quinn wijst naar een plek bij het hek. 'Daar is-ie neergekomen. Vlak achter de steunmuur.' Een lijkschouwersteam heeft zich rond het lichaam verzameld, dat is afgedekt met een zwart zeildoek.

Allebei zwijgen we even. Ik hoor een stoot van de misthoorn van Alcatraz. Vervolgens kijk ik naar het ronde gezicht van mijn oude middelbareschoolvriend. 'Zou jij me kunnen vertellen wat hier is gebeurd?' vraag ik.

Hij haalt zijn schouders op. 'Ik heb de boel alleen maar afgezet, Mike.'

Ik probeer het nogmaals. 'Kom op, Pat. Gewoon even tussen ons gezegd en gezwegen.'

'Officieus?'

'Officieus.'

'Hij is als een zandzak van het balkon gekukeld. Van het balkon naar de plek waar hij neerkwam, is één strakke, verticale lijn. Een behoorlijke janboel. Zo'n val had hij nooit kunnen overleven.'

Reken maar dat de foto's bloederig zullen zijn. 'Kan hij hebben gesprongen?'

'Nee. Iemand heeft hem een mep verkocht.'

'Hoe weet je dat?'

'Er lag bloed op het balkon. Je hoeft heus geen Rod Beckert te zijn om te concluderen dat iemand zijn kop heeft verbrijzeld.'

Beckert is het hoofd van het forensisch lab. Hij staat naast het lijk en praat in een kleine dictafoon.

'Duidelijk,' zeg ik. 'Lag er binnen ook bloed?'

'Ik heb niets gezien.'

'En voetafdrukken?'

'Zou ik niet weten.'

Van Pat word ik niet veel wijzer, wat me er echter niet van weerhoudt hem verder uit te horen. Ik informeer naar mogelijke wapens.

'Niets.' Hij denkt even na en zegt: 'Ik heb gehoord dat ze zijn vrouw hebben gearresteerd. Mooie meid.'

Ik knik.

'En, is zij de dader?' Hij kijkt me niet aan terwijl hij het vraagt.

Hij is een goede agent. Dat hij mij rondleidt, wil niet zeggen dat hij te beroerd is om zelf naar informatie te hengelen. Gelijke monniken, gelijke kappen.

'Nee,' antwoord ik.

'Zeker weten?'

'Ja.'

'Jack O'Brien denkt er heel anders over.'

'Hij heeft het mis,' zeg ik.

'Hij is wel een goeie.'

'Dat weet ik.'

Quinn werpt nog even een blik op het lichaam. Daarna draait hij zich weer naar me om. 'Klinkt als het bekende verhaal, Mike. Mooie jongedame, ouwe vrek. Ik durf te wedden dat de verzekering behoorlijk uitbetaalt. Het zal niet de eerste keer zijn dat een vrouw haar vent een loer draait.'

Maar dit is geen soap. Angel is Rosies nicht. Ze logeerde bij ons als haar moeder tot 's avonds laat moest werken. 'Ze is nog maar een jonge meid,' zeg ik.

'Die doen soms best domme dingen.'

Angel niet. 'Volgende week komt haar film uit.'

'Dat zegt niks.'

'Misschien.'

Hij gaat verder met hengelen. 'Wat had ze bij de brug te zoeken?'

'Ik weet het niet, Pat.'

'Het klinkt alsof ze op de vlucht was.'

Ik reageer met een schouderophaal en probeer een ander onderwerp aan te snijden. 'Nog getuigen?'

'Alleen die vent die het lichaam heeft gevonden. Hij heet Neils.' Quinn wijst naar de belendende villa. 'Dat daar is zijn huis.'

'Heb je nog met hem gepraat?'

'Nee.' Hij wijst nu naar de kleine baai aan het eind van het strand. Een man staat naast een hond, zo'n ranke greyhound die tegenwoordig helemaal in zijn, met ellenlange poten en een welhaast pijnlijk smalle kop.

'Dat is hem.'

'Heb je nog met iemand anders kunnen spreken?'

'We zijn nog steeds aan het onderzoeken wie er gisteravond aanwezig waren.'

Ik geef hem de namen die Angel noemde. Het kan geen kwaad hun wat meer keus te bieden. 'En zijn zoon?' vraag ik.

'Hoe bedoel je?'

'Heeft er al iemand met hem gepraat?'

'We kunnen hem niet vinden,' is het antwoord. 'Toen we bij hem aanbelden, was er niemand thuis.'

Waar hangt hij dan uit, verdomme? 'Hoe laat was dat?'

'Tegen vieren. We hebben hem nog geprobeerd te bellen, ook op zijn mobieltje. Geen antwoord. We hebben er een mannetje op de uitkijk.'

Heel merkwaardig. 'Verder nog iemand?'

Een schouderophaal. 'We ondervragen nu de buren. Verder geen andere getuigen, afgezien van die ene meneer die hem heeft gevonden.' Pat moet terug naar de woning, zo blijkt. 'Wel achter de afzetting blijven, hè?' waarschuwt hij.

'Tuurlijk,' antwoord ik. 'Pat?'

'Ja?'

'Bedankt, hè?'

'Ik ben al door de politie ondervraagd, meneer Daley,' geeft Robert Neils me te verstaan. 'Ik wil er niet meer over praten.' Met de nadruk op 'niet'.

We staan aan de rand van de kleine baai aan de westelijke punt van Baker Beach, ongeveer een rugbyveld verwijderd van MacArthurs villa. Hij ziet eruit als een beleggingsbankier: lang, gebruind en fit. Zijn atletische viervoeter trekt aan de lange riem. De wind slaat tegen zijn nylon bodywarmer, maar zijn zilvergrijze haar beweegt geen millimeter.

'We proberen alleen maar uw buurman te helpen,' zeg ik.

Hij slaakt een immense zucht. 'Ik was net de hond aan het uitlaten. Ik had hem van de riem. Hij vond het lichaam en begon te blaffen. Ik had mijn mobieltje bij me en heb toen de politie gebeld.'

'Laat u op dat uur altijd de hond uit op die plek?'

'Elke dag. Om halfzeven begint de beurs en ik probeer altijd tegen vijven op kantoor te zijn.' Hij kijkt even naar zijn greyhound en vervolgens met een vage glimlach naar mij. 'Hij is gefokt om te rennen, heeft beweging nodig. Ik laat hem graag los als er niemand in de buurt is.'

Heel verstandig. 'Staat u in het weekeind ook zo vroeg op?'

'Al dertig jaar.'

'Was er verder nog iemand in de buurt?'

'Nee.'

Ik vraag hem hoe goed hij zijn buren kende.

'Niet zo goed. Dick bemoeide zich niet zo met de buurt. Angelina trok bij hem in nadat ze getrouwd waren.'

'Hoe waren ze samen?'

Een afkeurende blik. 'Luidruchtig. Ze hadden voortdurend mensen over de vloer,' antwoordt hij, en hij voegt er met nauwelijks verholen minachting aan toe: 'We wonen hier al vijfentwintig jaar. Dit was ooit een rustige omgeving…'

Ik negeer het. 'Hebt u gisteravond nog iets gemerkt?'

'We zijn hun buren. Iedereen in onze buurt wist wanneer ze weer eens een feestje gaven.' Zijn hond trekt nog steeds aan de lijn. 'Mijn vrouw en ik doen altijd zachtjes. Zij niet.'

Ik lijk een gevoelige snaar te hebben geraakt en ga op de ingeslagen weg verder. 'Verder nog iets merkwaardigs opgevallen gisteravond?'

'Alleen het lichaam bij het hek.'

'En verder?'

'Verder niets. Auto's kwamen en gingen. Luid gepraat op het balkon.'

'Misschien nog vreemde geluiden gehoord?'

Hij kijkt naar de villa. 'Om ongeveer kwart voor drie vanochtend hoorde ik geschreeuw. Dat heb ik ook tegen de politie gezegd.'

'Herkende u de stemmen?'

'Nee.'

'Kunt u zeggen of het vrouwen of mannen waren?'

'Dat zou ik niet weten.'

Ik vraag hem of hij verder nog iets heeft gehoord.

'Ik hoorde een auto van de oprijlaan wegrijden.'

'Bent u opgestaan om even te kijken?'

'Meneer Daley, ik sta echt niet elke keer op als ik herrie bij de buren hoor.' Hij werpt een steen in de baai en draait zich weer naar me om. 'Het waren lastige buren. De meeste bewoners van onze laan zullen er niet rouwig om zijn als mevrouw Chavez besluit haar huis te verkopen aan iemand met wat minder luidruchtige leefgewoonten.'

'Heb je nog een rechter kunnen vinden?' vraag ik Rosie. Mijn mobieltje heb ik stevig tegen mijn rechteroor gedrukt. Ik sta nog steeds op Baker Beach en zij zit in haar auto.

'De dienstdoende rechter zei nee; daarna heb ik de griffiers van rechter Mandel en rechter Van den Heuvel gebeld. Ze bellen nog terug.' Ze denkt even na. 'Ik ben niet erg optimistisch.'

Ik ook niet. 'Je zou even met Leslie kunnen praten,' opper ik.

'Heb ik over nagedacht. Het zou haar in een lastige positie brengen.'

Inderdaad, en mij ook.

'En ik denk niet dat ze akkoord zou gaan met een borgtocht,' voegt ze eraan toe.

'Waarschijnlijk niet, nee.'

Maar de kern van de zaak blijft onaangeroerd: Angel blijft tot maandag in hechtenis.

'Wat had ze over die oscar te vertellen?' vraag ik.

Er valt een korte stilte. 'Ze heeft geen idee hoe dat ding in de kofferbak terecht is gekomen.'

'Net zoals ze geen idee heeft hoe ze bij de Golden Gate verzeild raakte?'

'Precies.'

'Net als dat ze geen idee heeft hoe ze aan die cocaïne kwam.'

'Je denkt niet echt mee, Mike.'

Waarvan akte. Ik verander van onderwerp en vertel haar over mijn gesprekjes met Quinn en Neils.

Ze vraagt of Big Dick zelfmoord kan hebben gepleegd.

'Dat wordt moeilijk. Volgens Pat lag er bloed op het balkon. Hij was ervan overtuigd dat iemand Dick een klap heeft gegeven.'

'Hoe betrouwbaar is hij?'

'Zeer.'

'En die buurman?'

'Supercorrect, kreeg ik de indruk.' Ik vertel haar over Neils' beschrijving van het geschreeuw op het balkon en de wegrijdende auto.

Ik hoor haar zuchten. 'Mooie boel. Een serieus probleem is nu opeens een multidimensionale ramp geworden. Angel staat op instorten, mijn zus kun je binnenkort bij elkaar vegen...'

'We slaan ons er wel doorheen.'

'We hebben geen keus.'

Ik tuur naar de brug in de verte. Ik kan de weg onderscheiden, maar de torens gaan nog steeds schuil in de mist. 'Hou je het nog een beetje vol?' vraag ik.

'Ik red het wel.'

'Je klinkt anders best moe.'

'Komt wel goed.'

Ze weet van geen ophouden. Ik hoor de misthoorn van Alcatraz. 'Dus, wat zijn jouw gedachten? Geloof je Angel?'

Er valt even een stilte. Daarna antwoordt ze: 'Ze is mijn nichtje.' Een korte aarzeling. 'En jij?' kaatst ze terug.

Ik geef eerlijk antwoord. 'Ik weet het niet. Jij kent haar beter dan ik.'

Ze klinkt nu onvermurwbaar. 'Ze is geen moordenaar.'

Ik adem wat koele zeelucht in. 'Luister,' zeg ik, 'ook ik gun haar het voordeel van de twijfel. Maar we moeten wel objectief blijven. Ze is niet langer je kleine nichtje. Ze is al vijfentwintig, staat al een hele tijd op eigen benen. Ze is afgestudeerd én actrice.' Ik zwijg even en voeg eraan toe: 'En haar verhaal vertoont aardig wat hiaten.'

'Zal ik onthouden.'

'Je mag je niet laten hinderen door persoonlijke gevoelens. Daarvoor staat er te veel op het spel.'

'Deze zaak was van meet af aan persoonlijk.'

'Laten we dan eens kijken of we er niet iemand bij kunnen halen, iemand die wat objectiever is.'

'Geen sprake van.'

'Laat mij de kar dan trekken. Jij staat veel te dicht bij haar.'

Ze aarzelt geen moment. 'Ze is míjn nicht.'

Ik ken die toon. Ik ga dit verliezen. 'Betekent dit dat je haar gelooft?'

Nu is het haar beurt te pareren. 'We weten totaal niet wat haar is overkomen, Mike. We hebben nog helemaal niets. Wat is het eerste wat ik je heb geleerd toen je bij het advocatencollectief kwam?'

'Duik nooit het bed in met je collega's.'

'Heel grappig. En het tweede?'

'Feiten zijn je vrienden. Probeer er zoveel mogelijk te verzamelen voordat je een oordeel over je zaak velt.'

'Juist. Denk daar maar eens over na. Wat weten we nou eigenlijk?'

Ik denk even na en geef antwoord: 'Er was een vertoning, en een feestje in de woning.' Ik ratel de namen af van de aanwezigen. 'De buren zeiden dat ze geschreeuw hoorden en een auto hoorden wegrijden. MacArthurs lichaam werd om halfvier gevonden. Het lijkt erop dat iemand hem een klap heeft verkocht. Angel is naar de brug gereden.'

'Werd bij de brug áángetroffen,' verbetert ze. 'We weten niet hoe ze daar verzeild is geraakt.'

Ja, hallo? 'Denk je nu echt dat iemand haar in de auto heeft gezet en haar daar heeft achtergelaten?'

'Dat weet ik niet.'

'Mooi. Laten we het er voorlopig even op houden dat ze op een of andere manier de brug heeft bereikt. Ze was dronken, haar rijbewijs was verlopen, ze had coke gesnoven. In haar wagen werd een zakje met coke aangetroffen.'

'Waar ze zelf niets vanaf wist, zegt ze. We weten niet wie dat daar heeft achtergelaten.'

'Denk je echt dat dat opzet is geweest?'

'Ook dat weet ik niet. Eerst maar afwachten of ze vingerafdrukken vinden.'

Ik vraag me af wie ze nu wil overtuigen, zichzelf of mij? 'Kom op, Rosie. In de kofferbak lag een bebloede oscar. Wat leid je daaruit af?'

Ze aarzelt even. 'Ze kan erin geluisd zijn.'

'Ja, dat is een goeie. Geloof je dat echt?'

'Ik zou het niet weten, maar we mogen het niet uitsluiten. De stukjes passen prima in elkaar – misschien wel te goed. Ze vonden haar bij de brug, een openbare plek waar ze gemakkelijk te vinden was. Als ze echt op de vlucht was, zou ze daar nooit zijn gestopt.'

'Misschien stopte ze daar omdat ze dronken en high was. Wie weet was ze niet meer in staat om te rijden.'

'Wie zal het zeggen. Vanwege de coke op de voorste stoel zou ze geheid worden meegenomen naar het bureau en zou de wagen worden doorzocht. En wat bleek? Ja hoor, ze vonden de oscar – het vermoedelijke moordwapen – in haar kofferbak. Het is gewoon té makkelijk.'

Niet zo snel. 'Kom, kom,' zeg ik. 'Stel dat iemand haar erbij wilde lappen, dan zouden ze haar toch gewoon in de woning hebben kunnen achterlaten, met dat bebloede beeldje in haar hand? Waarom moeilijk doen en haar dat hele eind naar die brug rijden? Ze zouden gemakkelijk kunnen worden gezien.'

'Het lijkt aannemelijker als ze heeft geprobeerd te vluchten.'

Ze klampt zich wanhopig vast aan haar betoog. 'Ik vind het niet overtuigend,' reageer ik. 'Ik bedoel, als je dan toch iemand erbij wilt lappen, waarom haar dan achterlaten op een openbare plek waar het wemelt van de bewakers?'

De lijn wordt even stil.

Ik ga nog even door. 'Het zou onmogelijk te plannen zijn. Je kon er niet op rekenen dat ze bewusteloos zou raken. En we hebben geen bewijzen dat iemand haar gedrogeerd heeft.'

Rosie is eventjes stil. Daarna oppert ze: 'Misschien was het een gelegenheidsmisdrijf?'

'Misschien.' Ik kijk over het strand. 'En haar kleding? Wat droeg ze toen ze werd gearresteerd?'

'Een joggingpak.'

'Dat had ze aan toen ze naar bed ging?'

'Nee. Ze zegt dat ze een nachtpon aan had.'

Vreemd. 'Hoe kan ze dan in hemelsnaam dat joggingpak hebben aangehad?'

'Dat weet ze niet meer.'

'Met lange mouwen?'

'Ja.'

'Als ze hem een klap op zijn hoofd heeft gegeven dan zullen er dus bloedspetters op moeten zitten. En, zitten die erop?'

'Nee.'

'Ze kan zich daarna hebben omgekleed,' opper ik.

'Of iemand kan haar hebben omgekleed toen ze bewusteloos was,' werpt Rosie tegen.

Lijkt onwaarschijnlijk. 'Waarom hebben ze haar niet gewoon in haar nachtpon achtergelaten?'

Daarop moet Rosie me het antwoord schuldig blijven.

Ik kijk naar het busje van de lijkschouwer dat over het strand komt aanrijden. Waarschijnlijk zijn ze bezig het lichaam klaar te maken om te worden vervoerd. 'Wat bij mij de volgende vraag oproept: wat is er met die nachtpon gebeurd?'

'Ze zegt dat ze het niet weet,' antwoordt ze.

Het lijkt haar antwoord op alle vragen. Ik probeer een ander onderwerp aan te snijden. 'We hebben nog steeds geen motief,' zeg ik. 'Waarom zou ze Big Dick hebben willen vermoorden? Hij bood haar juist een grote kans.'

Een lange stilte. 'Dat vroeg ik me dus ook al af,' klinkt het. 'Ik vroeg weer door over haar relatie. Ze hield vol dat ze prima met elkaar konden opschieten.'

Inmiddels ben ik echt benieuwd naar wat Pete me kan melden. 'Je gelooft haar?'

Ik hoor een luide zucht. Eindelijk geeft ze zich een beetje gewonnen. 'Ik weet het niet. Ze klonk mij iets te geanimeerd toen ik het haar vroeg.'

'Hoe zit het met de levensverzekeringen?'

'Er was een polis van één miljoen. Angel is de begunstigde.'

Jezus. Met de intuïtie van agent Pat Quinn lijkt dus weinig mis te zijn. 'Dan heb je dus wel een motief van een miljoen,' zeg ik.

'Dat bewijst nog helemaal niets.'

'Helpen doet het anders ook niet echt. Heb je MacArthurs zoon nog weten te vinden? De politie krijgt hem niet te pakken.'

Haar antwoord verrast me. 'Ik had hem net nog aan de lijn,' krijg ik te horen.

Werkelijk? 'Waar heb je hem gevonden?'

'In Napa. Hij was in de wijnmakerij.'

Hè? 'Wanneer is hij daarheen gegaan?'

'Gisteravond, na het feestje. Hij zei dat hij iets na tweeën was weggegaan.'

Regelrecht over de Golden Gate. 'Was hij alleen?'

'Voorzover ik weet wel.'

'Was-ie een beetje bij zijn verstand toen je hem sprak?'

'Voorzover iemand dat in een dergelijke situatie kan zijn wel, ja. Ik vertelde hem dat we vanwege de begrafenis zijn hulp goed kunnen gebruiken. Hij is nu onderweg naar huis.'

'Wanneer kunnen we met hem praten?'

'Later vanmiddag. Hij zei dat we even een paar minuten langs konden komen.'

Mooi. 'Heb je Marty Kent nog weten te bereiken?' Misschien dat Big Dicks zakenbehartiger en probleemoplosser ons nog van dienst kan zijn.

Er valt een lange stilte. Daarna vertelt Rosie me dat Kents volwassen zoon de telefoon opnam. 'Hij had geen idee waar zijn vader uithing. Het leek erop dat hij de afgelopen nacht niet eens is thuisgekomen.'

5
'FAMILIEZAKEN'

'Het geplande China Basin-studioproject is een typisch voorbeeld van omkoperij en vriendjespolitiek van het allerlaagste niveau.'
Onderzoeksjournalist Jerry Edwards, *San Francisco Chronicle*, zaterdag 5 juni

'Mijn dochter heeft haar man níét vermoord,' stelt Theresa Chavez. Rosies zus zit op de oude beige bank in haar moeders witte bungalow op de hoek van Twenty-fourth Street en Bryant Street in de Latino-enclave van Mission District, iets ten zuiden van de stadskern. Het is even na tienen. Hoewel de spanning voelbaar is, straalt de familie Fernandez al sinds jaar en dag dezelfde kalme waardigheid uit die ook Rosies moeder, Sylvia, siert. Als vandaag iemand uit de familie Daley was gearresteerd, zouden het vingerwijzen en het beschuldigen over en weer nu zo'n beetje een aanvang nemen.

Het aroma van fruit, groenten, rijst en bonen vult de driekamerwoning die, sinds Rosies ouders veertig jaar geleden genoeg geld bijeengeschraapt hadden voor een aanbetaling, als thuishaven voor de familie Fernandez fungeert. De woning zal hun ongeveer twintigduizend dollar hebben gekost. Met een nieuw verfje en wat opknapwerk zou Sylvia er nu bijna een half miljoen voor kunnen krijgen. Niet dat ze ooit tot verkoop zal overgaan. Sinds Rosies vader ongeveer tien jaar geleden overleed, woont ze hier alleen. Ze probeert de eindjes aan elkaar te knopen, gunt zichzelf niet eens een vaatwasser – ofschoon ze voor haar zeventigste verjaardag, een paar jaar geleden, wel een magnetron van ons aanvaardde. De handgemaakte vitrages uit de tijd dat ik Rosie leerde kennen, hangen nog steeds voor dezelfde vertrouwde ramen die uitkijken op de torenspits van de katholieke St. Peter's Church. Op de schoorsteenmantel prijken zwartwitfoto's van Rosie, Theresa en hun oudere broer Tony, genomen tijdens de diploma-uitreiking op de middelbare school en ingelijst in keurige zilveren lijstjes. Een iets groter formaat kleurenfoto van Grace hangt aan de muur naast de keuken, die niet groter is dan een kippenhok. Een trouwfoto van Rosies moeder en vader staat op het bijzettafeltje. De gelijkenis tussen Rosie en Sylvia is opvallend.

'Ik móét Angel zien,' zegt Theresa. In haar roodomrande ogen staat de paniek te lezen.

'Ik breng je er zo heen,' stelt Rosie haar gerust.

'Ze had nooit met die Richard MacArthur moeten trouwen,' vervolgt Theresa. Ze vuurt de ene vraag na de andere af. Is ze gearresteerd? Op beschuldiging waarvan? Komt er een borgtocht? Wat gaat er nu gebeuren?

Kalm geeft Rosie antwoord op de vragen van haar zus.

Theresa vecht tegen haar tranen. Ze is vierenveertig, een jaar jonger dan Rosie. Een grote vrouw met vermoeide ogen en een pafferig gezicht. Haar alcoholproblemen hebben geleid tot een onregelmatige hartslag en hoge bloeddruk. Ik kijk even naar de schoolfoto van Mission High. Het is bijna niet te geloven dat de vrouw die hier tegenover me zit ooit dat mooie meisje was in die witte jurk, en *prom queen* bovendien. Nu woont ze op zichzelf in een klein appartement, drie straten verder. Wat ooit begon als een leven vol hoop en ogenschijnlijk vol toekomstperspectieven, is nu een tranendal. Een mislukt huwelijk, de dood van een jong kind, worstelingen met depressies, suikerziekte en alcohol.

Theresa's leven draait maar om één ding: Angel, haar dochter. Hun relatie kwam vaak onder druk te staan. Toen Angel nog op de middelbare school zat, spraken ze nauwelijks met elkaar en kon Theresa de fles niet laten staan. Toen Angel naar de universiteit ging en werk kreeg als actrice, kwam het tot een korte verzoening. Toen ze aankondigde te gaan trouwen met Dick MacArthur verzuurde het contact wederom. Theresa was wel op het huwelijksfeest, maar de spanning was om te snijden. Angels uitnodiging vorig jaar aan haar moeder en Rosie om bij haar de kerst door te brengen was weliswaar een verzoeningsgebaar, maar Rosie omschreef de sfeer als 'opgelaten'. Angel gaat minstens tweemaal per week bij haar moeder op bezoek, maar Theresa wipt niet meer bij Angel aan. Het is een wankel bestand.

Zachtjes praat Sylvia in het Spaans met Theresa. Ik heb Sylvia slechts één keer uit haar vel zien springen, toen Rosie en ik verwikkeld waren in een onzinnige strijd om het voogdijschap. Zij en mijn moeder bundelden hun krachten en gaven ons te verstaan dat we om Graces bestwil onze geschillen moesten laten varen. Korte tijd later kwam ik tot bezinning, en opeens leek het leven weer een stuk leuker. 'Rosita en Michael zorgen dat alles voor elkaar komt,' maakt ze Theresa duidelijk op een toon die geen ruimte voor twijfel laat. Ze knikt even zelfverzekerd naar ons. 'Familiezaken,' voegt ze eraan toe.

Op Graces gezichtje prijkt een ernstige blik nu ze uit haar kleine slaapkamertje tevoorschijn komt dat Rosie ooit met Theresa deelde. Tony sliep toen op een uitklapbed in de eetkamer. 'Ik heb je op het journaal gezien, pappa!' zegt ze en ze omhelst me. Haar kruin reikt tot mijn kin. Ze is Rosies evenbeeld, en dus ook dat van Sylvia. 'Je zei dat Angel onschuldig is!'

'Dat is ze ook.'

'Waarom hebben ze haar dan gearresteerd?'

Rosie geeft het antwoord. 'Ze hebben zich gewoon vergist, lieverd.'

Toen ze opgroeide, bracht Angel veel tijd door bij Rosie thuis. Ze paste op Grace en werd min of meer als een oudere zus voor haar. De twee hebben dan ook onmiskenbaar een band. Grace aanbidt Angel zelfs. Angel had beloofd haar mee te nemen naar de première van *The Return of the Master*, maar het ziet ernaar uit dat dit plan even moet worden uitgesteld. 'Angel heeft haar man helemaal niet vermoord, mamma,' zegt ze op heldere toon.

Rosie geeft haar een geruststellend knikje. 'Weet ik, schattebout. Pappa en ik zorgen dat alles weer goed komt.'

'Kan ik helpen?'

Ze is nog maar vijftien jaar verwijderd van haar rechtenbul. 'We moeten wat advocatendingetjes doen,' leg ik uit. 'Misschien dat je oma in huis wat kunt helpen.'

'En als ik nou eens op internet ga kijken of ik iets over Angels zaak kan vinden?'

'Goed idee,' zeg ik. Soms, als je opeens midden in een moordonderzoek zit, blijkt het ouderlijke besluitvormingsproces wat minder flitsend te werken.

Rosies broer laat zichzelf binnen. Hij is de eigenaar van een groentezaak op Twenty-fourth Street. Het is aanpoten voor hem, maar hij heeft trouwe klanten en kan er zo'n beetje van rondkomen. 'Er staan verslaggevers buiten,' zegt hij terwijl hij de deur achter zich sluit. 'Ik heb ze gezegd dat we geen commentaar hebben.'

Aan zijn intuïtie mankeert niets. Hij geeft zijn moeder, vervolgens Theresa en ten slotte Rosie een knuffel. 'Nou, een uitgelezen moment voor een familiereünie,' merkt hij op. Hij is iets jonger dan ik. Zijn strakke, getrainde lichaam hoort bij dat van een gewichtheffer. Vlak nadat hij de groentezaak had gekocht, overleed zijn vrouw aan leukemie en sindsdien brengt hij zijn tijd voornamelijk in de zaak en in de sportschool door. Zijn dochter Rolanda, vorig jaar als een van de besten van haar jaar afgestudeerd aan Hastings, had de banen op de toplocaties in het centrum voor het uitzoeken, maar besloot in de voetsporen te treden van haar tante en ex-oom en strafpleiter te worden. Inmiddels werkt ze voor Rosie en mij. Ik waardeer haar talenten, maar zet vraagtekens bij haar gezonde verstand. Tony praat graag over zijn dochter de advocate.

'Ik ben zo snel mogelijk gekomen,' zegt hij. 'Op het nieuws zeiden ze dat Angel van moord wordt beschuldigd. Ze zijn gek, ja toch?'

'Zeker weten,' antwoordt Rosie en ze praat hem bij. Zijn geconcentreerde blik wijkt geen seconde. Tony heeft nooit doorgeleerd, maar dat had hij gemakkelijk gekund. Hij is een slimme vent met een goed inzicht die zich niet laat opnaaien. 'Kun je nog eventjes bij mamma blijven?' vraagt ze.

'Natuurlijk.'

Dan draait Rosie zich om naar Theresa. 'Pak je spullen, dan breng ik je naar Angel.'

'Ik ben klaar,' is het antwoord.

Ik bied morele ondersteuning. 'Behoefte aan gezelschap?'

Rosies ogen schieten naar Theresa en dan weer naar mij. 'Nee,' zegt ze. 'Ik zie je wel op kantoor.'

'Mike,' vraagt Tony me, 'kan ik even met je praten?' We zitten aan zijn moeders keukentafel. Sylvia is in de slaapkamer en hangt aan de telefoon. Rosie en Theresa zijn zo-even weggereden.

'Tuurlijk.'

'Ik heb het niet tegen Rosie of moeder gezegd,' klinkt het zacht, 'en ook niet tegen Rolanda.'

O jee. 'Goed, als je wilt dat ik het voor me hou, prima.'

Hij neemt een slokje van zijn koffie en leunt iets naar me toe. 'Het gonst in de buurt,' fluistert hij.

Het gonst altijd wel in de Mission. De arbeiderswijk die vijftig jaar geleden een onderkomen bood aan Ierse immigranten wordt nu bevolkt door een mengeling van Mexicaanse arbeiders en IT-yuppen. De huren zijn omhooggeschoten. Kleine ondernemers zoals Tony kunnen slechts met moeite het hoofd boven water houden. De oude bewoners wensen hun buurt niet zonder slag of stoot prijs te geven. Ik geef hun geen ongelijk.

'In dit deel van de stad wast de ene hand de andere, anders ga je failliet.' Hij kijkt me even met een schuine blik aan. 'Begrijp je wat ik bedoel?'

Ik knik. Het is Tony's manier om netjes duidelijk te maken dat het in Mission District niet ongewoon, ja volgens sommigen zelfs essentieel is om de lokale bendes protectiegeld te betalen. In al die jaren dat hij zijn groentewinkel heeft, is hij slechts tweemaal beroofd. In beide gevallen hadden ze de onverlaten al na een paar uur te pakken. En het is geen primeur als ik zeg dat ook de groentehandel aan dergelijke betalingen doet. 'Je doet wat je kunt,' zeg ik en ik probeer terzake te komen. 'Gaat het over bendes?'

Hij trommelt met zijn vingers op de tafel. 'Het zit wat gecompliceerder in elkaar,' zegt hij en hij werpt even een blik naar zijn moeders slaapkamer. 'Armando Rios was vandaag in mijn winkel.'

Rios is een oude middelbareschoolvriend van Tony die advocaat werd en nu in de gemeentepolitiek zit. Officieel is hij voorzitter van de stuurgroep van de Democraten van San Francisco, afdeling Mission District, maar zijn invloed reikt veel verder. Hij was ooit juridisch adviseur van de burgemeester en kent de weg op het stadhuis. Over iedereen weet hij wel iets dubieus te melden. In San Francisco noemen we zo'n meneer een 'coördinator', iemand die over een immens politiek netwerk beschikt. Heb je een bouwvergunning nodig, dan regelt Armando die voor je. Heb je iemand nodig om het een en ander over de burgemeester te weten te komen, dan is hij je man. Wil je een nieuwe filmstudio bouwen, dan regelt hij dat je bouwaanvraag soepeltjes door de ambtelijke doolhof van de bouwcommissie wordt geloodst. Hij beweert dat hij zijn cliënten legitiem ten dienste is, meer niet. Misschien. De meesten van ons zien hem echter als een schaamteloze, maar goed in de slappe was zittende en zeer succesvolle apparatsjik. 'Waar had je de eer aan te danken?' vraag ik.

'Je weet van de renovatieplannen voor China Basin?'

'Hollywood North. Wat is daarmee?'

'De buurtcomités staan op hun achterste benen.'

Bij de bouwcommissie is het een geaccepteerd gegeven. Het is gewoon onmogelijk om zonder de nodige beroering een garage aan je huis te laten bouwen, laat staan een filmstudio. Het zijn altijd dezelfde groeperingen die elk stadsplan van enige omvang willen torpederen. Om de zoveel weken verschijnen dezelfde anti-uitbreidingsjuristen op tv om steen en been te klagen over een nieuw gebouw, steevast omschreven als een aantasting van onze gemeenschap. Daarna is het de beurt aan de juristen van de projectontwikkelaars om uit te roepen dat met het desbetreffende project onze levensstandaard de komende eeuwen zal verbeteren. De waarheid ligt meestal ergens in het midden. Gaat het om een echt omvangrijk plan, dan draagt ook de burgemeester een steentje bij. Het is gratis publiciteit en geweldig theater. Het script is altijd hetzelfde. Sommige plannen gaan door, andere worden afgekeurd. Zo gaat dat hier nu eenmaal.

'Ik dacht dat die zaak in kannen en kruiken was?' zeg ik. Volgens de *Chronicle* zullen de bouwvergunningen over een paar weken na een obligate inspraakronde worden afgegeven.

'Dat dacht ik dus ook,' zegt hij. 'Maar Armando vertelde dat er misschien een concurrerend plan wordt ingediend.'

'O? Ik dacht dat die goedkope woningen van de baan waren?'

'Klopt. Ze hebben het nu over iets anders.'

'Wat dan?'

'Een nog groter kantoorpark.'

Precies waar we op zitten te wachten. 'De bouwcommissie zal daar nooit voor gaan.'

'Misschien wel. Kennelijk zitten er ook wat koopappartementen bij.'

'Hoeveel?'

'Ongeveer vijfhonderd.'

Niet slecht. 'En in het lagere segment?'

'Een paar. Gewoon voor het imago. De rest zal gewoon duur zijn. Het kleinste appartement zal altijd nog ten minste een half miljoen dollar gaan kosten.'

Op meer betaalbare woningen hoeven we dus ook niet meer te rekenen. 'Het is beter dan niets,' opper ik.

'Zal wel.'

'En wat heeft dit met jou te maken?'

'Armando vertelde dat de partners in het China Basin-project miljoenen hebben geïnvesteerd in het opstarten en de planning. Het idee van een filmstudio valt in goede aarde.'

Anders dan de arbeidersstad uit mijn jeugd, of 'het mythische Bagdad aan de baai' zoals beschreven door de legendarische columnist van de *Chronicle*, Herb Caen, is het moderne San Francisco hard op weg een stad van mega-appartementen, designerrestaurants en filmmagnaten te worden. Mopperende autochtonen als ik betreuren deze ontwikkeling. Volgens Rosie zullen we op een dag wakker worden en merken dat de hele stad is veranderd in één groot *leisure-resort* voor kapitaalkrachtigen à la Carmel, Monterey.

Ik begin mijn geduld een beetje te verliezen. 'Tony,' zeg ik, 'dit is allemaal heel interessant en zo, en ik kan begrijpen dat de dood van Big Dick enige gevolgen kan hebben voor de studioplannen, maar ik begrijp nog steeds niet waarom Armando bij je langskwam.'

'De jongens van de studio worden nerveus. De bouwcommissie is niet blij, want het hele studioproject omvat geen huisvesting. Sommige ondernemers in de Mission en op Potrero Hill kwamen bij de eerdere inspraakavonden al met bezwaren. Ze wilden een garantie dat de lokale bewoners de eerste banenkeus krijgen.'

'Dus?' probeer ik weer.

'Ditmaal nemen ze geen risico's meer. Ze willen de lokale ondernemers overhalen een steunpetitie voor het hele project te ondertekenen.'

'Wat is hun insteek?'

'Mensen uit de buurt krijgen voorrang bij het verstrekken van banen.'

Ja vast. De scholieren van Mission High hoeven echt niet op al te veel baantjes binnen de hightechwereld van de computeranimatie te rekenen, tenzij ze een bul van UCLA, Stanford of MIT op zak hebben. 'Besef je dat die voorrang alleen voor laagbetaalde banen geldt?' vraag ik.

'Dat is in elk geval beter dan niets. Dit is geen welvarend stadsdeel. De meeste kinderen gaan niet naar de universiteit.'

'Hoe zit het met goedkope huisvesting?'

'Daar ben ik net zo'n voorstander van als jij, maar de stad heeft het geld niet om die te financieren. En dat heb ik me niet door Armando laten influisteren, ik heb zelf een beetje rondgevraagd.'

'En dat concurrerende voorstel?'

'Wie weet zijn dat alleen maar geruchten.'

Ik zie nog steeds het probleem niet. 'Oké, als je je in het project kunt vinden, teken dan die petitie. Vind je het niks, teken dan niet. Wat is nu het probleem?'

Hij leunt wat achterover. 'Veel hangt af van het China Basin-project. Als het afketst gaan er koppen rollen.'

'Nou en?'

'Armando zegt dat ze me aardig tegemoet zullen komen als ze op mijn steun kunnen rekenen.'

Nu snap ik het. Het is duidelijk dat dit niet de eerste keer in de geschreven geschiedenis zal zijn dat geld van hand tot hand is gegaan om met lokale autoriteiten tot bepaalde resultaten te kunnen komen. 'Hoeveel bieden ze?' vraag ik.

'Twintigduizend.'

Niet verkeerd. Het is geruststellend te weten dat de universele taal van geknoei, corruptie en smeergeld sinds mijn jeugd onveranderd is gebleven. 'En dan hoef je alleen maar die petitie te ondertekenen?'

'Daar komt het wel op neer, ja.'

Het is niet verboden een petitie te ondertekenen. Of het verstandig is de gift te aanvaarden, is echter een interessantere vraag. 'Dus,' vraag ik, 'neem je het geld aan?'

Hij aarzelt even. 'Stel dat ik het doe…'

'Dat zou geen goed plan zijn.'

'Daar ben ik me van bewust. Is het verboden?'

'Hangt ervan af. Als je het niet opgeeft en de belasting komt erachter, dan bestaat de kans dat ze het gaan onderzoeken. Misschien ontspring je de dans, en ik ben niet geneigd je aan te geven. Maar als je het voor onwettige doeleinden gebruikt, dan kun je behoorlijk in de problemen raken.'

'Noem eens een onwettig doeleinde?'

'Je kunt het maar beter niet gebruiken om plaatselijke ambtenaren om te kopen.'

'Een goeie raad.'

'Tja, ik ben ook een goeie advocaat.' Ik vang zijn blik. 'Laat me je wat praktische tips geven. Dit gesprek heb ik nooit met jou gevoerd. Als jij dat geld nog niet hebt aangenomen, raad ik je aan dat ook niet te doen. Heb je dat wel gedaan, dan adviseer ik je het terug te geven en op afstand te blijven.'

'Je boodschap komt luid en duidelijk over.' Hij vouwt zijn armen, en voegt eraan toe: 'Er is één "maar".'

Er is altijd een 'maar'. 'En die is?'

'Als ik niet meewerk, dan zal de Keuringsdienst van Waren, zo heb ik uit betrouwbare bron vernomen, in mijn winkel een aantal ernstige gebreken constateren.'

'Hoe ernstig?'

'Ernstig genoeg om mijn winkel te kunnen sluiten.'

Kolere. 'Verder nog iets?'

'Ja. Of ik zo vriendelijk wil zijn de stuurgroep van de Democraten van San Francisco een donatie te doen.'

Ik had het moeten zien aankomen. Contant geld is nog altijd de moedermelk van de politiek. De leek zal denken dat een groep zakenlieden uit Mission District en Portrero een steunpetitie vóór de bouw van een nieuwe filmstudio wil ondertekenen, en de stuurgroep tevens een reeks kleine donaties wil doen toekomen. Politiek gezien zal dit een stuk smaakvoller overkomen dan één grote contributie van een of andere Hollywood-studio of een ranzige projectontwikkelaar uit Las Vegas. Het zal mij niets verbazen als het geld van Tony en zijn buren rechtstreeks in de campagnekas verdwijnt voor burgemeesters herverkiezing. Rios weet wat hij doet. 'Hoeveel?' vraag ik weer.

'Tienduizend.'

Ze laten hem dus in elk geval de helft houden. 'Wie zit er achter dat geld?'

'Weet ik niet. Armando wilde geen naam noemen.'

In een dergelijke situatie kun je sommige vragen maar beter niet stellen. Bovendien zijn er, logisch beschouwd, slechts drie spelers: Ellis Construction, Millennium Studios en MacArthur Films, of een combinatie van de drie. 'Dus als je niet bijdraagt, raak je in problemen met de stad. Ze hebben je in de tang.'

'Ja,' is het antwoord.

'Hier zit een luchtje aan,' zeg ik.

'Dat zeker.'

Tijd om open kaart te spelen. Ik kijk hem vorsend aan en vraag zacht: 'Heb je het geld aangenomen?'

Hij aarzelt even, maar zijn blik blijft onveranderd. 'Nog niet.'

'Maar ben je het van plan?'

'Als het niet anders kan…'

'Hoe gaat het in zijn werk?'

'Armando geeft me tien ruggen, handje contantje. De andere tien vloeien namens mij regelrecht naar de kas van de stuurgroep. Waarschijnlijk vonden ze het te link mij in mijn eentje een onwettige campagnedonatie te laten doen.'

Even zitten we zwijgend aan tafel. 'Hoeveel andere ondernemers zijn erbij betrokken?' wil ik weten.

'Weet ik niet precies. Misschien een stuk of tien.'

'Heeft iemand er met jou nog over gepraat?'

'Nee.'

'Misschien dat het overwaait,' zeg ik. 'Misschien dat het onopgemerkt blijft.'

'Misschien.' Hij kijkt me vorsend aan. 'Er zijn heel wat figuren bij betrokken. Dat studioproject trekt heel wat aandacht. De *Chronicle* was ertegen. Wie weet gaat de pers vragen stellen.'

Is mogelijk. De *Chronicle* heeft het hele project al wekenlang op de voorpagina staan. Een van de artikelen, een onthullend stuk over aannemersbedrijf Ellis Construction, was niet bepaald vleiend. 'Wat wil je dat ik doe?'

'Voorlopig niets,' antwoordt hij. 'Misschien dat ik je nodig heb als er iets gebeurt.'

'Je kunt op me rekenen,' zeg ik. Sylvia verschijnt in de kamer. 'Familiezaken,' zeg ik.

6
'IK HEB EVEN JE HULP NODIG'

Fernandez & Daley is een juridisch topteam gespecialiseerd in strafzaken voor federale
en staatsrechtbanken. Flexibele betalingsvoorwaarden mogelijk.
Gouden Gids van San Francisco

'Hoe ging het met Angel en Theresa?' vraag ik Rosie.

'Redelijk.' Ze zit aan haar grijsmetalen bureau en gaat schuil achter stapels papier. Een ingelijste foto van Grace in haar honkbaltenue neemt naast haar computer een prominente plaats in. Het is pas één uur, maar het is nu al een zware dag geweest. Ze neemt een slok van haar Cola light. 'Veel tranen, zo nu en dan wat geschreeuw. De helft van de tijd had ik geen idee waar het over ging. Het ene ogenblik hadden ze het over de filmpremière, en opeens kregen ze ruzie over iets van toen Angel nog op de middelbare school zat. Van alledaags tot gestoord. Waarschijnlijk niet veel anders dan zoals ze de laatste tien jaar met elkaar zijn omgegaan.'

Rosie. De niet-aflatende stem van de relativering.

Ik kijk even door het open raam naar buiten. Ons gebouw is het laatste overblijfsel van een wijk die vroeger te boek stond als een achterbuurt. Nu worden we omgeven door hoge kantoorflats die tijdens de hectiek van eind jaren negentig uit de grond zijn gestampt. Het unieke aroma van busuitlaatgassen en burrito's drijft het kantoor binnen. Je raakt eraan gewend.

Onlangs vertelde een consultant me dat we ons kantoor beter niet als 'klein' kunnen aanprijzen. We dienen ons te presenteren als een 'topteam'. Ons kantoor heeft hij nog nooit gezien. Zodra onze cliënten hier voet over de drempel zetten, kunnen we het wel vergeten ons nog langer in een hoger marktsegment te profileren. Nadat we hadden besloten Madame Lena's bedrijfsruimte over te nemen, huurden we een binnenhuisarchitect in voor een ingrijpende verbouwing. Maar de nuchterheid won het van het verlangen en na onze verhuizing besloten we de verbouwingsplannen op de lange baan te schuiven. Misschien maar goed ook. Ik begin inmiddels gehecht te raken aan de astrologieposters in het kleine kamertje waar Madame Lena in haar kristallen bol staarde en dat nu dienstdoet als Rosies werkkamer en onze vergaderruimte.

'Ik had je dus toch maar beter kunnen meenemen voor wat ondersteuning,' zegt ze. 'Jij kunt soms zo sussen. Vooral als je je priesterstem opzet.'

Ik glimlach een beetje zuur. 'Op het seminarie proberen ze het je te leren, maar de besten worden ermee geboren.' Volslagen vreemdelingen die in de lift hun hart bij me uitstorten. Het heeft zijn leuke en minder leuke kanten.

Ze is nog niet klaar met haar verhaal. 'Ben je toen ooit wel eens bang geweest dat je iemand een verkeerd advies gaf?'

'Dat is een van de redenen waarom ik eruit ben gestapt.' Maar dat was niet het enige. Qua kerkbeleid was ik een ramp en ik had totaal geen gevoel voor fundraising. Soms was ik er slechter aan toe dan de mensen die ik moest helpen. Een priester die aan de Prozac is, daar heeft niemand wat aan. Een van mijn medestudenten overtuigde me ervan dat het niet erg was eruit te stappen vóórdat mijn depressies de overhand kregen.

'Heb je ooit wel eens geblunderd, écht geblunderd?'

Ik weet niet of ik dit soort vragen wel waardeer. 'Tuurlijk. Een man bekende ooit dat hij zijn vrouw bedroog. Ik droeg hem op zijn weesgegroetjes te bidden en zei dat hij eens met zijn vrouw moest praten en misschien zelf naar een huwelijkstherapeut moest stappen.'

'Daar lijkt me anders weinig mis mee.'

'Hij ging naar huis en liet haar alle hoeken van de kamer zien. Het scheelde maar weinig of ze had het niet overleefd. Ze gingen uit elkaar. Ik voelde me verschrikkelijk.'

Ze heeft spijt van haar vraag. 'Wat doe je als je als priester de boel verknalt?'

Ik grijns even en antwoord: 'Hetzelfde als iedere andere goede katholiek: biechten. We moeten elkaars zonden vergeven.'

'Een goeie deal, lijkt me.'

'Dat dacht ik dus ook altijd. Het is alsof je bij een club hoort. Meestal waren we tamelijk openhartig. Degenen die echt over de schreef gingen, hielden hun mond.'

'De volgende keer ga je met me mee,' zegt ze. 'Angel en Theresa ruziën een stuk minder als er iemand van buiten de naaste familie aanwezig is.'

Families. Het venijn tussen ouders en kinderen kan behoorlijk angstaanjagend zijn. Ik had vaak ruzie met mijn vader. Tot een handgemeen is het nooit gekomen, maar het geschreeuw duurde vaak uren en de beschuldigingen over en weer zelfs jaren. Ik grapte vaak dat mijn eerste twintig levensjaren overliepen van tachtig jaar schuldgevoel. Nu komt het me niet meer zo grappig voor. Voor Pete was het erger. Nadat mijn oudere broer in Vietnam was gesneuveld, was mijn vader nooit meer de oude geworden. Tommy was een veelbelovende quarterback op St. Ignatius en de universiteit van Californië voordat hij zich vrijwillig bij het korps mariniers meld-de. Toen hij niet terugkeerde, reageerde mijn vader zijn frustraties af op Pete, die toen nog thuis woonde. Ik denk dat hij smeris is geworden om te laten zien dat hij net zo'n taaie was als zijn ouwe. Angel en Theresa lijken wat dat betreft veel op Pete en mijn vader. Zet ze samen in één kamer en binnen het kwartier barst de bom. Je kunt je horloge erop gelijkzetten.

'Waar is Theresa?' vraag ik.

'Bij mijn moeder thuis. Ze is compleet afgedraaid. Goddank is Tony er ook.'

'Heeft Angel je verder nog iets verteld?'

'Ze blijft bij haar verhaal. Ze herinnert zich niets meer vanaf het moment dat ze ging slapen tot het moment dat ze haar bij het uitzichtspunt aan de zuidkant van de Golden Gate vonden.'

Haar verhaal is in elk geval onveranderd gebleven. Toch hoop ik niet dat dit de kapstok wordt waaraan we ten overstaan van de jury ons hele betoog moeten ophangen. Ik neem een slokje slappe koffie uit de mok met Graces foto. 'Nog iets over Martin Kent?'

'Het is gemeld bij de politie. Hij wordt nu officieel vermist.'

'Zijn vrouw zal wel in alle staten zijn.'

Een grimas. 'Ze is een jaar geleden gestorven, Mike. Hij heeft een vol-wassen zoon die vertelde dat het heel ongewoon is dat zijn vader niet is thuisgekomen.'

Ik vraag of ze nog iets van de politie heeft vernomen.

'Op het paleis van justitie kwam ik Jack O'Brien tegen. Hij vertelde me dat ze bij MacArthurs villa Kents auto hadden gevonden. Ze zijn nu aan het onderzoeken of iemand hem heeft zien weggaan. Misschien kreeg-ie een lift, wie weet heeft-ie een taxi besteld. Maar hij kan ook te voet zijn gegaan, neem ik aan.'

Het lijkt onwaarschijnlijk dat hij terug is gaan lopen. Zijn huis staat in het Marina District, achter het Palace of Fine Arts. Het zou ongeveer acht kilometer lopen zijn geweest, dwars door het dichtbeboste Presidio.

'Bestaat er nog een kans dat Kent door O'Brien als verdachte wordt be-schouwd?' vraag ik.

'Hij is ervan overtuigd dat Angel de dader is.'

'Maar hij staat open voor andere theorieën?'

'Je vraagt dus of hij rekening houdt met de mogelijkheid dat Kent Big Dick bewusteloos heeft geslagen, Angel gedrogeerd heeft, de oscar in de kofferbak heeft verstopt en vervolgens van de aardbodem is verdwenen?'

'Daar komt het op neer, ja.'

Haar mondhoeken krullen iets omhoog. 'Ik geloof dat ik dat heb geop-perd.'

'En, wilde hij luisteren?'

'Nog niet.' Ze geeft me een knipoog. 'Hij draait wel bij.'

We zullen zien.

'Jullie zien er moe uit, zeg,' hoor ik opeens een vrouwenstem zeggen. 'Zijn jullie de hele nacht op geweest?'

Carolyn O'Malley beent Rosies werkkamer binnen. Onze nieuwe partner was twintig jaar lang een nietsontziende aanklager. Twee jaar geleden kwam ze bij ons nadat ze na een ruzie met haar voormalige baas zonder pardon uit het kantoor van de officier van justitie werd verbannen. Haar overstap naar het kamp van de verdediging was snel gemaakt. Ze is een klein dametje van net een meter vijfenvijftig en je hebt de neiging haar te onderschatten. Waarmee je hoogstwaarschijnlijk de grootste vergissing van je leven begaat. Zonder haar zouden we het nooit redden.

Ik glimlach. 'Zo voelt het wel, ja,' zeg ik.

Carolyn en ik groeiden op in dezelfde buurt, bezochten dezelfde kerk en hadden zowel op de middelbare school als later op de universiteit iets met elkaar. Ik vroeg haar ten huwelijk, maar ze zei nee. Zij meldde zich aan op de rechtenfaculteit van Los Angeles, ik verdween naar het seminarie. Dat is inmiddels eeuwen geleden, en wat waren we jong. Nu, een kwarteeuw later terugblikkend, ben ik tot het besef gekomen dat het waarschijnlijk weinig meer was dan kalverliefde, maar zoiets kan behoorlijk diep gaan. Toen het uit was, heb ik me nog een paar jaar lang voor het hoofd geslagen. Later heeft ze me bekend hetzelfde te hebben gedaan. Het is geen relatie die ik nog eens nieuw leven wil inblazen. Daarvoor staat zij te veel op eigen benen en ben ik te koppig. Maar toch, na een paar glazen wijn vraag ik me soms af hoe het zou zijn gelopen als we toch bij elkaar waren gebleven.

Rosie besluit het omzichtig te brengen. 'We hebben een nieuwe zaak,' deelt ze mee. 'We zijn gevraagd Angelina Chavez juridisch bij te staan.'

Carolyns ogen lichten op. Dit zijn de momenten waarvoor ze leeft. Het is niet ongewoon haar in het weekend of 's avonds laat nog op kantoor te treffen, want haar privé-leven is één grote puinhoop: twee echtscheidingen en een intelligente maar opstandige zoon uit haar eerste huwelijk die samenwoont en studeert. Ben heeft een bijbaantje als fietskoerier. Zijn vriendin probeert met al haar piercings een of ander nieuw record te vestigen. Carolyn lijdt er zwaar onder: 'We hebben al een tijdje geen grote zaak meer gehad.'

En dat is waar. Het is bijna twee jaar geleden dat we werden gevraagd de voormalige officier van justitie te verdedigen in de zaak omtrent de moord op de mannelijke prostitué.

Rolanda, Rosies nicht, voegt zich even later bij ons. Ze lijkt erg op Rosie en heeft alles in zich om een geweldige advocaat te worden. 'Ik heb het nieuws en de politiezender gevolgd. Jack O'Brien loopt tegen jan en alleman te oreren dat hij belastend bewijsmateriaal tegen Angel heeft.' Ze kijkt even omlaag naar een bruine envelop. 'Carolyn en ik zijn al bezig met de dagvaardingen.'

Voor iemand die pas een jaar meedraait, heeft Rolanda uitstekende reflexen. Ze denkt twee stappen vooruit: het kenmerk van een goede advocaat.

Ik vertel Carolyn en Rolanda over mijn bezoek aan Baker Beach en mijn gesprekken met agent Quinn en Robert Neils. 'Maandag wordt ze voorgeleid,' zeg ik. 'Intussen moeten we zoveel mogelijk te weten zien te komen over Dick MacArthur.'

'En over Angel,' voegt Rosie eraan toe en ze somt de namen op van de anderen die bij de vertoning waren.

'Doen we,' zegt Carolyn.

'Ik wil dat je eens goed in het China Basin-project gaat spitten,' zeg ik. 'En probeer ook zoveel mogelijk over Martin Kent te weten te komen.'

Rosie kijkt ons aan. 'Aan de slag.'

'Heb je even of...?' vraagt Carolyn in de deuropening van mijn werkkamer.

'Tuurlijk.'

Een beetje bezorgd kijkt ze me aan. 'Alles goed met je?'

'Ja hoor, prima,' antwoord ik. Kan niet beter. Mijn ex-schoonzus is gearresteerd wegens de moord op haar man; mijn ex-vrouw, juridische partner en beste vriendin heeft kanker; mijn ex-zwager kan elk moment worden opgebracht omdat hij misschien steekpenningen heeft aangenomen, en mijn vriendin worstelt met bindingsangst. Met mij gaat het prima...

Ze bijt op haar onderlip. 'Ik heb even je hulp nodig.'

Mijn aandacht is meteen gegrepen. Carolyn vraagt namelijk nooit om hulp. 'Een juridisch probleempje?'

'Ja,' antwoordt ze en ze slikt nadrukkelijk. 'En bovendien iets persoonlijks.'

Iets in haar stem baart me zorgen. 'Wat is er, Caro?' Slechts weinig vrienden uit haar oude buurt mogen haar bij haar kinderbijnaam noemen.

'Je weet wel.'

'Ben?'

'Uiteraard.'

Ik breng mijn handen omhoog. 'Zeg het maar.'

'Afgelopen zondag is er bij Candlestick Park gevochten.'

'Ik heb erover gehoord, ja. Het liep een beetje uit de hand daar, geloof ik.'

'Klopt. Er is een stel jongeren gearresteerd... onder wie Ben.'

'Hoe luidt de aanklacht?'

'Bezit van verdovende middelen.'

'Welke?'

'Ecstasy.'

Jezus. 'Eerste keer?'

'Laten we zeggen: de eerste keer dat hij ervoor wordt gepakt.'

Duidelijk. 'Is hij al voorgeleid?'

'Ja. Ik heb de borgtocht betaald.' Ze zucht. 'Ik heb nog even overwogen hem een nacht te laten zitten. Wie weet zou het hem een lesje leren.'

'Nou, de cellenafdeling van het paleis van justitie is niet bepaald de meest ideale plek voor bezinning. Trouwens, op zich is hij best een goeie jongen. Een dezer dagen zal hij het allemaal wel beseffen.'

'Ik hoop het.' Ze fronst haar voorhoofd. 'Ik heb daar twintig jaar gewerkt, heb heel wat lieden naar de gevangenis laten afmarcheren, heb een hoop jongeren aangeklaagd.' Ze heeft moeite haar emoties te bedwingen. 'Kun je het je voorstellen hoe zwaar het is om je eigen zoon te moeten vrijkopen?'

'Nee, dat kan ik niet.'

'Het was zo vernederend, voor ons allebei. Ik voelde me echt een sukkel. De agenten waren beleefd, maar je kon zien dat ze het best amusant vonden, een advocaat wier eigen zoon achter de tralies zit.'

'Had me maar gebeld, dan was ik met je meegegaan.'

'Ik kon het niet.'

'Het komt allemaal goed,' zeg ik.

'Zal wel moeten.'

'Is-ie schuldig?'

'Hij beweert dat hij op het verkeerde moment op de verkeerde plek was. Bij zijn arrestatie had hij een rugzakje om. Hij wist niet dat er drugs in zaten.' Op haar gezicht verschijnt een gepijnigde blik. 'Ik weet eigenlijk niet of ik hem moet geloven…'

'Hoe kan ik helpen?'

Ze slaakt een diepe zucht en vraagt: 'Zou jij hem willen verdedigen?' Ik ben er te emotioneel voor, en sta te dicht bij hem. Hij heeft zich van me afgekeerd.'

Alsof ik al niet genoeg te doen heb. Niet echt een uitgelezen moment om er nóg een zaak bij te nemen. 'Natuurlijk,' antwoord ik. 'Wie is de aanklager?'

'Lisa Yee.'

Dit is geen goed nieuws. Yee is nu bijna vijf jaar aanklager en geldt als de slimste advocaat bij het OM, en ook als de meest nauwgezette. In tegenstelling tot veel van haar vakgenoten heeft ze geen politieke aspiraties: ze vindt het léúk om naar de rechtbank te gaan.

'Ik heb een paar keer met haar te maken gehad,' zeg ik. 'Ze is behoorlijk slim en ze lijkt me tamelijk redelijk.' Ik kijk Carolyn recht in de ogen. 'Hoe goed ken je haar?'

'Gewoon. We waren collega's. Ik respecteerde haar, en volgens mij was dat wederzijds.'

Ik vraag haar wanneer de eerste hoorzitting wordt gehouden, een proformazitting om te bepalen of er voldoende gronden zijn om Ben voor de rechter te laten verschijnen.

'Donderdag,' antwoordt ze.

'En wie is de rechter?'

'Leslie Shapiro.'

Ze weet van niets. Wat moet ik doen? Wat moet ik zeggen?

Ze zwijgt even, en voegt eraan toe: 'Toen ik nog officier van justitie was, heb ik een paar keer met haar te maken gehad. Het is lang geleden, maar ze is een goeie. Streng maar rechtvaardig. Ik mag haar wel.'

Ik ook. Ik zit klem, heb geen keus. 'Caro,' zeg ik, 'ik moet je iets vertellen over rechter Shapiro. En dit blijft onder ons.'

Een beetje verwonderd kijkt ze me aan. 'En dat is?'

'We gaan met elkaar om.'

Ze schrikt op. 'Op het persoonlijke vlak?'

'Ja.'

'Weet Rosie het?'

'Ja.'

Stilte. Ze bijt een stukje van een vingernagel. 'Hoelang al?'

'Een halfjaar ongeveer.'

Ze leunt achterover in haar stoel en formuleert voorzichtig. 'Niet je slimste zet tot nu toe.'

'Dat besef ik.' Zelf is ze wel de laatste die het recht heeft te moraliseren, maar ik houd mijn mond. Haar carrière bij het OM eindigde namelijk niet zo fraai, het gevolg van een affaire met haar voormalige superieur. Ze erkent volmondig dat ook zij wel eens slimmer is geweest.

Ik hoor de zucht die ik jaren geleden zo vaak hoorde toen we nog met elkaar gingen. 'Ik kan dit niet van je verlangen,' oordeelt ze. 'Dit is een belangenconflict. Ik moet iemand anders vinden.'

'Dat lijkt me het enige juiste.'

'Ja.' Ze zwijgt even. 'Ik wil dit Rosie niet aandoen. Voor haar kan het ook belastend zijn.'

'Als je het haar vraagt, zal ze het doen.'

'Weet ik. Ze heeft heel wat aan haar hoofd.' Haar frustratie is bijna tastbaar.

'Luister,' stel ik voor, 'laat me even met Lisa praten. Misschien lukt het me om de aanklacht te seponeren.'

'En zo niet?'

'Dan draag ik het over aan Randy Short. Hij is duur, maar wel erg goed.'

'Mike, ik vrees dat de zaak iets gecompliceerder ligt dan je denkt.'

Dat is meestal zo. 'Hoezo?'

'Ik vang slechte signalen op. Lisa vertelde me dat ze Bens zaak wil gebruiken om een voorbeeld te stellen. Haar baas werkt aan zijn herverkiezing. Ze wil laten zien dat ze voor een strenge drugsaanpak is.'

'De politiek mag helemaal geen invloed op deze zaak hebben,' zeg ik.

'De politiek heeft overál invloed op,' kaatst ze terug.

Inderdaad. 'Ik praat wel met Lisa. Ik denk dat ik dit wel kan fiksen voordat de zaak uit de hand loopt,' zeg ik en ik vertel haar dat ik meteen met Ben wil praten.

Ze belooft een ontmoeting te regelen. 'En je kunt je normale uurtarief in rekening brengen.'

'Je krijgt gezinskorting: we doen het gratis.'

'Dat kan ik niet toestaan.'

'O, jawel. Van jou neem ik geen geld aan, Caro.'

'Ik wil dat Ben begrijpt dat het geld kost om zulke problemen op te lossen.'

'Prima,' reageer ik. 'We doen het volgens het boekje. Ik zal hem een overeenkomst laten ondertekenen en hem om een voorschot van tweehonderdvijftig dollar verzoeken, met de mededeling dat we ons standaarduurtarief zullen hanteren. Maar zijn geld, en het jouwe, aanvaard ik niet.'

'Wat moet ik doen om je op andere gedachten te brengen?'

'Dat kun je niet.'

Ik vang een glimp van een glimlach op. 'Michael Daley, heb ik je ooit verteld dat je een goeie vent bent?'

'Zo nu en dan, ja. Daarna kreeg je vooral aandacht voor mijn tekortkomingen.'

Ik zie iets van waardering in haar ogen. Maar er is ook een treurige kant aan haar. Kon ze met Ben maar dezelfde vreugde voelen als ik bij Grace. 'Ik weet dat ik nu oude koeien uit de sloot haal, maar soms denk ik wel eens dat ik als ik al die jaren geleden "ja" tegen je had gezegd nu een stuk beter af was geweest.'

Hm, het houdt haar dus ook bezig. In gedachten schud ik even mijn hoofd, dat op dit moment iets te veel maalt om mijn verleden met Carolyn weer op te roepen. Bij gebrek aan beter kies ik maar voor een cliché: 'We waren nog erg jong. Waarschijnlijk was het toch niets geworden.'

Maar ze laat het niet rusten. 'Jij stond altijd voor me klaar, in tegenstelling tot mijn twee echtgenoten.' Ze slikt nadrukkelijk. 'Ik heb lang nodig gehad om te beseffen hoe belangrijk zoiets is.'

Ze heeft mijn vermogen overtroffen de zoveelste mislukte relatie te herkauwen. 'We slaan ons er wel doorheen, Carolyn,' zeg ik.

'Ik wil mijn zoon niet verliezen.'

'Zal ook niet gebeuren, dat beloof ik je.'

Ik zie tranen in haar ogen. Ze omhelst me. Daarna draait ze zich om en loopt naar de deur.

Ik houd haar even tegen. 'Caro?'

Ze draait zich om en haar ogen worden groter. 'Ja?'

'Wat Angel betreft zullen we heel wat hulp nodig hebben.'

'Ik weet het,' antwoordt ze en ze zwijgt even. 'Alles goed met Rosie? Ze ziet er moe uit.'

'Ze wacht op nieuwe uitslagen.'

'Het komt allemaal goed.'

'Ik hoop het. Ik weet niet of ze de energie kan opbrengen om deze zaak voor de rechter te brengen.'

'Ik sta voor jullie klaar.'

Nu is het mijn beurt om even te slikken. Mijn geheugen flitst terug naar bijna vijfentwintig jaar geleden en ik kan me opeens niet meer herinneren waar we zo vaak over ruzieden. 'Dank je, Caro.'

'We moeten het ook nog even over iets anders hebben,' begint Rosie terwijl ze plaatsneemt op de hoekpunt van mijn bureau.

'En wat is dat precies, Rosita?'

'Angel kan ons niet betalen.'

Pardon? 'Ze woont in een kast van een huis in Sea Cliff. Ze was getrouwd met Dick MacArthur. Ze rijdt in een Mercedes stationwagon.'

'Huwelijkse voorwaarden. Ze bracht niets in. Dick kocht haar auto's, haar juwelen en andere speeltjes. Hij gaf haar een toelage, maar beheerde zelf de portemonnee. Het is allemaal onder trust. Ze kan er niet bij.'

'En het geld voor de nieuwe film?'

'Het grootste deel van haar voorschot ging op aan het appartement voor Theresa.'

Ik zou niet willen suggereren dat we Theresa verzoeken een hypotheek op haar woning te nemen zodat Angel ons kan betalen. 'En de filmstudio? Kan die haar verdediging niet bekostigen?'

'Alles wat ze haar verschuldigd zijn, hebben ze haar al voorgeschoten. Ze hebben haar zelfs een extraatje gegeven. Elke cent is naar Theresa's appartement verdwenen. Wie weet willen ze nu hun handen van haar aftrekken.'

Dat zou me niets verbazen. Waarom zou Millennium Films zich met een mogelijke moordenaar willen associëren? 'Wie gaat er over die trust?'

'Haar man.'

Maar die is dood. 'Verder nog iemand?'

'Marty Kent.'

Geweldig: die wordt vermist. 'Is er nog iemand anders die bij dat geld kan komen?'

'Op dit moment niet, nee.'

'Dus het wordt gratis en voor niets?'

'In elk geval totdat de levensverzekering van Dick uitkeert.'

Als dat ooit gebeurt. 'Zolang haar zaak loopt, zal er niet worden uitgekeerd. Rosie en ik hebben weliswaar het nodige pro-Deowerk voor de armlastigen en nooddruftigen gedaan, maar dit kan onze middelen volledig uitputten. We hebben geen kredietverzekering. We moeten onze huur betalen, we moeten Rolanda betalen, en Grace moet ook eten. 'Is er dan echt geen manier waarop ze aan wat geld kan komen?'

'Ze zei dat ze het zou proberen. Ze kan zich geen tweede advocaat veroorloven. Een pro-Deoadvocaat heeft niet voldoende tijd een zaak voor te bereiden.'

Dat is waar. 'Heb je al met Carolyn gepraat?'

'Ze is het ermee eens.'

Dat vermoedde ik al.

'Bovendien,' gaat Rosie verder, 'Angel is familie.'

Ik aarzel niet. 'Oké, ik doe mee.'

'Dank je. En nog iets.' Ze doet haar leesbril af en strijkt even door haar korte, grijzende haar. Ik voel dat wat ze wil zeggen haar zwaar valt. 'Ik weet niet of ik genoeg energie zal hebben om de verdediging te voeren, mocht het zover komen.'

Het is een terugkerend onderwerp sinds haar ziekte en ik heb er niet echt een antwoord op. Het vuur is er nog, maar de gloed is niet meer zo sterk. Haar hele leven heeft ze gevochten voor respect. Nu vecht ze voor haar leven. Mijn gedachten gaan terug naar onze eerste ontmoeting, hoe we beloofden altijd voor elkaar klaar te staan. Ik denk terug aan de dag dat Grace werd geboren. De vervelende perioden, de bittere echtscheiding en de hoorzittingen over de voogdij laat ik achterwege. Ik pak haar hand. 'Carolyn en ik zullen de kar wel trekken, Rosie,' probeer ik haar op te beuren. 'En Rolanda helpt ook mee.'

Uit haar blik spreekt dankbaarheid. We kletsen nog wat. 'Hoe is het tussen jou en Leslie?' vraagt ze even later terwijl ze naar de deur loopt.

Mijn relatie met rechter Shapiro is een behoorlijk twistpunt. Op zich zou ik het nooit met een rechter hebben aangelegd. Maar we zijn allemaal wel eens eenzaam. Een van de dingen die Rosie dwarszit, is het feit dat Leslie niet bereid is onze relatie openbaar te maken. Rosie vindt dat niet gezond. Ik weet dat ze daarin gelijk heeft. Je bepaalt zelf de grens. Dat ik haar net had leren kennen toen Rosie ziek werd, hielp ook niet echt.

'O, prima,' antwoord ik. Een klein leugentje om bestwil. Leslie en ik genieten van elkaars gezelschap en we hebben veel gemeen. En god weet dat het in bed een feest is. Aan de andere kant zit de geheime aard van onze verhouding me dwars. Ik betwijfel of er veel toekomst in zit. Leslie praat niet graag over onze relatie.

'Denk je dat ze er al beetje klaar voor is om bij anderen een tipje van de sluier op te lichten over jullie twee?'

'Ik denk van wel.'

'Waarom aarzelt ze dan zo?'

'Het ligt wat gecompliceerd,' antwoord ik.

'Onzin.' Ze schudt haar hoofd. 'Wat zie je eigenlijk in haar?'

'Ze heeft humor, ze is slim en staat op eigen benen.'

Rosies blik blijft onveranderd. 'Met andere woorden?'

Ik kijk haar even quasi-verlegen aan. 'Ze doet me aan jou denken.'

Een glimlach valt me ten deel. 'Waarom gedraag je je niet zoals iedere andere vent van jouw leeftijd en ga je niet voor een mooie, lekkere jonge rechtenstudente met grote tieten en een strak kontje? Waarom ben je altijd maar bezig met oudere, intelligente vrouwen?'

Ik glimlach en antwoord: 'Ik heb meer diepgang dan je denkt.'

'Heb je niets beters te doen dan vol zelfmedelijden een beetje uit het raam te staren?' Het is mijn broer Pete, die opeens in de deuropening is verschenen. Hij is een kleinere, gespierdere versie van mezelf, met donkerder haar en een snor. Hij draagt een chocoladebruin bomberjack en een vale spijkerbroek, en hij is ongeschoren. Pete slaapt maar weinig. Dat hoort nu eenmaal bij een leven als privé-detective.

'Kom je van je werk?' vraag ik.

'Uiteraard.'

'Interessante klus?'

'Het bekende werk. "Manlief bedriegt me."' Zijn blik glijdt door mijn piepkleine werkkamer en ik zie een ironische glimlach. Het interieur zou je kunnen omschrijven als 'moderne kringloopstijl'. Mijn oude houten bureau bezwijkt bijna onder alle wetboeken. Dossiermappen zijn massaal neergestreken op mijn twee donkerbruine, met vinyl beklede stoelen. Een grote dierenriemposter, een housewarming-presentje van Madame Lena, siert de muur. Kortom, typisch een werkkamer van een topadvocaat.

'Nog iets moois ontdekt?' vraag ik.

'Ik ontdek altijd wel iets moois,' klinkt het vlak.

Door het gebarsten raam werp ik een blik in het steegje dat ons gebouw scheidt van de flat vlak achter ons. Daarna kijk ik naar de norse jongeman die de hele dag op zijn werkplek achter het scherm van zijn computer zit. Toen ik nog op de bovenste verdieping van de Bank of America bij Simpson & Gates werkte, was het uitzicht een stuk mooier. Dat was slechts drie jaar geleden, maar het lijkt veel langer.

Ik bekijk mijn spiegelbeeld in het glas. Mijn haar is nu eerder grijs dan lichtbruin. De kraaienpootjes zijn nu permanent in mijn ooghoeken gefixeerd. In alle opzichten lijk ik een man van negenenveertig. 'Heb je nog tijd over voor een zaak?' vraag ik. 'Het is voor een huidige cliënte van je en het zou wel eens publiciteit kunnen opleveren.'

Hij is vijf jaar jonger dan ik. Jarenlang heeft hij nog bij mijn moeder thuis gewoond. Hij is kort getrouwd geweest, maar keerde na zijn scheiding weer naar huis. Toen moeder twee jaar geleden stierf, hield hij de woning aan. Het zal vreemd voor hem zijn te wonen in het huis waar we allemaal opgroeiden. Zijn gezicht plooit zich tot een vage grijns. 'Angel?'

'Yep.'

De vage grijns wordt nu een brede glimlach. 'Leuke, jonge actrice, grote filmproducent. Hollywood! Licht, camera, actie!'

'Je bent dus per direct beschikbaar?'

'Absoluut. Wat heb je allemaal voor me?'

Hij weet minstens net zoveel als wij. 'Ze vonden haar bij de brug, en hebben haar gearresteerd.'

Poeh! lijkt hij te denken. 'Nou, dank je. Dat wist ik al. Wat deed ze daar?'

'Dat weet ze niet meer.'

'Laat me raden. Ze ontkent alles.'

'Yep.' Ik praat hem bij. Zijn wenkbrauwen gaan omhoog als ik hem vertel over de oscar in de kofferbak.

Hij krabt wat aan zijn kin, een gebaar dat hij van onze pa heeft overgenomen. Daarna trekt hij zachtjes aan zijn snor. Hij beschikt over een uitgebreid repertoire van zenuwtrekjes. 'Ik hoorde dat er ook een vent wordt vermist.'

'Martin Kent. Hij was MacArthurs manager.'

Pete komt direct ter zake. 'Je wilt dat ik hem ga opsporen?'

'Dat zou mooi zijn.'

'Komt in orde.' Hij zwijgt even. 'Wat heeft Angel je over haar man verteld?'

Het is een lokkertje. Hij wil het verhaal dat ze tegen hem heeft opgehouden vergelijken met het mijne. 'Ze zei dat ze het gevoel had dat hij haar bedroog. En dat jij er werk van maakte, maar geen doorslaggevend bewijs hebt gevonden.'

'En je geloofde haar?'

Onze blikken kruisen elkaar. 'Pete,' zeg ik, 'was je in staat te bevestigen dat Big Dick vreemdging?'

'Laat ik het zo zeggen,' is zijn antwoord. 'Ik heb geen foto's, heb hem ook niet met een ander in bed betrapt.' Hij trekt even aan een oorlel. 'Maar, dit gezegd hebbende, luidt het antwoord: ja. Ik ben ervan overtuigd dat hij haar bedroog. Maar dat is slechts het topje van de ijsberg.'

7
PETE

'Het beroep van privé-detective lijkt op tv veel spannender dan het in werkelijkheid is. Je speurt gewoon net zo lang door totdat je datgene vindt waar je naar op zoek bent.'
Pete Daley

Mijn broer heeft zijn jack uitgedaan, zit nu in mijn vensterbank met een bekertje koffie. 'Hun huwelijk was vanaf de allereerste dag een ramp,' vertelt hij me. 'Ik heb vrienden in LA die beveiligingswerk doen voor de filmstudio's. Zij gaven me de inside-information. Big Dick was een controlefreak, orkestreerde al haar bewegingen, vertelde haar hoe ze zich moest kleden, wat ze moest zeggen. Met als compensatie een glansrol in *The Return of the Master*.'

'Wanneer huurde ze jou in?' vraag ik.

'Ongeveer drie maanden geleden.'

'Wat maakte haar zo achterdochtig?'

'MacArthur is niet voor niets al drie keer getrouwd geweest. Als ze hun vrouw bedriegen, zullen ze uiteindelijk ook jou bedriegen. Angel mag dan jong zijn, ze is niet op haar achterhoofd gevallen. Ze heeft meer levenservaring dan de gemiddelde vijfentwintigjarige. Ze wist wat haar te wachten stond. Voor de eindmontage van de film zat hij heel vaak in LA. Toen hij ook tijdens de weekeinden niet meer thuiskwam, belde ze mij. Hij had een verhouding met een model genaamd Maureen Sheridan. Zéér sexy. Ze heeft meegespeeld in een paar Madonna-video's. Ze heeft zich van top tot teen onder handen laten nemen. Waarschijnlijk zijn haar borsten zelfs tweemaal gedaan. Benen van hier tot aan de hemel. Ik denk niet dat zij en Arthur alleen maar met het script bezig waren.'

'Waarom lukte het je niet hem te betrappen?'

'Ze keken erg goed uit, gingen afzonderlijk naar het Beverly Hills Hotel. Ik kon geen foto's maken.'

'Hoelang heeft het geduurd tussen hen tweeën, denk je?'

'Ongeveer drie jaar. Ze is een alleenstaande moeder met een zoontje van twee. Of MacArthur de vader is weet ik niet. De hele tijd dat hij met Angel getrouwd was heeft hij haar bedrogen.'

Wat een klootzak. Maar ja, Angel wist vanaf het begin dat hij vol minachting tegen het instituut huwelijk aankeek. 'Weet Angel dit?' vraag ik.

'Een paar weken geleden heb ik het haar verteld.'

'Hoe nam ze het op?'

'Slecht.' Hij denkt even na en herstelt zich: 'Bijzonder slecht. Pure zelfverloochening. Ze vertelde me dat ze het pas zou geloven als ik haar foto's kon laten zien.'

Zwijgend kijken we elkaar even aan.

'Er is nog meer,' vervolgt hij. 'Die geruchten over problemen op de set klopten. Haar man was ontevreden over de film.'

'En hun huwelijk?'

'Ook wat dat betreft zou ze flink moeten incasseren. De huwelijkse voorwaarden die ze van hem moest ondertekenen, waren bijzonder eenzijdig. Hij behield alle zeggenschap over het geld. Als hij van haar zou scheiden, om wat voor reden dan ook, zou ze niets krijgen.'

'Zelfs niet als hij haar bedroog?'

'Voorál niet als hij haar bedroog. Daar ging het juist om. Wat er ook gebeurde, hij zou er gemakkelijk onderuit kunnen komen.'

'En als hij nog vóór een scheiding zou komen te overlijden?'

'Zijn testament maakt de huwelijkse voorwaarden nietig. Ze heeft recht op de villa, haar auto, de helft van zijn contanten en aandelen, en de helft van het aandelenkapitaal van MacArthur Films.'

'Wie krijgt de rest?'

'Zijn zoon.'

Kijk eens aan. 'Dus Angel en de jonge Richard zullen ieder voor de helft eigenaar worden van de filmmaatschappij?'

'Ja.' Hij trekt zijn wenkbrauwen op. 'Ze kunnen elkaar niet luchten of zien. Samenwerken zit er echt niet in. De een zal uiteindelijk de ander willen uitkopen.'

Tenzij een van de twee een moordenaar is, of Angels echtgenoot stiekem zijn testament heeft veranderd. 'Wat weet je van zijn zoon?'

'Een irritante snotneus, die op dit moment in een vervelende scheiding ligt. Niet zijn eerste, overigens. Ik had graag gewild dat zijn aanstaande ex mij had ingehuurd om hem te bespioneren. Ik weet zeker dat ik haar heel wat sappige details had kunnen tonen. Hij is producent van derderangs films en heeft er alles voor over om een film op tijd af te krijgen. In bepaalde opzichten was hij de enige reden waarom MacArthur Films nog bestond. In zijn hoogtijdagen was zijn vader een goede scenarioschrijver en een geweldige regisseur, maar van de zakelijke kanten had hij echt geen kaas gegeten. Little Richard is een waardeloze scenarioschrijver en een verschrikkelijk slechte regisseur, maar weet precies hoe je een film moet produceren.' Pete haalt zijn schouders op, en voegt eraan toe: 'Zijn vader heeft nooit oog gehad voor zijn talenten. Ze spraken nauwelijks met elkaar.'

'Waarom heeft Big Dick hem de helft nagelaten?'

'Omdat hij en Angel de enige familie zijn die hij nog had.'

Ik kom met de hamvraag. 'Wilde hij scheiden?'

'Volgens mij wel.'

'Hoe weet je dat?'

'Martin Kent was degene om in de gaten te houden. Hij hield Mac-Arthur uit de problemen.'

'En nu wordt-ie vermist.'

'Kent had een paar ontmoetingen met Frank Grossman,' gaat Pete verder.

Grossman is een havik vermomd als echtscheidingsadvocaat. Inzake het familierecht gaat hij prat op zijn 'tactiek van de verschroeide aarde'. Op zijn visitekaartje prijkt de tekst: 'Wij ontzien niemand'. Hij heeft Big Dicks eerste twee echtscheidingen geregeld en waarschijnlijk ook Angels huwelijkse voorwaarden helpen opstellen. Vanwege de vertrouwelijke gegevens van zijn cliënten zal hij waarschijnlijk niet met ons willen praten. Voor ons des te meer reden Martin Kent op te sporen. 'Verder nog iets wat ik moet weten?' vraag ik.

'Niets geoorloofds, in elk geval.'

'Iets ongeoorloofds wellicht?'

'Misschien.'

'Via ongeoorloofde weg verkregen?'

'Hangt van je definitie van "ongeoorloofd" af. Ik beschik over tamelijk geavanceerde opnameapparatuur. Daarmee heb ik een aantal gesprekken tussen Big Dick en Dominic Petrillo kunnen afluisteren.'

'Waar was je toen?'

'In de belendende kamer van het Beverly Hills Hotel.'

'Ik neem aan dat je niet als gast stond ingeschreven?'

'Dat mag je aannemen, ja.'

'Je weet ook dat men doorgaans afkeurend staat tegenover inbraak?'

'Even voor de duidelijkheid: ik heb niet ingebroken, ben alleen maar binnen geweest. En toevallig bleek ik mijn opnamespullen bij me te hebben. Die laat ik nooit thuis, namelijk.'

'Officieel geldt het zonder toestemming opnemen van andermans gesprekken als een overtreding.'

'Ik zal het voorlopig nooit meer doen. Wil je nog weten wat ik opving of lees je me liever de les?'

In de rechtszaal zullen we er waarschijnlijk niets van kunnen gebruiken. Ik vraag hem wat hij precies heeft opgevangen.

'Het lijkt erop dat Petrillo en zijn vrienden niet echt blij waren met de eerste berichten over *The Return of the Master*. Hij sprak over uitstel van de première.'

Als Petrillo niet tevreden was over de film, had hij de stekker eruit kunnen trekken. Het is moeilijk voor te stellen dat Big Dick hem zo zou hebben opgelicht dat Petrillo wraak heeft genomen. Daarvoor hebben we geen enkel bewijs. 'Wat heeft dit met MacArthurs dood te maken?'

'Wie weet wel helemaal niets. Maar ik dacht, misschien vind je het interessant om te weten.'

'Heb je zijn villa gisteravond toevallig nog in de gaten gehouden?'

'Nee. Angel vroeg me op afstand te blijven.'

We zwijgen. Een ontrouwe echtgenoot. Een waardeloos huwelijk. Een nerveuze filmmaatschappij. Een wankel bouwproject. En een hoop vragen. Ik kijk weer even door het raam naar de meneer achter zijn computer.

'Waar wil je dat ik begin?' vraagt Pete.

'Ik wil dat je Martin Kent voor me opspoort.'

'Doe ik. En wat ga jij doen?'

'Rosie en ik hebben MacArthurs zoon voor vanmiddag een condoleancebezoekje beloofd.'

8
LITTLE RICHARD

'Mijn vader was een aardig en zachtmoedig mens, die met zijn werk een eeuwige
nalatenschap heeft afgeleverd. De filmindustrie heeft een van zijn gloedvolste bakens
verloren en hij zal node worden gemist. Met de bouw van het MacArthur-
studiocomplex zal volgens plan worden begonnen.'
Richard MacArthur-junior, KGO Radio, zaterdag 5 juni, 15.00 uur

'Vervelend,' luidt Rosies understatement nadat ik haar op de hoogte heb
gebracht van mijn gesprek met Pete. 'Angel is niet bepaald openhartig geweest over de relatie met haar man.'

We rijden op Geary Boulevard, op weg naar het huis van Little Richard.
De middagspits woedt. Mijn Corolla gehoorzaamt nu we Japantown passeren, maar begint te sputteren als ik het gaspedaal wat verder intrap om
heuvelop richting Kaiser Hospital te koersen.

'Als Pete zegt dat Big Dick achter de dames aan zat, dan ben ik geneigd
hem te geloven,' peins ik hardop. 'En als hij me vertelt dat Petrillo zijn be-
denkingen had over de film, dan spreekt hij volgens mij de waarheid.'

'Ik heb het er met Angel wel over. Dat zal geen fijn gesprek worden...'

Daar zeg je zo wat. 'We moeten kopieën hebben van de huwelijkse voorwaarden en het testament,' zeg ik.

Ze knikt. 'Maar zelfs al heeft Pete gelijk, dan nog bewijst het niets.'

'Het geeft haar een motief.'

Ze knikt nogmaals. Een poos rijden we in stilte verder.

'Heb je nog met Nicole kunnen praten?' vraag ik vervolgens.

'Heel eventjes maar.'

Nicole Ward is de officier van justitie van San Francisco en ze stelt zich
in november wederom verkiesbaar. Ze komt uit een prominente familie en
geldt als een van de jonge beloftes binnen de Democratische Partij van Californië. Haar politieke ambities zijn niet mis te verstaan en ze weet zich uitstekend te profileren in het avondjournaal. Dat ze een ravissante verschijning is, kan natuurlijk ook geen kwaad en waarschijnlijk is ze de meest
begeerde single van de hele Bay Area. In het begin van haar carrière raakte

ze enigszins in opspraak toen bekend werd dat ze als lingeriemodel voor Victoria's Secret had gewerkt om zo haar rechtenstudie te bekostigen. Ze is meer dan alleen maar een mooi koppie. Ze is een gehaaide aanklaagster en een van de onaangenaamste personen ter wereld.

'Hoe is haar gevoelstemperatuur?'

'Roodgloeiend. Ze praat nu al over de doodstraf.'

Zoals altijd. Als fanatieke ijveraar voor orde en tucht zou ze zelfs winkeldieven naar de gaskamer willen sturen. 'Enig idee wie de assistant-aanklager zal zijn?'

'Ik denk dat ze het wel eens in haar eentje zou kunnen doen,' is Rosies vermoeden. Meestal krijgt de hulpaanklager de meeste zaken te behandelen. Het is niet ongewoon, maar het komt zelden voor dat de officier van justitie zelf een zaak op zich neemt. Misschien is het voor Ward een mogelijkheid wat gratis zendtijd te scoren. Dat ze, in vaktermen, 'mediageniek' is hoef je haar niet te vertellen. De hormonaal overspannen nieuwslezer van Channel Seven at vorige week uit haar hand toen hij haar een 'serieus' interview probeerde af te nemen. Rosie trakteert me op een geniepige grijns. 'Vraag het haar maar. Ze is bereid ons morgen te spreken.'

'Op zondag?' zeg ik.

'Dit is een grote zaak. Ze zal alles uit de kast halen.'

'Meneer MacArthur vraagt of u binnen wilt komen,' deelt een exotisch ogende dame met verleidelijk omfloerste stem, lichtgroene ogen, koffiebruine huid en paarse lippen ons mee. Haar steile zwarte haar golft over de rug van haar witte, satijnen blouse. Een strakke, leren broek omhult een paar lange, slanke benen. Hoepelvormige oorbellen flankeren haar ronde gezicht. Een stuk of tien armbanden sieren haar beide polsen. Aan elke vinger prijkt een ring.

'Dank u,' zeg ik.

Het is halfzes. Rosie en ik hebben een kwartier moeten wachten in de twee verdiepingen hoge, kathedraalachtige entree van Little Richards zes slaapkamers tellende suikertaart. Toen we binnenkwamen werden we begroet door een houten evenbeeld op ware grootte van onze gastheer, uitgedost in formele kledij. Een beetje opzichtig als je het mij vraagt. Boven de wenteltrap hangt een originele Picasso. Alleen de kunstwerken al kosten vele malen meer dan mijn middelbareschool- en rechtenstudie bij elkaar. In gedachten zie ik de jonge MacArthur in de gang naast zijn houten beeld staan, zijn Hollywood-vriendjes joviaal begroetend.

De dame leidt ons onder de trap door. Ik zie een stuk of tien mensen, in groepjes bijeenklittend in de woonkamer. Van echte rouw lijkt weinig sprake te zijn. Ik herken Daniel Crown, Angels tegenspeler, pratend in zijn mobieltje. Hij ziet eruit als een jonge Paul Newman. Iedereen in de woonkamer is mobiel aan het bellen. Een van de heren lijkt zelfs met twee mobieltjes tegelijk in gesprek te zijn. Waarschijnlijk is dit wat ze met 'multitasking' bedoelen.

We lopen door een verbouwde, professioneel ogende keuken, waar het aroma van verse pasta en pestosaus ons tegemoetkomt. Daarna volgen we de vrouw een achtertrap op. Boven blijkt zowel de vloerbedekking als het behang sneeuwwit te zijn. Het ranke meubilair is van chroom en zwart leder. Moderne kunst. De sfeer is steriel, bijna ijzig.

'Verschrikkelijk zeg, dat nieuws over de vader van meneer MacArthur,' zeg ik tegen de vrouw.

'Ja,' antwoordt ze met een dromerige blik. 'Dat kunt u wel zeggen.'

Dat zal dan wel. Ik kijk even naar Rosie terwijl we een kunstwerk passeren dat is opgebouwd uit een minivideoscherm met daarop een beeldschone, naakte vrouw die steeds hetzelfde zinnetje, 'Ik ben perfect', herhaalt.

'Richard zet haar 's avonds uit,' vertelt de dame met de ringen en de armbanden ons.

Ik glimlach terug naar het beeldscherm. Pratende kunst in mijn eigen huis, ik zou er nerveus van worden.

De donkere dame werpt me een speelse glimlach toe. 'Ze is niet echt, hoor,' legt ze uit. 'Ze is een cybermodel, en al vrij populair.'

Een groot talent, dat moet gezegd. Mocht het in de cyberkunst niet lukken, dan kan hij waarschijnlijk zo aan de slag in de cyberporno.

Nog steeds ben ik er niet achter of de vrouw nu Little Richards bediende, vriendin of maîtresse is. Misschien is ze wel alledrie. Niets lijkt erop te wijzen dat MacArthurs aanstaande ex hier nog steeds woont. 'Bent u een vriendin van de familie?' vraag ik.

'Welnee, meneer,' antwoordt ze en ze haalt haar tong over haar lippen. 'Ik ben meneer MacArthurs *personal assistant*.'

Dat geloof ik graag. In de filmwereld stel je pas iets voor als je een personal assistant hebt. Ik probeer een onschuldig toontje aan te slaan en vraag: 'Hoe heet u?'

'Eve.'

Hoe bijbels. 'Hebt u ook een achternaam?'

Ze schudt met haar lange haren. 'Nee, meneer Dailey. Gewoon Eve.'

Eerst was er Cher, toen kwam Madonna. En nu is er Eve. 'Geen probleem, Eve,' zeg ik. 'Enne, zullen we het dan ook maar gewoon op "Mike" houden?'

'Geen probleem… Mike,' herhaalt ze.

'Woon je hier in de buurt, Eve?'

'Bij de jachthaven.'

'Was je er ook, gisteravond?'

'Ja.'

Ik vraag haar hoe laat ze naar huis is gegaan.

'Toen Richard naar het huis van zijn vader vertrok.'

'Dus dat zal rond acht uur zijn geweest?'

'Ja.'

'En de rest van de avond zat je thuis?'

'Ja.'

Een vrouw van weinig woorden. 'Heb je gisteravond van meneer MacArthur vernomen?'

'Vanochtend pas. Toen vertelde hij me het verschrikkelijke nieuws.'

Ik vraag of ze hier veel tijd doorbrengt.

'Ja. Meneer MacArthur werkt vaak thuis. Op zich heb ik een fulltimebaan, maar als ik een filmrol heb, houdt hij daar rekening mee.'

'Je bent actrice?'

'Ja.'

Ik herken haar niet. 'Noem eens wat titels?'

Ze glimlacht. 'Ik heb een kleine rol in *The Return of the Master*.' Van de andere filmtitels die ze opsomt, herken ik er niet één. Misschien dat ze bij onze buurtvideotheek onder 'Volwassenen' te vinden zijn.

'Ken je Angelina Chavez goed?' vraag ik verder.

'We zijn vriendinnen. Bij een paar projecten hebben we samengewerkt.' Even aarzelt ze, en ze voegt eraan toe: 'Ik heb geprobeerd de communicatie tussen Richard en Angelina wat te bevorderen.'

Ik kies voor een omzichtige benadering. 'Ze konden het niet zo goed met elkaar vinden?'

Ze slaat de ogen neer. 'Nee.' Ik vis verder, maar ze ontwijkt mijn vragen.

'Het kan zijn dat we je nog het een en ander willen vragen,' zeg ik.

Ze overhandigt me haar visitekaartje, waarop slechts 'Eve' staat alsmede een postbus- en een telefoonnummer en een e-mailadres. Ze gebaart ons naar een deur aan het eind van de gang. Binnen hoor ik luide stemmen, gevolgd door bulderend gelach. Eve opent de deur, waarop een bebaarde man met een flinke pens de kamer verlaat. In het echt oogt Dominic Petrillo ouder en slonziger dan op de foto's. Hij is begin zestig, ongeveer van mijn lengte, met een flinke bos zwartgeverfd haar, een borstelige baard en een diepgegroefd, getaand gezicht. Zijn kraaloogjes gaan schuil achter een piepklein, ragfijn brilletje. Hij geeft Eve een kus op de wang en zegt haar gedag. Vervolgens kijkt hij naar Rosie en mij en fronst zijn wenkbrauwen. Zonder een woord te zeggen scheert hij langs ons heen.

'Meneer Petrillo,' onderschep ik hem, 'mijn naam is Michael Daley. We zijn de raadslieden van Angelina Chavez.'

Hij werpt me een ijzige blik toe. 'Ik weet wie u bent. Maar ik moet nu terug naar mijn hotel.'

'Kunnen we u misschien heel even spreken?'

'Ik ben al laat. Bel me maar op kantoor.' Hij beent naar de trap. Rosie gaat hem achterna.

Ik draai me om en kijk naar Eve, die een vinger naar haar mond brengt en me de kamer in leidt. 'Komt u maar verder, meneer Daley – Mike, bedoel ik.' Ze leidt ons naar binnen, excuseert zich en sluit de deur achter me.

Richards kantoor biedt onbelemmerd uitzicht op de Golden Gate

Bridge. Inmiddels komt de mist weer opzetten, maar ik kan de Marin Headlands nog zien en ook het topje van Mount Tamalpais. Als ik het nu voor het kiezen had, zou ik liever daar zijn met Grace.

'Kom verder, Michael,' zegt de hese, hoge stem. Richard klinkt zakelijk, bijna opgewekt. Hij is nog een jonge vent, waarschijnlijk ergens halverwege de dertig, met glad achterovergekamd zwart haar en een dubbele onderkin. Hij lijkt op zijn vader en zit in een hoge, ergonomisch verantwoorde lederen fauteuil achter zijn bureau, dat bestaat uit een plexiglazen plaat die rust op een stalen frame. Een speakerphone, laptop en zwarte koffiemok met het logo van Richard MacArthur Films staan op het verder smetteloze bureaublad.

Hij aanvaardt mijn condoleances met een plichtmatig bedankje. 'Ik zit een beetje in tijdnood,' deelt hij ons mee. 'Ik probeer de laatste voorbereidingen voor mijn vaders herdenking rond te krijgen. Natuurlijk zitten we ook nog met het uitbrengen van de film.'

Natuurlijk. De deur gaat open en Eve komt binnen. Hij wijst naar zijn koffiemok. Ze knikt, verdwijnt weer uit de werkkamer om nog geen minuut later terug te keren met een kan met koffie. Ze schenkt hem bij. Hij bedankt haar niet, lijkt zelfs niet eens oog voor haar te hebben. Zwijgend draait ze zich om en verdwijnt door de deur.

De jonge MacArthur frunnikt wat aan zijn zwarte zijden overhemd. 'Ze is heel consciëntieus,' zegt hij.

Ik twijfel er niet aan. 'Ze is je assistente?' vraag ik.

'Ja. Bovendien is ze actrice. Volgens ons kan ze het echt gaan maken. Haar moeder is Kaukasisch en haar vader een Filipino. Daarom oogt ze zo, eh, boeiend.'

'Waar heb je haar ontdekt?'

'Mission District. We gaven haar een rol in de nieuwe film. Ze heeft behoorlijk wat kwaliteiten.'

Ik neem aan dat hij bedoelt dat ze goed in steno is. Op de hoek van het dressoir liggen de *Daily Variety* van vrijdag en een oude foto van MacArthur en zijn vader. Ernaast een foto van Little Richard achter het stuur van een oude Ferrari. Ik herinner me te hebben gelezen dat hij graag oude auto's opknapt. Echtgenote en kinderen zijn opvallend afwezig. De muren hangen vol posters van zijn vaders films en foto's van oldtimers.

Ik begin voorzichtig. 'Opvallend weinig meubilair,' merk ik op.

'Ik hou er niet van als iets mijn uitzicht belemmert,' zegt hij zonder naar me op te kijken. 'Ik probeer al mijn spullen uit het zicht te houden.'

Eve meegerekend, vermoed ik. 'Ik had even niet door dat je een afspraak had met Dominic Petrillo.'

Hij wendt zijn blik af van het raam en kijkt me achterdochtig aan. 'Vrijdag komt er van ons een film uit.'

'Jullie zijn nog steeds van plan hem op tijd uit te brengen?'

'Ja. En we streven ook naar de definitieve goedkeuring van het studioproject.'

'Daar heb ik veel over gelezen.'

Hij laat zich weer achteroverzakken in zijn stoel. 'Wát je hier ook wilt bouwen, je moet echt door een hel om goedkeuring te krijgen.' Hij probeert een verzoenende toon aan te slaan. 'En nu zit ik met deze toestand.'

Ik besluit ter zake te komen. 'Ik vind het heel erg wat er is gebeurd, Richard.'

Hij herstelt zich. 'Ik ook,' is zijn reactie. 'De grootste klerezooi die ik ooit heb meegemaakt.'

Als priester heb ik veel mensen na de dood van een ouder hun gevoelens zien verwoorden. Het is voor het eerst dat ik iemand in deze context het woord 'klerezooi' hoor gebruiken.

Er wordt geklopt. Eve laat Rosie binnen. Ik vraag haar of ze met Petrillo heeft gesproken.

'Hij zei dat we hem morgen kunnen spreken.' Ze kijkt MacArthur aan, en zegt: 'Angelina vroeg ons even uit te zoeken hoe het met de voorbereidingen voor de begrafenis staat.'

'Je had ook kunnen bellen,' luidt zijn commentaar.

'We wilden je graag even zien.'

'Jullie weten dat Angelina en ik het niet altijd even goed met elkaar hebben kunnen vinden.'

Voorzover ik het kan overzien, hebben ze nóóit met elkaar kunnen opschieten. Rosie informeert nog eens naar de begrafenis.

MacArthur haalt een mobieltje uit zijn broekzak tevoorschijn en klapt het open. Ik heb geen ringtone gehoord. Hij zal wel op de trilstand staan. 'Ja,' hoor ik hem mompelen, gevolgd door: 'Oké.' Daarna zie ik hoe zijn nek rood uitslaat. 'Vergeet het maar. Zeg ze maar dat ze kunnen opzouten! Zeg ze dat we al een deal hebben.' Bij elk volgend scheldwoord wordt zijn stem luider. Na de arme ziel die de moed heeft gehad hem te trotseren nog zo'n vijf minuten de huid te hebben volgescholden, klapt hij nijdig zijn mobieltje dicht, en zegt tegen me: 'Ik ben opgezadeld met een stel godvergeten idioten.'

Aardige vent. Maar toch, het zal mij niets verbazen als hij inderdaad is opgezadeld met een stelletje godvergeten idioten.

'Waar hadden we het ook alweer over?' vraagt hij vervolgens.

'De begrafenis.'

'Ja.' Hij zwijgt even. 'Die komt er niet.'

Geen begrafenis? Big Dick MacArthur beleeft zijn afscheid zonder apotheose? Zonder eerbetoon? 'Ik neem aan dat dit je vaders wens was?' vraagt Rosie.

'Ja.' Hij grijnst schaapachtig naar me. 'Hij had iets sensationelers in gedachten.'

Dat begint er meer op te lijken. Ik vraag hem wat we kunnen verwachten.

'Hij zal worden opgeblazen.'

'Pardon?'

'Je hebt het best verstaan.'

Ik besef dat ik hem met open mond aankijk.

'Kijk,' legt hij uit. 'De Northern California Neptune Society biedt een unieke mogelijkheid. Eerst wordt het lichaam gecremeerd.'

Tot nu toe klinkt het nog tamelijk conventioneel.

'Dan nemen ze je as mee op een boot die de *Naiad* heet. Daarna schieten ze je as met een vuurpijl de lucht in. Zo wordt hij verspreid.'

Ik kijk hem aandachtig in zijn kraaloogjes om er zeker van te zijn dat hij me niet in de maling neemt.

'Ik verzin dit echt niet, hoor,' benadrukt hij.

Ik kijk even naar Rosie. Hoe moeten we dit aan Angel uitleggen?

'Het staat in zijn testament,' voegt Richard eraan toe. 'Hij las erover en vond het een geweldig idee. Ik heb net met zijn notaris gepraat. Het is al lange tijd geleden vastgelegd.' Hij geeft me de naam van een erkende notaris die ik ooit heb ontmoet. Dat hij totaal geen gevoel voor humor heeft, kan ik nu staven. Als hij zegt dat Big Dick wordt opgeblazen, dan zál hij verdomme ook worden opgeblazen.

'Wie zijn de begunstigden?' vraag ik.

'Dat is vertrouwelijk.'

'Richard,' zegt Rosie, 'zodra het testament wordt bekrachtigd, zal het openbaar worden. We komen er toch wel achter.'

Een ijzige blik. Daarna bevestigt hij wat Pete ons al heeft verteld: Angel kan rekenen op het huis en de auto. De rest wordt verdeeld tussen hem en haar, met inbegrip van de aandelen in MacArthur Films. Hijzelf mag echter rekenen op de sleutel van de MacArthur Cellars. Het ziet er dus naar uit dat hij op het punt staat een welgestelde wijnboer te worden. 'Natuurlijk,' gaat hij verder, 'zullen we het testament aanvechten. We vinden het volkomen ongepast dat Angelina onder deze omstandigheden ook maar iets erft.'

'Hoe dat zo?' vraag ik.

'Zij heeft hem vermoord.'

'Dat weet je niet.'

'Ik durf er geld om te verwedden.'

Zo debatteren we nog wat verder over MacArthurs dood, totdat Rosie vraagt: 'Wanneer vindt de plechtigheid plaats?'

'We hopen dat het lichaam morgen wordt vrijgegeven. We richten onze pijlen op dinsdag,' zegt hij zonder het als een woordspeling te bedoelen.

'Angelina zal er graag bij willen zijn,' zeg ik.

Hij schrikt. 'Je maakt een grapje, hè?'

'Nee, het is geen grap.'

Zijn gezicht wordt knalrood. 'Dat huwelijk was een schijnvertoning. Ze trouwde alleen maar het hem om in zijn films te kunnen spelen. Denk maar niet dat ik haar toestemming geef.'

'Als ze zo graag in zijn films wilde spelen, waarom zou ze hem dan hebben vermoord?'

Hij trommelt met zijn vingers op het plexiglazen bureaublad. 'Omdat haar acteerprestaties rampzalig waren. Dat heeft mijn vader haar gisteravond duidelijk gemaakt. En in niet mis te verstane bewoordingen.'

'Het klopt van geen kanten,' oordeelt Rosie.

'Gratis publiciteit,' is zijn verweer. 'De roddelbladen zullen er vol mee staan.'

'Je suggereert dat ze als publiciteitsstunt haar echtgenoot heeft vermoord?' vraagt Rosie.

'Precies.'

'Belachelijk.'

Als een kleine jongen vouwt Little Richard de armen voor de borst. 'Ze is niet welkom bij het laatste afscheid van mijn vader.'

'Ze was zijn vrouw,' benadrukt Rosie. 'Ze heeft het recht erbij te zijn.'

Ik zie wat zweetdruppeltjes op zijn voorhoofd parelen. 'Het getuigt niet bepaald van enig respect,' zegt hij en hij steekt een vermanend worstvingertje naar me omhoog. 'Ze is nooit deel van de familie geweest.'

Nu klinkt hij een beetje als Al Pacino in *Godfather II*. 'Richard,' zeg ik, 'waar was je gisteravond?'

'Beschuldig je me soms van iets of zo?'

Rosie komt tussenbeide. 'Nee. We willen alleen maar weten wat er precies is gebeurd.'

'Ik heb al met de politie gepraat.'

'Misschien dat je ons kunt vertellen wat je hun hebt verteld.'

'Ik was waar Angelina ook was, bij de vertoning.'

'Wie waren er nog meer?'

Hij ratelt de namen af: Daniel Crown en Cheryl Springer, Dominic Petrillo, Carl Ellis en Martin Kent. 'Een VIP-aangelegenheid,' aldus Richard.

'Hoe laat ben je weggegaan?'

'Tegen tweeën.'

Ik vraag hem wie er achterbleven.

'Ellis en Petrillo vertrokken om kwart voor twee. Ze verdwenen in Petrillo's limo naar het Ritz.'

'En de anderen?'

'Crown en Springer vertrokken een paar minuten voordat ik wegging. Marty was er nog.'

'Je hebt niets geks gezien of gehoord?'

'Jullie cliënte zat *high in the sky*. Zoals gewoonlijk, in haar geval.'

Ik negeer de steek onder water. 'Waar ben je heen gegaan?'

'Ik ben naar huis gelopen om de wagen op te halen. Daarna ben ik naar de wijnmakerij gereden. Het was twee uur in de ochtend en ik moest vanochtend op een liefdadigheidsveiling zijn.'

'Kan iemand dat bevestigen?'

'Danny Crown en Cheryl Springer. En ook Petrillo en Ellis. Je kunt ook met Marty Kent gaan praten.'

'Die wordt vermist.'

Er valt even een stilte. 'Dat heb ik begrepen, ja…'

'Weet je waar hij uithangt?'

'Geen idee.'

'Ging je alleen naar de wijnmakerij?'

Een korte aarzeling. 'Ja.'

'En je reed zelf terug?'

'Ja.'

'Hoe laat heb je Angelina voor het laatst gezien?'

'Tegen enen. Ik dacht dat ze naar bed ging.' Hij zwijgt even nadrukkelijk en komt vervolgens met de afmaker: 'Dus niet, blijkbaar.'

Het strookt in elk geval met Angelina's tijdsbeleving. 'Je hebt haar daarna niet meer gezien?'

'Nee.'

'Was Marty Kent geïrriteerd?'

Heftig geknik. 'Ja. Hij maakte zich zorgen over de film. En hij vond ook dat we ons met het China Basin-project een slechte deal op de hals hadden gehaald.'

Als we even later weer naar het centrum van de stad rijden, vraag ik Rosie wat haar indruk van MacArthurs zoon is.

'Min of meer wat ik verwachtte,' antwoordt ze. 'Mijn zakkenwassersantenne is uiterst nauwkeurig. Het alarmbelletje rinkelde voortdurend.' Wat dromerig kijkt ze voor zich uit. 'Iets kwam op mij wat merkwaardig over. Hij vertelde dat hij in zijn eentje naar Napa was gereden.'

'En?'

'Toen ik de wijnmakerij belde, nam een vrouw de telefoon op. Misschien heb ik het mis, maar ze klonk heel erg als Eve.'

Angel kan het niet geloven. 'Ze willen Dicks as met vuurwerk de lucht in knallen?'

Het is zaterdagavond zeven uur en Rosie en ik zitten bij Angelina in haar cel. Rosie heeft net uitgelegd hoe de plechtigheid zal worden voltrokken. 'Ik heb de notaris gebeld,' zeg ik, 'en die bevestigde dat het in Dicks testament is vastgelegd.'

'Richard heeft jou nooit over zijn laatste wensen verteld?' vraagt Rosie.

Angel staart omhoog naar het plafond. Ik zie wanhoop in haar ogen. 'Dit is gewoon een verzinsel, niet? Hij wil gewoon een zieke grap met ons uithalen. Er moet toch een manier zijn om in te grijpen?'

'Feitelijk niet, schat,' zegt Rosie. We kunnen de komende paar dagen proberen de plechtigheid tegen te houden, maar we kunnen onze tijd ook beter besteden aan het vergaren van bewijsmateriaal.

'Goed dan,' luidt Angelina's besluit. 'Laten ze hem maar cremeren. Laten ze hem maar de lucht in knallen. Maar ik wil er wel bij zijn. Ik ben zijn vrouw, ik heb het recht.'

'We zullen zien wat we kunnen doen,' zegt Rosie.

'Hoe zit het met de borgtocht?'

Rosie legt uit dat ze maandagmiddag om twee uur zal worden voorgeleid. Angel zal schuld ontkennen waarna wij de rechter om borgtocht zullen vragen. 'De officier van justitie zal ertegen zijn,' aldus Rosie.

'Wanneer kan ik hier dan eindelijk weg?'

'Dat weet ik niet precies, lieverd. De rechter is een voormalig aanklager. De officier van justitie zal aanvoeren dat je probeerde te vluchten.' Ze legt uit dat als het OM haar aanklaagt voor moord met voorbedachten rade, er weinig kans is op een borgtocht.

Angel vecht tegen haar emoties. Tranen vloeien over haar wangen terwijl ze op de zware houten stoel moedeloos in elkaar zakt. 'Niemand gelooft me, tante Rosie.'

'Je moet ons vertrouwen, Angel.'

'Ik heb helemaal niets gedaan!'

Rosie verandert van onderwerp. 'Wat kun je me over ene Eve vertellen?'

Angel verstijft. 'Wat wil je weten?'

'Om te beginnen haar volledige naam.'

'Evelyn LaCuesta. We zaten op dezelfde middelbare school en deden samen wat modellenwerk. Ze wil graag actrice worden.'

'Wat doet ze nu?'

'Ze is Richards assistente. Wat erop neerkomt dat ze alles doet wat hij vraagt.'

'Dus ook met hem het bed in duiken?'

'Waarschijnlijk. Maar niemand mag het weten. Hij ligt weer in een scheiding en het gaat nu hard tegen hard. Hij wil aantonen dat zijn vrouw hem bedriegt, maar wil niet dat iemand weet dat hij juist háár bedroog.'

Een oud verhaal. 'Vertrouw je haar?'

Het antwoord komt onmiddellijk. 'Nee. Ze is ontzettend ambitieus. Ze zal er alles voor doen om maar een rol in een grote film te krijgen.'

'Zelfs liegen over een moord?'

Ook nu aarzelt ze niet. 'Absoluut.'

Rosie en ik kijken elkaar even aan. 'Angel,' vervolgt Rosie voorzichtig, 'we hebben begrepen dat je misschien een grote som geld van je man zult erven.'

Ze haalt haar schouders op, maar haar ogen blijven op Rosie gericht. 'Zal wel.'

'Je hebt zijn testament nooit gelezen?'

'Ik heb Dick heus niet om zijn geld getrouwd,' klinkt het verontwaardigd. 'Ik heb zelfs de huwelijkse voorwaarden ondertekend om dat aan te tonen. Ik hield van hem.'

Rosie pakt haar hand. 'Lieverd, het blijkt dat jij volgens het testament aanspraak kan maken op flink wat geld dat jou volgens de huwelijkse voorwaarden wordt ontzegd.'

'Dus?'

'De aanklagers zullen benadrukken dat Dicks dood jou geen wind-eieren zal leggen – en dat je er dus veel beter van afkomt dan wat je zou hebben gekregen onder de huwelijkse voorwaarden, als je zou zijn ge-scheiden.'

'Wie praat er nu over een scheiding?'

'We hebben begrepen dat Dick een echtscheidingsadvocaat in de arm heeft genomen. Tel het ene maar bij het andere op.'

Stil en verbijsterd staart ze een seconde voor zich uit. 'Jullie beweren dat ze denken dat ik Dick heb vermoord om het geld?'

'We moeten bereid zijn die mogelijkheid onder ogen te zien.'

Ze blijft van zich afbijten. 'Ik heb echt geen idee wat er allemaal in dat testament staat, tante Rosie! Dick vroeg me de huwelijkse voorwaarden te ondertekenen. Het zal waarschijnlijk niet mijn slimste zet zijn geweest. Als de aanklagers dat willen uitbuiten, kan ik er niets aan doen.'

'We zitten met nog een ander probleem,' zegt Rosie. 'We hebben Pete ge-sproken.'

Haar ogen schieten mijn kant op, maar ze houdt haar mond.

'Lieverd,' gaat Rosie verder, 'we hebben begrepen dat hij jou informatie verschafte waaruit bleek dat Dick een ander had.'

Angel verstijft.

'Wil je erover praten?'

Ze slaakt een diepe zucht. 'Hij had helemaal geen bewijzen,' fluistert ze. 'Geen foto's of niks. Alleen maar geruchten.'

'Pete is heel grondig,' zegt Rosie.

'Ik vertrouw mijn man.' Ze veegt de tranen uit haar ogen. 'Ik geloof het pas als iemand me foto's kan laten zien.'

'Foto's of geen foto's, je hebt Pete wel ingehuurd, Angel. Dus je zult iets hebben vermoed. Het ziet er niet goed uit,' zegt Rosie.

'Dat weet ik heus wel. Denken jullie nu echt dat ik mijn man heb ver-moord omdat ik vermoedde dat hij vreemdging? En ook nog eens een week voor mijn filmpremière?'

Rosie kijkt haar recht in de ogen. 'Nee,' zegt ze. Ze haalt haar vingers door haar haren. 'Er is een groter probleem.'

'En dat is?'

'Dit zal even hard aankomen.'

Angel zet zich schrap.

Rosie windt er geen doekjes om. 'Je hebt tegen ons gelogen. Je liet ons geloven dat Pete je heeft verteld dat Dick helemaal niet vreemdging.'

'Hij heeft het tegendeel anders nog niet bewezen,' is haar verweer.

'Hoe het ook zij, je hebt ons misleid.'

Ze klinkt oprecht berouwvol. 'Het spijt me, tante Rosie.'

'Lieverd,' vervolgt Rosie, 'als je nog over iets anders hebt gelogen, dan móét ik het nu weten.'

'Nee.'

'Heb je de waarheid een beetje naar je hand gezet?'

'Nee.'

'Iets verzwegen wat we eigenlijk behoren te weten?'

Ze barst in snikken uit. 'Wat wilt u toch van me, tante Rosie? Moet ik soms mee naar de St. Peter's Church om bij priester Aguirre te gaan biechten?'

Rosie brengt een hand omhoog. 'Daar gaat het niet om. Als jij wilt dat we jou verdedigen, moeten we wel zeker weten dat je ons de waarheid vertelt – *good, bad or ugly*. We kunnen je niet goed verdedigen als je tegen ons liegt. Duidelijk?'

'Duidelijk,' klinkt het nauwelijks hoorbaar. Haar ogen worden troebel, haar schouders beginnen te schokken en opnieuw barst ze in snikken uit. Rosie neemt haar niet in de armen.

9
'IK SLOOT EEN PACT MET GOD'

*'Ik probeer geen oordeel te vellen over mijn cliënten. Ik vraag ze de waarheid te
vertellen en luister naar hun verhaal. Vaak is een strafvermindering in ruil voor een
schuldbekentenis het beste. Onderhandelen vormt een belangrijk onderdeel van een
overbelast systeem.'*
Rosita Fernandez, *Daily Legal Journal* van San Francisco

'Pappa,' vraagt Grace, 'komt Angel snel weer thuis?'

Ik kijk aandachtig naar de bezorgde blik in haar ogen en denk aan de
levensgrote poster van Angel aan haar slaapkamerdeur. Mijn gedachten
glijden terug naar de talloze keren dat Angel haar mee naar de film of uit
winkelen heeft genomen. 'Ja, schat,' antwoord ik. 'Het is allemaal een mis-
verstand.'

'Mamma zegt dat ze een beetje in de war raakt.'

'Als je een beetje in de war raakt, wil dat nog niet zeggen dat je iemand
pijn wilt doen.'

We zitten in Sylvia's keuken. Het is inmiddels acht uur 's avonds. Rosie
is naar de groenteboer. Een advocatenpraktijk laat vaak weinig tijd over
voor alledaagse huishoudelijke karweitjes zoals boodschappen doen.

Grace slikt een stukje pizza door en neemt een slokje van haar Cola light.
Rosie drinkt hetzelfde, van 's ochtends nadat ze is opgestaan tot 's avonds
voordat ze in bed kruipt. Culinair gezien valt de appel niet ver van de
boom. In de woonkamer kijkt Sylvia naar CNN. Theresa is eindelijk in de lo-
geerkamer in slaap gevallen. Grace brengt haar bord naar de keuken en
komt even later weer binnen met voor ieder van ons een chocoladekoekje.
Ik geef het mijne terug en knik naar mijn ex-schoonmoeder. 'Vraag maar
even of oma er ook een wil.'

Ze doet netjes wat ik zeg. Sylvia aanvaardt dankbaar het koekje en geeft
Grace een kusje op haar wang. Oma's hebben iets speciaals.

Ik kijk eens naar mijn dochter. Ze heeft Rosies donkere ogen en koffiebruine huid, maar ze lijkt ook erg veel op Sylvia. Haar korte krullen zijn iets
lichter, wat doet vermoeden dat ze ook nog een paar Daley-genen bezit.

Haar ronde gezicht en volle lippen zijn helemaal Rosie. Ze is nu al leuk om te zien. Ze zal een mooie meid worden. Als je de drie dames bij elkaar ziet, lijkt het alsof je naar een en dezelfde persoon kijkt, maar dan op drie verschillende momenten in haar leven. Grace is de lente, Rosie de zomer en Sylvia de herfst. 'Pappa,' fluistert ze, 'mag ik je iets vragen?'

'Vraag maar, schattebout.'

'Gaat mamma dood?' klinkt het behoedzaam.

O jee. De vraag lokt duidelijk een blik van haar oma uit. Sylvia hoort en ziet alles. Ik ben even uit het veld geslagen en doe wat iedere goede advocaat in een dergelijke situatie doet: tijdrekken. 'Waarom vraag je dat?'

'Ik hoorde mamma vannacht weer huilen.'

Er zijn van die dingen die ze je op de rechtenfaculteit niet leren. En ook niet op het seminarie. 'Mamma had een vervelende nacht. We hebben erover gepraat en ze voelt zich nu weer wat beter.'

Ze pruilt. 'Weet ik, maar mamma zegt dat de kanker nog niet helemaal weg is.'

'Nee, dat klopt.'

'Dan is ze dus nog niet helemaal beter.'

'Nog niet helemaal,' zeg ik en ik pak haar hand. 'Luister, lieverd. Mamma doet precies wat de dokter zegt. Ze neemt haar medicijnen en ze zal echt beter worden.'

'Beloof je dat?'

Wat moet ik antwoorden? 'Ik beloof het.'

'Ik ben een beetje bang, pappa.'

'Ik ook.'

'Ik wil niet dat mamma doodgaat. Toen oma Margaret doodging, was ik verdrietig.' Toen mijn moeder twee jaar geleden stierf, kwam dat voor Grace hard aan. Ze was nog te jong om zich mijn vaders overlijden te herinneren en Rosies vader heeft ze nooit gekend.

'Ik wil ook niet dat mamma doodgaat,' zeg ik haar. 'Dan zou ik ook verdrietig zijn.'

'Ook al zijn jullie gescheiden?'

'Ook al zijn we gescheiden.'

Ze denkt even na en vraagt: 'Ga je met rechter Shapiro trouwen?'

Ze is net zo direct als haar moeder. 'Weet ik nog niet, schat. Misschien, op een goeie dag. We kennen elkaar nog maar net. Zou jij het goedvinden?'

Haar lippen vormen zich tot een peinzende streep. 'Weet ik niet. Wij kennen elkaar toch ook maar net?'

Die zit. 'Voorlopig zal er niets gebeuren. En ik doe echt niets zonder het eerst met jou te bespreken. Oké?'

'Oké.' Even werpt ze een blik naar Sylvia, en kijkt me vervolgens weer aan. 'Pappa, denk je dat jij en mamma ooit weer bij elkaar komen?'

Hier hebben we het al vaak over gehad. Ze kent mijn standaardantwoord. 'Waarschijnlijk niet, schat. We hebben het geprobeerd, maar getrouwd zijn ging ons niet zo goed af.'

'Misschien moeten jullie de volgende keer wat beter je best doen.'

Ik denk dat er maar weinig meisjes van tien zijn die Graces wijsheid delen. Even zitten we zwijgend bij elkaar. Sylvia pakt de afstandsbediening en zet de tv uit.

Graces donkere ogen kijken recht in de mijne als ze fluistert: 'Ik ben bang, pappa.'

Ik ook. 'Dat geeft niks,' zeg ik. 'Misschien dat we samen bang kunnen zijn.'

'Jij wordt toch ook niet ziek, hè?'

Ik voel een brok in mijn keel. 'Nee, lieverdje. Ik pas heel goed op mezelf.'

'Beloofd?'

'Beloofd.'

Grace geeft me een knuffel en verdwijnt naar de zitkamer. Sylvia komt binnen. Ik kijk haar een beetje hulpeloos aan. Priesters horen te weten hoe je zulke vragen moet beantwoorden. 'Heb ik het goed gedaan?' vraag ik.

'Op sommige vragen zijn nu eenmaal geen eenvoudige antwoorden te bedenken,' is haar commentaar. Ze voelt mijn ongemak en voegt eraan toe: 'Je hebt het prima gedaan, Michael.'

Mijn mobieltje gaat. 'Je hebt me helemaal niet verteld dat MacArthur door zijn eigen oscar knock-out is geslagen,' hoor ik Leslie zeggen. 'Maar je moet toegeven dat er toch wel een zekere gerechtigheid uit spreekt.'

Ik zit op Doyle Drive en rijd in noordelijke richting naar de Golden Gate Bridge. Leslie zit thuis. Ik passeer de parkeerplaats aan de oostkant van het tolplein waar Angel vanochtend werd aangetroffen. Ik ben op weg naar Rosie.

'Hoe weet je van die oscar?' vraag ik. 'De politie heeft geen bijzonderheden verstrekt.'

'Ik werk op het paleis van justitie.'

'Doen jullie dat wel vaker, kletsen over bewijsmateriaal tijdens een moordonderzoek?'

'Hier hebben we geen geheimen voor elkaar. We doen allemaal ons best om de waarheid te achterhalen.' Ze zwijgt even en voegt eraan toe: 'Bovendien geldt er voor zaken waarbij een filmster betrokken is een uitzonderingsregel. Er wordt niet gewed.'

'En als deze filmster wordt bijgestaan door 's werelds meest sexy strafpleiter?'

Ze giechelt. 'We moeten ervan overtuigd zijn dat de raadslieden competent zijn. In het belang van de rechtsgang stellen we een procureur-generaal aan om de kwalificaties van de strafpleiter nader te onderzoeken. In dit geval heb ik dankbaar de verantwoordelijke taak op mij genomen om mezelf nader vertrouwd te maken met die van u.'

Ik kan de verleiding niet weerstaan haar de geijkte voorzet te geven. 'Hoe nader?'

'Intiem.'

'Dat hoopte ik al.'

'Dus vanavond gaat gewoon door? Dan begin ik graag meteen met de voorbereiding.'

'Ik moet u helaas om uitstel verzoeken.'

'Op welke gronden? U weet dat ik in mijn rechtszaal liever geen uitstel verleen.'

En ook niet in haar slaapkamer.

'Er zijn verzachtende omstandigheden,' betoog ik. 'Ik moet naar Rosie om Angelina's zaak te bespreken.'

'Het hof is daar niet blij mee.'

'En dat geldt ook voor de strafpleiter.'

'Ik kan u minachting voor de rechtbank ten laste leggen. De straffen zijn niet misselijk.'

'Ik maak het weer goed met u, het spijt me.'

'U zult er geen spijt van hebben.'

'Wat had u in gedachten?'

'Dat spelletje met mijn toga aan.'

Mijn favoriete spelletje. 'Ik hou het graag van je tegoed, akkoord?'

'Klinkt je dat niet verleidelijk in de oren?'

'Nog even en ik rijd zo van de brug af.'

Weer een giechel. 'Is dit nou wat ze telefoonseks noemen?'

'Geen idee. Ik ben geen expert.'

'Is er echt niets waarmee ik je op andere gedachten kan brengen?'

'Ik dénk het niet.'

'Toch eens proberen. Ik nip aan een glas Pride Mountain Merlot en ik kijk naar de mist die vanuit Coit Tower komt opzetten. Ik heb niets aan.'

'Wacht, ik zet hem even aan de kant.'

'Oké, dan wacht ik even.'

'Niet doen.'

Het ontlokt haar een lach. Nu ze toch in een goed humeur is, besluit ik op een serieuzer onderwerp over te stappen. 'Goed,' zeg ik, 'heb je nog wat kunnen nadenken over ons gesprekje van gisteravond?'

'Welk?'

'Dat gesprekje waarin ik je vroeg of je onze leefsituatie een wat permanenter karakter zou willen geven. Je weet wel, een paar mensen misschien verklappen dat we een koppel zijn?'

Het wordt even stil. 'Ik heb eigenlijk nog maar weinig tijd gehad daarover na te denken.' Ze aarzelt even. 'Het ligt wat gecompliceerd.'

'Neem de tijd. Geen haast.'

Ze denkt even na. 'Ik vind het fijn om bij je te zijn, Mike. Dat weet je best, ja toch?'

'Ja. En dat is geheel wederzijds.'

'Onze relatie zal alleen wat deining veroorzaken. Dat begrijp je toch wel?'

Ze stelt nog steeds vragen als een aanklager en verwoordt ze op een speciale manier om precies de goede respons uit te lokken.

'Natuurlijk.'

'Wil je dat ik die vraag nú beantwoord?' klinkt het iets aarzelender.

'Nee. Maar wel binnenkort.'

'Ja.' Ze verandert van onderwerp. 'Op het paleis van justitie praat iedereen over je zaak. Nicole gaat het in haar eentje doen.'

'Ze aast toch niet op wat gratis zendtijd, hè?'

'Alleen omdat ze een beetje op verlies staat in de peilingen? Natuurlijk niet. Dat zou niet juist zijn.'

Ik vraag wat ze nog meer heeft opgevangen.

'O'Brien zegt dat-ie je cliënte met haar rug tegen de muur heeft. Het bloed van de oscar komt overeen met dat van MacArthur.'

'Ik dacht dat jullie daar helemaal niet over mochten praten?'

'Doen we ook niet. Goed, heeft ze het gedaan of niet?'

'Die vraag mag je helemaal niet stellen,' zeg ik.

'En jij mag helemaal niet met een rechter het bed delen. En, heeft ze het gedaan?'

'Nee.'

'Wat is er voor nodig om je van gedachten te laten veranderen en haar schuld te laten bekennen?'

'Probeer je de boel te fiksen of zo?'

'"Fiksen" klinkt wel heel erg bot, Mike. Ik ben een officier van de rechtbank. Laten we zeggen dat ik de zaak in het belang van de rechtspraak probeer op te lossen.'

'Ook weer iets wat je helemaal niet mag doen.'

Ze gaat nu voor de ironie. 'Ik doe dit enkel in het algemeen belang. Als de zaak aan het rollen gaat, zal het paleis worden overstroomd door de media. Besef je wel hoeveel verkeer we hier hebben?'

'Ik ben bekend met het probleem.'

'Dus wat is er zo erg aan een bekentenis om zo een complete verstopping te voorkomen?'

'Die rode teddy die je gisteravond aanhad? Morgenavond om negen uur zie ik je graag bij je thuis, met jouw teddy. Dan kunnen we het eens uitgebreid hebben over je voorstel inzake de aanpak van congestieproblemen.' Ik zwijg even en zeg: 'De teddy is facultatief.'

'Namens de inwoners van onze mooie stad stem ik in met uw voorstel.'

'Is Pete nog iets te weten gekomen?' vraagt Rosie.

'Nog niet. Hij heeft verderop in de laan waar Little Richard woont zijn kamp opgeslagen.'

We zitten in haar woonkamer en kijken naar het late journaal. Rosie woont met Grace in een huurbungalow aan Alexander Avenue, aan de overkant van het Little League-stadion in Larkspur, drie woonwijken ten noorden van de Golden Gate Bridge. Ik woon ongeveer twee straten verderop in een tweekamerappartement formaat schoenendoos. Een echte Jut en Jul zullen we nooit worden.

Rosie staart naar het beeldscherm. Het mediacircus is volledig losgebarsten. Alles draait om Angel. Een radeloze Little Richard noemt het verlies van zijn vader een grote tragedie. Vervolgens kijkt hij in de camera en meldt dat *The Return of the Master* volgens schema in de bioscopen zal verschijnen. *The show must go on.* Daarna verschijnt een bedeesde Carl Ellis in beeld. Hij vertelt dat het China Basin-project volgens plan wordt voortgezet. Ook die show moet door, vermoed ik.

'Hiermee verband houdend,' gaat de geföhnde nieuwslezer verder, 'zoekt de politie nog altijd verder naar advocaat, zakenman en ingezetene Martin Kent, wiens auto iets verderop in de straat van huize MacArthur geparkeerd stond.'

Er wordt overgeschakeld naar het hek voor een villa in Marin County. Een gekweld ogende Daniel Crown betuigt zijn medeleven. 'Een groot verlies voor ons bedrijf,' aldus de filmster. Een dame met een afgrijselijk platinablond suikerspinkapsel plus solariumteint stapt vóór hem in beeld en meldt dat hij verder geen commentaar heeft.

'Zou dat Crowns vrouw zijn?' vraag ik.

Rosie knikt. 'Cheryl Springer zou ik liever niet in een donkere straat ergens in Bayview willen tegenkomen.' Ze zet de tv uit. 'Ik durf te wedden dat de film gewoon op tijd wordt uitgebracht. De dood van Big Dick is alleen maar prima publiciteit.'

'Wat ben je toch cynisch,' zeg ik.

'Wat heb je weer gelijk.'

We bereiden ons voor op de ontmoeting met Nicole Ward, morgenochtend. Grace slaapt op de bank. Ze viel in slaap in Rosies auto, en daarna toen ze thuiskwam. Rosie wilde niet dat ik haar naar haar slaapkamer droeg. Zo nu en dan wil ze gewoon bij haar zijn. Soms kan ze haar ogen niet van haar afhouden. Alsof ze in gedachten haar portret probeert te schilderen – om voor altijd een klein kiekje van haar bij de hand te kunnen hebben. Sinds de artsen haar vertelden dat ze kanker heeft, slaapt ze minder goed. Het lijkt wel alsof ze zich, zo lang ze nog kan, wil vastklampen aan elk moment dat ze nog wakker is.

'Heb je Carl Ellis nog kunnen bereiken?' vraagt ze.

'Heel eventjes,' antwoord ik. 'Ik trof hem al telefonerend in het Ritz. Het verbaasde me dat hij praatte.'

'En?'

'Hij zei dat hij en Petrillo om kwart voor twee Dicks huis verlieten. En ook dat het studioproject volgens plan doorgaat.'

'Nog iets over een alternatief bouwvoorstel?'

'Volgens hem was het daarvoor te laat. Ze gaan door.'

'En over Angels gedrag?'

'Ze had te veel gedronken, zei hij.' Vervolgens vertel ik haar dat hij geen idee had waar Kent uithangt.

Ze knikt. 'Zijn verhaal strookt met dat van Little Richard.'

'Inderdaad.' Ik meld dat Ellis op de terugweg naar Vegas was.

Ze schudt haar hoofd. 'Dat helpt ons niet verder.'

'Verwachtte je soms dat hij zou bekennen?'

'Nee.' Vervolgens: 'Ik wil dat je naar Vegas gaat. Het liefst zo snel moge- lijk.'

'Een dezer dagen ga ik erheen.'

Ze schakelt even terug. 'Het spijt me dat je afspraakje met Leslie in het water is gevallen.'

'Komt wel weer goed.' Ik besluit ons kleine rendez-vous op de Golden Gate te verzwijgen.

'Ik hoop dat het een beetje leuk uitpakt voor je,' zegt ze. 'Tenminste, als dit echt is wat je wilt.'

Ik kijk naar mijn ex-vrouw en zeg: 'Ik denk van wel.'

'Hou je van haar?'

Nu is het mijn beurt even te zwijgen. 'Daar ben ik vrij zeker van.'

'En omgekeerd?'

'Omgekeerd ligt het wat gecompliceerder.'

'Ja of nee?'

'Ze is er hard mee bezig.'

'Ben je er klaar voor?'

'Ik denk het.'

'Wil je trouwen?'

'Voorlopig niet. We kennen allebei de gevaren.'

'Dat zeker.' Ze kijkt naar Grace. 'Ze ondervroeg me over jou en Leslie.'

'Mij ook.'

'Wat heb je haar verteld?'

'Dat er voorlopig geen grote dingen staan te gebeuren.'

'Hoe reageerde ze?'

'Een beetje op een "eerst zien dan geloven"-manier.'

'Haar wijsheid overtreft haar leeftijd.'

'Ze heeft het al eens eerder meegemaakt.'

'Maar nu is het anders. Ze heeft een goeie intuïtie, ze weet dat je het meent. Anders zou ze me er niet naar hebben gevraagd.'

Ze peinst even en voegt eraan toe: 'Ze krijgt heel wat voor haar kiezen.'

'Ik weet het.'

'Ze moet langzaam kunnen wennen aan het idee. Ik wil dat je voorzich- tig met haar bent, Mike.'

'Doe ik.'

Ze slikt. 'Het is fijn om 's nachts in iemands armen te kunnen liggen. Ik mis het.'

Die lieve Rosie. Ik lig bijna aan rechter Leslie Shapiro's voeten, maar Rosita Carmela Fernandez zal altijd mijn kameraadje blijven. 'Jij zult nooit alleen zijn, Rosie.'

Ze kijkt dromerig voor zich uit. 'Als het met Leslie niets wordt...' Ze zwijgt.

'Wat dan, Rosie?'

'Laat maar.'

'Kom op.'

'Kan ik niet.' Ze peinst een seconde en verandert opnieuw van onderwerp. 'Hoelang wil je hier nog mee doorgaan?'

'Hier bij jou zitten, bedoel je?'

'Bezig zijn met je vak.'

Ik kies voor mijn standaardantwoord. 'Zo lang mogelijk. Dit is wat ik doe.'

'Doe niet zo glad. Word je het dan nooit zat je om andermans problemen te moeten bekommeren?'

'Soms. Maar het is nog altijd minder zwaar dan priester zijn.'

'Hoezo?'

'Als een strafpleiter zijn zaak verziekt, dan belandt zijn cliënt op zijn hoogst in de cel. Als een priester zijn plicht verzaakt, dan belandt de cliënt in de hel.'

'Er zijn anders figuren die daar weinig verschil tussen zien.'

'Nou, zo heb ik het anders niet geleerd.'

'Vind je het niet eens tijd worden voor een vakantie?'

'Misschien. Maar wat zou ik dan moeten doen?'

'Wat tijd doorbrengen met Grace en Leslie. Misschien zelfs wat tijd doorbrengen met mij. Lekker samen koffiedrinken of een ander platonisch onderonsje voor twee oude maatjes.'

'Dat lijkt me wel leuk, ja.'

'Of je zou zelfs iets nuttigs kunnen doen. Heb je nog iets van je decaan gehoord?'

Boalt Law School, mijn oude rechtenfaculteit, ontving een grote schenking om een programma te kunnen opstarten waarin rechtenstudenten ervaring kunnen opdoen bij zaken omtrent terdoodveroordeelden. Ze zoeken nog iemand om het project te leiden. Volgens decaan Dwyer ben ik de aangewezen persoon. Zelf betwijfel ik dat.

'Ja, hij belde weer eens,' antwoord ik.

'Je zou er geknipt voor zijn.'

'Hij beseft niet wat voor een rund ik ben als het op de boekhouding aankomt. Binnen een jaar zou het hele programma aan de grond zitten.'

Ze glimlacht eens veelbetekenend. Rosie is uitermate vertrouwd met mijn tekortkomingen omtrent zaken en financiën. Ze zal altijd de beherend vennoot van onze firma blijven. 'Ik vind "professor Michael Daley" anders best goed klinken,' zegt ze.

Ik ook. 'Ik zal heimwee krijgen naar de rechtszaal.'

'Je zou elk jaar een stuk of tien jonge advocaten kunnen opleiden om te doen wat jij nu doet. Rondstappen op Berkeley, achter mooie jonge studentes aan zitten.'

'Nou, dat laatste lijkt me wel wat.'

'Waarom klets je je er voortdurend onderuit?' is haar vraag.

'Ik weet gewoon niet zeker of ik het wel wil.'

'Volgend jaar word je vijftig, Mike.'

'Wat betekent dat ik dit werk nog ten minste twintig jaar kan blijven doen.'

'Wil je dan niet een keer met pensioen?'

'Dat kunnen we ons niet veroorloven. Het duurt nog vijftien jaar voordat Grace haar rechtenbul heeft.'

'En al dat geld dan dat je in het Fernandez & Daley-pensioenplan hebt gestopt?'

'Zevenentwintigduizend dollar stelt tegenwoordig veel minder voor dan toen, hoor.'

'Je gaat dus door totdat je erbij neervalt, hè?' verzucht ze quasi-wanhopig.

Ze kent me maar al te goed. 'Waarschijnlijk wel, ja. Ik kan er geen afstand van nemen, lijkt wel.'

'We zijn anders niet meer de jongsten.'

'Maar nog niet de oudsten.'

'Wat heb je tegen hem gezegd?'

'Dat ik erover zou nadenken.'

Ze zucht. 'Een baan met een vast salaris zou je heus de kop niet kosten,' zegt ze.

'Ik zou niet weten wat ik met zo'n baan aan moet. Bovendien wil ik niet degene zijn die Fernandez & Daley om zeep helpt.'

'Ik zou het wel begrijpen.'

'Misschien iets voor jóú om over na te denken,' opper ik. 'Ik zou bij de decaan een balletje kunnen opgooien.'

'Ik ben strafpleiter, Mike, geen docent.'

'O jawel, hoor. Alles wat ik van seks weet, heb ik van jou geleerd.'

Ze glimlacht. 'Dat was kleuteronderwijs. Een aanstelling op Boalt zou vereisen dat ik studenten doceer.'

'Wat wil je dat ik tegen de decaan zeg?'

'Ik zal erover nadenken.'

Ze zal het nooit doen. Zodra ze in een rechtszaal staat, gaan haar ogen glimmen. Het zou voor haar heel moeilijk zijn haar werk op te geven. 'Hoe voel je je?' vraag ik.

'Gaat wel.' Ze wordt ernstig. 'Mijn hele leven bestaat uit wachten op onderzoeksresultaten.'

'Komt allemaal goed.'

'Ik hoop het, Mike.'

Ik loop naar haar toe en geef haar een knuffel. Als ik me omdraai om naar huis te gaan, zie ik dat ze naar Grace staart, die met opgetrokken benen en een Winnie the Poeh-teddybeer, ooit in Disneyland gekregen, op de bank ligt. 'Wat is ze toch mooi,' zegt Rosie.

'Ze heeft jouw ogen.'

Ze werpt me een veelbetekenende glimlach toe. 'Ze zal een aardig hartenbrekertje worden.'

'Net als haar moeder.' We kijken in elkaars ogen. In de hare zie ik tranen. 'Ze is bang, Rosie,' zeg ik.

Haar mondhoeken trekken omlaag. 'Ik weet het.' Een jaar geleden zouden we hier op de bank nog aan de wijn zitten. Nu drinkt Rosie vooral veel water. Alsof ze denkt dat ze daarmee haar lichaam van kanker kan zuiveren. 'Ik ben ook bang.'

'Daar is anders niets mis mee.'

'Ook dat weet ik.' Ze strekt een arm naar me uit. Ik neem haar hand in de mijne. 'Ik ben er helemaal uit, nu,' zegt ze. 'Ik sloot een pact met God.'

'Echt?'

'Ja. Heb jij dat nooit gedaan als kind?'

'Voortdurend. En nog steeds.' Ik glimlach. 'En, hoe luidt jouw pact?'

'Ik heb God beloofd nooit meer te vloeken als ik lang genoeg mag blijven leven om Graces diploma-uitreiking te mogen meemaken.'

'Aha. En heb je ook al een deal gesloten om Graces buluitreiking op de universiteit te kunnen meemaken?'

'Nog niet. Mijn mensen zijn nu bezig om met Gods personeel in contact te komen. Ik sprak priester Aguirre van de St. Peter's Church onlangs. Hij zei dat God binnenkort met een website komt. Dan kun je alles per e-mail doen.'

'Zelfs biechten?'

'Ja. Een open lijn, recht naar boven. Tussenpersonen zijn dan niet langer nodig.'

'En de pastoors en priesters?'

Een schalkse grijns. 'Die zullen nog nodig zijn voor speciale gelegenheden zoals bruiloften en begrafenissen, maar niet zonder bezuinigingen en inkrimpingen.'

'Een beetje te vergelijken met banklokettisten toen op elke hoek een pinautomaat verscheen.'

'Precies.'

'Nou, volgens mij ben ik mooi op tijd uit het priestervak gestapt.' Ik buig me voorover en geef haar een kus op de wang. 'Je bent me er een, Rosita.'

Ze kust me zachtjes terug op mijn mond. 'Wat vind je van mijn pact?'

'Klinkt goed,' antwoord ik.

Ze wordt weer ernstig. 'Maar denk je dat God ervoor gaat? Jij was ooit priester. Jij onderhield het contact. Jij zult dus iets moeten weten over pacten sluiten met God.'

'Zelf heb ik er door de jaren heen ook een paar gesloten, Rosie.'
'En, werkte het?'
'Meestal wel, maar soms ook niet.'
'Geloof je nog steeds dat God meeluistert?'
'Ik denk van wel.'
'Denk je dat Hij nu ook naar mij luistert?'
'Dat weet ik zeker.'
Ze kijkt weer even naar Grace. Tranen stromen over haar wangen. 'Ik wil gewoon zien hoe ze wordt als ze opgroeit.'
'Dat gebeurt ook,' fluister ik.
'Beloofd?'
'Beloofd.'

Het is even voor middernacht als ik vlak achter de brandweerkazerne van Larkspur mijn appartement betreed. Ik werp mijn jasje op de verweerde, beigegrijze sofa en pak de laatste Dr Pepper light uit de koelkast die al sinds de jaren vijftig onderdeel vormt van de keuken. Ik toost even naar de vuile borden in de gootsteen, plaats het blikje op mijn tafel van gelamineerd hout en druk op de afspeeltoets van mijn antwoordapparaat. Alle plaatselijke tv-stations en kranten hebben een boodschap achtergelaten. In deze wereld van hightech heb je weinig meer aan een geheim nummer.

Ik luister naar de boodschap van Nicole Ward. 'Even ter bevestiging van onze afspraak voor morgen,' zegt ze. Nog maar tien uur te gaan. 'We hebben waarschijnlijk een hoop te bespreken.'

Ook de laatste boodschap is afkomstig van een vertrouwde bron. 'Michael...' zegt een zwoele stem, 'met Leslie. Bel me op mijn mobieltje. Ik wacht op je, met een verrassing.'

Ik toets haar nummer in. Al na de eerste keer overgaan hoor ik een sexy stem. 'Hallo, Michael,' fluistert ze.

'Hoe wist je dat ik het was?'
'Dit nummer is slechts voor een klein, select groepje bestemd.'
'Ik voel me vereerd.'
'Dat is je geraden.'
'Je zei dat je een verrassing voor me had?'
'Klopt. Ik hoorde dat je een zware dag achter de rug hebt?'
'Inderdaad.'
'Hier ligt een beeldschone, naakte, sexy dame. Ze wil dat je langskomt.'
Verdomme. 'Ik dacht dat we dat naar morgenavond hadden verschoven, Leslie. Het is nu een beetje laat om nog naar de stad te rijden.'
'Maar dat hoeft helemaal niet.'
'Hoezo?'
'Loop maar naar je slaapkamer, Michael. Ik heb op je gewacht.'
Rechters die op huisbezoek gaan zijn uiterst zeldzaam. Ik voel dat mijn hart begint te bonken. Ik loop door de huiskamer en trek de deur naar mijn

slaapkamer open. Ik zie dat Leslie in bed ligt. Ze heeft een laken over zich heen getrokken en heeft haar mobieltje nog in haar hand. 'Waarom heb ik die niet horen overgaan?'

'Ik heb hem op de trilstand gezet. Ik wilde je verrassen.'

'Nou, dat is je gelukt. Wat lief van je dat je hierheen bent gekomen, Leslie.'

Ze glimlacht. 'Ik heb je toch gezegd dat ik niet van uitstel hou?'

10
'ZE HEBBEN HEM GEVONDEN'

Fort Point werd gebouwd in de jaren vijftig van de negentiende eeuw. Het heeft de
burgeroorlog, twee wereldoorlogen, talloze aardbevingen en de bouw van de Golden
Gate Bridge doorstaan.
Informatiepamflet Golden Gate-recreatiegebied

'Ben je wakker, Mick?'

'Nu wel, Pete.' Ik hannes wat met de telefoon en heb moeite me te oriën-
teren. Ik voel Leslies adem tegen mijn wang. Haar ogen zijn dicht. 'Hoe laat
is het, Pete?' fluister ik.

'Even na zessen.'

'Slaap jij dan nooit?'

'Je hoeft heus niet zo kribbig te doen.'

Een baan met kantooruren begint me steeds beter in de oren te klinken.
Ik knip het licht aan. Leslies ogen gaan open. Ze leunt achterover en kijkt
me onderzoekend aan. Daarna trekt ze een laken over zich heen. 'Rosie?'
vraagt ze geluidloos.

Ik schud mijn hoofd.

'Wie dan?' vraagt ze.

Ik bedek de hoorn. 'Pete.'

Ze zucht en laat zich weer in het kussen zakken.

'Mick,' vraagt Pete opnieuw. 'Ben je daar nog?'

'Ja.'

Hij aarzelt even. 'Ben je alleen?'

'Ja.'

'Ja ja. Rosie?' vraagt hij en ik vang een gniffeltje op in zijn stem.

'Niet belangrijk.'

'Bofkont.'

'Kappen, Pete.'

'Iemand die ik ken?'

'Nee.'

'Wanneer krijg ik haar te zien?'

'Daar hebben we het nog wel over.'

'Hetzelfde oude liedje. Ik werk me kapot en jij ligt lekker te rollebollen.'

Ik ga rechtovereind zitten. 'Je hebt mijn onverdeelde aandacht. Waarom bel je?'

'Ze hebben hem gevonden.'

'Wie?'

'Martin Kent.'

Yes! 'Waar?'

'Fort Point.'

Wat? Fort Point is een gerestaureerd kustverdedigingsfort dat stamt uit de Amerikaanse burgeroorlog. Het ligt aan de voet van het zuidelijke land-hoofd van de Golden Gate Bridge. 'Wat had hij daar in vredesnaam te zoe-ken?'

'Hij is aangespoeld bij de steunmuur. Hij is dood, Mick.'

Jezus. 'Is-ie gesprongen?'

'Weet ik niet. Ik ving het op op de politieradio. Er zijn al een paar pa-trouillewagens onderweg.'

'Waar ben je nu?'

'Onderweg naar het fort.'

'Ik kom zo snel mogelijk naar je toe.'

Ik trek net mijn lange broek aan als ik achter me Leslies stem hoor. 'Dit begint wel een beetje vermoeiend te worden, hè?'

Opnieuw betrapt. Ik draai me om. 'Het spijt me,' zeg ik en vertel haar over Kent. 'Ik moet naar Fort Point.'

Ze gaat met een vinger over haar lip. 'Denk je dat de relatieprofeten ons iets duidelijk willen maken?'

'Ik zou er maar niet zo veel achter zoeken.'

Haar blik verzacht. 'Je moet er echt vandoor, hè?'

'Ja.'

'Jij bent de meest plichtsgetrouwe vent die ik ooit heb ontmoet, Michael Daley. Als je me voor je wilt winnen, moet je me wel wat meer helpen.'

'Ik doe echt mijn best, Leslie.'

'Ik weet niet of dit wat wordt.'

'Waarom niet?'

'Om een hoop redenen niet.'

'De magistratuur?'

'Onder andere,' erkent ze, 'maar dat is niet de voornaamste reden.'

'Wat is dan wel de voornaamste reden?'

'Ik ben al geruime tijd alleen. Ik heb het je nooit verteld, maar ik ben ooit getrouwd geweest.'

Dit is nieuws. 'Wanneer?'

'Ik studeerde nog. Het duurde nog geen jaar.'

'Maar dat is dus lang geleden.'

'Ik weet het. En ook dat ik me niet door die ene rotervaring mag laten beïnvloeden, maar ik kan er niets aan doen. Ik geniet van mijn onafhankelijkheid, ben eraan gewend mijn eigen gang te gaan. Ik heb me ooit voorgenomen pas iets serieus met een man te beginnen als er bijna niets op hem is aan te merken.'

Een nogal onredelijke eis. 'Hoe breng ik het ervan af?'

'Je komt verdomd aardig in de buurt – misschien ben je wel de enige geschikte kandidaat die ik kan vinden.'

Niet slecht. 'Wat is dan het probleem?'

'Ik heb je aandacht nodig.'

'Ik ben een en al oor.'

Een felle oogopslag. 'Nee, dat ben je niet. Je hebt andere verplichtingen – grote verplichtingen. Je hebt je eigen praktijk, wat veel late telefoontjes met zich meebrengt, krijg ik de indruk.'

Ze heeft een punt. 'De laatste paar dagen zijn wat ongewoon.'

Een glimp van een glimlach. 'Dat begrijp ik best. Maar je hebt ook Gracie en Rosie om je over te ontfermen.'

'Daar kan ik niets aan veranderen. Dat hoort er nu eenmaal bij.'

'Weet ik. Het klinkt egocentrisch, maar ik wil je niet delen, en al helemaal niet met je ex-vrouw.'

Dit is een nieuwe invalshoek. Ik ga omzichtig te werk. 'Jullie lijken het anders best goed met elkaar te kunnen vinden.'

'Beroepsmatig wel, ja. Maar op het persoonlijke vlak weet ik het zo net nog niet.'

'Hoezo?'

'Je voelt nog steeds iets voor haar.'

Ontkennen heeft geen zin. 'Dat zal altijd wel zo blijven.'

'Ik wil geen eeuwige kapers op de kust.'

'Daar hoef je ook helemaal niet bang voor te zijn.'

Ik bespeur een lichte irritatie bij haar. 'Kom op, Mike. Dat is toch volkomen duidelijk voor iedereen die jullie samen ziet? Jullie voelen meer voor elkaar dan de meeste van mijn getrouwde vrienden voor hun wederhelft voelen. Jullie hebben een dochter, jullie werken samen. En jullie hebben moeite de knoop definitief door te hakken. Hoe denk je dat ik me voel als ik jullie tweeën samen zie?'

'Nou, je hoeft Rosie heus niet te benijden,' zeg ik en ik merk al meteen dat ik in de verdediging ga.

'Dat doe ik dus wél.'

'Onze relatie is nu heel anders.'

'Voordat ik me echt aan je kan binden, moet ik eerst zeker weten dat jullie elkaar niet meer in de armen vliegen.'

'Dat gebeurt niet meer.'

'Ik betwijfel het.' Voor het eerst sinds we elkaar kennen, lijkt het of ik tranen in haar ogen zie opwellen. Dit is uniek. Ze heeft me ooit verteld dat rechters niet mogen huilen.

'Ik wil dat het lukt,' zeg ik haar. 'Dat het lukt tussen óns.'

Ze hervindt haar rechterlijke kalmte en kust me. 'We hebben het er nog wel over. Je broer wacht op je bij Fort Point.'

'Je klinkt niet erg opgewekt,' vindt Rosie.

'Ik ben moe,' antwoord ik. Ik ben onderweg naar haar huis en praat in mijn mobieltje.

'Scheelt er iets?' vraagt ze.

'Ze hebben Martin Kent gevonden.'

'Ik weet het. Mijn moeder hoorde het op de radio.'

Ik had het kunnen weten. Sylvia staat immers om halfvijf op. 'Kun je een oppas regelen voor Grace?'

'Ik heb al met Melanie en Jack gesproken.' Haar buren hebben een zoon die net zo oud is. We doen eigenlijk veel te vaak een beroep op hen.

'Ik ben er over vijf minuten,' zeg ik.

'Alles goed met je, Mike?'

'Waarom vraag je dat?'

'Iets in je stem.' Ze aarzelt, maar vraagt: 'Heeft het met Leslie te maken?'

Ze kent me beter dan wie ook. 'Met mij is alles best.'

Fort Point is een gemetseld bouwwerk, vijfentwintig verdiepingen pal onder het wegdek van de Golden Gate Bridge. Na de voltooiing tijdens de Goudkoorts kreeg het als bijnaam 'De trots van de Grote Oceaan'. De vier rijen met kanonnen golden destijds als het modernste afweermiddel tegen een zeeoffensief. Ze hebben zich nooit hoeven te bewijzen, zo heeft de geschiedenis uitgewezen.

Rosie, Pete en ik staan in de mist naast een afrastering tussen de buitenmuur van het fort en de baai. Het is een geliefd keerpunt voor joggers en fietsers die vanuit de richting van de jachthaven komen. De parkbeheerders hebben een bord opgehangen met daarop twee handen. Joggers hebben de gewoonte deze handen even aan te tikken alvorens te keren. Ernaast valt een dringender waarschuwing te lezen: VERBODEN TOEGANG. GEVAAR VAN VALLENDE VOORWERPEN TIJDENS BRUGREPARATIES. Hoewel er op zondagochtend kwart over zeven nog weinig verkeer is, horen we het geruis van auto's en vrachtwagens die over het brugdek jakkeren.

Op de smalle toegangsweg vlak langs de baai heeft de politie een stuk van ongeveer de lengte van een voetbalveld afgezet. Agenten staan in een groepje om het lichaam van Martin Kent, dat bedekt is met een zwart zeil. De kranten zullen de lezer erop wijzen dat hij op bijna dezelfde plek is aangespoeld als waar Jimmy Stewart actrice Kim Novak in de film *Vertigo* uit het water vist. Rechercheur Jack O'Brien inspecteert een tweede plaats delict. Het busje van de lijkschouwer, een wagen van het forensisch team en vier politieauto's staan vlak achter het gele afzetlint geparkeerd.

Ik steek een hand op naar O'Brien, die zichtbaar piekert. 'Het ziet ernaar uit dat we een tweede lichaam hebben gevonden,' zegt hij. 'Denk je dat je je cliënte kunt overhalen er met ons over te praten?'

'Nee,' antwoordt Rosie.

Ik vraag hem of hij weet wat er is gebeurd.

'Nog te vroeg om iets te kunnen zeggen. De nachtwaker vond hem om halfzes. Daarna heeft hij ons gebeld.'

'Is hij gesprongen?' vraagt Pete.

O'Brien haalt zijn schouders op. 'Weet ik niet. Hij zag er behoorlijk gehavend uit.'

'Nog schot- of steekwonden?' vraag ik.

'Niets.'

Ik informeer naar mogelijke aanwijzingen voor kwade opzet.

'Ik ben de lijkschouwer niet.'

'Enig idee hoe hij hier terecht is gekomen?'

'Nee. Ga er maar niet van uit dat hij van de brug is gesprongen.'

Zal ik niet doen. 'Nog duidelijke sporen op zijn kleding?'

'Hij heeft een tijd in het water gelegen. We moeten wachten op het sectierapport.'

Ik kijk eens om me heen. 'Heb je Kent in verband kunnen brengen met MacArthurs dood?'

'Nog niet.'

'Kunnen we er min of meer van uitgaan dat het ene met het andere te maken heeft?'

'We gaan nergens van uit.'

Pete kijkt naar het lichaam en wijst naar een aangeslagen man van middelbare leeftijd die in gesprek is met een paar agenten. 'Is dat de zoon van Kent?' vraagt hij.

'Ja. Hij heeft het lichaam geïdentificeerd.'

'Is het goed als we hem een paar vragen stellen?'

O'Brien maakt aanstalten weg te lopen. 'Dit is misschien niet het goede moment…' zegt hij.

Hij heeft gelijk. 'We spreken hem later wel,' zeg ik. 'Laat hem maar even met rust.'

'Hier hebben ze Angel aangetroffen,' vertelt Pete me. We zijn naar het zogenaamde oostelijke uitzichtspunt, aan de zuidkant van de brug, gereden. Hij wijst naar een parkeerplek ongeveer vijftien meter van de snackbar. Het gele afzetlint is verwijderd. Er waait een fris windje nu we naast het standbeeld van Joseph Baermann Strauss tussen de toeristen staan. Iedere scholier in San Francisco leert dat hij de hoofdingenieur van de brug was. In 1933 begon men met de constructie ervan. Vier jaar en drieëntwintig miljoen dollar later was zijn meesterwerk voltooid. Naast Strauss staat een opengewerkte dwarsdoorsnede van de hoofdkabel. Hij is bijna een meter dik.

90

'Heeft iemand gezien dat ze hier parkeerde?' vraag ik. Ik kijk even naar de schreeuwerige snackbarkraam waarop de naam BRIDGE CAFÉ prijkt. De Roundhouse-cadeauwinkel staat vlak achter het standbeeld. Het is een rond gebouwtje dat vroeger een restaurant was. Sinds eind jaren tachtig is het een souvenirwinkel. Zoals de meeste autochtonen hier heb ik sinds mijn jeugd deze toeristisch aandoende plek niet meer bezocht.

'De bewaker heeft haar niet zien aan komen rijden,' zegt Pete. 'Tot dusver zijn er geen andere getuigen gevonden. De snackbar en de cadeauwinkel waren dicht.'

We passeren de winkel en lopen door een parkgedeelte. De mist begint op te trekken en ik ontwaar wat plukjes heldere hemel boven de brugtorens. De frisse lucht ruikt naar zout water. Bij het rasterhek bij de ingang van het voetgangersdeel aan de oostkant van de brug aangekomen, blijven we even staan. Een bord vermeldt dat het voetgangers is toegestaan tussen vijf uur 's ochtends en negen uur 's avonds de brug te gebruiken. Het hek is van boven afgezet met prikkeldraad.

'Als hij hier voor vijven is geweest, dan had hij nooit het wegdek kunnen bereiken,' stel ik vast.

Pete bekijkt het hek. 'Hij kan eroverheen zijn geklommen.'

Ik kijk naar het prikkeldraad erbovenop. 'Dan zal hij zich flink hebben bezeerd.'

'Als hij toch al van plan was te springen, zal hij zich om een sneetje weinig hebben bekommerd. Stel dat er geen verkeer was, dan kan hij over de afscheiding op het wegdek zijn gesprongen en om het hek zijn gelopen.'

Ik kijk naar de tolhuisjes links en rechts van de snackbar. Je betaalt alleen als je naar het zuiden gaat. 'Een van de tolbeambten kan hem hebben gezien,' opper ik.

'Misschien ook niet. Gisterochtend om halfvier waren er maar vier rijbanen open.'

Ik informeer naar de bewaking.

'De brug heeft zijn eigen bewaking. Een paar agenten letten op mogelijke zelfdodingen. We moeten eens gaan praten met de lui die afgelopen nacht dienst hadden.'

We lopen het wegdek op en begeven ons in noordelijke richting. Ik stop even en kijk over de rand omlaag. Fort Point ligt pal onder ons. Ik zie dat het afzetlint een halve boog rond Kents lichaam beschrijft. 'Van hieraf kan hij nooit zijn gesprongen,' zeg ik. 'Dan zou hij midden op het exercitieterrein zijn beland.'

Pete knikt. We lopen een kleine honderd meter verder. Enkele jaren geleden werd boven de oorspronkelijke ijzeren reling een hoog hekwerk geconstrueerd om zelfdodingen tegen te gaan. Maar het hekwerk strekt zich slechts ten dele uit naar de zuidtoren. Stel dat Marty Kent niet over het hoge hek had willen klimmen, dan had hij slechts een paar honderd meter verder hoeven lopen.

Als we de zuidtoren bereiken, kleurt de hemel donkerblauw en kunnen we Alcatraz in het oosten zien liggen. Ik kijk even over de reling en staar omlaag naar het troebele water van de baai. 'Ik vraag me af wat Martin Kent dacht,' zeg ik tegen Rosie.

'Misschien is dit het laatste wat hij zag,' antwoordt ze.

Ik voel het bloed razendsnel naar mijn voeten stromen en doe een stap naar achteren. Hij kan meer dan zestig meter naar beneden zijn gevallen, midden in de nacht met volle vaart zo het donkere, ijskoude water in. Zwijgend kijken Rosie en ik elkaar een moment aan.

Pete werpt een blik in de richting van Alcatraz. 'Het feit dat zijn lichaam bij Fort Point is aangespoeld, wil nog helemaal niet zeggen dat Kent gesprongen is. Het kan toeval zijn dat hij en Angel hier allebei waren. Misschien zaten ze in dezelfde auto. Misschien waren ze ergens bij betrokken. Misschien hadden ze ruzie. Iemand kan ze hierheen hebben gereden.' Hij draait zich weer naar me om. 'Het enige wat ik wél weet, is dat we maar beter niet in het diepe kunnen springen, qua overhaaste conclusies.'

11

DE JONKVROUW VAN BRYANT STREET

'Zolang ik officier van justitie ben, zullen we kunnen bogen op het respect en de
waardering van ordehandhavers in het hele land.'
Officier van justitie van San Francisco Nicole Ward, *San Francisco Chronicle*,
zondag 6 juni

Het hoofd van de ordehandhaving van de stad en het district San Francisco kijkt me vorsend aan. Nicole Wards amandelvormige ogen worden benadrukt door twee hoge, perfect gevormde jukbeenderen. Met haar stijlvolle katoenen blouse en beige pantalon lijkt ze regelrecht uit een chique Nordstrom-kledingadvertentie te zijn gestapt. Haar romige teint complementeert haar halflange kastanjebruine krullen. Terwijl ze het woord tot me richt, trekt ze eventjes haar nuffige neusje op. 'Jullie denken toch zeker niet dat een béétje rechter jullie cliënte borgtocht zal verlenen, hè?'

Onder het elegante vernislaagje gaat een heuse straatvechtster schuil die niets voor spek en bonen doet. Het gevecht is begonnen.

'We zullen om borgtocht verzoeken,' zeg ik.

'Wij zullen ertegen zijn.'

Het is een prachtige zondagochtend. De meeste San Franciscoaren zitten nu aan de koffie, bladeren de *Chronicle* een beetje door en koesteren misschien het plan voor een wandeling op Mount Tam. Rosie en ik zijn echter op audiëntie bij de dame die door Rosie 'de jonkvrouw van Bryant Street' wordt genoemd. In het plechtstatige kantoor van de officier van justitie op de tweede verdieping van het paleis van justitie hebben we plaatsgenomen in de dikke fauteuils. Een paar jaar geleden werd een egotripper genaamd Prentice Marshall Gates III door de burgers van onze mooie stad tot officier van justitie verkozen. Zijn eerste officiële daad was een complect nieuwe inrichting van zijn kantoor, met eikenhouten lambrisering, elegante lederen fauteuils en hoogpolig tapijt. Het kiezen van meubilair ging hem een stuk beter af dan het uitoefenen van de rechtspraak. Hoewel Gates twee jaar geleden is opgestapt, is zijn meubilair nog altijd onder ons.

De lambriseringen en het tapijt bij het grof vuil zetten om ze te vervangen door iets minder opzichtigs zal minstens vijftig ruggen kosten. En dus weet Nicole Ward zich omringd door een leuke werkkamer. De dochter van de president van een biotechnologisch bedrijf weet de uiterlijke kenmerken van de macht goed voor het voetlicht te brengen. Hoewel je het met een beetje stijl ver kunt schoppen in San Francisco, zou het een enorme vergissing zijn haar talenten als aanklager te onderschatten.

'Ze is niet vluchtgevaarlijk,' zegt Rosie. 'Ze wordt overal herkend.'

Ward leunt iets naar voren boven haar onberispelijke bureau. 'Denk maar niet dat jullie op enige clementie hoeven te rekenen, enkel omdat jullie cliënte een celebrity is.'

U kunt gerust zijn.

Ze kijkt even naar het kleine bronzen weegschaaltje op haar dressoir en voegt er op aanstellerig politiek correcte toon aan toe: 'Voor de wet is iedereen gelijk. Wij respecteren de rechten van iedere gedaagde. We behandelen iedereen hetzelfde.'

Ik twijfel niet aan haar woorden.

Ze priemt met een wijsvinger naar ons. 'Ze heeft geprobeerd te vluchten: ze is naar de brug gereden. Als ze niet onder invloed was geweest, had ze nu in Oregon gezeten.'

Rosie hoort het tactische gebazel stoïcijns aan. Een wedstrijdje harrewarren met Nicole Ward kun je alleen maar verliezen.

'Morgen om twee uur is de voorgeleiding,' deelt Ward mee. Rechter McDaniel zal presideren.'

Voor ons niet echt een goed bericht. Elizabeth McDaniel is een voormalig rechter van het Hooggerechtshof die een paar jaar geleden een plekje is opgeschoven. Hoewel bedachtzaam en uiterst intelligent, heeft ze nog nooit een aanklager tegenover zich gehad met wie ze het niet kon vinden.

'Ik neem aan dat jullie cliënte schuld zal ontkennen?'

'Dat is correct,' antwoordt Rosie.

'Dan zie ik jullie morgen.'

'Nicole,' probeert Rosie, 'ik hoopte eigenlijk dat we de zaak even konden bespreken.'

'Er valt niets te bespreken.'

Rosie kijkt kwaad. 'Als je dan toch niet wilt praten, waarom ging je dan akkoord met deze ontmoeting?'

Ward aarzelt geen moment. 'Een beroepsmatige beleefdheid, meer niet.'

Wat een grootmoedigheid. 'En Martin Kent?' vraagt Rosie vervolgens.

'Die is dood. Jullie weten net zoveel als wij. We onderzoeken de zaak.'

Dank je. 'Weten jullie al hoe hij is gestorven?' vraag ik.

'Daar zijn we nog niet helemaal achter.'

'Is-ie van de brug gesprongen?'

'We sluiten niets uit.'

Rosie houdt nog even vast aan zelfmoord. 'Waarom zou hij zichzelf van het leven hebben willen beroven?'

'Dat weten we niet.'

'Je bedoelt dat je het ons niet wilt vertellen.'

Ze knijpt haar ogen iets toe. 'Ik bedóél dat we het niet wéten. We zijn nog maar net met het onderzoek begonnen. We hebben zijn zoon gesproken, die ons vertelde dat hem niets merkwaardigs is opgevallen aan zijn vader. We zijn in gesprek met de tolbeambten en de brugbewaking. We proberen zoveel mogelijk getuigen te vinden die hem kunnen hebben gezien.' Ze licht haar kin wat op: 'Wie heeft de antwoorden? Wie weet was jullie cliënte hier ook bij betrokken.'

Rosie negeert het en merkt op: 'Jullie hebben toch wel rekening gehouden met de mogelijkheid dat Kent iets met MacArthurs dood te maken kan hebben?'

'Die gedachte is bij me opgekomen, ja.'

'Je had zelfs een plausibel scenario kunnen bedenken waarin hij eerst MacArthur vermoordde en daarna zelf van de brug is gesprongen.'

Ward trakteert ons op een sarcastische grijns. 'Je bent het stukje vergeten waarin hij besloot jullie cliënte erbij te lappen.'

Rosie geeft zich niet gewonnen. 'Dat is op zich niet onwaarschijnlijk,' stelt ze. 'Zijn wagen stond nog steeds bij MacArthurs huis geparkeerd. Hij kan mijn cliënte zelf naar de brug hebben gereden.'

'Ja, vast,' is Wards reactie. 'En daarna manoeuvreerde hij haar voorzichtig achter het stuur, legde een zakje coke naast haar neer en borg de bebloede oscar op in de kofferbak.'

'Jij was anders degene die zei dat jullie niets uitsluiten,' is Rosies voorzet.

Ward gaat er niet op in. 'Als hij de perfecte misdaad zou hebben gepleegd en jullie cliënte erbij heeft gelapt, waarom dan zelfmoord plegen?'

Goede vraag. Rosie en ik kijken elkaar even aan, maar houden onze mond.

Ward klinkt vervolgens wat minder bits en voortvarend. 'Luister,' zegt ze, 'alle gekheid op een stokje. We hebben voldoende bewijzen om jullie cliënte aan te klagen.'

'Zou je ons daar iets over kunnen vertellen?' is mijn vraag.

'Na de voorgeleiding hebben we daar ruimschoots de gelegenheid voor.'

'Wat dacht je van een voorbeschouwing?'

'Ze was ter plaatse. We troffen het moordwapen aan in de kofferbak van haar auto. Ze heeft geprobeerd te vluchten. Vul de rest zelf maar in.'

Genoeg voor een voorgeleiding. Over een paar weken, vlak voor de voorlopige hoorzitting, zullen we meer weten. We discussiëren nog wat, waarna plotseling een jonge, kokette Aziatische vrouw met verfijnde gelaatstrekken en kort, ravenzwart haar zonder kloppen het kantoor binnenloopt. Met haar lengte van nog geen een meter vijfenzestig is Lisa Yee, gekleed in een kakikleurige broek en beige sweater, in fysiek opzicht niet bepaald een imposante verschijning. Maar ze straalt een ongelofelijk zelfvertrouwen uit en ik heb haar nog nooit haar stem horen verheffen. Zij overwint met gezond verstand, niet met gekrakeel. Ik krijg een delicaat handje en met een 'Sorry dat ik zomaar binnenval' lijkt ze zich oprecht te willen verontschuldigen.

Ward knikt even naar haar collega en richt haar aandacht weer op ons. 'Ik neem aan dat jullie Lisa Yee al kennen? Ik heb haar aangesteld om me bij deze zaak te assisteren.'

Nog meer slecht nieuws. Onder Ward heeft Yee een stuk of vijf moordzaken afgehandeld. En stuk voor stuk met succes. 'Leuk jullie weer te zien,' liegt ze.

'Van hetzelfde,' zeg ik.

Ze steekt meteen van wal. 'We hebben de vingerafdrukken op de oscar geanalyseerd.'

Dat is snel. Het forensisch lab draait behoorlijk wat overuren. Belangrijker is echter dat Yee's binnenkomst van zo-even ongetwijfeld zorgvuldig is georkestreerd.

'En, wat zijn je bevindingen?' luidt Wards vraag.

Nu weet ik zeker dat dit doorgestoken kaart is. Waarom deze vraag stellen als je het antwoord toch al weet?

'De vingerafdrukken zijn van het slachtoffer.'

Op zich niet verrassend.

'En van Angelina Chavez.'

'Dat zegt helemaal niets,' stelt Rosie. 'Ze woonden samen. Ze kan dat beeldje wel vaker hebben opgepakt.'

'Ze hanteerde het moordwapen. Hoe denk je anders dat dat ding in de kofferbak verzeild is geraakt?'

'Het is jouw taak om dat uit te zoeken,' riposteert Rosie.

Ward zwijgt.

'Heb je nog andere vingerafdrukken op het beeldje gevonden?' vraag ik Yee.

Ze kijkt heel even naar Ward. 'Ja,' luidt haar antwoord.

'Van wie?'

'Dat weten we nog niet. We hebben ze nog niet aan iemand kunnen koppelen.'

Het kan ons in elk geval wat meer mogelijke daders opleveren. 'Hoeveel verschillende?'

'Ten minste vier. Misschien meer.'

Rosie werpt een misprijzende blik naar Ward. 'Dat toont dus aan dat iemand dat beeldje opzettelijk in de auto kan hebben achtergelaten. Dit zijn dus vier verdachten die jij gewoon terzijde schuift.'

Een verbaasde blik. 'Het moordwapen werd aangetroffen in de kofferbak van de wagen van jullie cliënte,' herhaalt Ward.

'Maar jullie weten niet hoe dat ding daar belandde,' is Rosies repliek.

'Nou, je hoeft anders echt geen genie te zijn om dat te bedenken, hoor.'

'Zijn er nog vingerafdrukken op de kofferbak gevonden?' vraag ik Yee.

'Alleen die van het slachtoffer,' moet ze helaas bekennen.

In elk geval dus niet die van Angel. 'Hoe heeft mijn cliënte volgens jullie de oscar dan in de kofferbak kunnen doen?' vraag ik.

'Ze kan het kofferdeksel hebben geopend zonder vingerafdrukken achter te laten. Of ze kan de kofferbak met de hendel onder het dashboard hebben geopend.'

Ik vraag haar of er vingerafdrukken op de ontgrendelingsknop onder het dashboard zijn aangetroffen.

Haar lichtgetinte gezicht kleurt dieprood. 'Nee.'

'En op het stuur?'

'Ja,' is het antwoord. 'We vonden vingerafdrukken van het slachtoffer en van Angelina Chavez.'

'Van wie nog meer?'

Ze kijkt even naar Ward en mompelt: 'Martin Kent.'

'Werkelijk?'

'En er zijn een paar vage afdrukken waar we nog mee bezig zijn.'

Rosie kijkt Ward aan en vraagt: 'Hoe zijn Kents vingerafdrukken volgens jou op dat stuur terechtgekomen, Nicole?'

Woest staart ze terug, maar ze geeft geen antwoord.

'Alles is mogelijk,' concludeert Rosie. 'We mogen niets uitsluiten.'

Wards roomblanke wangen worden vuurrood. 'Het is toch overduidelijk?' houdt ze vol.

'Je bent veel te voorbarig,' vindt Rosie.

Ward draait zich weer om naar Yee en informeert naar het bloed op het oscarbeeldje.

'Bloedgroep O,' antwoordt ze. 'Het komt overeen met de bloedgroep van het slachtoffer.'

Triomfantelijk kijkt Ward Rosie weer aan. 'Hoe verklaar je dat?'

'We zullen de DNA-tests afwachten. Hele volksstammen hebben die bloedgroep. Ik ben er een van.'

Ik kom tussenbeide. 'Is er nog bloed op de handen of kleding van onze cliënte aangetroffen?' vraag ik.

Ward aarzelt even. 'Nee,' antwoordt ze.

'Hoe verklaar jij dan dat ze haar echtgenoot met een oscar buiten westen kon slaan zonder zelf bloed aan haar handen en kleren te krijgen?'

'Ze waste haar handen en verkleedde zich.'

'Op welk moment?'

'Nadat ze haar man had geslagen, maar voordat ze naar de brug reed.'

Ze klinkt niet erg overtuigend. 'Hebben jullie die bebloede kleren al gevonden?'

Ze werpt een hulpeloze blik naar Yee en antwoordt zacht: 'Nee.'

Niet dat Angel vrijuit gaat, maar het argument van de aanklager vertoont nu wel een hiaat. We zijn iets dichter bij een gerede twijfel. We bek-vechten nog een paar minuutjes verder, maar Ward geeft geen krimp.

Rosie is nog niet klaar met haar betoog. 'Waarom zou ze haar man heb-ben willen vermoorden? Hij gaf haar de kans om door te breken. Haar eer-ste grote film gaat vrijdag in première.'

Een sardonische grijns valt ons ten deel. 'Het aloude verhaal: geld. De levensverzekering bedraagt een miljoen dollar. De huwelijkse voorwaar-den waren waterdicht. Bij een scheiding zou ze geen cent hebben gekregen. Door hem te vermoorden vóórdat hij van haar kon scheiden, maakte ze tes-tamentair aanspraak op de helft van zijn bezittingen. Het testament doet de huwelijkse voorwaarden teniet. En hij wílde van haar scheiden.'

Bah. Ik hoopte eigenlijk dat ze dat laatste nog niet wist. 'Hoe kom je aan die informatie, over de verzekering en de huwelijkse voorwaarden?'

'Van MacArthurs zoon.'

En bij wie zijn loyaliteiten liggen, weten we inmiddels. We vragen haar om kopieën.

'Laat me jullie een goede raad geven,' zegt Ward. 'Als mens. Als vriend.'

Als tuthola.

'Jullie cliënte zit ernstig in de problemen. Ze beschikt niet over een plausibel verweer. Als ze niet met een beter verhaal voor den dag kan ko-men, dan kunnen jullie haar maar beter overhalen schuld te bekennen in ruil voor strafvermindering.'

Het spel is begonnen.

'Daarvoor is het nog veel te vroeg,' aldus Rosie. 'Uiteindelijk zul jij de aanklacht intrekken.'

'Nee hoor, zo ver zal het niet komen,' is het antwoord. 'Ik ben een re-delijk mens. Ik vraag je alleen met haar te praten. Overtuig haar ervan dat het beter is de waarheid op te biechten.'

Ward komt totaal niet over de brug.

'Even officieus,' vervolgt ze. 'Als ze meewerkt, ben ik misschien ge-neigd een iets lagere strafmaat te eisen. Waarmee de doodstraf van tafel zou zijn…'

Maar het betekent tevens minimaal vijftien jaar cel. Rosie kijkt haar verontwaardigd aan. 'Je denkt serieus aan een doodvonnis?'

'Absoluut.'

Ze staren elkaar aan, proberen elkaar af te troeven. 'Is dat een aanbod?' luidt Rosies vraag.

'Nee.' Ward aarzelt even. 'Een suggestie, meer niet,' antwoordt ze. 'Probeer het eens uit op je cliënte. Wie weet zal het haar overhalen de waarheid te vertellen. Het zal haar geweten goed doen.'

En Ward ook. Met een snelle bekentenis van Angel kan ze alle eer in deze zaak naar zich toe trekken. Bekent Angel niet, dan is het niet waar-schijnlijk dat de zaak nog vóór de lokale verkiezingen wordt afgerond.

'Ik zal het haar voorleggen,' zegt Rosie.

'Ik zie jullie bij de voorgeleiding.'

Angel klinkt wanhopig. 'Een schuldbekentenis in ruil voor strafverminde-ring?' We spreken haar in een raadskamertje in de Glamour Slammer. Het verloopt stroef.

'Ik breng alleen maar verslag uit van ons gesprek met de officier van jus-titie,' legt Rosie uit. 'Het is geen advies.'

'Mooi,' is Angels reactie en haar blik is woest. 'Ik peins er niet over.'

'Ik had ook eigenlijk niet anders verwacht.' Daarna vraagt Rosie haar hoe ze heeft geslapen.

Ze staart naar het plafond. 'Verschrikkelijk.' Zuinigjes tuit ze haar lip-pen. 'Mijn celgenote is een drugdealer.'

'Is er iets gebeurd?' wil Rosie weten.

Stilte.

'Angel?'

Tranen wellen op in haar ogen. 'Ik kon niet slapen! Ik lag gewoon op mijn bed....'

'En toen?'

'Toen de cipier weg was, viel ze me aan!'

Rosie pakt haar hand. 'Ze heeft je geslagen?'

'Niet precies.' Ze sluit haar ogen. 'Ze drukte haar kussen op mijn ge-zicht. Ik wilde haar van me af duwen, maar ze was te sterk.' Haar blik dwaalt door het grijze vertrek. 'Ik dacht dat ik doodging.'

Rosie slikt. 'Heb je het tegen iemand verteld?'

'Als ik dat deed, zou ze me vermoorden. Jullie moeten me hier wegha-len,' zegt ze, en de angst druipt ervan af.

Rosie slaat een arm om haar heen.

Angel beeft. 'Mijn wereld stort in.'

Rosie houdt haar even vast. 'Ze hebben Martin Kent gevonden,' fluis-tert ze; ze aarzelt even en voegt eraan toe: 'Hij is dood.'

Angel slaat een hand voor haar mond. Ze begint naar lucht te happen. 'Ze hebben Marty ook vermoord?' klinkt het tussen de halen door.

Rosie houdt haar nu vast als een baby. 'Ze vonden zijn lichaam in de baai bij Fort Point. Ze denken dat hij van de brug is gesprongen.'

Angel is eventjes stil. Opnieuw wellen de tranen op en ze laat haar hoofd zakken. 'Hij was zo fatsoenlijk. Hij verzorgde zijn vrouw toen ze ziek was. Toen ze stierf, was hij enorm aangeslagen...'

Rosie en ik kijken elkaar even aan. 'Was hij vrijdagavond erg humeu-rig?' vraag ik.

Angel knikt heftig. 'Hij was woedend op Dick.'

'Waarom?'

'Hij dacht dat Dick op de film had bezuinigd. En het China Basin-pro-ject zinde hem van meet af aan al niet. Hij had er aardig wat geld in zitten, waarschijnlijk miljoenen. Hij vond dat Dick zich te veel door Ellis en Petrillo had laten inpakken.'

Rosie kijkt me even aan en geeft Angel een slokje water. 'Lieverd,' zegt ze, 'ik denk dat we nóg maar eens bij het begin moeten beginnen.'

12

'JE KRIJGT NIET ELKE DAG DE KANS EEN OSCAR VAST TE HOUDEN'

Dit object mag niet worden verkocht, uitgeleend of anderszins overgedragen (behoudens een testamentaire beschikking) zonder dat het eerst aan de Academy is aangeboden. Vervaardigd onder wereldwijd patent zoals verleend door de Academy of Motion Picture Arts and Sciences aan R.S. Owens & Co. Inc., Chicago, Illinois 60630.
Inscriptie in het voetstuk van de Academy Award

Angels toon is vlak terwijl ze maar weinig extra's toevoegt aan het onvolledige verhaal dat ze ons gisteren heeft verteld. In de woning waren een filmvertoning en een dineetje aan de gang. Angel was er samen met haar man en zijn zoon, Daniel Crown en zijn vrouw, Marty Kent, Dominic Petrillo en Carl Ellis. Om halfeen werd er champagne gedronken. Toen ze om één uur naar boven verdween, was iedereen nog aanwezig.

Rosie probeert haar wat vaart te laten terugnemen om zo wat meer details naar boven te krijgen. 'Even een stukje terugspoelen,' zegt ze. 'Hoe laat kwamen de eerste gasten ongeveer?'

'Tegen achten.'

'Hoe kwam iedereen?'

Angel vertelt dat MacArthurs zoon vanaf zijn eigen huis was komen lopen. Kent arriveerde per auto. Daniel Crown en Cheryl Springer kwamen vanuit Marin. Petrillo en Ellis verbleven in het Ritz. De eerste arriveerde per limousine en Ellis nam een taxi. De keuken, de woon- en zitkamer zijn op de eerste verdieping, ofwel het middenniveau van de woning. De huisbios is beneden en de slaapkamers zijn boven. Om halfnegen werd het eten geserveerd. Ze geeft ons de naam van de cateringservice, die om zes uur arriveerde.

'Hoe laat ging de catering weg?' vraagt Rosie.

'Tijdens de film. Nadat ze de champagne koud hadden gezet.' Ze bevestigt dat ze eerst de film bekeken en daarna weer naar boven naar de woonkamer gingen voor de champagne.

'En het balkon is vlak naast de woonkamer?'

'Dat klopt.'

Ik vraag haar of er iemand het balkon op is gestapt.

'Iedereen. Dick, Marty en Carl stonden buiten een sigaar te roken.'

Ik teken een plattegrondje van het huis. Zodra de politie ons toelaat, willen we de woning inspecteren.

'Waren er nog meer mensen?' vraagt Rosie. 'Jullie huishoudster? Bewaking?'

'Nee. We hadden de huishoudster vrijaf gegeven. We hebben wel een alarminstallatie maar geen bewaker. We wonen aan het eind van een doodlopende laan. Het is een rustige buurt.'

'En een parkeerservice?'

'Nee. Het was maar een kleine bijeenkomst. Er was genoeg plek op straat.'

De enige straat in heel San Francisco waar parkeren geen probleem is. 'Angel,' zeg ik, 'toen ik buiten bij het huis stond, viel mijn oog op een trap die van het balkon naar het strand liep.' Ik vraag of iemand via die weg het balkon heeft kunnen bereiken.

Ze denkt even na, en legt uit dat er beneden bij het strand een toegangshek is dat op slot zit. 'Iemand zou er misschien overheen hebben kunnen klimmen, maar de bovenkant is afgezet met prikkeldraad. De trap loopt helemaal omhoog naar de doorgang tussen ons huis en dat van het echtpaar Neils. En de doorgang loopt verder tot aan onze oprit. Ons huis wordt omgeven door een hekwerk, met een afsluitbare poort voor de oprit en het trottoir naar de voordeur.'

Mijn plattegrond wordt allengs gedetailleerder. Ik laat hem aan Angel zien. 'Maar aan de voorkant van de woning is alleen maar een lage vlechtwerkschutting, toch? En geen prikkeldraad.'

'Dat is waar.'

'Dus als iemand over die schutting is geklommen, zou hij zo naar het balkon hebben kunnen lopen.'

'Dat zal wel.'

Rosies ogen worden groot. Ze vraagt: 'Heb je die vrijdagavond de poort van de oprit opengezet zodat de catering en je gasten makkelijk binnen konden komen?'

Ze denkt even na. 'Ja.'

'Dus,' stelt Rosie, 'iemand kan vanaf de straat zijn binnengekomen en naar het balkon zijn gelopen.'

'Dat kan.'

Maar het omgekeerde kan ook: iemand kan Big Dick hebben vermoord en op deze manier zijn ontkomen, zonder ook maar een moment in de woning te zijn geweest. Het geeft ons misschien wat meer ruimte om de politie en de aanklager alternatieve scenario's voor te leggen.

'Waar stond je wagen?' vraagt Rosie.

'In de garage.' Links, op de gebruikelijke plek, zegt ze.

'En die van Dick?'

Ze kijkt even omhoog en probeert het zich te herinneren. 'Op de oprit. Achter de mijne.'

Rosie vraagt waarom zijn auto niet in de garage stond.

'De catering gebruikte dat deel van de garage om te kunnen werken. Ze hadden hun busje aan Dicks kant van de oprit geparkeerd.'

'Stonden er nog meer wagens op de oprit?'

'Nee.'

Het betekent dat Angel nooit met haar wagen uit de garage kan zijn gereden zonder eerst Dicks auto te verplaatsen.

Ik informeer naar Petrillo's limousine. 'Stond die de hele tijd voor het huis geparkeerd?'

'Nee,' is haar antwoord. 'De chauffeur verdween om ergens wat te gaan eten. Dominic zou hem oppiepen zodra hij klaar was om op te stappen.'

'Weet je de naam van het verhuurbedrijf?'

'"Allure". We zijn daar vaste klant.' De naam van de chauffeur weet ze zich echter niet meer te herinneren.

Rosie probeert Angels aandacht weer op het tijdsverloop te richten. Angel bevestigt dat tegen halfeen de champagne begon te vloeien en dat ze tegen enen naar boven ging.

'Lieverd,' vraagt Rosie nu, 'waar bewaarde je de oscar?'

'Op de schoorsteenmantel in de woonkamer.'

'Stond-ie daar vrijdavond ook?'

'Ja. Daarna heb ik hem op tafel gezet, bij de champagneglazen. Het leek me een leuk middelpunt.'

Het zou haar vingerafdrukken op het beeldje kunnen verklaren. 'Heeft iemand anders er nog aangezeten?'

'Iedereen,' antwoordt ze. 'We gaven hem aan elkaar door, als een talisman. Je krijgt niet elke dag de kans een oscar vast te houden. Tijdens onze toost op *The Return of the Master* had Dick hem in zijn hand.'

Dat laatste kan tevens de andere, nog niet geïdentificeerde vingerafdrukken op het beeldje verklaren. Rosie probeert Angels geheugen wat meer te prikkelen. 'Op welke plek heb je hem voor het laatst gezien?'

'Op de tafel.' Als ze vertelt geen idee te hebben hoe het ding in de kofferbak van de auto van haar man heeft kunnen belanden, is haar toon kalm.

Rosie doet er een schepje bovenop. 'Waren er nog meer mensen geïrriteerd die avond?'

'Alleen Marty. Zoals ik al zei, was hij niet tevreden over het China Basin-project. Hij vertelde dat er problemen waren met de bouwcommissie. Ik hoorde hem zeggen dat het wat hem betrof een waardeloze investering was geweest.'

'Kon je een beetje met hem opschieten?'

Het antwoord klinkt wat gespannen. 'Ik kende hem niet zo goed.'

'En Dick?'

Haar mondhoeken krullen iets op. 'Als een oud echtpaar. Ze kibbelden voortdurend, hoewel Dick vertelde dat hij niet zonder hem kon. Iedereen stond onder waanzinnige druk. Dick was opvliegend, net als Marty.'

'Zijn ze die avond nog boos geworden?' vraagt Rosie.

'Nee.'

'Wat gebeurde er nadat je naar boven was gegaan?'

Haar verhaal blijft onveranderd: ze douchte, trok haar nachtpon aan en kroop in bed.

'Hoe laat trok je je joggingpak aan?' vraagt Rosie.

'Weet ik niet meer.' Ook weet ze niet meer wat er met de nachtpon is gebeurd, zegt ze.

Ik ontwaar iets van scepsis in Rosies ogen. 'Je hebt echt geen idee hoe je bij de brug bent beland?'

'Inderdaad.'

Ik vertel haar over mijn gesprek met de buurman. Het levert me een duidelijke grimas op. 'Kende je ze goed?' vraag ik.

'Nee. Ze bemoeiden zich niet met ons.'

'Hij vertelde dat hij tegen drieën geschreeuw vanaf het balkon hoorde,' ga ik verder. 'Heb je zelf nog iets gehoord?'

'Nee.'

We praten nog even verder. Rosie herinnert haar eraan dat ze morgen wordt voorgeleid. 'Volg gewoon mijn instructies op,' vertelt ze haar. 'Als de rechter vraagt hoe je pleit, dan sta je op en zeg je luid en duidelijk: onschuldig. Duidelijk?'

'Duidelijk.'

'Van Ward zijn we niet veel wijzer geworden,' zeg ik terwijl we op weg zijn naar het Ritz voor onze toegezegde audiëntie met Dominic Petrillo.

Ze peinst. 'Ik verwachtte er niet veel van,' antwoordt ze, en ze voegt eraan toe: 'Ze is wel heel aantrekkelijk.'

'En bovendien een goeie aanklager. De rechters lopen met haar weg.'

'De pers ook. Ze is slim. Ze weet dat Angel er leuk uitziet. Het kan geen kwaad de rechter een slimme, mooie aanklager voor te schotelen.'

Procederen is theater. Eenmaal in de rechtszaal haal je alles uit de kast om je gelijk te bewijzen. Nicole Ward heeft haar mooie uiterlijk in feite niet nodig. Ze gaat ervoor. Maar als ik er zo uitzag, zou ik er ook slim gebruik van maken. 'Denk je dat Angel de waarheid heeft gesproken?' vraag ik.

Ze denkt even na. 'Haar verhaal is onveranderd gebleven. Op zich is dat goed, maar er zitten nog een paar flinke hiaten in.'

Ik ben wat verrast door haar twijfel. 'Wat zit je dan dwars?'

'Dat gat van drie uur tussen het tijdstip waarop ze naar bed ging en toen ze bij de brug werd gevonden.'

'Dat van die black-out vind je maar onzin?'

'Misschien. Maar ik vind het vooral onwaarschijnlijk dat ze helemaal niets heeft gehoord. Dat ze anderhalve kilometer van huis in andere kleren wakker wordt in de wagen van haar dode echtgenoot, klinkt in mijn oren tamelijk ongeloofwaardig.'

In de mijne ook.

'Ik wil weten wat er met die nachtpon is gebeurd,' zegt ze.

'Ik ook. Ik zal Pete vragen het terrein tussen het huis en de brug te doorzoeken.'

'Goed idee.'

Tijd voor een peiling. 'Je denkt toch niet echt dat ze een moordenaar is, hè?'

Ditmaal aarzelt ze niet. 'Ik kan het me niet voorstellen.'

Ik vertrouw op haar gevoel. 'Maar?'

'Ik denk niet dat ze ons alles heeft verteld. En ik weet zeker dat dat is omdat het haar goed uitkomt.'

'Dat doet iedere cliënt.'

'Weet ik. Toch heb ik het gevoel dat ze iets achterhoudt.'

'Zoals?'

'Weet ik niet precies.'

'Misschien dat we iets uit Little Richard kunnen krijgen,' zeg ik. 'Of een van de andere gasten. En we moeten ook even met de cateraars spreken. En ik probeer nog steeds te bedenken wat dat China Basin-project er allemaal mee te maken heeft.'

'Ja, ik ook.'

Ik rijd de oprit van het Ritz op en kijk Rosie aan. 'Eens kijken wat Dominic Petrillo ons kan vertellen.'

'Zou u even naar de kamer van de heer Petrillo kunnen bellen?' vraag ik de receptionist van het Ritz. Rosie en ik staan in de bescheiden lobby van wat velen als het beste hotel van San Francisco beschouwen. Het klassieke, acht verdiepingen tellende gebouw boven aan Stockton Street vlak bij Union Square was oorspronkelijk gebouwd als hoofdkantoor voor een verzekeringsmaatschappij. Daarna werd het verscheidene malen verbouwd om begin jaren negentig het Ritz-hotel te worden. De donkere lambriseringen en het hoogpolige tapijt zorgen voor een elegante ambiance. De zondagse brunch wordt geserveerd in het vijfsterrenrestaurant, simpelweg bekend als de Ritz Carlton Dining Room. Het uitnodigende aroma van eieren, spek, wafels en koffie omhult ons.

Het voorkomende heerschap in zijn donkere uniform kijkt me achterdochtig aan. 'En uw naam is?' klinkt het afgemeten.

'De heer Daley en mevrouw Fernandez. De heer Petrillo verwacht ons.'

Hij kijkt even op zijn computerscherm en fronst zijn wenkbrauwen. Daarna vouwt hij de armen en steekt zijn kin naar voren. 'Ik ben bang dat meneer Petrillo heeft uitgecheckt.'

Ik doe mijn best mijn ergernis te verhullen. Een woede-uitbarsting doet het niet echt goed in het Ritz. 'Wanneer?'

'Ongeveer een uur geleden.'

'Heeft hij het hotel verlaten?'

'Dat weet ik niet.' Hij wuift naar een geüniformeerde piccolo, die over het tapijt komt aangesneld. Hij fluistert wat in diens oor, waarna de jongeman in de richting van het restaurant verdwijnt. 'Hij zal kijken of hij de heer Petrillo voor u kan vinden.'

'Verblijft Carl Ellis hier nog?' vraag ik.

Hij herkent de naam onmiddellijk. Als receptionist van het Ritz moet je goed namen kunnen onthouden. 'Hij is gisteravond laat vertrokken.'

Verdomme. 'Ik moet hem bereiken,' zeg ik. 'Een van zijn zakenpartners is gisteren plotseling overleden. Weet u misschien of hij naar Las Vegas is gegaan? Ik heb wat informatie voor hem met betrekking tot de begrafenis.'

'Hij leek wat aangeslagen,' moet de receptionist bekennen. 'Hij is nogal haastig vertrokken.' Meer krijg ik niet te horen. 'Neemt u even plaats terwijl onze piccolo de heer Petrillo zoekt.'

Ik kijk even naar Rosie. 'Waar zijn hier de toiletten?' vraag ik de receptionist.

Hij gebaart naar het eind van de gang.

'Ben zo terug.'

Rosie vangt mijn blik. 'Ik ook,' zegt ze.

We lopen naar de chique eetzaal. 'Ga je het restaurant in?' vraagt ze nu we buiten gehoorsafstand zijn.

'Natuurlijk.'

Haar ogen beginnen te glimmen. We lopen langs een beveiligingsbeambte die op weg is naar de lobby. 'Het lijkt wel of ze de troepen paraat houden om ons te volgen,' fluistert ze.

'We gedragen ons ook echt als criminelen,' zeg ik. 'De echte zware jongens stellen zich altijd eerst voor bij de receptie van een duur hotel alvorens het tafelzilver te jatten.'

Ze glimlacht. Ik duw de deur van het restaurant open. Het gelambriseerde vertrek met de zware tafels en fluwelen stoelen straalt de sfeer uit van een herenclub. De geur van wentelteefjes maakt me hongerig. Ik draai op slechts een paar uur slaap en bijna geen eten.

De eerste ober staat achter een hoge desk. Hij lijkt een beetje op Sir Alec Guinness en spreekt me aan met een glad Brits accent. 'Hebt u gereserveerd, *sir*?' Het laatste woord spreekt hij uit als 'sah'.

Rosie staat links van me. Terwijl ik tijdrek, tuurt ze het restaurant af. 'Ik ben bang van niet,' zeg ik en ik werp even een blik om me heen. Alle tafels zijn bezet. 'We hebben een afspraak met de heer Petrillo.' Ik zwijg even. 'Dineert hij vandaag hier?' vraag ik.

'Momentje, meneer.' Zijn gezicht wordt nors. Hij zet een leesbrilletje op en bestudeert de kaart met reserveringen.

Rosie stoot me zachtjes aan. 'Daar zit-ie,' zegt ze en ze wijst naar een hoek van het restaurant waar een bedrukte Petrillo in zijn eentje aan een tafel zit.

106

'Ik geloof dat ik hem al zie,' deel ik Sir Alec mee. 'We gaan hem even een paar minuutjes gezelschap houden.'

'Eet u mee, meneer?'

'Ik denk van niet. Volgens mij is hij al bijna klaar met eten.'

Hij begeleidt ons naar Petrillo, die in zijn gsm praat. Bij de deur staat een bordje met het verzoek aan de gasten hun gsm uit te zetten, maar types als Petrillo houden er hun eigen regels op na. Nors kijkt hij ons aan nu we bij zijn tafel verschijnen. Hij dekt zijn gsm even af. 'Ik ben bijna klaar. Waarom wacht u niet even buiten?'

'We kunnen hier ook wel wachten, hoor,' stel ik voor.

Hij kijkt de gerant even machteloos aan en zegt: 'Het is denk ik beter als jullie buiten op me wachten.'

Ik kijk even naar Rosie. Ze knikt. Met Sir Alec nog steeds naast ons willen we geen scène maken. 'We wachten u buiten wel op,' fluistert ze.

'Deze kant op,' zegt de gerant. Hij gaat ons voor naar de ingang van het restaurant. We wachten bij de deur, maar wel binnen. Ik wil niet dat Petrillo stiekem wegglipt via de keuken.

Hij laat ons nog eens een kwartier wachten. Ik zie hem driftig gesticulerend in zijn mobieltje praten. Zijn gepijnigde blik wekt het vermoeden dat de zaken niet zo goed gaan. Ten slotte klapt hij het apparaatje dicht, drinkt zijn koffie op en loopt onze kant op. Hij trekt de deur open en leidt ons de gang op. 'Zaken,' mompelt hij, maar hij geeft geen uitleg.

Rosie komt direct ter zake. 'We hebben een paar vragen voor u over wat er vrijdagavond is gebeurd.'

Hij loopt door naar de lobby. 'Uw nicht heeft ons in een uiterst moeilijk parket gebracht,' zegt hij. 'Ik heb mijn verhaal al tegen de politie verteld en mijn vliegtuig wacht op me.'

Rosie blijft vragen afvuren terwijl we hem achternalopen. 'Kunt u ons vertellen wat u hebt gezien?'

Het antwoord komt met tegenzin. 'Ik heb helemaal niets gezien. Ik was er tegen achten. We aten en bekeken de film. Daarna dronken we wat en na afloop bracht mijn chauffeur me weer terug naar het hotel.'

'Hoe laat ging u daar weg?'

'Om kwart voor twee. Carl Ellis reed met me mee. Hij kan het tijdstip bevestigen.'

En zo voor een alibi zorgen. 'Wie waren er nog toen u wegging?' vraag ik.

Hij somt de namen op: Angel, Little Richard, Crown, Springer en Kent.

'Waren er irritaties?' vraag ik.

'De sfeer was top.' Hij heeft niets ongewoons gehoord of gezien, laat hij ons weten.

Als leugenaar is hij niet echt overtuigend. We hebben bijna de receptiebalie bereikt als Rosie vraagt: 'Hoe gedroeg Dick MacArthur zich?'

'Hij was zeer ingenomen met de eindversie van de film.'

'En mevrouw Chavez?'

'Die had te veel op. Om eerlijk te zijn, gedroeg ze zich labiel.'

Hij vraagt de receptionist de piccolo te verzoeken zijn koffer naar buiten te dragen. We volgen Petrillo door de deur.

Rosie vraagt iets over Kent.

'Met hem leek niets aan de hand,' is Petrillo's antwoord.

'Hij is dood,' zeg ik.

'Dat heb ik ook begrepen, ja.'

'Hebt u enig idee wat hem dwarszat? Lag iemand met hem overhoop?'

'Hij stond onder grote druk.'

'Zal de film nog op tijd in première gaan?' vraagt Rosie.

'Ik hoop het. Sommige collega's vinden het waarschijnlijk van slechte smaak getuigen als hij deze week nog uitkomt. Het zou kunnen lijken alsof we Dicks dood uitbuiten. Zakelijk gezien ben ik ervoor. We hebben al heel wat uitgegeven aan advertenties en promotie. De bioscopen zijn al geboekt. Het kost kapitalen om de boel te cancelen.'

Zijn zakelijke standpunt verbaast me niet. Hij trekt een visitekaartje tevoorschijn. 'Als u nog meer wilt weten, dan belt u maar naar mijn kantoor.'

Een frisse windvlaag treft me in mijn gezicht. 'Nog even een minuutje graag,' zeg ik.

De piccolo verschijnt met Petrillo's koffer. 'Ik ben al laat,' excuseert hij zich.

Rosie en ik kijken toe terwijl hij in een wachtende Lincoln duikt. Ik onthoud het kenteken: ALLURE 1.

13
'SINDS WANNEER GA JIJ MET FILMSTERREN OM?'

'We zetten het onderzoek naar de dood van Richard MacArthur en Martin Kent voort.
Voorlopig kunnen we echter geen verdere mededelingen doen.'
Rechercheur Jack O'Brien, KGO Radio, zondag 6 juni, 13.00 uur

Eén straat van ons kantoor verwijderd vind ik een parkeerplek. 's Zondag-middags is het altijd rustig in ons nederige hoekje in het centrum. Een paar verslaggevers wachten bij de deur. Rosie en ik wuiven hen weg en zonder verder commentaar stappen we naar binnen.

De geur van oude koffie begroet ons terwijl we de gammele trap naar Rosies werkkamer nemen, waar Carolyn ons al met een sarcastische grijns opwacht. 'En, hoe staat het met het Geheim van juffrouw Victoria?' vraagt ze. Carolyn en Nicole Ward kunnen elkaar niet luchten of zien.

Ik kijk even naar Rosie en vang een glimp van een grijns op. 'Uitste-kend,' antwoordt ze. 'Ze trekt de aanklacht in, zal haar welgemeende ex-cuses aanbieden en ons trakteren op een dineetje bij Boulevard.'

'Jullie zijn goed.'

'Zo goed nu ook weer niet,' zeg ik.

Ze wordt ernstig. 'Wees voorzichtig met haar. Ik heb genoeg goede strafpleiters zien smelten toen ze in die grote ogen van haar keken en ze haar betoverende glimlach liet zien.'

'Nou, zo snel ga ik niet voor de bijl, hoor,' zeg ik.

'Nee, nee,' is Rosies commentaar.

Ik vertel Carolyn dat Lisa Yee als hulpofficier is aangesteld.

Een frons. 'Ze is een goede aanklager.'

'Ik weet het.' Ik doe verslag van ons gesprek met Ward en Yee, en van dat met Angel. Vervolgens vertel ik haar over ons niet bepaald informatie-ve onderonsje met Petrillo. Ze maakt uitgebreid aantekeningen en stelt een paar concrete vragen.

'Nog iets van de politie gehoord?' wil Rosie weten.

'Ze doen geen mededelingen,' antwoordt Carolyn. 'Die zijn nog niet klaar met hun rapporten. Ik weet zeker dat ze net zo lang bezig zullen zijn totdat alles formeel klopt.'

Daar kun je wel van uitgaan. De politie zal zo'n in het oog springende zaak niet willen verprutsen.

'Ik heb de standaardverzoeken om dossiers klaar. Zowel het OM als de politie zal alles volgens het boekje doen. Ze zeggen dat ze overtuigende bewijzen hebben om Angel met de moord in verband te brengen en ze weigeren verdere informatie te verstrekken.'

Heel slim.

'We hebben verzoekjes binnengekregen van alle tv- en radiostations. CNN wil met jullie praten, en ook *Daily Variety*,' glimlacht Carolyn.

'Ik neem aan dat je ze hebt verteld dat onze cliënte onschuldig is en dat we verder geen commentaar geven?' zeg ik.

'Precies.'

Carolyn is iemand die altijd minstens drie stappen vooruitdenkt.

'Heeft er verder nog iemand gebeld?' vraagt Rosie.

'Je moeder. Ze zei dat het met Theresa niet echt goed gaat. Pete belde ook nog even. Hij houdt het huis van Richard junior in de gaten.'

'Heeft hij al iets interessants ontdekt?' vraag ik.

'Nog niet. Hij spreekt je nog wel, zei hij.'

Ik informeer naar Marty Kent.

'Geen verdachte dingen gevonden. Geen lijk in de kast, en dat voor iemand die zijn hele leven in de filmindustrie heeft gezeten. Voorzover ik het kan overzien, is hij betrouwbaar. Afkomstig uit een rijke familie in LA; een van de beste studenten van zijn jaar aan UCLA en de rechtenfaculteit van Harvard; diende bij de marine; verhuisde ongeveer vijf jaar geleden hierheen. Dertig jaar getrouwd geweest. Zijn vrouw stierf een jaar geleden aan kanker. Twee volwassen kinderen. Geen strafblad, geen rare dingen.'

'En op het persoonlijke vlak?' vraag ik. 'Financiële problemen? Depressies? Verslavingen?'

'Niets, voorzover ik weet. Mijn vriendin bij de bouwcommissie zei dat het overlijden van zijn vrouw hem erg heeft aangegrepen.'

Ik vraag haar wat ze over het studionieuwbouwproject te weten is gekomen.

'Vrijdag over een week moet het definitieve plan aan de commissie worden voorgelegd.'

'Nog iets gehoord over een alternatief voorstel?'

'Enkel geruchten.'

'We moeten zoveel mogelijk te weten komen voordat Angel wordt voorgeleid,' zeg ik en ik bied aan naar het paleis van justitie te rijden om met rechercheur O'Brien nog wat van gedachten te wisselen. Wie weet kan ik hem overhalen me toestemming te geven Angels woning vanbinnen te bekijken. Carolyn belooft het limousineverhuurbedrijf en de cateraar op te sporen.

'Ik ga even langs bij Theresa en mijn moeder,' besluit Rosie.

'En de zoon van Kent?' vraagt Carolyn.

'Laten we die voor morgen bewaren,' stelt Rosie voor. 'Ze hebben vanochtend pas zijn vaders lichaam gevonden.'

'En Ellis?' vraag ik.

Ze glimlacht. 'Een bezoekje aan Vegas kun jij wel gebruiken.'

'Goed. Ik ga het regelen,' zeg ik. 'Ik denk dat ik maar eens een praatje ga maken met Daniel Crown en zijn vrouw.'

Rosie trakteert me op een sardonische grijns. 'Je kent Daniel Crown?'

'Niet echt.'

'Maar hoe weet je dan of een filmster met jou wil praten?'

'Ik weet waar hij regelmatig te vinden is.'

Een verwonderde blik. 'Sinds wanneer ga jij met filmsterren om?'

'Wil je nog dat ik met hem praat, of niet?'

'Natuurlijk. Hoe weet je waar je hem kunt vinden? Het is hier geen Beverly Hills, hoor. Plattegrondjes met de favoriete restaurantjes van de sterren zijn hier niet te krijgen.'

'Ik heb hem gezien.'

'Waar?'

'Dat kan ik niet zeggen.'

'Hoe bedoel je?'

Ik trek een wenkbrauw op. 'Dat is geheim. Als ik het je vertel, dan vertel jij het weer door, en belandt het uiteindelijk in de krant. Vervolgens staat de *National Enquirer* voor de deur en begint te kieken, met als resultaat dat hij in het vervolg wegblijft. De eigenaar zal daar niet blij mee zijn.'

Ze probeert er nog steeds achter te komen of ik haar voor de gek houd. 'Ik beloof je dat ik het tegen niemand zal vertellen.'

Ik kijk even naar Carolyn. 'Ik ook,' zegt ook zij, en ze maakt een gebaar alsof ze haar mond op slot doet. 'Ik zeg niks.'

'Willie's Café in Wentfield,' zeg ik. 'Elke ochtend als hij zijn zoon naar school heeft gebracht, gaat hij even langs voor een kop koffie. En wacht gewoon in de rij, net als iedereen.'

'Hoe ben je dat te weten gekomen?'

'Becky vertelde het me.'

'En wie is Becky?'

'Ze hebben me verteld dat ze de lekkerste cappuccino van heel Californië maakt.'

'Sinds wanneer drink jij dat?'

'Niet. Ik rijd elke zaterdag even langs voor een kop zwarte koffie.'

'Nooit geweten dat jij bezig bent een koffiekenner te worden.'

'Je kunt niet alleen op Maxwell House-koffie leven.'

'Je meent het,' zegt Rosie, en ze trakteert me op een brede glimlach.

'Nou en of.'

'Dus wat is je plan? Morgenochtend op weg naar je werk even een pitstop bij Willie's om te kijken of je iets wijzer kunt worden?'

'Daar komt het wel op neer, ja. Op tv komt hij best aardig over, vind ik. We kunnen ook zijn agent bellen, maar dat zal niets opleveren. We kunnen hem ook dagvaarden, maar dan krijgen we alleen zijn advocaat te spreken. Heb je misschien een beter idee?'

Rosie giechelt. 'Jou kennende is het waarschijnlijk maf genoeg om ermee weg te komen.'

'Je mag mee, hoor. Wil je hem graag ontmoeten?'

'O, graag. Hij is een lekker ding.'

'Nou, ik denk niet dat hij daar een versierpoging zal wagen. Dergelijk gedrag wordt bij Willie's niet getolereerd.'

Rosies gezicht klaart op. 'Ik zet eerst Grace af bij school en dan zie ik je daar.'

'Afgesproken.'

'En als hij niet komt opdagen?'

'Hun wentelteefjes zijn overheerlijk.'

Als ik een paar minuten later mijn werkkamer opzoek, word ik op de gang aangesproken door Carolyn. 'Heb je even tijd?' vraagt ze. 'Ben is hier.'

Even later leun tegen ik de vensterbank van Carolyns belendende, krappe werkkamertje. Ben Taylor, haar zoon, torent hoog boven haar uit. Met zijn knappe gelaatstrekken lijkt hij opvallend veel op zijn vader, een zelfingenomen belastingadvocaat die in het centrum een groot kantoor heeft en met wie zijn zoon heeft gebroken. Ben draagt een spijkerbroek model drollenvanger en een Giants T-shirt. Zijn haar is onnatuurlijk blond geverfd. Een oorbel bungelt in zijn gepiercete linkeroor. Zijn handdruk is ferm. Hij schenkt me een ontwapenende glimlach en zegt: 'Ik geloof dat ik het deze keer echt heb verprutst.'

'We zullen de zaak wel rechttrekken,' stel ik hem gerust. Ik ken hem al vanaf de wieg. Hij is een goeie jongen, maar ook aan hem kleeft het overbekende verhaal: zijn ouders scheidden toen hij drie was, en met zijn stiefvader heeft hij het nooit kunnen vinden. Tot aan de middelbare school was hij een goede leerling, maar vanaf dat moment kon zijn opstandige aard niet langer de vele verleidingen weerstaan waaraan jongeren tegenwoordig worden blootgesteld. In het eerste jaar hoorde hij nog bij de besten, maar hij haalde ternauwernood zijn diploma en zijn propedeuse. Toen hij eenmaal op zichzelf ging wonen, belandde hij min of meer met beide benen op de grond en begon hij zich op zijn studie te concentreren. Afgelopen semester heeft hij zich een plek op de selectielijst verworven en is hij gaan nadenken over een hogeschoolopleiding.

Hij slaat zijn ogen even neer en kijkt op naar zijn moeder. Ik kijk Carolyn aan. 'Misschien dat je ons even alleen kunt laten?' vraag ik.

'Natuurlijk,' antwoordt ze aarzelend en verdwijnt door de gang.

Ben begint: 'Er was een feestje in Candlestick Park. Ik was de enige die

112

niet dronken of stoned was. Ik gaf iemand van school een lift en toen de politie verscheen, droeg ik zijn rugzakje.'

'Wat zat erin?'

'Ecstasy.'

Het is niet voor het eerst dat ik moet bemiddelen bij iemand die door
deze populaire drug in de problemen is geraakt. Ecstasy, of methyleen-
dioxymethamfetamine is een chemische, psychoactieve verbinding die
honderd jaar geleden voor het eerst werd samengesteld als onderdrukker
van het hongergevoel. Het is te krijgen in tabletvorm en werd begin jaren
tachtig een hit bij nachtelijke raveparty's. Gebruikers ervaren een diepe
ontspanning en een doordringend positief gevoel. Maar het onderdrukt de
eetlust, de dorst en de behoefte aan slaap, en leidt vaak tot uitdroging of
uitputting. Het kan misselijkheid, hallucinaties, rillingen en opvliegers
veroorzaken en het gezichtsvermogen aantasten. De nawerkingen zijn onder meer een paniekgevoel, paranoia en depressies.

'Dat spul is levensgevaarlijk,' zeg ik.

'Weet ik.'

'Heb je gebruikt?'

'Nee.'

'Heb je gedeald?'

'Absoluut niet. Maar ik droeg een rugzakje met daarin voor duizend
dollar aan pillen. Ik heb tegen die smeris gezegd dat het niet van mij was,
maar ze geloofden me niet. Ze haalden mijn klasgenoot erbij en vonden een
paar pillen in een van zijn broekzakken. Ze arresteerden hem vanwege bezit, maar toen hij toestemde om tegen mij te getuigen, lieten ze hem gaan.'

Dit is ernstig. 'Je bent beschuldigd van een ernstig misdrijf. Je kunt daarvoor achter de tralies belanden.'

Hij slikt. 'Dat begrijp ik.'

Ik kijk hem recht in de ogen. 'Vertel je me de waarheid, Ben?'

Hij kijkt me strak aan en zijn antwoord klinkt ferm. 'Ja.'

'Want als je liegt, dan ruk ik met mijn blote hand die oorbel uit je oor.
'Wat heb je de politie verteld?'

'Niets.' Hij werpt even een blik uit het raam. 'Dat is een van de dingen
die je leert als je moeder voor het OM werkt.'

'Dan heb je door de jaren heen dus toch wat opgepikt.'

Hij kijkt me ernstig aan. 'Ik weet best hoe het ervoor staat. Oké, ik heb
een fout gemaakt, maar dat mag toch niet mijn hele leven vergallen?'

Ik ben geneigd het daarmee eens te zijn. 'Laat mij met de aanklager praten en het proces-verbaal nog eens doornemen. Ik zwijg even en zeg: 'Je begrijpt dat een raadsman geld kost?'

Hij knikt.

'Mijn tarief is tweehonderd dollar per uur.'

'Weet ik,' klinkt het zwakjes. 'Ik zweer je dat ik over de brug kom, Mike.'
Hij aarzelt even. 'Denk je dat je het kunt fiksen?'

'Ik kan je niets beloven, maar ik denk wel dat ik ze kan overreden de aanklacht naar een wat redelijker niveau af te zwakken.'

Hij trekt eventjes aan zijn oorbel. 'Bedankt, Mike.'

'En, geloof je hem?' vraagt Carolyn. Ben is zojuist weggegaan en we zitten in mijn werkkamer.

'Ik denk van wel. Liegen tegen je ouders is één ding, dat deed iedereen. Maar liegen tegen je moeders zakenpartner en ex-middelbareschool-vriendje is iets anders. Dat zou echt beschamend zijn.'

Ze schenkt me een wat ongemakkelijke grijns. 'Bedankt, Mike.'

Rolanda verschijnt in de deuropening. Haar blik is ernstig. 'Kan ik even met je praten?' vraagt ze me. 'Er is iets gebeurd.'

Carolyn excuseert zich. Ik draai me om naar Rolanda. 'Gaat het over Angel?'

'Nee. Over mijn vader.'

14
'ZE WILLEN HET EEN EN ANDER VAN HEM WETEN'

'Ons is verzocht om een volledig onderzoek in te stellen naar het China Basin-project.
We hebben overtuigende informatie ontvangen die suggereert dat bepaalde partijen
het nieuwe bouwproject met niet-geëigende middelen wilden beïnvloeden. Te zijner
tijd hoort u meer van ons.'
Hoofdcommissaris van politie in San Francisco, zondag 6 juni

De deur van mijn werkkamer is dicht.

'Ik heb begrepen dat je mijn vader hebt gesproken,' begint Rolanda. Ze zou makkelijk voor Rosies jongere zus kunnen doorgaan. Dezelfde stemmen en dezelfde intonatie. 'Waarom heb je me dat niet verteld?'

'Hij vroeg of het onder ons kon blijven.'

Haar donkere ogen vlammen op. 'Nou, ik heb hem net gesproken.'

O jee. 'Waar is hij?'

'Op het politiebureau van Mission District. Ze willen het een en ander van hem weten, over het China Basin-project.' Ze kijkt me fel aan: 'Hij zei dat jíj me meer kon vertellen.'

'Het spijt me, Rolanda.'

'Hij is mijn vader. Ik had het recht het te weten.'

'Hij schaamde zich. Misschien dat je nog kans zult krijgen hem te helpen.' Ik zwijg even. 'Hebben ze hem gearresteerd?'

'Nee. Ik heb hem gezegd dat we meteen komen.'

Ik sta op. 'Kom, dan gaan we.'

'Moet je O'Brien niet spreken?'

'Eerst gaan we met je vader praten.'

Haar mondhoeken krullen iets op.

Ik pak mijn koffertje. 'Kom,' zeg ik, 'onderweg praat ik je wel bij.'

'Wat is er aan de hand?' vraag ik brigadier Dennis Alvarez. Ik tref hem in een bedompt verhoorkamertje op het politiebureau van Mission District, dat gehuisvest is in een modern, laag gebouw aan Valencia en tussen Seventeenth en Eighteenth Street, ongeveer anderhalve kilometer van Sylvia's huis. Tony zit op een stevige houten stoel. Zijn handen liggen gevouwen op tafel voor hem. Sinds onze komst heeft hij in alle talen gezwegen. Rolanda zit naast hem.

Alvarez kiest zijn woorden zorgvuldig. 'We hebben redenen om aan te nemen dat meneer Fernandez over bepaalde informatie beschikt met betrekking tot het China Basin-project.' Zijn omzichtige toon baart me zorgen, want Alvarez hoort min of meer bij de familie. Hij groeide op in dezelfde buurt als Rosie en Tony, en was een van Tony's klasgenootjes op St. Peter's. Hij is een taaie en recht door zee.

'Hou eens op met dat "meneer Fernandez"-gelul,' zegt Tony. 'We kennen elkaar al veertig jaar.'

Alvarez veert wat op en neer, maar reageert verder niet.

Opnieuw wil Tony iets zeggen, maar ik snoer hem de mond. Rolanda legt een hand op zijn schouder. 'Laten we even luisteren naar wat Dennis te zeggen heeft.'

Ik draai me om naar Alvarez. 'Misschien dat we elkaar op de gang kunnen spreken?'

Tony komt weer tussenbeide. 'We bespreken het hier.'

Rolanda kijkt me even bezorgd aan. Ik zie de vastberaden blik in Tony's ogen. 'Je hoeft niet met hem te praten, Tony.'

'Dat begrijp ik.'

'We zijn op zoek naar informatie,' legt Alvarez uit.

Tony slaat zijn vriend eens gade. 'Als dat het enige is, waarom stuur je dan de politie naar mijn winkel? Je had ook even kunnen bellen. Dan was ik meteen gekomen.'

Alvarez slikt. 'Het was een bevel.'

'Van wie?' vraag ik.

'Mijn hoofdinspecteur. Hij werd gebeld door de commissaris.' Met vermoeide ogen kijkt hij Tony aan en zegt: 'Het spijt me. Ik wilde je niet in verlegenheid brengen.'

Tony is ziedend. 'Ik had een winkel vol klanten.'

'Ik vind het heel vervelend voor je…'

'Waar gaat dit allemaal over?' vraagt Tony.

'We denken dat er geld wordt doorgesluisd, en dat het te maken heeft met het China Basin-project.'

Tony's blik blijft onveranderd. Hij zwijgt.

'Tony heeft een groentezaak,' werp ik tegen.

'We denken dat hij wellicht iets meer weet,' legt Alvarez uit en hij vervolgt op zachte toon: 'De commissaris kreeg een telefoontje van Jerry Edwards van de *Chronicle*…'

Edwards is een arrogante onderzoeksjournalist die slechts één doel heeft: het afserveren van de burgemeester. Bovendien heeft hij zichzelf benoemd tot waakhond tegen omkoperij. Het ondermijnen van het China Basin-project vormt zijn heilige missie. Op de dagen dat hij niet op de burelen van de *Chronicle* zijn pc als zwaard der gerechtigheid hanteert, hanteert hij zijn zinloze botte bijl op het ochtendjournaal op Channel Two. Hij stortte zich een paar jaar geleden met verve op Carl Ellis, nadat was onthuld dat die was beschuldigd wegens het omkopen van gemeenteambtenaren in Las Vegas. En hoewel Edwards er geen melding van maakte, werden de beschuldigingen korte tijd later ingetrokken. Naarmate de goedkeuring van het project waarschijnlijker wordt, lijkt zijn offensief venijniger te worden.

'Die is al twee jaar lang aan het mekkeren,' zeg ik.

'Hij werkt nog aan een ander verhaal. Hij denkt dat iemand de kleine ondernemers op één lijn wil krijgen om het project te steunen.'

'Gebruikmaken van je vrijheid van meningsuiting is anders niet tegen de wet,' zeg ik.

Voor het eerst bespeur ik wat irritatie bij Alvarez. 'Edwards beweert dat iemand geld naar lokale ondernemers doorsluist om zo op hun steun te kunnen rekenen,' zegt hij.

Ik veins enige verontwaardiging. 'Laten we eens aannemen dat hij gelijk heeft. Nou, zolang dat maar niet wordt verzwegen, is daar niets mis mee.'

'Het stinkt,' is zijn commentaar.

Dat doet het zeker.

'En er is nog meer,' gaat Alvarez verder. 'Edwards zegt dat het geld wordt teruggesluisd naar de verkiezingskas van de burgemeester. Het is gewoon een afleidingsmanoeuvre om de beperking op campagnebijdragen te omzeilen en invloed te kopen.' Hij priemt met een vinger naar me: 'En dát is wel degelijk tegen de wet.'

Ook al is Edwards volslagen publiciteitsgeil, hij is ook een goede journalist. Het lijkt erop dat hij het al helemaal heeft uitgeplozen.

'Luister,' zegt Alvarez tegen Tony, 'ik wil mijn vrienden niet dwarszitten.'

Ik geloof hem.

'We lezen de kranten,' vervolgt hij. 'We kijken tv. Dat moeten we wel.' Hij zwijgt even. 'Mijn naam tegenkomen in Edwards columns, of op *Mornings on Two*, als hij weer zijn nummertje doet, is wel het laatste wat ik wil.'

'Wat wil je eigenlijk van Tony?' vraag ik.

'Ik wil weten of het waar is.'

Tony knijpt zijn ogen iets toe. 'Vraag je me soms of iemand mij geld heeft geboden?'

'Ja.'

'Er wordt me elke dag geld geboden.'

Alvarez strijkt over zijn snor. 'Kom op, Tony. Ben je benaderd door iemand die met het bouwproject te maken heeft?'

Ik kom tussenbeide. 'Daar hoef je geen antwoord op te geven, Tony.'

Hij wuift het weg, kijkt Alvarez aan en antwoordt: 'Ik zeg niks. Ga je me nu arresteren?'

Alvarez probeert hem te overtuigen. 'We zijn helemaal niet geïnteresseerd in jou. We willen alleen uitzoeken waar dat geld vandaan komt.'

Tony kijkt hem recht in de ogen. 'Ik zou het niet weten.'

'Heeft Carl Ellis ermee te maken?'

'Waarom vraag je dat niet aan hem?'

'Hebben we al gedaan. Hij ontkent alles.'

Op Tony's gezicht verschijnt een sarcastische grijns. 'Verrassing!'

'En Dick MacArthur?' vraagt Alvarez vervolgens.

'Die is dood,' is het antwoord.

'Was hij erbij betrokken?'

'Weet ik niet.'

'Waarom denk je dat Tony hier iets vanaf weet?' vraag ik.

'Zijn naam stond op de lijst van lokale ondernemers die benaderd moesten worden.'

'Wie gaf jou die lijst?'

'Edwards.'

'En hoe is hij daaraan gekomen?'

'Dat weet ik niet. Hij beweert van een bron in de wijk. Misschien is het veel geblaat en weinig wol, maar we kunnen het niet zomaar negeren.'

Tony staart naar de muur en houdt zijn kaken op elkaar.

Alvarez zucht eens diep, gaat aan de tafel zitten en richt het woord direct tot Tony. 'Even tussen jou en mij, Tony. Edwards denkt dat zelfs de burgemeester erbij betrokken is. Jij kent de spelers. Jij kunt ons helpen.'

'Die Edwards ziet zelfs nog meer samenzweringen dan Oliver Stone,' is Tony's reactie.

'Wij hebben het vermoeden dat jij meer weet.'

Tony raakt geïrriteerd. 'Dit is niet zomaar een fooi aan een bende. Dit is het grote geld! Voor deze gasten is het menens! Ik kan rekenen op een pak slaag!'

'We zullen je beschermen,' belooft Alvarez.

'Dat kunnen jullie niet.'

'We doen het, dat beloof ik.'

'Als jij het mis hebt, ben ik er geweest.'

'Dat zal niet gebeuren.'

'Juist. Want denk maar niet dat ik iemand ga verlinken.'

Nu wordt Alvarez nijdig. 'Verdomme Tony, je móét me helpen.'

'Ik loop te veel risico.'

Alvarez' toon wordt iets milder. 'Ik hoopte je te kunnen overhalen ons vrijwillig te helpen...'

'Het spijt me, Dennis.'

'We weten dat je het geld hebt aangenomen...' fluistert Alvarez opeens zacht.

Tony kijkt eerst Rolanda aan en daarna mij. 'Niets zeggen, Tony,' adviseer ik hem.

Alvarez gaat verder. 'We hebben Armando Rios in de gaten gehouden. We weten dat-ie bij je langs is geweest. We weten dat hij iemand heeft gestuurd om geld af te leveren. De koerier is verdwenen; waar het geld vandaan kwam, weten we niet. Een deel ervan wordt weer teruggesluisd, zo weten we. Alleen niet waarheen en hoeveel.'

Tony kijkt me hulpeloos aan. Ik richt me tot Alvarez. 'Ik draag mijn cliënte op niets meer tegen je te zeggen.'

'Begrepen.' Alvarez houdt een wijsvinger omhoog naar Tony. 'Luister goed. We zijn niet op jou uit. We willen dat je met Rios praat. We willen de naam van de geldschieter. En de namen van de ondernemers die meedoen.'

Jezus. Ik probeer een ferme maar ingehouden toon aan te slaan. 'Je vraagt hem zomaar een machtige lokale politicus en een paar ongure patsers te verlinken?'

'Om nog maar te zwijgen van zijn vrienden en buren,' voegt Rolanda eraan toe.

'Ik besef dat ik heel wat van je vraag,' is Alvarez' commentaar.

'Het is belachelijk,' zeg ik.

'Nee,' houdt Alvarez vol, 'ze zullen allemaal hun handen thuishouden.'

'Als jij ongelijk krijgt,' waarschuwt Tony, 'ben ik failliet en misschien wel dood.'

'We zullen je winkel vierentwintig uur per dag bewaken. We zetten een surveillancewagen voor je appartement, en als het moet, ga ik zelf in dat ding zitten om je huis in de gaten te houden.'

'Mijn vader zal uiteraard op volledige immuniteit kunnen rekenen, ja toch?' vult Rolanda aan.

'Over de exacte voorwaarden zal nog onderhandeld moeten worden.'

Rolanda's ogen schieten vuur. 'Niks onderhandelen! Volledige immuniteit. Wij zetten het wel op papier.'

'We komen er wel uit,' is Alvarez' conclusie.

'Wacht even,' zegt Tony. 'Zo ver zijn we nog niet. Ik moet er eerst eens over nadenken.'

'Prima,' antwoordt Alvarez.

'En als ik toch weiger?'

'Mijn instructies zijn helder. Als je niet meewerkt zal ik je moeten arresteren.'

'Op welke gronden?' vraag ik.

'Overtreding van de voorschriften voor campagnefinanciering en omkoping van een gekozen ambtenaar.'

'Dat zullen jullie nooit winnen,' zeg ik.

'Misschien niet,' is zijn antwoord. 'Daar ga ik niet over.' Wederom richt hij het woord direct tot Tony. 'Ik kwam eerst naar jou, omdat we vrienden zijn. Als jij nu akkoord gaat, kun je rekenen op immuniteit en vierentwintig uur per dag politiebescherming. Maar dit aanbod is van beperkte duur. Ik zal ook met andere ondernemers gaan praten. Gaat een van hen eerder akkoord dan jij, dan zullen zij er misschien beter vanaf komen. Maar bovendien loop jij het risico dat ze naar jóú zullen wijzen. En zonder immuniteitsverklaring kan het er wel eens lelijk voor je uit gaan zien. Fair is anders, maar zo werkt het nu eenmaal.'

'Wanneer wil je het weten?' vraagt Rolanda.

'Uiterlijk overmorgen,' antwoordt Alvarez. 'Ik kan je tot dinsdag rond het middaguur de tijd geven.'

'Heb je dat geld echt aangenomen?' vraag ik Tony. Rolanda, Tony en ik zitten nog steeds in het verhoorkamertje. Alvarez heeft zijn werkplek weer opgezocht.

'Ja.'

Rolanda kijkt hem bezorgd aan. 'Pa, waarom heb je dat gedaan?'

'Ik had het gevoel dat ik geen keuze had.'

Wat waarschijnlijk klopt. 'Wat ga je nu doen?' vraag ik.

'Dat weet ik niet. Armando vertelde dat als ik dat geld niet accepteerde, de Keuringsdienst van Waren mijn winkel zal sluiten. En nu vertelt de politie me dat ze me zullen arresteren, tenzij ik iedereen aanwijs die erbij betrokken is. Ik wéét niet eens wie dat allemaal zijn. En Armando kan ik het niet vragen.' Tony peinst een moment. 'Ik wil niet achter de tralies, en ook niet mijn winkel kwijtraken.' Hij kijkt Rolanda aan. 'En dood wil ik ook niet.'

'Ze zijn anders heel goed in het beschermen van mensen,' zeg ik.

'Ik heb een winkel. Ik kan mijn deur toch niet op slot doen? Iedereen kan zomaar binnenlopen en een pistool trekken. Ze hoeven maar even niet op te letten, en ik beland in een kist.'

Alledrie zwijgen we. 'Je zou het ook voor de rechter kunnen uitvechten,' opper ik.

'Zodra ze me arresteren, is het gedaan met mijn goede naam.'

'Je klanten zijn je best trouw.'

'Niet als ze denken dat ik een crimineel ben.'

Waarschijnlijk niet, nee. 'Je moet snel beslissen,' zeg ik. 'Voordat iemand je misschien vóór is.'

'Je zegt dus dat het beter is als eerste akkoord te gaan.'

'Wie het eerst komt, die het eerst maalt. Zo gaat dat nu eenmaal.'

'En als ik word veroordeeld, op wat voor straf kan ik dan rekenen?'

'Een boete. En waarschijnlijk voorwaardelijk vrij.' Ik zwijg even, en voeg eraan toe: 'Misschien een korte hechtenis, Tony.'

'Een boete zou ik me misschien nog kunnen veroorloven,' is zijn reactie. 'Maar achter tralies? Dat nooit. Dan kan ik mijn zaak wel opdoeken. Daarvoor heb ik al die jaren toch iets te hard gewerkt.'

Rolanda pakt zijn hand. 'Jij gaat niet naar de gevangenis.'

Hij glimlacht naar haar. 'Ik wist wel dat een dochter als advocaat me nog eens goed van pas zou komen.'

Rolanda glimlacht terug. 'Wat ga je nu doen, pa?'

'Ik wil alle betrokkenen in deze stinkzaak achter slot en grendel krijgen.'

'Als je het geld teruggeeft, wie weet beschouwen ze je dan als een held,' opper ik en ik kijk Rolanda aan. 'In de immuniteitsverklaring moet worden vastgelegd dat Tony niet verplicht is zijn dwalingen te bekennen en dat de politie, indien gevraagd, zal zeggen dat Tony het smeergeld heeft geweigerd. Daarmee zou zijn reputatie gewaarborgd moeten blijven.'

'Maar het is niet helemaal de waarheid,' verduidelijkt Tony.

'De wereld is niet perfect,' zeg ik. 'Maar dit kleurt het verhaal redelijk flatteus in.'

'Dat is dan een leuke semantische overwinning voor jullie advocaten,' zegt hij. 'Voor mij is het belangrijker dat ik lang genoeg kan blijven leven om van mijn grote morele overwinning te kunnen nagenieten.' Hij kijkt Rolanda aan. 'Als jij nu eens alvast begint met het opstellen van die immuniteitsovereenkomst?'

15

'IK KAN JE MAAR WEINIG VERTELLEN'

'Ik probeer zo zorgvuldig mogelijk bewijsmateriaal te vergaren. De procesvoering is een klus voor de aanklagers.'
Rechercheur Jack O'Brien, KGO Radio, zondag 6 juni, 16.00 uur

Ik zit in mijn wagen voor MacArthurs huis, dat nog steeds met geel lint is afgezet. Rolanda heeft Tony teruggebracht naar zijn groentewinkel. Ik sta geparkeerd achter een surveillancewagen. Twee agenten staan op de oprit. Een derde staat aan het eind van de doodlopende weg, bij het begin van het pad dat omlaagvoert naar het strand. Hij drinkt wat koffie. Afgezien van de politie is het een doodgewone mistige middag in Sea Cliff.

Jack O'Brien heeft toegezegd me hier om halfvijf te treffen. Dat is inmiddels een halfuur geleden. Ik heb geprobeerd hem te bereiken, maar kon slechts een boodschap achterlaten. Vijf minuten verstrijken. Daarna nog eens vijf. Ik begin me af te vragen of ik hier niet mijn tijd sta te verdoen. Een bekend gezicht verschijnt voor mijn raampje. Agent Pat Quinn glimlacht breed en zegt: 'Nooit gedacht dat een priester op zondag zou werken.'

'Ex-priester,' corrigeer ik hem. 'Zijn jullie al klaar?'

'Bijna. De technische recherche gaat zo inpakken. We staan erbij en kijken ernaar. Weer twee dagen van mijn leven die ik nooit meer terugkrijg.' Hij haalt zijn schouders op. 'Jack belde. Hij is onderweg.'

Nou, hij komt tenminste. 'Verder nog iets interessants gevonden?'

'Niets wat je nog niet weet. MacArthur moet een flinke tik op zijn achterhoofd hebben gehad.'

'Hebben jullie in de woning nog bloed aangetroffen?'

'Nee.'

Ik kijk naar Angels wagen, die nog altijd in de garage geparkeerd staat. 'Vingerafdrukken?'

'Alleen de hare.'

'Nog iets in de kofferbak gevonden?'

'Het reservewiel en een sporttas.'

O jee. Ik vraag hem wat er in de tas zat.

'Zweterige kleren en een handdoek. Het lijkt erop dat je cliënte vóór het feestje nog even naar de sportschool is geweest.'

Daar heeft ze het anders niet over gehad. 'Nog iets meer bekend over Martin Kent?'

'Niet dat ik weet. Jack wilde zijn zoon spreken. Hij is wat laat omdat hij bij Kents autopsie is geweest.'

'Weet je iets over de uitkomst?'

'Dat zul je hem moeten vragen.'

Dat zal ik zeker doen, als hij tenminste komt.

'Zo,' gaat Pat verder, 'je staat tegenwoordig dus filmsterren bij. Hatse-kiedee zág,' klinkt het quasi-bekakt. 'En ik, ik ben maar een gewone jongen uit de ouwe volksbuurt die zijn best doet om de rekeningen te kunnen be-talen.' Bij Pat geldt: wat je ziet is wat je krijgt. Hij is een innemende vent: kom je hem toevallig op straat tegen en je wekt een verdachte indruk, dan zal hij je hardhandig tegen een muur drukken en zijn knuppel in je onder-rug duwen.

Ik kies voor het standaardantwoord. 'Ik doe gewoon mijn werk. Ze is Rosies nicht.'

'Dat heb ik gehoord.' Zijn glimlach verdwijnt. 'Jack zegt dat ze haar te pakken hebben. Geen twijfel mogelijk. Geen alibi. Denk je al na over een bekentenis in ruil voor strafvermindering?'

'Daar is het nog te vroeg voor. We zijn nog steeds bezig te onderzoeken wat er allemaal is gebeurd.'

'Daar zou ik dan maar haast mee maken.'

Daarna slentert mijn oude vriend Pat Quinn terug naar zijn stek voor de villa. Ik denk aan alle jongens uit mijn buurt die of agent of brandweerman zijn geworden. Een paar werden arts of advocaat. Ik was de enige priester. Ik denk aan Grace en ik vraag me af wat ze over dertig jaar aan het doen is.

Ik snuif de frisse bries op. Het zilte aroma doet me terugdenken aan de middagen die ik met mijn oudere broer Tommy in onze achtertuin door-bracht. De zon dook zo zelden op dat de meeste van mijn jeugdherinnerin-gen zich in de mist afspelen. Ik bel naar kantoor. Carolyn zegt dat Rosie nog altijd thuis bij haar moeder zit. Daarna bel ik Pete, die me via zijn mobieltje meldt dat het op de hoek van Little Richards woning nog altijd rustig is. Ik geef hem het kenteken van Petrillo's limousine door. En dan, na nog eens een eindeloos kwartier wachten, zie ik eindelijk O'Brien zijn Ford voor de oprit parkeren. Ik stap uit en loop naar hem toe.

Hij verontschuldigt zich min of meer. 'Ik kan je wel een paar minuutjes mee naar binnen nemen. Maar je moet wel bij me blijven, en als je ook maar iets aanraakt, vermoord ik je.'

Begrepen.

De rondleiding duurt tien minuten. Omzichtig omzeilen we de technische recherche, die nog altijd aan het werk is. O'Brien wijst naar de bloedplekken op het balkon, en neemt me mee om de woonkamer te bekijken. Het tapijt is maagdelijk wit. Vervolgens gaat hij me voor naar de slaapkamer en toont me de douche en de klerenkast. Daarna gaan we een verdieping lager naar de barokke huisbios. Er staan fluwelen stoelen en de gordijnen zijn kastanjebruin. Doorslaggevend bewijsmateriaal zal ik hier vandaag niet aantreffen.

In de vestibule blijven we staan. Ik vraag hem of ze nog nieuwe dingen hebben gevonden.

'Ik kan je maar weinig vertellen,' is zijn antwoord, en er klinkt geen kwaadwillendheid of irritatie in door.

'Kom op, Jack,' zeg ik. 'Je weet vast de uitslagen van de autopsies.'

'Die van MacArthurs autopsie zijn nog officieus, en met Kent zijn ze nog bezig.'

'Je hebt toch wel een voorlopige conclusie wat MacArthur betreft?'

Hij haalt zijn schouders op alsof hij wil zeggen: goed, je komt er toch wel achter. 'Van zelfmoord en een natuurlijke doodsoorzaak kan geen sprake zijn geweest.'

'Blijft over: moord,' is mijn conclusie.

'Juist. De doodsoorzaak was een schedelbasisfractuur als gevolg van een klap op het achterhoofd met een zwaar voorwerp. Bovendien liep hij door zijn val diverse botbreuken op.'

'Hoe weet je dat hij op het balkon buiten westen is geslagen?'

'Door het patroon van de bloedspatten.'

Ik werp even een blik in de richting van de woonkamer. 'Hebben jullie ook bloedsporen in de woning aangetroffen?' Ik weet het antwoord al, maar ik wil het uit zijn mond horen.

'Niets.'

'Vind je dat niet vreemd? Hoe kan ze nu haar auto hebben bereikt zonder bloed op het tapijt of op de vloer te laten druppelen?'

'Het is helemaal niet gezegd dat ze bloed van het balkon aan haar schoenen heeft gekregen. Het feit dat er bloed op de oscar zat, wil nog niet zeggen dat er ook druppels op de vloer moeten zijn gekomen. Ze hoeft helemaal niet via de woning te zijn gegaan. Ze kan net zo goed de buitentrap hebben genomen en via het pad zijn gegaan. Om daarna in de wagen van haar man te stappen en weg te rijden.'

Dat kan nog interessant worden wanneer we tegenover de jury onze argumenten over de mogelijke scenario's moeten bepleiten. Ik verzoek hem me het pad tussen de woning van MacArthur en die van Neils te laten zien.

Hij gaat me voor over het klamme, gecementeerde pad. Het ruikt er naar jasmijn en we lopen van de voorzijde van de woning naar de achterzijde, waar het pad uitmondt in enkele treden die omhoog voeren naar het balkon en een langere trap die omlaag voert naar het strand. Wat tuingereedschap staat verloren tegen het hekwerk en tegen de muur. Naast de kranen voor het tuinbesproeiingssysteem hangt slapjes een groene tuinslang. De mannen van de technische recherche zijn inmiddels klaar met hun werk.

Ik vraag hun of ze hier nog bloed hebben gevonden.

'Nee.'

'En voetafdrukken?'

'Nee.'

'Hoe heeft ze dan de wagen kunnen bereiken zonder voet- of bloedsporen achter te laten?'

'Ze heeft niet op zanderige of modderige plekken gelopen waar ze voetsporen kan hebben achtergelaten.'

Niet zo snel. 'Er zouden hier hoe dan ook bloedsporen moeten zijn aangetroffen,' zeg ik.

'Niet noodzakelijkerwijs. Ook al hebben we ze wel op de balkonreling gevonden, op het balkon lag bijna niets. Volgens ons leunde MacArthur een beetje over de reling toen hij werd geraakt. Daarom kon hij ook zo gemakkelijk over de rand kukelen en naar beneden vallen.'

'Het speelt jullie in elk geval mooi in de kaart.'

'Het klopt met wat er is gebeurd,' bijt O'Brien me toe.

Aangezien ik deze discussie hier toch niet kan winnen, stel ik een andere vraag. 'Wat had Angelina aan toen jullie haar bij de brug vonden?'

'Een sweatshirt en een joggingbroek.'

'Zat er bloed op?'

Hij aarzelt even. 'Nee.'

'Nee? Hoe verklaar je dat?'

O'Brien probeert zich een beetje van de domme te houden. 'Hoe bedoel je?'

'Als ze hem hard genoeg heeft gemept om zijn schedel te kraken en bloed op het balkon te laten spatten, dan zullen er toch ook sporen op haar sweatshirt moeten zitten?'

'Niet noodzakelijkerwijs.'

Hij bluft. 'Leg dat maar eens uit dan. De oscar is ongeveer dertig centimeter hoog. Als ze het smalle gedeelte heeft beetgepakt en haar man met de zware voet heeft geraakt, dan moeten haar handen en armen maar een paar centimeter van zijn hoofd verwijderd zijn geweest. Als er bloed op het balkon spatte, dan moeten er ook druppels op haar armen en misschien zelfs haar gezicht zijn gekomen.'

'De druppels misten haar. Of anders heeft ze zich verkleed.'

Onzin. 'Wanneer dan?'

'Voordat ze naar de brug ging.'

Ik geloof er geen barst van en probeer kalm maar verwonderd te klinken. 'En waar? Je vertelde net dat er geen bewijs is dat ze daarna nog in de woning is geweest.'

'Buiten. Misschien wel in de auto.'

125

'Je beweert dat ze van tevoren schone kleren in de wagen heeft gelegd?'

'Ik zei: het is mogelijk.'

'Het was de wagen van haar mán!'

'Nou en? Misschien had ze ze wel in haar eigen wagen gelegd. Haar sporttas lag in de kofferbak.'

Ik ga in de aanval. 'Hoe staat het met die bebloede nachtpon? Nog niet gevonden zeker, hè?'

'Die vinden we nog wel,' is O'Briens antwoord.

'Ik durf te wedden van niet. Dat ding bestaat helemaal niet.'

'Ze heeft hem ergens verstopt,' houdt hij vol.

Ik zet door. 'Je zegt dat ze haar nachtpon ergens heeft verstopt, maar ze liet wel een bebloede oscar in haar kofferbak achter en een zak coke op de stoel naast haar. Waarom zou ze zich wel van de kleding maar niet van de coke en het moordwapen hebben ontdaan?'

Geen reactie.

'Hebben jullie bloed op haar handen aangetroffen?'

Het blijft even stil. Dan: 'Nee.'

'Hoe verklaar je dat?'

O'Brien kijkt me stuurs aan. Daarna wijst hij naar de tuinslang. 'We denken dat ze de tuinslang heeft gebruikt om haar handen en gezicht schoon te maken.'

'Hebben jullie vingerafdrukken gevonden?'

'Nee.'

'Waarom heeft ze dan ook niet meteen die oscar schoongemaakt?'

'Weet ik veel. Vraag het haar maar.'

Maar ik ben nog niet klaar. 'En dat zakje coke? Zijn daar nog vingerafdrukken op gevonden?'

'Die van je cliënte.'

'Dat nam ik al aan, ja. Nog andere?'

O'Brien schraapt even zijn keel. 'Daniel Crown.'

Kijk aan, wat hebben we daar? Het is voor het eerst dat de naam van Angels tegenspeler wordt genoemd. 'En wat was zijn verweer?'

'Hij bekende dat hij vrijdagavond wat heeft gebruikt.' Opnieuw een norse blik, en hij voegt eraan toe: 'Hij heeft beloofd volledig mee te werken met het onderzoek.'

Zal best. 'Hoe kwamen zijn vingerafdrukken op het zakje?'

'Hij zei dat hij het in zijn handen heeft gehad.'

'Je meent het. Maar heeft hij het spul ook geleverd?'

'Hij zei zelf van niet.'

Tuurlijk. Waarschijnlijk zit hij nog in de voorwaardelijke proeftijd van zijn vorige aanhouding. 'Ga je hem boeken wegens bezit?'

'Nog even niet.'

'En weet hij hoe dat zakje in Angelina's auto terecht is gekomen?'

Ditmaal geen aarzeling. 'Volgens hem heeft zij het zakje daar zelf neergelegd. Ze was volkomen stoned, zei hij.'

126

Ik moet Crown zo snel mogelijk zien te spreken. 'Heeft hij nog iets gezegd over Kent?'

'Hij zei dat Kent gespannen en afwezig leek. Er was duidelijk iets gaande.'

'Had hij enig idee waarom?'

'De film, het China Basin-project.'

'Hoe laat is Crown weggegaan?'

'Om twee uur. Zijn vrouw ging met hem mee.'

Komt dat even leuk uit. Zo kunnen ze elkaar een alibi verschaffen. 'Bleef er verder nog iemand achter?'

'Kent en de zoon van MacArthur.' Hij werpt me een zijdelingse blik toe. 'En je cliënte.'

'En ik mag aannemen dat Angelina's wederhelft nog in leven was toen Crown wegging?'

'Springlevend.'

'Kan het zijn dat iemand daarna is teruggekomen?'

Hij is het zat. 'Wanneer zie je eindelijk de feiten eens onder ogen? Jouw cliënte is de enige die geen plausibele verklaring heeft. Hoe eerder ze over de brug komt met wat er werkelijk is gebeurd, hoe beter ze ervan afkomt.'

Ik ga er niet op in. 'Wat is de uitslag van Kents autopsie?' vraag ik.

'Ze waren nog bezig toen ik hier kwam.'

'Enige vermoedens?'

'Volgens Beckert is hij verdronken. Hij had ook meerdere verwondingen, waarschijnlijk veroorzaakt door de val. Met andere woorden: het lijkt erop dat hij is gesprongen.'

'Kan het zijn dat iemand hem heeft geduwd?'

'Dat moet je Rod maar vragen. We sluiten moord niet uit.'

'Heb je nog met Kents zoon gesproken?'

'Volgens hem leek zijn vader totaal niet bezorgd, gedeprimeerd of suïcidaal.'

'We hebben begrepen dat zijn vrouw afgelopen jaar is overleden en dat hij in verband met de film en het bouwproject onder grote druk stond.'

'Klopt. Maar hij was gewend aan stress. Zijn zoon vertelde ons dat zijn vader niet suïcidaal was.'

Ik weet het nog niet zo zeker. Crown zei dat hij overspannen leek. Angel zei hetzelfde. En ook Petrillo. 'Geloof je zijn zoon, of geloof je Daniel Crown?'

'We zijn het nog aan het onderzoeken.'

Het standaardantwoord. Ik vraag of Kent een briefje heeft achtergelaten.

'Nee.'

'Heeft iemand hem op de brug gezien? Misschien een tolbeambte of iemand van de brugbewaking?'

'Daar zijn we nog mee bezig.'

Hij houdt iets achter. 'Nicole vertelde me dat ze Kents vingerafdrukken op het stuur van Big Dicks auto hebben aangetroffen,' zeg ik.

O'Brien tuit zijn lippen, maar reageert niet.

Ik geef me niet gewonnen. 'Hoe zijn die afdrukken daar gekomen?' vraag ik.

Een schouderophaal. 'We zijn het aan het onderzoeken.'

'Je hebt inmiddels toch wel wat te melden?'

Een ijzige blik valt me ten deel.

'Heb je met Dominic Petrillo gesproken?' vraag ik.

'Ja. Hij heeft om kwart voor twee samen met Carl Ellis de woning verlaten. Ze zijn samen met Petrillo's limousine teruggereden naar het Ritz.'

Hetzelfde verhaal dat Petrillo al tegen ons heeft verteld. 'Heb je nog met de chauffeur gesproken?'

'Ja. Ze bevestigde het tijdstip.'

Ik informeer naar haar naam. 'Heb je ook al met Ellis gesproken?'

'Ja.' Zijn verhaal komt bijna perfect overeen met dat van Petrillo, blijkt. Of het is doorgestoken kaart, of ze spreken de waarheid.

'Heeft Petrillo of Ellis nog iets gezien?'

'Nee.'

'Had een van hen een appeltje te schillen met MacArthur?'

'Voorzover wij weten niet, nee.'

'En ze wisten niets van wat er gebeurd was?'

'Correct.'

Dat zeggen ze, althans. 'Weet je waar ik ze kan bereiken?' Dat ik al met Petrillo heb gepraat, hoeft hij wat mij betreft niet te weten.

'Petrillo is naar LA teruggevlogen. Ellis is terug naar Las Vegas.'

'Geloof je ze?'

Zijn antwoord klinkt weloverwogen. 'We hebben geen reden dat niet te doen.' Hij peinst nog even en zegt: 'Meer kan ik je nu even niet vertellen.'

Ik wil hem aan de praat houden. 'Kom op, Jack,' zeg ik. 'Je zult de informatie toch met me moeten delen.'

'Meer kan ik je nu even niet vertellen,' herhaalt hij.

Hij weet dat hij volgens de wet van Californië verplicht is me vroeg of laat volledig te informeren. Het hof wenst niet te worden verrast bij strafzaken. Het is minder spannend, weliswaar, maar op deze manier beschikken beide partijen over dezelfde feiten. Als ik hem was, zou ik stug zijn. Er wordt nog steeds bewijsmateriaal verzameld, de autopsie op Kent is nog aan de gang. Maar dat weerhoudt mij er niet van hem te laten weten dat we onze ogen en oren openhouden.

Ik probeer redelijk te klinken. 'Luister, we kunnen voor de makkelijke, of voor de moeilijke weg kiezen. Het zal een stuk gemakkelijker zijn als we gewoon samenwerken.'

Zorgvuldig weegt O'Brien zijn woorden af. 'Ik kan je verzekeren,' zegt hij, 'dat je alle informatie waar je recht op hebt op tijd zult krijgen.'

'En wanneer is "op tijd"?' vraag ik.

'Na de voorgeleiding nemen we contact met je op.'

Carolyn is al begonnen met het opstellen van de dagvaardingen voor de proces-verbalen en de autopsierapporten. Dat doet me in elk geval deugd. Ik wil tevens de lijst van telefoongesprekken op MacArthurs adres en die van de gsm's van alle gasten die op de bewuste vrijdagavond de vertoning bijwoonden. Van de politie hoeven we weinig medewerking te verwachten.

16

'HET KAN NOOIT KWAAD EEN BEETJE ROND TE VRAGEN'

De politie zoekt in Presidio en op Baker Beach naar aanwijzingen inzake de moord op Richard MacArthur.
San Francisco Chronicle, zondag 6 juni

Korte tijd later wacht Pete me op voor MacArthurs villa. We doen er vijfentwintig minuten over om lopend van Baker Beach langs het waterzuiveringsbedrijf van Lobos Creek, het oude militaire fort bij Battery Chamberlin en ten slotte via het militaire oefengebied van Presidio de Golden Gate Bridge te bereiken. Daar treffen we verscheidene agenten en enkele privédetectives die met Pete samenwerken en het terrein doorzoeken. Tot dusver hebben ze niets relevants gevonden.

'Van het huis hiernaartoe zou met de auto slechts vijf minuutjes zijn geweest,' merk ik op terwijl we het beheerkantoor van de brug bereiken.

Pete knikt. 'Als we de politie mogen geloven, zou Angel, nadat alle gasten vertrokken waren, ruimschoots de tijd hebben gehad haar wederhelft buiten westen te slaan en hierheen te rijden.' Hij tuurt naar de mist, en voegt eraan toe: 'Onderweg zou ze best ergens haar nachtpon kunnen hebben verstopt. Er zijn daar heus wel een paar goeie plekken.'

'Als er inderdaad een nachtpon ís,' stel ik.

'De politie zal zeggen van wel.'

Ik weet het, en het zit me dwars. De gedachte dat ik opeens word gebeld met de mededeling dat ze het kledingstuk op Presidio Avenue ergens in een holle boom hebben gevonden, laat me niet los. Ik kijk op naar Pete. 'Laat die jongens van je maar goed verderzoeken.'

'Zullen ze doen.' Hij kijkt wat om zich heen. 'Iemand kan van het huis naar de brug zijn gelopen. Of teruggelopen,' merkt hij op.

'We mogen geen enkel scenario uitsluiten.'

We zeggen niet veel als we teruglopen langs de groene klippen langs Lincoln Boulevard. Ik zet mijn kraag op nu de wind aantrekt. De kou lijkt Pete niet te deren. Bij de kruising met Bowley Street, een smalle toegangsweg naar Baker Beach, blijven we staan. We zien een vuilnisbak, een telefooncel en een fonteintje. Ik drink wat water, Pete doorzoekt de vuilnisbak. Ik kijk op naar de oude appartementen aan de overkant, beter bekend als Wherry Housing. Er wonen nog altijd enkele militairen. De goedkoop in elkaar gezette gebouwen zijn nu onderdeel van een nationaal park.

Pete kijkt voortdurend om zich heen. 'Ze moet hier pal zijn langsgereden,' stelt hij.

Ik corrigeer hem: 'Of ze wérd gereden.'

'Ja.' Hij draait zijn hoofd naar de flats. 'Misschien dat de bewoners iets hebben gezien.'

'Het was drie uur in de ochtend.'

'Het kan nooit kwaad een beetje rond te vragen.' Morgenochtend komt hij hier terug, zegt hij.

We lopen verder over Bowley Street en via het parkeerterrein omlaag naar het strand. Bij Battery Chamberlin, waar in 1902 vier kanonstellingen werden gebouwd, stoppen we even. Een van de 95.000-ponders is gerestaureerd en Pete en ik nemen plaats op de cementen muur aan de rand van de baai. Zwijgend staren we over de zee terwijl de zilte bries onze gezichten geselt. Rechts is de Golden Gate Bridge. Vóór ons liggen de Marin Headlands. Zo'n vierhonderd meter naar links staat de woning van Dick MacArthur. Iets verder naar het westen liggen Land's End en de Grote Oceaan.

Pete kijkt me eens veelbetekenend aan. 'Ze zullen elke vierkante centimeter inspecteren, Mick. Als ze hier een bebloede nachtpon aantreffen, kan Angel het verder wel schudden.'

'Ze zullen niks vinden. Hier ligt-ie niet.'

'Hoe weet jij dat nou?'

Niet, dus. 'Intuïtie,' antwoord ik, en ik grijns even naar hem. 'Mocht ik het verkeerd hebben,' ga ik verder, 'zeg dan tegen je jongens dat ze omzichtig te werk moeten gaan. Als hij hier ergens in de buurt ligt, zou het beter zijn als wíj dat ding het eerst vinden.'

'Nog iets bruikbaars uit O'Brien kunnen trekken?' vraagt Rosie.

'Niet veel,' zeg ik. Het is zondagavond halfacht. Ik ben terug op kantoor. Pete staat weer op de uitkijk bij Little Richards woning. Ik vertel Rosie en Carolyn over mijn rondleiding door villa MacArthur en over mijn onderonsje met O'Brien. Daarna beschrijf ik mijn wandelingetje met Pete naar de Golden Gate Bridge. Rolanda is op haar werkkamer bezig met de immuniteitsverklaring voor haar vader. 'Er zijn een paar dingen waar we ons voordeel mee kunnen doen,' zeg ik. 'Dingen die gewoon niet kloppen.'

'Zoals?' vraagt Carolyn.

'Angels nachtpon. Ik kan maar niet bedenken hoe en wanneer ze zich in 's hemelsnaam moet hebben verkleed.'

'Misschien heeft iemand dat voor haar gedaan,' werpt Rosie op.

'Misschien. Als ze erbij gelapt is, moet er nog iemand in de woning zijn geweest die haar bewusteloos heeft aangetroffen of haar heeft gedrogeerd. Vervolgens heeft hij haar omgekleed, haar naar beneden gedragen en in de auto gezet. Bovendien heeft hij op het balkon Dicks schedel verbrijzeld en een manier bedacht om de oscar in de kofferbak te krijgen zonder een spoortje bloed in de woning achter te laten. En hij had de tegenwoordigheid van geest die zak coke in de wagen te leggen. Flink wat handelingen in een heel korte tijd. Het zou van tevoren nooit gepland kunnen zijn.' Terwijl ik zo hardop denk, begin ik te beseffen hoe gekunsteld een dergelijk scenario van voorbedachten rade op een jury zal overkomen.

'Misschien heeft iemand iets in haar drankje gedaan,' oppert Rosie. 'Misschien waren er meerdere personen bij betrokken. Misschien leek het realistischer als het net was alsof ze wilde vluchten.'

'Behalve de drank en de coke hebben we geen bewijs dat ze is gedrogeerd. En we zitten nog steeds met die nachtpon. Waarom lieten ze haar niet gewoon met de oscar en die nachtpon in de woning achter?'

'Omdat er op de nachtpon geen spatje bloed zou hebben gezeten,' zegt Carolyn.

'Ze hadden er toch wat van MacArthurs bloed op kunnen smeren?' opper ik.

Carolyn schudt haar hoofd. 'De technische recherche is heel bedreven in het analyseren van spatpatronen. Als de moordenaar de nachtpon met wat bloed van het balkon had willen bevuilen, dan zou het voor de technische recherche duidelijk zijn dat er opzet in het spel was. Ik heb zaken meegemaakt waarin de beklaagde vrijuit ging omdat het vlekkenpatroon niet klopte. De daders zullen beter af zijn met helemaal geen nachtpon dan met een nachtpon waarvan de bloedvlekken niet kloppen.'

'Wil je daarmee suggereren dat de politie misschien niet zo naarstig zal zoeken?'

'Ik wil alleen maar zeggen dat een verkeerd vlekkenpatroon hun hele zaak kan ondermijnen.'

Ik wil liever weten wat er gebeurd is. Het laatste wat we willen, is een nachtpon die aan de vooravond van het proces op magische wijze opduikt. 'Jij weet alles van bloedpatronen omdat je vroeger zelf aanklager bent geweest. Onze huis-, tuin- en keukenmoordenaar is niet zo doortrapt. De kans is zeer klein dat degenen die vrijdagvond aanwezig waren van dergelijke zaken op de hoogte zijn.'

'Klopt. Ik wilde alleen maar wat plausibele opties geven.'

De suggestie dat Angel besefte dat ze een met bloed besmeurde nachtpon aanhad en het kledingstuk onderweg naar de brug op de een of andere manier moet hebben gedumpt, vormt eerlijk gezegd een veel plausibeler verklaring.

'Wat is O'Briens opvatting?' vraagt Rosie.

'Volgens hem heeft Angel haar man geslagen, is ze via het pad naar bui-

132

ten gelopen, heeft de oscar in de kofferbak gestopt en is weggereden.'

'Waar heeft ze die extra kleren vandaan?'

'Ze vonden haar sportkleren in een sporttas in haar eigen wagen. Ze denken dat haar joggingpak in haar auto lag en dat ze zich in de garage heeft verkleed.'

'En waar heeft ze die nachtpon achtergelaten?'

'Ergens tussen de woning en de Golden Gate Bridge. Reken maar dat alle vuilnisbakken op de route binnenstebuiten worden gekeerd.'

Rosie is sceptisch. 'Waarom heeft ze die oscar en de coke ook niet meteen verborgen?'

'Daar had hij geen verklaring voor.'

'Vind je zijn versie ook maar een beetje steekhoudend?'

'Ik probeer niets uit te sluiten,' zeg ik. 'En ik wil graag het gevoel hebben dat ik het verhaal van mijn cliënte door een professionele, kritische bril bekijk.'

'Wat klopt er nog meer niet?' vraagt Rosie.

'Ze vonden Daniel Crowns vingerafdrukken op het cokezakje,' zeg ik. 'Crown heeft de politie verteld geen idee te hebben hoe het zakje in Angels wagen verzeild kon raken.'

'Nou, het lijkt erop dat Crown binnenkort een goed gesprek met zijn reclasseringsambtenaar te wachten staat.'

Bovendien staat hem een wat minder aangenaam gesprek met zijn vrouw en zijn manager te wachten. 'Het kan ons een opening bieden,' zeg ik. 'We kunnen misschien iets van de verdenking tegen Angel wegnemen.'

'Het is een begin, maar het toont alleen aan dat ze samen misschien wat coke hebben gebruikt.'

'Het brengt wel zijn vingerafdrukken in de auto,' werp ik tegen.

'Maar dat brengt hem nog niet direct in verband met Big Dick.'

'En reken maar dat zijn vrouw hem een alibi zal verschaffen,' voegt Carolyn eraan toe.

'Ik weet het. Wat ons bij een andere mogelijkheid brengt.'

'En die luidt?' wil Rosie weten.

'Marty Kent. Angel vertelde ons dat hij vrijdagavond gespannen was. Crown en Petrillo hebben tegenover de politie verklaard dat hij gestrest was over de film en het China Basin-project. Hij was opvliegend en lag vaak overhoop met Big Dick.'

'Dat maakt anders nog geen moordenaar van je,' stelt Rosie.

'Nog niet, nee. Maar zijn vingerafdrukken zaten op het stuur van MacArthurs wagen. En ze hebben geen verklaring hoe die daar terecht zijn gekomen.'

'Ze waren vrienden,' legt Rosie uit. 'Het was een nieuwe Jaguar. Misschien heeft Dick hem een proefritje laten maken.'

'Misschien. We kunnen dit benutten totdat het OM met een betere verklaring komt. Kent is degene die de tegenwoordigheid van geest zou hebben om Angel erbij te lappen.' Ik leg uit dat hij advocaat en ex-marinier was, getraind om paniek te vermijden en bij de aanblik van bloed het hoofd koel te houden. Hij wist dat Angel financiële motieven had. 'En dat is niet iets wat je van de andere aanwezigen kunt zeggen, Little Richard mogelijk uitgezonderd.'

Rosie is nog niet helemaal overtuigd. 'Dus je wilt de dode Kent de moord in de schoenen schuiven?'

'In feite wel, ja. Hij kan zich immers niet meer verdedigen.'

'Als hij net MacArthur heeft gedood en een perfect plan heeft uitgevoerd om Angel erin te luizen, waarom is hij dan van de brug gesprongen?'

Daarop moet ik het antwoord schuldig blijven. 'Ik weet niet zeker of het inderdaad zo is gegaan. We mogen ook Little Richard niet uitsluiten. Hij bleef als laatste achter, moet van MacArthurs testament hebben geweten, had financieel gezien een behoorlijk motief. Misschien heeft hij ons niet alles verteld wat hij weet.'

'Denk je dat hij zijn eigen vader heeft vermoord?'

'Ze waren samen net Tom en Jerry. Ik wil alleen maar zeggen dat hij de gelegenheid had, meer niet.'

'Denk je dat hij Angel naar de Golden Gate heeft gebracht en daarna zelf naar Napa is gereden?'

'Waarom niet?'

Opnieuw zie ik Rosies sceptische blik. 'Hij is wel met zijn eigen wagen naar Napa gereden. Als hij Angel eerst in zijn vaders auto naar de brug heeft gebracht, hoe is hij dan teruggekomen om zijn eigen auto op te halen?'

'Lopend zou het hem slechts vijfentwintig minuten hebben gekost. Misschien nam hij een taxi, of kreeg hij een lift.'

'Van wie?'

'Weet ik veel?'

Opeens fleurt Rosies gezicht op. 'Ik heb een H-V.'

Carolyn kijgt haar vragend aan. 'Een H-V?'

'Ja. H-V. Een Heftig Vermoeden.'

'Ik luister.'

'Eve.'

Ik laat het even bezinken, en zeg: 'Op zich best plausibel, denk ik.' Ik peins nog even en voeg eraan toe: 'We hebben geen bewijs dat zij de dader is.'

'We hebben geen bewijs dat zij de dader niét is. We moeten het haar vragen.'

'Ze zal het ontkennen.'

'En waarom zouden we haar moeten geloven?'

'Dat moeten we ook niet.'

'Heb je andere suggesties?'

Op dit moment even niet. 'Hoe is het met Angel?' vraag ik.

'Niet zo goed,' vertelt Rosie. 'Op de weg terug van mijn moeder ben ik even bij haar langs geweest. Ze zit nu in beveiligde afzondering.' Dat laatste verwijst naar een speciale afdeling voor gedetineerden van wie men vermoedt dat ze gevaar lopen. Je zit nog steeds in de gevangenis, maar dan een graadje erger. Rosie moet even slikken. 'Haar gedrag wordt steeds labieler. Middelzware hysterie afgewisseld met stiltes van twintig minuten. Een paar weken geleden is ze met haar medicatie gestopt.'

'Medicatie waarvoor?'

'Depressies. We proberen wat meer Prozac voor haar voorgeschreven te krijgen. Maar dat zal enige tijd kosten en het zal nog weken duren voordat we resultaat zullen zien. Voorlopig kan ik alleen maar proberen haar kalm te houden.'

Niet best.

Ze verandert van onderwerp. 'Rolanda vertelde me wat Tony is overkomen.'

'Wat zou jij doen als je in zijn schoenen stond?'

'Wat een puinhoop. Ik denk toch dat hij het op een akkoordje moet gooien.'

'Waarschijnlijk wel, ja. Als hij het niet doet, doet een ander het wel. En dan zit hij er echt tot aan zijn nek in.'

'Ze hebben hem klem.' Ze krabt even aan haar kin. 'Ik denk dat ik Rolanda nog even gezelschap ga houden. Daarna kan ik maar beter even bij mijn moeder langsgaan om Grace op te halen.' Ze staat op en loopt naar de deur. Met niet zo'n ferme pas, valt me op.

Het is acht uur. Het tarottafeltje in de hoek van Madame Lena's oude seancestudiootje staat vol piepschuimen bakjes waarin een uur geleden nog burrito's zaten. Hier bij Fernandez & Daley wijken de opvattingen omtrent haute cuisine iets af van die van onze geslaagde collega's in hun chique kantoorpanden in het centrum. Rolanda, Carolyn en ik bestuderen de bouwplannen voor het China Basin-project. Carolyn heeft via een kennis op het departement voor Stadsvernieuwing een kopie weten te bemachtigen. Ze beschikt over mollen in alle lagen van de bureaucratie. De glossy prospectus lijkt veel op zo'n chic jaarverslag van een bedrijf en staat vol met foto's en grafieken. De tekst is echter gortdroog.

'Het is allemaal tamelijk recht door zee,' is Rolanda's oordeel. 'Ze vormden een naamloze vennootschap waarin Ellis Construction en Millennium Studios elk vijfendertig procent belang hebben. MacArthur Films bezit tien procent.'

'Blijft over twintig procent,' stel ik vast. Ik vraag wie daar aanspraak op maakt.

'Big Dick, Dominic Petrillo, Carl Ellis en Martin Kent hebben ieder vijf procent.'

Interessant. 'Hebben ze zelf geïnvesteerd?' vraag ik Rolanda.

'Tot dusver heeft de groep tien miljoen dollar gestort om de opstart te financieren,' antwoordt ze.

'En wat als ze nog meer geld nodig hebben om met de bouw te kunnen beginnen?'

'Er is een investeringsronde. Iedereen moet al naar gelang de eigen aandeelpercentages over de brug komen. De totale investering bedraagt honderd miljoen. Ellis Construction en Millennium Studios zullen elk met vijfendertig miljoen op de proppen moeten komen, MacArthur Films met tien en de overige vier mannen ieder met vijf. Het plan is om bij de Bank of America nog eens tweehonderd miljoen te lenen.'

'Big Dick had al een half miljoen uit eigen middelen geïnvesteerd?' vraag ik.

'Ja.'

'Waar haalde hij dat geld vandaan?'

'Hij leende het van de Citibank. MacArthur Films kwam met nog eens een miljoen. Het bedrijf leende het bij dezelfde bank.'

De Citibank blijkt dus meer vertrouwen in Big Dicks kredietwaardigheid te hebben gehad dan ik zou hebben gedacht. 'Stel dat de bouwplannen worden afgekeurd of dat de outside-financiering en de hele deal mislukken,' werp ik op.

'Dan volgt liquidatie en zullen de investeerders al het tot dusver ingebrachte geld kwijt zijn. Als schuldeisers niet worden betaald, zal het bedrijf faillissement aanvragen.'

'En als iemand zijn verplichtingen niet kan nakomen?'

'De overige deelnemers hebben het recht de in gebreke blijvende partij uit te kopen.'

'En als er iemand komt te overlijden?'

'Zelfde verhaal. De overige investeerders kunnen hem uitkopen tegen een speciale prijs gebaseerd op de boekwaarde van het bedrijf op dat moment. De kopers zouden op een aanzienlijke vermindering van de eigenlijke waarde van het bedrijf kunnen rekenen, aangenomen dat de deal doorgang vindt.'

We kijken elkaar aan. Alle investeerders waren vrijdagavond bij MacArthur over de vloer. Twee zijn er inmiddels dood. De anderen hebben nu het recht zich het aandeel van MacArthur Films, Big Dick en Marty Kent voor een koopje toe te eigenen. Iemand zal hier behoorlijk garen bij spinnen. Het zouden Dominic Petrillo en Millennium Studios kunnen zijn, maar ook Carl Ellis en Ellis Construction. Of allebei.

De telefoon gaat. Het is Pete. Hij staat nog steeds bij het huis van Little Richard op de uitkijk. 'Iets interessants te melden?' vraag ik.

'Misschien.'

'Zoals?' Mijn hoofd bonkt. Ik ben vanavond niet in de stemming voor kat-en-muisspelletjes.

'Er is zojuist een limousine gearriveerd.'

Ik zet hem op de speakerphone. 'Hoe luidt het kenteken?'

'ALLURE 1.'

17
'VERLIES ZE NIET UIT HET OOG'

'Sommige mensen zijn al blij als ze kleine films kunnen maken. Zo niet Millennium Studios. Wij handelen in dromen. Wij vinden dat mensen vooral gróte dromen moeten hebben.'
Dominic Petrillo, profielschets in de *Daily Variety*

Pete staat nog steeds op de speakerphone. 'Wie zitten er in die limo?' wil ik weten.

'Ogenblikje.' Het wordt even stil op de lijn. Als hij ten slotte antwoord geeft, kan ik zijn fluisterende stem bijna niet horen boven de statische ruis uit. 'Die studiobaas – Petrillo.'

'Maar die was naar LA vertrokken.'

'Dus niet, Mick. Hij is zojuist Little Richards woning binnengegaan.'

'Verder nog iemand?'

'Nee.'

Ik kijk even op mijn horloge. Kwart over acht. 'Waar zit je nu?'

Hij geeft me een adres aan El Camino Del Mar.

'Weten ze dat je daar zit?'

'Mick, ik ben een professional…'

'Sorry.'

'Wil je dat ik met ze praat?'

Mijn hersens draaien op volle toeren. 'Nee.'

'En als ze weggaan?'

'Bel me op mijn mobieltje en verlies ze niet uit het oog. We komen eraan.' Ik hang op en kijk Rosie aan. 'Zin in een ritje?' vraag ik.

Haar gezicht klaart op. 'Reken maar.'

Ik peins nog even en vraag: 'Moeten we Little Richard niet even bellen?'

'Dat zou natuurlijk wel zo beleefd zijn.' Quasi-bedachtzaam fronst ze haar wenkbrauwen. 'Maar ja, dan weten ze natuurlijk dat we onderweg zijn.' Waarna ze er met een laconieke glimlach aan toevoegt: 'Maar wacht, we zijn familie. Ik ben de tante van zijn stiefmoeder, godbetert. Dat maakt hem tot mijn stiefachterneef.'

'Of zoiets.'

'Hoe dan ook, ik weet zeker dat hij geen bezwaar zal hebben tegen onverwachte visite. Hij is immers toch ook altijd welkom bij ons?'

'Absoluut,' zeg ik. 'Bel je moeder maar en zeg haar dat je Grace iets later komt ophalen. Ik haal alvast de auto.'

Ook ik moet mijn agenda iets bijstellen. 'Ik kom wat later,' vertel ik Leslie. Ik spreek haar via mijn mobieltje terwijl ik naar mijn wagen loop.

Rechter Shapiro is onaangenaam verrast. 'Niet weer, hè? Ik was net bezig een heerlijk dineetje voor je te bereiden.'

'Ik kom zo snel mogelijk.'

'Hoe laat?'

'Weet ik nog niet precies. Ik bel je zo meteen met een stand-van-zakenrapport.'

Een korte stilte. 'Een stand-van-zakenrapport hoort bij een zakelijke relatie, niet bij een persoonlijke.' Als ze boos is, heeft ze steevast de neiging mijn woord- en taalgebruik te corrigeren. Privé uit ze zich net zo exact als in haar juridische uitspraken. Tegen zo'n hoog niveau kan ik niet opboksen.

'Het spijt me, Leslie. Ik heb nogal haast.'

'Wat noopt je ditmaal onze plannen te veranderen?'

Een moordonderzoek. 'We willen met Petrillo gaan praten.'

'Ik dacht dat je zei dat die weer naar LA was?'

'Hij loog.'

'En waarom denk je dat hij je weer te woord zal staan?'

'Mijn overredingskracht is fenomenaal.'

Nu grinnikt ze. 'Was ik even vergeten. Rechter zijn is een stuk leuker. Je wordt tenminste teruggebeld en als je mensen wegens minachting van het hof achter de tralies kunt zetten, kun je rekenen op hun onverdeelde aandacht.'

Dat geloof ik graag. 'Ik bel je zo snel mogelijk,' beloof ik.

Ik word gematst. 'Ik weet dat je dit niet opzettelijk doet, Michael,' zegt ze. 'Je stond vanochtend niet op met de gedachte om me wederom met een unieke smoes uit je agenda te schrappen.'

'Dat is waar.'

Ze wordt ernstig. 'Ik wil je echt heel graag zien vanavond. En niet alleen omdat ik graag het bed met je deel.'

O jee. 'Dat laatste wil je nog steeds, hè?'

'Zeker weten. Maar ik moet ook met je praten. Ik heb nog eens nagedacht over ons gesprek, eergisternacht, over onze…' Terwijl ze naar het juiste woord zoekt, schraapt ze even haar keel. Uiteindelijk kiest ze voor 'situatie'.

'Dat doet me deugd.' Althans, dat denk ik. Ik stap in mijn wagen en stop het sleuteltje in het contactslot. Ik zet me schrap. 'Kun je alvast een tipje van de sluier oplichten?' probeer ik.

'Zodra je hier bent, praten we verder, Michael.'

Vijf voor halfnegen. Rosie zit naast me in mijn Corolla. Vanuit het centrum zijn er geen snelwegen naar Sea Cliff. In de jaren vijftig werden er plannen gesmeed voor een snelweg dwars door het hart van de stad. Buurtbewoners schreeuwden moord en brand en de aanleg werd stopgezet. Pine Street is ons beste alternatief en inmiddels rijden we op deze brede eenrichtingsweg langs Chinatown. Mijn Corolla doet zijn best Nob Hill te bedwingen. Daarna sjezen we door Polk Gulch en de Western Addition, ofwel Lower Pacific Heights, zoals de projectontwikkelaars het inmiddels noemen.

Zoals gewoonlijk komt Rosie met enige nuttige rijsuggesties. 'Kun je dit wrak niet een beetje op zijn staart trappen?'

Ik geef geen antwoord. Mijn wagen is inmiddels half met pensioen. Ik kan er slechts tweemaal per week de heuvels mee over. 'Wat zeggen we tegen Little Richard zodra we voor de deur staan?' vraag ik.

'Ik bedenk wel iets. We moeten je vriendin Eve naar de woonkamer zien te loodsen. Daarna improviseren we gewoon.'

We passeren Presidio Avenue, maken een bocht naar links en komen op Masonic Avenue. Daarna slaan we rechts af, Geary Boulevard op, de doorgaande weg naar het district Richmond. Er is veel verkeer en ik moet gas terugnemen nu we de genummerde avenues passeren.

Tien over halfnegen. We zijn nog dik anderhalve kilometer van Little Richards huis verwijderd. Terwijl ik Twenty-fifth Avenue insla, gaat mijn mobieltje. 'Petrillo gaat nu weg,' meldt Pete. 'Hij is net in de limo gestapt.'

Verdomme. 'Is Little Richard bij hem?'

'Nee.'

'Kun je hem tegenhouden?'

'Alleen als ik zijn wagen ram.'

'Doe dat maar niet. Kun je hem volgen?'

'Ja. Waar zit jij nu?'

'Op Twenty-fifth, iets boven Geary Boulevard.'

De lijn kraakt. 'Hij rijdt nu weg. Ik zit achter hem. We gaan zuidwaarts over Twenty-fifth, recht op jou af. Wil je de weg blokkeren?'

Ben je gek geworden? 'Nee. Ik ben niet opgeleid voor stuntrijder.'

'Fijn.' Ik hoor de irritatie in zijn stem. 'Kun je je richtingaanwijzer aanzetten en voorzichtig een U-bocht maken en proberen ons te volgen?'

'Ja.' Ik geef mijn mobieltje aan Rosie. 'Praat jij maar met Pete. Ik moet rijden.'

Snel keer ik de wagen, tot grote ergernis van de luxe stationwagon achter me. Daarna kijk ik in mijn binnenspiegel en wacht. De derde wagen die ons voorbijrijdt, is een zwarte Lincoln met kenteken ALLURE 1. Hoewel het bijna donker is, kan ik het silhouet van de chauffeur onderscheiden. Vanwege de getinte ramen zie ik niemand achterin. De motor loopt en de adrenaline pompt. Nog twee wagens passeren ons. Daarna scheert Pete voorbij in zijn ongemerkte politiewagen. Hij zwaait even en ik hoor zijn stem nu Rosie mijn mobieltje naar haar oor brengt. 'Kom op,' zegt hij, 'daar gaan we.'

Ik kijk even naar Rosie. 'Zin om vanavond diefje te spelen?'

'Ik had eigenlijk geen plannen. Het zou op zich geen kwaad kunnen om Grace op tijd in bed te krijgen. Laten we kijken waar ze heen gaan,' klinkt het vervolgens ernstig.

We vervolgen onze weg in zuidelijke richting over Twenty-fifth Avenue en houden voldoende afstand nu we door Golden Gate Park rijden. Daarna volgt Nineteenth Avenue, de doorgaande weg aan de zuidkant van het park. Terwijl we door de oude buurt van mijn jeugd rijden en Stern Grove, Stonestown Mall en de universiteit van San Francisco passeren, wordt het drukker op de weg. Rosie onderhoudt nog steeds contact met Pete. Als we Brotherhood Way kruisen en freeway 280 op rijden, reikt Rosie me mijn mobieltje aan met de mededeling dat Pete me wil spreken.

'Kijk even in je spiegel,' zegt hij. 'Twee auto's achter je rijdt een zwart Suburban-busje.'

Hij moet ogen in zijn achterhoofd hebben. 'Nou en?' We rijden nu ongeveer 95 kilometer per uur.

'Zorg dat je me kunt zien,' instrueert Pete me. 'Oké, dan nu van rijstrook veranderen.'

Ik doe wat hij me opdraagt. Waarop ook de Suburban van rijstrook verandert.

'Voeg maar weer in,' zegt Pete.

Ik pak mijn oude rijbaan weer. De Suburban ook. 'We hebben gezelschap,' zeg ik. Rosie kijkt me even vragend aan. Met mijn duim gebaar ik naar achteren. 'Wat nu, Pete?' vraag ik.

'Schud hem af.'

Ja hoor. Ik kijk Rosie wat hulpeloos aan. 'Hallo, dit is geen James Bond-film, hoor,' zeg ik.

'En Sean Connery ben je al helemaal niet,' is haar reactie.

Ik probeer Pete in het vizier te houden terwijl ik weer van rijbaan wissel in een poging het busje van me af te schudden. Ik slaag erin Pete in het zicht te houden, maar het lukt me niet het Suburban-busje kwijt te raken.

Ons konvooi houdt de maximumsnelheid aan terwijl we door de mist de Serramonte Mall passeren. Ik kruip wat meer naar Pete toe, die de Lincoln nog steeds in zijn vizier heeft. 'Die chauffeur van de limousine heeft kennelijk weinig haast,' merkt Rosie op.

'Ze willen geen aandacht trekken,' leg ik uit. 'Wij zijn degenen die er zo graag een racewedstrijd van willen maken.'

'Rijd nou maar gewoon door.' Ze kijkt naar Pete voor ons, en voegt eraan toe: 'En doe voorzichtig.'

Ik houd mijn klep en rijd verder. Pete rijdt zo'n vierhonderd meter voor ons en blijft op ongeveer drie autolengtes achter de limousine. Het Suburban-busje zit pal achter ons. Ik werp een blik in de spiegel. Achter het stuur van de Suburban ontwaar ik een blanke man met een snor. En ook achter-in lijkt iemand te zitten. Hij maakt er absoluut geen geheim van dat hij ons volgt. De limousine voegt uit naar freeway 380, die naar de luchthaven voert. Nadat ik hetzelfde heb gedaan, kan ik Pete nog zien, maar ben de li-mousine uit het oog verloren. 'Zie jij hem nog?' vraag ik Rosie.

'Daar, aan je rechterhand,' antwoordt ze.

De limousine rijdt in de richting van de luchthaven. 'Zitten we nou ge-woon een beetje amateuristisch een achtervolgingsscène uit *Bullitt* na te apen, en hebben we alleen maar een vent gevolgd die zijn vliegtuig wil ha-len?'

'Daar lijkt het wel op, ja,' antwoordt Rosie. 'Met dit verschil dat je ook niet bepaald Steve McQueen bent.'

Dank je. 'Rosie, ík deed dit in één take. McQueen had er een week voor nodig.'

We volgen Pete onder de vertrekhal voor internationale vluchten door en vervolgens over de verhoogde oprit naar de ingang. De Lincoln staat iets verderop. Pete meldt Rosie dat hij de limousine laat gaan. Ik vraag hem om de Suburban in de gaten te houden, want ik wil graag weten door wie we worden gevolgd. We cirkelen om het parkeerterrein en vinden een plekje achter de limousine, die voor de vertrekhal van United Airlines dub-belgeparkeerd staat. Een verkeersagent maant ons door te rijden. Rosie verzekert hem echter dat het maar een minuutje zal duren.

We zien Petrillo uitstappen. Een chauffeuse in donker uniform met bij-passende hoed haalt zijn reistas uit de kofferbak. Petrillo werpt een blik in onze richting en steekt spottend een hand op. Even later passeert de Sub-urban ons, maar stopt niet. Ik probeer een glimp op te vangen van de be-stuurder, maar vanwege het getinte glas kan ik hem niet zien. Ik zoek naar een kentekenplaat, maar die ontbreekt. Petes Plymouth bevindt zich drie wagens achter het busje. Ze verdwijnen in de avond.

Rosie en ik stappen uit en lopen naar Petrillo, die inmiddels op het trot-toir staat. Het lawaai van arriverende en vertrekkende auto's, bussen en li-mousines is enorm. Petrillo doet alsof hij ons niet ziet. Met zijn linkerhand dekt hij zijn ene oor af en met zijn rechterhand drukt hij een mobieltje tegen het andere oor. Vervolgens klapt hij het apparaatje dicht. Als hij zich naar me omdraait, druipt zijn stem van het sarcasme: 'Meneer Daley, wat een aangename verrassing. U hebt me helemaal niet verteld dat u vanavond de stad verlaat?'

Ik negeer het sarcasme. 'Ik dacht dat u vanmiddag al was vertrokken,' kaats ik de bal terug.

'Er kwam wat tussen. Zaken.'

'Wat voor zaken?'

Hij kijkt naar Rosie. 'We hebben heel wat geld in uw nicht geïnvesteerd,' zegt hij. Daarna kijkt hij mij aan en voegt er op afgemeten toon aan toe: 'Ze maakt het ons bepaald niet gemakkelijk.'

'We willen even met u praten.'

Hij slaat zijn ogen ten hemel. 'Jullie hádden natuurlijk even kunnen bellen, in plaats van me hierheen te achtervolgen.'

'We waren toevallig in de buurt,' zeg ik.

'U hebt ons helemaal vanaf Sea Cliff gevolgd? Oké, wie was dat?' Zijn rechtermondhoek krult iets . Gezien zijn nonchalante toon zou hij net zo goed hebben kunnen informeren naar de score van de Giants.

Ik probeer nietsvermoedend te klinken. 'Wie?'

Ik ontwaar een halve grijns. 'Die vent in de Plymouth.'

'Welke Plymouth?'

'Die ons volgde.'

'Wie zat er in die Suburban?' vraag ik hem op mijn beurt.

'Welke Suburban?'

'Die óns volgde.'

'Geen idee waar u het over hebt.'

Doe me een lol. Ik probeer het nog eens. 'Wie zat er in die Suburban?'

Zijn ontkenning klinkt nadrukkelijker. 'Daar weet ik niets van. Wie zat er in die Plymouth?'

We beginnen nu echt als Abbott en Costello te klinken. 'Een vriend,' zeg ik. 'En wie zat er in die Suburban?'

Zijn irritatie wordt nu zichtbaar. 'Het lijkt erop dat úw vriend besloot ons het hele eind te volgen.'

'Ja, hij wees úw vriend de weg, namelijk.'

Petrillo brengt zijn handen omhoog. 'We hebben het kenteken genoteerd. We komen er wel achter. Je hoeft echt geen genie te zijn om te bedenken dat jullie een stille hebben ingehuurd om ons in de gaten te houden. Hij heeft me natuurlijk bij Richards woning gezien en jullie gebeld.'

Ik reageer niet.

'Ik hou er niet van om te worden gevolgd, meneer Daley.'

'Ik ook niet.'

'Wij hebben niemand ingehuurd om u te volgen,' klinkt het iets scherper.

Ik kijk even naar Rosie. 'We willen nog steeds even met u praten.'

'Ik heb u verzocht mijn kantoor te bellen.'

'Soms raak ik wat ongeduldig.'

Hij probeert in de aanval te gaan. 'Hield uw stille mij in de gaten?'

'Nee.'

'Dan hield hij Richard dus in de gaten.'

'Inderdaad. En úw stille?'

Een verwonderde blik. 'Welke stille?'

Genoeg. Ik sla mijn armen over elkaar. 'Luister, meneer Petrillo,' begin ik.

Hij onderbreekt me. 'Zeg maar Dom.'

'Goed. Dom, luister: als jij met deze onzin stopt, doe ik hetzelfde. Afgesproken?'

'Luister, meneer Daley…'

'Zeg maar Mike.'

Een doortrapte grijns trekt over zijn gezicht en hij begint sneller te praten. 'Goed, Mike. Kappen met die onzin. We weten dat die privé-detective van je ons achtervolgde. Maar van een Suburban weet ik echt niets.'

'Je hebt geen stille ingehuurd om je bij deze zaak te helpen?'

'Natuurlijk wel. Die van ons staat nog steeds in de laan waar Richard woont.'

Rosie probeert een verzoenende toon aan te slaan. 'U weet dus niet wie er in de Suburban zat?'

'Nee. Misschien dat Richard zelf een stille inhuurde om mij te volgen.'

Leuk om te constateren dat er tussen de verschillende partijen in het China Basin-project zo'n groot onderling vertrouwen heerst. 'Wat is de naam van jouw privé-detective?' vraag ik.

'Dat is vertrouwelijk. En die van jou?'

'Dat is vertrouwelijk.'

Een patstelling. We vallen even stil. Vervolgens probeert hij een pokerspelletje. 'Gelijk oversteken.'

Het is een variatie op 'Laat jij de jouwe zien, dan laat ik de mijne zien'. Als kind deden Pete en ik niet anders. We speelden met honkbalmateriaal, later werden het autoaccessoires. Rosie leerde me een heel andere versie, weliswaar nog altijd met speeltjes en accessoires, maar dat had weinig met honkbal of auto's te maken. Ik doe een handreiking. 'Mijn broer,' beken ik.

Een veelbetekenend knikje. 'Dat dachten we al.'

'En die van jou?'

'Het is geen vent. Ze heet Kaela Joy Gullion.'

Ik werp even een blik naar Rosie, op wier gezicht een brede glimlach verschijnt. 'De cheerleader?' zeg ik.

Petrillo glimlacht niet terug. 'Ze werd ons van harte aanbevolen.'

Nou en of. Kaela Joy Gullion is een ranke blondine en voormalig profvolleybalster. Ze werd een cheerleader voor de Niners en trouwde met een aanvallende verdediger. Toen ze hem van ontrouw begon te verdenken, ging ze een keer met hem mee, maar zonder dat hij het wist. Ze betrapte hem op heterdaad in een stripteaseclub in New Orleans en tekende een verklaring van afstand, op min of meer hetzelfde moment dat de Niners hem ontsloegen. Haar geruchtmakende avonturen als amateur-detective bezorgden haar een riante echtscheidingsregeling en een nieuwe carrière. Een paar jaar geleden verplaatste ze haar werkterrein naar LA. Nu is ze een topspeler in de eredivisie der privé-detectives.

'Hoelang werkt ze al voor jou?' vraag ik.

'Ongeveer een halfjaar. De jongens van onze beveiligingsdienst raadden haar aan. We hadden iemand nodig om de MacArthurs na te trekken. Standaardprocedure als we met iemand in zee gaan.

Wat de volgende vraag oproept: 'Hield ze afgelopen vrijdagavond voor jou Big Dicks huis in de gaten?'

Een bijna onzichtbare aarzeling. Dan: 'Ja.'

Wauw! Dit is groot nieuws. 'Heeft ze iets gezien?'

'Weet ik niet. Ik heb haar nog niet gesproken.'

'Heeft ze met de politie gesproken?'

'Voorzover ik weet niet.'

We moeten met haar praten. 'Had ze vuile was over de MacArthurs?'

'Niet veel. De firma had een schone lei. Daar zorgde Marty Kent wel voor. Hij had er een dagtaak aan.'

'En privé?'

'De verhalen over de echtscheidingen, drugs en financiële problemen zijn allemaal waar.'

'Werd onze cliënte door Dick bedrogen?'

Hij knikt.

'Was hij van plan te gaan scheiden?'

'Dat weet ik niet.'

'En nu houdt ze Little Richard in de gaten?'

'Ja.'

'Je hebt ons gezegd dat je je niet in Angelina's zaak zou mengen.'

'Wat de media en de openbaarheid betreft niet, nee. We mogen vooral niet de indruk wekken dat we de daden van een moordenaar goedkeuren.'

'Een van moord beschuldigde beklaagde,' corrigeer ik hem.

'Hoe het ook zij. We proberen te waken over onze investering. We moeten wel.'

'Denk je dat Richard iets met de dood van zijn vader te maken had?' vraag ik.

'Daar proberen we dus achter te komen.'

'Konden hij en zijn vader het goed met elkaar vinden?'

'Soms. En soms ruzieden ze als twee kleine kleuters. Op de bewuste avond was het kinnesinne.'

'Waarover?'

'Over de film en het China Basin-project. Ze konden elkaar elk moment naar de strot vliegen.'

Hij probeert welwillend over te komen. 'Waarom vertel je me dit?' vraag ik.

'Dick MacArthurs leven was een open boek.'

Meer een soapserie, lijkt me.

'Bovendien,' vervolgt hij, 'als je erover nadenkt, staan we eigenlijk aan dezelfde kant. Net als jij willen we dat Angelina er goed van afkomt. Over nog geen week moet die film in première. Als we vertraging oplopen, zal het ons miljoenen gaan kosten. Als Angelina achter de tralies belandt, zullen al haar promotieoptredens moeten worden afgezegd. Om nog maar te zwijgen van de afranseling die ons in de bladen te wachten staat als we een film uitbrengen met een hoofdrolspeelster die wordt aangeklaagd wegens moord.'

144

'Waar wil je heen?' vraagt Rosie.

'Laten we elkaar helpen.'

Het ontlokt Rosie een wantrouwige blik. Vertrouwen op Dominic Petrillo is waarschijnlijk net zo risicovol als vertrouwen op je tegenspelers in het overlevingsprogramma *Survivor*. Maar wie weet beschikt hij over informatie die ons verder kan helpen. 'We willen graag met je privé-detective praten,' zeg ik.

'Ik zal kijken wat ik voor jullie kan doen.'

'En jou willen we ook spreken.'

'Ik heb niets te verbergen.'

Uit ervaring weet ik dat zodra iemand zegt dat hij niets te verbergen heeft, het omgekeerde steevast het geval is.

'Mijn vliegtuig vertrekt over drie kwartier. Kom, laten we wat gaan drinken,' is zijn uitnodiging.

18

'EEN FILM PRODUCEREN IS TE VERGELIJKEN MET SPELEN AAN DE GOKTAFEL'

Alleen voor leden. Toegang alleen op vertoon van uw lidmaatschap.
Ingang van de Ambassador's Club van United Airlines op de luchthaven
van San Francisco

'Waar ben je nu?' vraag ik Pete. Ik heb de auto ergens geparkeerd en loop nu terug over het viaduct naar de vertrekhal van United Airlines. Rosie en Petrillo hebben de Ambassador's Club al opgezocht. Ik zou niet weten hoe we het ooit zonder mobieltjes hebben kunnen redden.

'Op de 101 richting de legerbasis,' is het antwoord. 'De Suburban rijdt twee wagens voor me. Waar hij heen gaat, weet ik niet.'

Ik ook niet. Ze rijden niet terug naar Sea Cliff. Ik vraag hem of hij ooit heeft gehoord van een privé-detective genaamd Kaela Joy Gullion.

'Natuurlijk. Die cheerleader.'

'Je kent haar?' Ik vertel hem dat Petrillo haar heeft ingehuurd om de MacArthurs in de gaten te houden.

'Ik heb haar wel eens ontmoet.'

'Is ze echt zo goed als dat ze zeggen?'

'Beter nog.'

Ik vraag hem of hij haar kan opsporen.

'Natuurlijk.'

'Zou ze in die Suburban kunnen zitten?'

'Alleen als ze een geslachtsoperatie heeft gehad,' is zijn antwoord, en hij voegt eraan toe: 'Ik geloof niet dat die vent in dat busje een stille is, Mick. En ik denk ook niet dat hij belangstelling heeft voor ons.'

'Hoe dat zo?'

'Hij rijdt niet als een stille. En op de luchthaven reed hij je zo voorbij.'

Blijft over Petrillo, die wellicht de waarheid kan hebben gesproken toen hij zo-even beweerde dat hij niet wist wie er in de Suburban zat.

'Waar zit je nu?' vraag ik.

146

'Ik sla nu af op Seventh Street bij het paleis van justitie.'

'Is het een smeris, denk je?'

'Zijn rijstijl is anders. Smerissen rijden niet in Suburban-busjes zonder kentekenplaten.'

Ik bereik de Ambassador's Club. 'Ik moet nu met Petrillo gaan praten,' zeg ik.

'Ik bel je later.'

'Ik zit in een onmogelijke situatie,' klaagt Petrillo.

Ik knik wat meelevend. De man zit in de problemen, dat is toch wat.

Voor degenen onder ons die zich enkel tussen de ongewassen mensenmassa's als vee door de lucht kunnen laten vervoeren, blijkt de Ambassador's Club minder weelderig dan ik zou hebben verwacht. Ik had altijd het idee dat er achter de gesloten deur een Playboy-achtige minivilla schuilging, waar de sterkedrank rijkelijk vloeit en de serveersters schaars gekleed zijn. Nee dus. Het interieur heeft meer weg van het honk van de studentenvereniging van de universiteit van Californië. De drukke ruimte puilt uit van de zitelementen en afgematte zakenreizigers. Niet één Playboy-bunny te zien. We hebben nog twintig minuten voordat Petrillo zich bij de gate moet melden. Hij heeft een glas whisky voor zich en knabbelt op een pretzel.

'Waarom ben je in de stad gebleven?' vraag ik hem.

'We zitten met een ernstig probleem met het China Basin-project. MacArthur Films zou een van onze vaste huurders worden en ook een belangrijke investeerder.'

Zoveel wist ik al. 'Het is een hele onderneming,' zeg ik. 'Je kunt heus op ze rekenen.'

'Dicks dood beïnvloedt het economische plaatje van het project.'

Ik probeer nonchalant te blijven. 'Dat hoeft niet. Zijn zoon zal de firma overnemen.'

'Dat is toch iets anders,' houdt hij vol. 'Hij is een aardige jongeman, maar hij heeft niet zo'n grote naam als zijn vader.'

Ik ben het er niet mee eens. Hij is een lúl die niet zo'n grote naam heeft als zijn vader.

Petrillo gaat verder. 'Stel je eens voor: Lucasfilm zonder George, of DreamWorks zonder Spielberg. Richard junior is op zich een prima filmlijnproducent, maar ik denk niet dat hij de gave heeft een productiemaatschappij te runnen. Dat hij niet kan schrijven en niet kan regisseren, staat voor mij vast. Als deze film niet aan de verwachtingen voldoet zullen ze misschien niet in staat zijn hun verplichtingen na te komen. En zelfs als de film wel succesvol is, dan weet ik eerlijk gezegd niet of MacArthur Films wel genoeg middelen heeft om het hoofd boven water te kunnen houden.'

Ik vraag me af of dat ook niet voor Millennium Studios geldt. 'Ik kan me indenken dat ook jullie heel wat risico nemen met deze film.'

'Klopt.'

'En als de opbrengsten tegenvallen, wat zijn dan de gevolgen voor jullie?'

Hij kauwt op een nieuwe pretzel. 'Geen probleem. We hebben nog andere projecten en toegang tot andere fondsen.'

Ik ben niet overtuigd. 'Heb je al iets gehoord van de bank?' vraag ik.

'Morgen hebben we een afspraak. Ze zijn wat bezorgd over de financiële stabiliteit van het project, wat niet verrassend is.'

Als ik in de schoenen van de Bank of America stond, zou ik me wel degelijk flink zorgen maken. 'Ik heb begrepen dat Dick en Marty ook van plan waren te investeren.'

'Dat klopt.'

En nu zijn ze dood.

Zijn toon blijft kalm. 'Misschien dat we een paar nieuwe investeerders moeten zoeken.'

Ik probeer de leek uit te hangen. 'Kunnen jullie hun posities niet uitkopen?' Ik aas op een reactie, maar wil niet dat hij weet dat we de hele overeenkomst al hebben bestudeerd.

Hij laat zich niet in de kaart kijken. 'Onze juristen zijn ermee bezig.'

Ik vang Rosies blik. 'En welke rol speelt Little Richard in dit alles?' vraagt ze.

'Het zal duidelijk zijn dat onze overeenkomst zal worden aangepast. Het grootste deel van zijn investering is geleend. We zullen op z'n minst van hem verwachten dat hij de investeringsafspraken van zijn vader en Kent volledig nakomt. De bank wil een persoonlijke garantie voor de huursom van MacArthur Films volgens de leaseafspraak. De andere investeerders willen dat hij zijn kapitaalverplichtingen aan het bedrijf persoonlijk nakomt. De bank wenst akte onder trust ten aanzien van een deel van zijn middelen om de huur veilig te stellen. We willen hetzelfde ten aanzien van zijn investeringsverplichtingen.'

'Ik neem aan dat zulke verplichtingen niet voor zijn vader golden?'

'Zijn vader was toch kredietwaardiger, ondanks al zijn tekortkomingen. Hij had toegang tot bepaalde investeringsbronnen die voor zijn zoon misschien niet beschikbaar zijn.'

Waar ik opgroeide, noemden we zulke bronnen meestal woekeraars. De jonge Richard wordt behoorlijk afgeknepen. Ik weet even niet of Petrillo de overeenkomst wil openbreken of Richard junior er gewoon uit wil werken. 'Wat dient hij precies aan de bank te verpanden?'

'De wijnmakerij is het enige echt waardevolle waarvan hij zich met recht eigenaar kan noemen. De rest is tot op het bot verhypothekeerd.'

MacArthur Cellars staat op 320 hectare ongerept gebied aan de noordkant van Napa Valley. Big Dick kocht het twintig jaar geleden om vooral niet achter te blijven bij zijn vriend en concurrent Francis Ford Coppola, die het prachtige Niebaum-landgoed aankocht en opknapte, en tevens de

Inglebrook wijnmakerij vlak bij Oakville. Tegen Barbara Walters heeft MacArthur ooit gezegd dat hij er niet over zou peinzen om de wijnmakerij te verkopen of hem als zakelijk onderpand te gebruiken voor een nieuwe film. Hij zou liever zijn villa in Sea Cliff en het appartement in Beverly Hills opgeven dan de sleutels van zijn wijnmakerij aan een nieuwe eigenaar overhandigen.

'Hoe reageerde Richard?' vraag ik.

'Niet enthousiast.'

Geen wonder. 'Kan de overeenkomst niet worden aangepast? Wie weet is hij bereid met minder genoegen te nemen als je die garantiebepaling en de verpanding laat vallen. Misschien dat je hem kunt uitkopen.'

'Zo simpel ligt het niet,' is zijn reactie. 'De overeenkomst kan alleen rendabel zijn als we over betrouwbare langetermijnhuurders beschikken. Als MacArthur Films ten onder gaat, zitten we met een leeg gebouw. Bovendien hebben we een tijdsprobleem. Er is nog een laatste hoorzitting met de bouwcommissie aanstaande vrijdag. We hebben onze plannen al tig keer aangepast. De lokale buurtbewoners zijn er nooit echt blij mee geweest.'

'Kun je geen uitstel aanvragen?'

'Weinig kans. Dat hebben we namelijk al drie keer gekregen. Als ze niet akkoord gaan met onze gewijzigde plannen, bestaat de kans dat ook concurrerende voorstellen in behandeling worden genomen. En dan zijn we terug bij af.'

En zijn ze de miljoenen kwijt die ze nu al hebben geïnvesteerd. Ik denk terug aan mijn gesprek met Tony. 'Heb je al iets vernomen van een concurrerend voorstel?' vraag ik.

Hij wordt opeens achterdochtig. 'Waarom wil je dat weten?'

Ik ga op de ontwijkende toer. 'Ik las er iets over in de *Chronicle*.'

'Jerry Edwards was al van meet af aan tegen. Bij Stadsvernieuwing hebben ze ons verzekerd dat ze geen andere voorstellen zullen bestuderen, tenzij ze het onze afwijzen.'

'Hoe groot is de kans op goedkeuring?'

'Vóór Dicks dood negenennegentig procent, denk ik.'

'En nu?'

'Ervan uitgaande dat we onze financiering kunnen aanpassen ongeveer fifty-fifty.'

'En als jullie geen goedkeuring krijgen?'

'Dat is geen optie. We hebben al miljoenen gespendeerd aan het opstarten, milieurapportages, ontwerpkosten en advocaten. Bij Stadsvernieuwing stellen ze zich niet onredelijk op. Ze weten van Dicks overlijden. Ze zullen het niet aan de grote klok hangen, maar ze geven ons de gelegenheid onze financiering aan te passen. Ze zullen onze plannen goedkeuren, wacht maar af.'

Ik weet even niet of hij nu mij of zichzelf wil overtuigen.

'Ik waardeer je openhartigheid,' zeg ik.

'De details van het studioproject zijn niet geheim,' is zijn reactie. 'Elke aanpassing zal ter inzage zijn. Met leugens en praatjes win je niets.'

Ik weet niet of hij liegt, maar ik ben ervan overtuigd dat hij praatjes verkoopt. Ik merk dat Rosies blik verandert. Haar bullshitdetector is afgegaan.

'Bovendien,' gaat hij verder, 'zal de bouwcommissie niet in zijn sas zijn als we maar wat aankloten.'

Dat zeker. Ik begrijp waarom iemand op de steun van de ondernemers in Mission District aasde – niet dat ik van hem verwacht dat hij bekent mensen te hebben afgekocht. 'Ik heb gehoord dat je je ook tot de plaatselijke middenstand hebt gewend?'

'We doen wat we kunnen,' klinkt het omzichtig.

'Ik heb ook gehoord dat je bereid bent ze tegemoet te komen.'

Hij kijkt me achterdochtig aan. 'Hoe kom je daar nu bij?'

Ik probeer mijn onwetende toon vol te houden. 'Heb ik ook uit de krant. Ze zeiden dat je misschien bereid bent ze voorrang te bieden bij de nieuwe vacatures.' Dat er bovendien met harde contanten wordt geprobeerd iedereen om te kopen, laat ik maar achterwege.

Hij ontspant zich wat. 'We hebben hun steun hard nodig.'

Rien ne va plus. 'Er stond dat je misschien wel bereid was tot meer dan dat.'

Opnieuw achterdocht. 'Wat suggereer je precies?'

Ik blijf kalm en herhaal mijn eerdere zin. 'Dat je bereid bent ze tegemoet te komen.'

Zijn reactie klinkt nu licht geërgerd: 'Beschuldig je me ergens van, of zo?'

'Nee hoor. Het is niet ongebruikelijk dat projectontwikkelaars de bewoners willen prikkelen. Misschien heb je toegezegd een park aan te leggen of een buurtvereniging een donatie te geven.' Of misschien ga je voor de meer traditionele weg en koop je enkel de plaatselijke wethouders om.

'Wat heeft dat met Dicks dood te maken?'

Ik wil erachter komen wie er achter de betalingen aan Tony en zijn collega's zit. 'Misschien wel helemaal niets,' antwoord ik. 'Iemand die eropuit is jullie te dwarsbomen, heeft met het arrangeren van Dicks dood een behoorlijke spaak in het wiel gestoken.'

Zijn toon blijft kalm. 'Ik vertrouw mijn partners en ik ben me niet bewust van concurrerende alternatieven.'

Veel wijzer zal ik niet worden, tenzij ik hem van omkoperij beschuldig. Ik werp een blik op mijn horloge. Ik moet eruit halen wat ik kan. 'Misschien dat je ons eens kunt vertellen wat je vrijdagavond hebt gezien,' opper ik.

'Dat valt allemaal te lezen in het politierapport.'

Een ontwijkend antwoord van iemand die heeft beloofd ons zo goed mogelijk ter wille te zijn. 'We zullen het bestuderen,' reageer ik. Dit is misschien mijn enige kans zijn verhaal in zijn eigen woorden te vernemen. 'Vertel het anders gewoon in een notendop.'

Zijn houding blijft zakelijk terwijl hij zijn verhaal vertelt. Het stemt overeen met wat we tot nu toe hebben gehoord. Om acht uur arriveerde hij per limousine bij MacArthurs woning, bekeek de film en dronk daarna champagne. 'Om kwart voor twee vertrok ik samen met Carl Ellis in de limousine. We gingen terug naar het Ritz.'

Uw alibi is volkomen duidelijk. 'En daar bleef je de rest van de nacht?'

'Ja.'

'Ellis ook?'

'Ik kan me niet voorstellen dat hij om twee uur in de nacht nog een ommetje is gaan maken.'

'Wat vond je van de film?' vraag ik.

Het antwoord komt te snel. 'Prima.'

'Maar waren er ook dingetjes die je wat minder vond?'

Ik bespeur een lichte irritatie. 'Er zijn altijd wel dingen die je achteraf liever anders had gewild.'

Het biedt me een opening. 'Zoals wat?'

'Het script had hier en daar wat beter gekund, en ook het eind. Sommige personages hadden misschien anders gecast moeten worden.'

'Was je tevreden over de cast?'

'Redelijk.'

'En met Angelina's acteerprestaties?'

'Ook,' klinkt het halfhartig.

'En die van Daniel Crown?'

'Hij acteerde prima.'

Alles prima. De klok tikt, geen tijd meer voor omzichtigheid. 'Nou, ik krijg eerder de indruk dat je niet echt tevreden bent over de film.'

'Nee hoor,' is zijn reactie. 'Alles is prima in orde.'

Daar is dat woord weer.

'Zoals elke film,' gaat hij verder, 'heeft ook deze enkele minpunten. Het was niet ons doel een tweede *Citizen Kane* te maken. Dick MacArthur was geen Scorcese. En geloof me, Angelina is geen Meryl Streep.'

Hebbes. 'Dus je bent bereid de film in zijn huidige vorm uit te brengen?'

'Natuurlijk.' Hij begint te blozen en zijn onderkin trilt. 'Luister, een film produceren is te vergelijken met spelen aan de goktafel. Iedereen denkt dat hij een winnende troef heeft. In werkelijkheid laat je de dobbelsteen rollen en hoop je er het beste van. Het kan een kaskraker worden, maar ook een flop. Uiteindelijk zal het er ergens tussenin zijn. Heel veel dingen liggen buiten je macht. Als het in bepaalde delen van het land slecht weer is, kan het aantal bezoekers teruglopen. Als Roger Ebert de avond vóór de première slecht getafeld heeft, kan het er wel eens slecht voor je uitzien. Je weet het pas zodra een film in première gaat.'

Niet echt een vlammend betoog van een man die wel eens is omschreven als een meester van de filmmarketing. Zijn toon suggereert dat hij er verder weinig meer over te melden heeft. Ik besluit van onderwerp te veranderen. 'Hoe gedroeg Dick zich afgelopen vrijdagavond?'

'Normaal.'

In elk geval niet 'prima'. Hij beantwoordt mijn vragen zonder me echt iets te vertellen. 'Was hij tevreden over de film?'

Een nietszeggende schouderophaal. 'Het script had een paar zwakke plekken. Hij was nog steeds bezig met de montage.'

'En de cast?'

'Wat is daarmee?'

'Was hij tevreden over de acteerprestaties?'

'Door de bank genomen wel, ja.'

'Maar hij zou hier en daar wat hebben willen veranderen?'

'Er is altijd wel iets wat je achteraf wilt veranderen.'

'Wat vond hij van Angelina?'

Hij wriemelt wat met zijn vingers, maar zwijgt. Wederom een reactie waar ik geen steek verder mee kom.

Ik bestook hem vanuit een andere hoek. 'Hoe gedroeg Angelina zich die avond?'

Hij slaat zijn whisky achterover. 'Ze is niet de enige grillige actrice. Zo nu en dan was ze de perfecte gastvrouw. Later op de avond werd ze pissig.'

'Was dat ongewoon?'

'Niet echt.'

'Waren er problemen?'

Hij kijkt me geveinsd bezorgd aan. 'Ze had veel te veel op. En misschien was ze wel high.'

'Waarvan?'

Zijn toon blijft beheerst. 'Waarschijnlijk coke.'

'Op een zakje cocaïne in de wagen zijn Daniel Crowns vingerafdrukken gevonden.'

'Daar is me niets van bekend. Als het waar is, hebben we er nog een probleem bij.'

'Maar je zei dat ze pissig was.'

'Ja.' Hij gaat er verder niet op in.

'Waarom?'

Hij strijkt even door zijn baard en zucht. 'Goed dan. Maar dit blijft onder ons, oké? Als het vóór de première al bekend wordt, zit ik met de problemen. Je vroeg me naar Angelina's acteerprestaties. Ze is heel aantrekkelijk. Haar glimlach straalt van het doek. Maar ze heeft haar beperkingen. Een romantische komedie doet ze heel goed. En een actiefilm zal ze waarschijnlijk ook goed kunnen. Maar *The Return of the Master* is een serieuze film. Ze was helemaal verkeerd gecast.'

'En?'

'Sommige mensen zijn wellicht iets te openhartig in hun kritiek geweest.'

Waarschijnlijk hebben ze haar vernederd. 'Wie?' vraag ik.

Zijn mondhoeken wijzen omlaag. 'Haar wederhelft was een zeer getalenteerd man met een hoop goede eigenschappen, maar aan tact ontbrak het hem volkomen. Hij vertelde haar dat als hij het kon overdoen, hij iemand anders voor de hoofdrol zou kiezen. Dat laatste zat haar niet lekker.'

Rosie en ik kijken elkaar even aan. 'Hoe reageerde ze daarop?'

Petrillo fronst zijn wenkbrauwen. 'Ik geloof dat ze hem een achterbakse klootzak en een leugenaar noemde.'

Rosie werpt me een vorsende blik toe. Petrillo's versie van de gebeurtenissen van die vrijdagavond wijken behoorlijk af van het verhaal van Angel. 'En toen?' vraag ik.

'Ze stormde naar boven.'

'Is Dick haar achternagelopen om met haar te praten?' is Rosies vraag.

'Nee.'

Gevoelige jongen. 'Waarom niet?'

'Luister. De sfeer was best gespannen. Ze was kwaad. Het weer goedmaken, was niet zijn sterkste kant. Hij wilde haar haar roes laten uitslapen.'

'Waarop jij besloot naar huis te gaan?'

'Het leek me een mooi moment om het voor gezien te houden.'

Ik vraag hem wie er nog waren toen hij vertrok.

'Dick en Angelina, Dicks zoon, Danny Crown en Cheryl Springer, en Martin Kent.'

Het strookt met onze eerdere informatie. 'Hoe zat het met Little Richards humeur?'

'Hij kon Angelina's acteerprestaties ook niet waarderen.'

'Deelde hij zijn mening met zijn vader?'

'Dag in dag uit, acht maanden lang. Twee ego's met verschillende meningen, die ze vooral niet onder stoelen of banken staken. Allebei waren ze heetgebakerd.'

'Vertelde Richard zijn vader die vrijdagavond wat hij van Angelina's prestaties vond?'

'Tot in de kleinste details. Hij ging uiterst geraffineerd te werk, zoals gewoonlijk.'

'Hoe reageerde zijn vader daarop?'

'Het leidde tot de zoveelste luidruchtige scheldkanonnade. Onderschat nooit het venijn waarmee ouders en kinderen elkaar kunnen bestoken.' Eventjes kijkt hij wat wazig voor zich uit. 'Heb jij kinderen, Mike?'

Zijn vraag overvalt me een beetje. Blijkbaar ging ik er altijd van uit dat figuren als Petrillo geen gezin hebben. Ik vertel hem over Grace.

Op zijn beurt vertelt hij me dat hij drie volwassen kinderen en zes kleinkinderen heeft. 'Een kreet als "fuck you" heb ik nooit tegen mijn kinderen gebezigd,' zegt hij. 'Zelfs niet toen ze aan de drugs waren en de ene na de andere auto in puin reden. Omgekeerd hebben mijn kinderen die woorden ook nooit tegen mij gebruikt.' Hij brengt zijn handen omhoog. 'Maar bij de MacArthurs gaat dat niet op. Toen ik wegging, was de ruzie nog in volle gang.'

In bepaalde opzichten blijkt het gezin Daley dus minder problematisch dan ik altijd heb aangenomen. 'Waar was Angelina toen dat allemaal gebeurde?' vraag ik.

'Boven.'

'Heeft ze iets kunnen horen?'

'Dat kan niet anders.'

Ik vraag hem hoe ze reageerde.

'Dat weet ik niet. Ze is niet meer beneden geweest.'

Het moet me het avondje wel geweest zijn. 'Hoe gedroeg Kent zich?'

'Uiterlijk gedroeg hij zich tamelijk normaal. Maar als je wat met hem zou hebben gekletst, zou je hebben geweten dat hij behoorlijk over de zeik was.'

'Hoe kon je dat zien?'

'Zenuwtrekjes.'

'Pardon?'

'Als hij kwaad werd, begonnen zijn mondhoeken altijd te trekken.' Hij houdt zijn wijsvinger een halve centimeter van zijn duim. 'Zo'n klein beetje, meer niet. Maar je wist dat hij op ontploffen stond.'

'Hoe ontplofte hij dan?'

'Tieren. Met dingen gooien. Eventjes, en dan was het over.' Hij trekt zijn wenkbrauwen op en voegt eraan toe: 'En altijd aan het adres van Dick.'

Ik vraag hem of er zich die avond ook een ontploffing voordeed.

'Niet toen wij er nog waren,' is Petrillo's antwoord. 'Enkel dat zenuwtrekje.'

'Waarom?

'Hij was niet tevreden over de film. Bovendien was er dat China Basin-project nog. Marty had wat van zijn eigen geld geïnvesteerd. Al van meet af aan zag hij het niet zitten.'

'Zaken zijn zaken,' werp ik tegen. 'Hij was een grote jongen, wist wat de risico's waren.'

Petrillo's toon wordt scherp: 'Dat doet niets af aan het feit dat hij niet tevreden was. Dick en ik waren ons bewust van de risico's. Carl Ellis weet dat een bouwproject nu eenmaal kan worden afgeblazen. Je steekt je geld erin en je hoopt er het beste van. Zelf heb ik de afgelopen dertig jaar enorme bedragen gewonnen en verloren. Marty hield niet van risico's.'

'Dan had hij ook maar niet zijn eigen geld moeten investeren,' concludeer ik.

'Dick heeft hem meegetrokken.'

Dan kan hij het dus alleen maar zichzelf verwijten. Vandaar misschien dat zenuwtrekje. 'Maar hij kon het zich toch wel veroorloven?' zeg ik. 'Hij moet over miljoenen hebben beschikt.'

'Daar ben ik nog niet zo zeker van,' aldus Petrillo. 'De ziekte van zijn vrouw heeft er financieel flink ingehakt.'

'Denk je dat hij zo kwaad op Dick werd dat hij hem heeft vermoord?'

Petrillo haalt zijn schouders op. 'Hij was behoorlijk woest, had financiële problemen en zijn lont was nog korter dan dat van een waxinelichtje. Meer weet ik niet.'

Het lijkt erop dat Petrillo maar al te graag met een beschuldigende vinger naar Marty Kent wijst.

'Denk je dat hij het soort man was die iemand met wie hij meer dan dertig jaar had samengewerkt zomaar zou vermoorden?'

Petrillo aarzelt geen moment. 'Absoluut niet.' Hij peinst even en zegt: 'Maar mensen doen soms vreemde dingen.'

'Was hij wanhopig genoeg om van de Golden Gate Bridge te springen?'

'Dat weet ik niet.'

Ik vraag hem iets over Daniel Crown en Cheryl Springer.

'Heb je Crown wel eens ontmoet?' is zijn wedervraag. 'Ziet er dus écht goed uit, die knaap. De man met een grootse glimlach en een minuscuul stel hersenen. Het is oneerlijk verdeeld in het leven. Richt een camera op ons, sukkels, en we komen over als... tja, sukkels. Zet een camera op Danny, laat hem een stuk of tien keer zijn tekst repeteren, zeg hem dat-ie moet glimlachen, en verdomd, mensen zijn bereid negen dollar te betalen om hem te mogen zien.' Hij knipoogt even naar Rosie en zegt: 'Jij zou best met hem naar bed willen, hè?'

'Hij is niet mijn type.'

'Ja, en ik ben lid van de *Playboy* vanwege de goede artikelen. Kom op, even onder ons gezegd en gezwegen.'

'Is hier sprake van ongewenste intimiteiten?'

Genoeg. 'Hoe gedroeg hij zich die avond?' vraag ik.

'Voor Danny was het hele leven één groot studentenfeest. Hij dronk een paar biertjes en genoot van de film. Hij was de enige die tijdens de vertoning moest lachen.'

'Net zei je anders dat het een serieuze film was.'

'Klopt. Maar Danny vindt alles grappig.'

'En zijn vrouw?' vraag ik.

'Die lachte niet.' Hij houdt een waarschuwend vingertje omhoog. 'Met Cheryl Springer valt niet te lachen. Een en al zakelijkheid. Een ijskoningin.'

'Bespeur ik hier enige vijandschap?'

'Zij heeft Danny Crown groot gemaakt. Ze denkt maar aan twee dingen: Danny van de drugs af houden en ervoor zorgen dat zijn films op tijd in roulatie gaan. Ze heeft er alles voor over om *The Return of the Master* in de bioscopen te krijgen.'

Ik houd het in mijn achterhoofd. 'Hoe vond ze de film?'

'Geweldig, zei ze.'

'Je gelooft haar?'

'Maakt niet uit. We zijn Danny nog een deel van zijn geld verschuldigd.' Hij kijkt even op zijn horloge en staat op.

'Wat zijn jullie met de film van plan?' vraag ik.

'Ik zal alles doen wat in mijn vermogen ligt om hem op tijd uit te brengen. Daarna concentreer ik me op het China Basin-project.' Hij kijkt me eventjes veelbetekenend aan en zegt: 'Als jij met goede resultaten komt, zit er voor jou wellicht ook een bescheiden beloning in.'

Ik vang Rosies blik. 'We rekenen onze cliënte gewoon de uren die we maken,' zegt ze. 'Mocht je haar financieel bij haar verdediging willen bijstaan, dan is dat aan jou.'

'Uitstekend. Ik laat het jullie weten. Ik hoop dat jullie succes boeken. Een deal in onroerend goed is altijd nog een stuk gemakkelijker dan het fiksen van een moordzaak.'

Interessante woordkeus. En hij heeft nog gelijk ook.

19

'LAAT DE WAARHEID EEN GOED VERHAAL NOOIT IN DE WIELEN RIJDEN'

Bronnen wezen op ernstige problemen op de filmset van The Return of the Master.
Los Angeles Times, zondag 6 juni

'Wat denk jij ervan?' vraag ik Rosie. Het is even na tienen. We rijden op de afslag van Army Street naar Sylvia om Grace op te halen. Binnenkort breekt voor haar de grote zomervakantie aan. Dat komt mooi uit. Een baan als strafpleiter vormt een unieke uitdaging voor je talenten als opvoeder. Het zal leuk zijn in de vakantiemaanden Graces Little League-team te coachen. Maar voordat ik die kans krijg, moet ik misschien wat lifestyle-veranderingen doorvoeren.

Rosie geeuwt. 'Wat mij betreft is het al ver voorbij bedtijd voor Grace. Ze zal wel chagrijnig zijn.'

'En ik ook.' Ik sla Bryant Street in en probeer het nog eens. 'Wat vond je van Dom?'

'Op zich geen onaardige vent, lijkt me. Vooral niet als je gesteld bent op arrogante onderkruipers die met alle winden meewaaien.'

Niet overdrijven, Rosie. 'Ik kan me wel voorstellen hoe hij filmbaas heeft kunnen worden. Ik vond hem zo nu en dan eigenlijk best openhartig.'

'Op welke momenten dan?'

'Als hij zijn mond hield.'

Rosie glimlacht. 'Misschien zijn we niet helemaal eerlijk. Hij was wel zo aardig om ons te vertellen over zijn liefdevolle band met zijn kleinkinderen.'

Pappa Dom. 'En hij gaf toe dat hij Kaela Joy Gullion heeft ingehuurd om de MacArthurs in de gaten te houden.'

Ze wordt ernstig. 'We moeten haar eigenlijk meteen spreken.'

'Waarschijnlijk heeft hij al een script voor haar klaarliggen.'

'Dat denk ik niet. Ze heeft haar ex-man alle hoeken van Bourbon Street laten zien. En dat terwijl hij negentig kilo zwaarder was dan zij. Ik heb niet het idee dat ze zich laat commanderen.'

'Misschien heb je gelijk, maar laten we Petrillo ook niet onderschatten. Reken maar dat hij zijn eigen agenda voert.'

'Inderdaad. Hij zou nooit met ons hebben gepraat als hij er zelf niets wijzer van zou worden. Het vervelende is alleen: wat is onzin en wat niet?'

'Hij heeft ons anders meer over dat studioproject verteld dan ik had verwacht.'

'Een goeie show. Maar er zat niets tussen wat binnenkort niet ter inzage is. De bouwcommissie zal alle aanpassingen goedkeuren. Ik ben ervan overtuigd dat zijn verhaal ook waarheden bevat. Op een schaal van een tot tien zal ik hem waarschijnlijk een zeven geven.' Ze denkt even na en voegt eraan toe: 'Ik zou liever niet in Little Richards schoenen staan.'

'Hoezo niet?'

'Als hij bij het project betrokken wil blijven, zal hij flink moeten inleveren. Hij zal meer geld moeten inleggen en meer in onderpand moeten geven. Het zal me niets verbazen als ze hem eruit werken. Dat Petrillo in zee ging met Big Dick, die als regisseur nog een zekere reputatie had, was één. Maar om nu met zijn zoon zaken te doen, is twee. MacArthur Films draagt een stuk minder bij aan het feestplezier.'

'Denk je dat ze toestemming zullen krijgen?'

Rosie bekijkt het praktisch. 'Bij de bouwcommissie zijn ze al vijf jaar bezig. Ze willen heus niet terug naar af. Als Petrillo en Ellis met een aangepast plan op de proppen komen dat financieel goed in elkaar zit, kunnen ze op toestemming rekenen.' Ze staart voor zich uit. 'Wat vond jij van zijn verhaal over de vertoning die avond?'

'Een heel ander verhaal dan dat van Angel. Ik vond het wel een oscar waard.'

'Hoe dat zo?'

'Hij hield met alles rekening. Eerst pleitte hij zichzelf vrij, maakte duidelijk dat hij en Ellis elkaars alibi zijn. Daarna bezwoer hij dat hij eerherstel voor Angel wil en ten slotte verschafte hij zowel Kent als Little Richard een motief.'

'Je verwachtte toch zeker niet dat hij zichzelf zou aanwijzen, hè?'

'Nee. Ik veronderstel dat Angel niets over die ruzie heeft gezegd?'

'Nee. Ze heeft zichzelf volledig naar de zijlijn gemanoeuvreerd.'

Net als de overige aanwezigen. 'Wie geloof jij?'

'Weet ik eigenlijk niet.' Ze denkt even na. 'Petrillo's verhaal kan ons gedeeltelijk verder helpen. Kent en Little Richard waren nog steeds aanwezig toen Petrillo en Ellis vertrokken. Nu weten we ook dat ze kwaad waren.'

'Je denkt toch niet dat ze hem vanwege een onroerendgoedzaak hebben koudgemaakt?'

'Ik heb geen idee. Meer weten we op dit moment niet. Kent kan zich niet langer verdedigen.'

Nee, dat klopt. We steken Twenty-sixth over en rijden in noordelijke richting verder langs dichtopeengepakte bungalows, niet ver vanwaar mijn ouders opgroeiden. 'Het viel me trouwens op dat hij niet met een beschuldigende vinger naar Daniel Crown wees.'

'Een hoofdrolspeler achter de tralies is slechte publiciteit. Het zal hem beter uitkomen als ze een manier vinden om Little Richard of Kent alles in de schoenen te schuiven.'

'Tenzij hij de publiciteit wil benutten die op zijn eigen arrestatie zou volgen.'

Rosie grijnst. 'Wat ben je weer cynisch.'

'Ik beken schuld.' Ik kijk even door het zijraam. 'En het China Basin-project? Als Little Richard van de moord wordt beschuldigd, kunnen ze die deal wel vergeten.'

'Dat hoeft niet. Ze kunnen een andere huurder en investeerder zoeken. Misschien wíl Petrillo wel dat het hele plan niet doorgaat. Misschien is hij tot de conclusie gekomen dat het niet levensvatbaar is. Reken maar dat hij een manier zal vinden om de hele financiering te herschikken als dat moet.'

'Suggereer je soms dat Petrillo Big Dick wel eens kan hebben vermoord zodat hij het bouwproject kan herstructureren of zelfs afblazen?'

'Wie weet was dat wel het hele achterliggende idee.'

Lijkt me een beetje vergezocht. 'We hebben geen greintje bewijsmateriaal dat in die richting wijst. Big Dick leefde nog toen Petrillo en Ellis om kwart voor twee vertrokken.'

'Dat zegt hij. Misschien is hij teruggegaan.'

'Daar is geen bewijs van.'

'Daarom moeten we met de chauffeuse van de limousine gaan praten en ook met het personeel van het Ritz.'

'En met zijn eigen privé-detective,' vul ik aan.

Ze knikt. 'Voorál met zijn privé-detective. Wie weet is ze de enige – afgezien van Richard en Kent – die heeft gezien wat er allemaal is gebeurd.'

'En met Angel,' vul ik aan. We zijn nog altijd zoekende. 'Stel, jij bent Petrillo en je wilt iemand voor de moord laten opdraaien, wie is dan volgens jou de meest geschikte kandidaat?'

'Volgens mij Marty Kent. Petrillo kan de film op tijd uitbrengen én de studio bouwen. Hij krijgt alles wat hij nodig heeft. Net als Ellis. En ook Angel en Little Richard. Zij krijgt een hoofdrol in een film, hij mag een productiemaatschappij runnen. Iedereen blij, een win-winsituatie.'

'Het lijkt alsof je het al helemaal hebt uitgeplozen.'

Ze kijkt me ernstig aan. 'Petrillo maakt films. Hij haalt mensen over grote bedragen te investeren in producties die op dat moment weinig meer dan een concept zijn. Hij heeft een ton van zijn eigen geld in een film gestoken die misschien nooit zal uitkomen en in een studio die misschien nooit zal worden gebouwd. Hij doet precies wat je van hem zou verwachten: risicobeheersing. Eerst zorgt hij ervoor dat Ellis hem een alibi kan verschaffen, en nu probeert hij de film en zijn businesspark, plus zijn eigen hachje, te redden. Iemand binnen het China Basin-project heeft zich al bereid getoond tot een paar selectieve omkopingen om zo de beoordelingsprocedures wat te smeren.'

'We weten niet of het Petrillo wel is geweest,' onderbreek ik haar.

'Dat is waar. Het kan ook Kent of Ellis zijn geweest. Of de MacArthurs. Hoe dan ook, iemand maakt zich zorgen om het project en wil resultaat zien. Als Petrillo genoodzaakt is de waarheid een pietsie geweld aan te doen en dus met zijn vingertje naar Marty Kent – of een van de anderen – moet wijzen om zo zijn bouwvergunning in de wacht te slepen, reken maar dat hij dan niet zal aarzelen. Laat de waarheid een goed verhaal nooit in de wielen rijden. Vooral niet als het om je eigen geld en je eigen hachje gaat.'

'Ben je altijd zo cynisch geweest?'

Ze glimlacht. 'Pas sinds ik met jou samenwerk.'

'Laten we eens aannemen dat je gelijk hebt. Speel het uit. Doe alsof je Petrillo bent en dat je Kent als de dader naar voren wilt schuiven. Hoe leg je dat dan uit? Leg mij eens uit hoe Kent het zou hebben gedaan.'

'Da's makkelijk. Je gelooft Little Richard op zijn woord dat hij vóór Kent naar huis is gegaan. Wat dus betekent dat Kent als enige achterbleef. Hij doodde MacArthur met de oscar, borg hem op in de kofferbak van de auto, zette Angel in de auto en reed naar de brug. Zijn vingerafdrukken zijn zelfs op het stuur aangetroffen. Misschien heeft hij haar ook wel gedrogeerd.'

'Je vergeet de nachtpon.'

'Ook geen probleem. Hij verkleedde haar voordat hij haar in de auto zette en nam de nachtpon mee. Hij parkeerde bij de brug, schoof Angel achter het stuur en is, met nachtpon en al, van de brug gesprongen.'

'Ja hoor. Waarom verkleedde hij haar dan?'

'Er zat helemaal geen bloed op die nachtpon. Voor de politie zou het duidelijk zijn geweest dat zij MacArthur niet had geslagen.'

Dat laatste betwijfel ik. 'En waarom heeft hij die oscar ook niet ergens gedumpt?'

'Omdat Angel dan niet meer in verband kon worden gebracht met het moordwapen.'

'En zijn motief voor de moord op Dick?'

'Financiële problemen. Stress. Onenigheid over de film en het China Basin-project.'

'Je denkt dat-ie pissig genoeg was om hem te vermoorden?'

'Waarom niet? Kom, denk eens met me mee, Mike.'

Ik ben nog niet helemaal om. 'Nee. Waarom al die moeite om haar erbij te lappen zodat hij een paar minuten later van de brug kon springen?'

'Schuldgevoelens. Misschien was hij helemaal niet van plan te springen, totdat hij bij de brug was.'

'Je gaat wel ver, hoor.'

'Heb je een beter alternatief?'

160

'Op dit moment niet. Heb je ook al een scenario voor Little Richard?'

'Natuurlijk. Laten we eens aannemen dat hij loog over zijn vertrek en dat Kent dus eerder naar huis ging.'

'Ik luister.'

'Dan bleef Little Richard dus als laatste achter. Hij vermoordde zijn vader, verkleedde Angel en zette haar in de wagen. Daarna reed hij haar naar de brug, en ten slotte terug naar Napa.'

'En waar was Kent al die tijd?'

'Die was al vertrokken. Op weg naar de brug.'

Ik wijs haar erop dat Kents auto nog altijd voor Big Dicks huis geparkeerd stond. 'Hoe heeft hij de brug dan kunnen bereiken?'

'Op de ouderwetse manier: met de benenwagen. Het is maar anderhalve kilometer lopen.'

'En waarom is hij gesprongen?'

'Zelfde redenen: stress, financiële problemen, zat in zijn maag met de bouwplannen.'

'Daarvan hebben we anders geen harde bewijzen.'

'Wel Petrillo's verhaal.'

'En jij gelooft hem?'

'Het is slechts een vermoeden. Daarom moeten we met Kents zoon gaan praten.'

Ik ben nog niet overtuigd. 'Heb je al een motief voor Little Richard?'

'Geld. Hij stond klaar om de helft van zijn vaders geld te erven. Als hij Angel de schuld in de schoenen kon schuiven, had hij waarschijnlijk zelfs meer opgestreken – misschien wel alles. Bovendien boterde het niet echt tussen hem en zijn vader. Hij was kwaad over de film en de studio, was het zat om tweede viool te spelen. Het casten van Angel in de hoofdrol was de druppel.'

'Meen je dat echt?'

'Waarom niet? Het zou toch kunnen?'

'Je hebt hem anders nog niet in verband kunnen brengen met de oscar of de wagen van zijn vader,' zeg ik.

'Dat komt nog wel.' Ze wijst me erop dat Nicole Ward ons eerder heeft verteld dat ze vier paar nog onbekende vingerafdrukken op het oscarbeeldje hebben gevonden.

'Maar je hebt nog steeds niet aangetoond dat hij in zijn vaders auto heeft gereden.'

'Dat is wat lastiger. We moeten kijken of we iets in de politieverslagen kunnen vinden.'

We zullen wel zien. 'En de nachtpon?'

'Daar zat geen bloed op. Hij verkleedde haar toen hij haar in de auto zette en heeft het kledingstuk onderweg naar de brug ergens gedumpt.'

'Je denkt dat Richard junior slim genoeg is om zoiets te bedenken?'

Ze aarzelt niet. 'Ja.'

Er zijn te veel hiaten. Niets dan vermoedens. 'Hoe is hij in Napa gekomen?' vraag ik.

'In zijn eigen auto.'

Hij kan nooit twee auto's tegelijk hebben bestuurd. 'Hoe kan dat dan als hij Angel in zijn vaders wagen naar de brug reed?'

'Precies zoals Kent deed: hij ging te voet terug naar huis en pakte daarna zijn auto.'

'Je denkt dat hij daarvoor, in het holst van de nacht, de tegenwoordigheid van geest had, vlak nadat hij zijn vader had vermoord?'

'Natuurlijk. Het was donker. Niemand zou hem hebben gezien. De rit naar Napa was een poging om zijn alibi te versterken.'

We hebben geen enkel bewijs dat dit alles werkelijk is gebeurd.

De radertjes in Rosies hoofd zijn nog steeds goed op gang. 'Er is nog een andere mogelijkheid,' zegt ze. 'Iemand kan hem bij de brug hebben opgepikt.'

'Wie dan?'

'Misschien Kent. Misschien Ellis. Misschien Crown, en/of zijn vrouw.'

'Je denkt aan een samenzwering? Ze kunnen dit onmogelijk allemaal van tevoren zo hebben gepland.'

'Ik vind niet dat we het moeten uitsluiten.'

'Nou, ik vind niet dat we ervan uit moeten gaan.'

'Heb jij nog ideeën?'

Bij het huis van Rosies moeder aangekomen rijd ik de smalle oprit op en zwijg even om na te denken. Wie was er nog meer aanwezig? En zou dus ook hebben geweten dat Little Richard bij zijn vader op bezoek was? Wie zou hij verder nog hebben kunnen bellen? Rosie en ik kijken elkaar aan. 'Eve,' zeggen we allebei tegelijk.

'Hij zei dat hij in zijn eentje naar Napa is gegaan,' zeg ik.

'Waarom zouden we dat geloven?'

'Dat hoeven we helemaal niet.'

'Ze kan hem hebben opgepikt,' stelt Rosie.

'Maar daar is geen bewijs van.'

'We moeten de gespreksgegevens van zijn mobieltje opvragen.'

'En die van Eve,' vul ik aan. 'We moeten met haar praten.'

'En met Kents zoon,' zegt Rosie. 'We moeten weten of zijn vader inderdaad die koele kikker was zoals Angel hem beschreef, of de gedeprimeerde psychoot, zoals Petrillo ons vertelde.'

Ik zie Grace in de deuropening verschijnen. Ze loopt het trapje af en klopt tegen het portierraam. 'Blijven jullie de hele nacht in de auto zitten?' vraagt ze.

Rosie duwt het portier open. 'Ga je spulletjes maar vast pakken, lieverd. We komen er zo aan.'

Terwijl we uitstappen, kijk ik Rosie aan. 'Hou je het nog een beetje vol?' vraag ik.

'Het gaat.'

'Nog iets van dokter Urbach gehoord?'

Een schouderophaal. 'Later deze week.' Ze kromt haar rug een beetje. 'Wat is er tussen jou en Leslie aan de hand?'

'Dat hoor ik zo meteen,' antwoord ik.

'Afspraakje?'

'Ik hoop het.'

'Ik wil de voorgeleiding bijwonen,' deelt Theresa ons mee. Ze zit met de armen over elkaar op de bank van haar moeder. Die zit naast haar. Tony leunt tegen de open haard.

Grace staat bij de deur en heeft haar rugzakje in haar hand. 'Gaan we nu, mamma?' vraagt ze.

'Zo meteen, lieverd. Waarom wacht je niet alvast op de veranda met oom Tony?'

Grace zucht. Het valt niet mee om tien te zijn, en moe. 'Oké...' Ze verdwijnt naar buiten, gevolgd door Tony. Rosies lippen vormen geluidloos 'dank je wel' naar hem.

Ze kijkt Theresa aan, en antwoordt: 'We praten er morgenochtend wel verder over.'

'Waarom nu niet?'

'Omdat Grace morgen weer naar school moet en erg moe is,' legt Rosie uit. 'En ik ook.'

Maar Theresa laat zich niet uit het veld slaan. 'Waarom mag ik er niet bij zijn als mijn eigen dochter wordt voorgeleid?'

Rosies vermoeidheid klinkt door in haar stem: 'Daar hebben we het al over gehad.'

'Doe maar niet alsof ik een kind ben.'

Rosies geduld is op. 'Gedraag je dan ook niet zo,' geeft ze haar zus te verstaan.

'Verdomme,' vloekt Theresa, 'ik wil er nu over praten.'

Sylvia pakt haar hand. 'Rosita heeft gelijk. Laten we morgen verder praten.'

Theresa's ogen vlammen op en haar stem schiet een halve octaaf omhoog. '"Rosita heeft gelijk". Al mijn hele leven hoor ik niets anders!' Ze haalt even diep adem. 'Maar Rosita hééft niet altijd gelijk.'

'Dit is niet het moment,' vindt Sylvia.

Theresa priemt een vinger naar haar moeder. 'Jouw dochter zit anders niet in de gevangenis.'

Sylvia priemt een vinger terug: 'Maar mijn kléíndochter wel!' snauwt ze.

'Daar kan ik niets aan doen.'

'Daar gaat het helemaal niet om.'

'Bij jou gaat het altijd over schuld.'

'Niet waar.'

'Jawel.'

Rosie heft haar handen op. Met roodomrande ogen fluistert ze nauwelijks hoorbaar: 'Waar het om gaat, is wat het beste is voor Angel. Zij zit achter de tralies. Jullie twee hebben nog een heel leven voor je om verder te kibbelen. Morgen is de voorgeleiding. Over een week volgt de voorlopige hoorzitting. Als we haar voor die tijd niet op vrije voeten krijgen, zal ze het komende halfjaar in de cel op het begin van haar rechtszaak moeten wachten. En ik betwijfel of ze daar wel sterk genoeg voor is.' Ze staat op en loopt naar de deur.

Op het moment dat ze de deurknop beetpakt, roept Theresa met gebroken stem: 'En de voorgeleiding? Kan ik niet gewoon achterin zitten? Ik beloof dat ik mijn mond zal houden.'

Rosie slaakt een diepe zucht, loopt naar haar zus en pakt haar hand. Ze draait er niet omheen: 'Schat, ik wil echt niet beweren dat ik weet hoe je je voelt. Als ik in jouw schoenen stond, zou ik er ook bij willen zijn. Maar toch, ik weet niet hoe Angel zal reageren als ze jou daar ziet zitten. De kans is groot dat ze erg geëmotioneerd raakt – te geëmotioneerd. Ik wil dat ze eerbiedig overkomt. We gaan de rechter verzoeken haar op borgtocht vrij te laten, maar de kans dat ze akkoord gaat zal niet erg groot zijn. Verliest Angel haar zelfbeheersing, dan is de kans nul. Deze rechter is tamelijk streng. Ze eist orde in de rechtszaal. Ik zal Angels volledige aandacht nodig hebben morgen. Begrijp je? Het gaat hier niet om jou, maar om Angel.'

'Ja.'

'Ik weet dat het rot klinkt,' gaat Rosie verder, 'maar zo liggen de zaken. We moeten onze emoties opzijzetten.'

Theresa knikt. 'Als jij vindt dat het zo beter is voor Angel, dan blijf ik wel thuis.'

'Dat vind ik, Theresa.'

'Ik heb vanmiddag met Dennis Alvarez gesproken,' vertelt Tony me. We staan nog altijd op Sylvia's veranda. Hij klampte me aan toen we naar buiten liepen. Rosie en Grace wachten al in de auto.

'Wat had hij te melden?'

'Goed nieuws en slecht nieuws.'

Ik wacht.

'Het goede nieuws is dat hij met nog een paar andere ondernemers uit de buurt heeft gesproken. Het schijnt dat die ook een soortgelijk aanbod van Armando Rios hebben gekregen.'

Dan zitten er dus nog meer in hetzelfde schuitje. 'Hebben ze het geld aanvaard?'

'Volgens mij wel.'

Ik vraag hem of Alvarez namen heeft genoemd.

'Nee.'

Op zich begrijpelijk. Hij wil niet dat Tony het samen met de anderen op een akkoordje probeert te gooien. 'Kun je uitvinden wie het zijn?'

'Ik zal het proberen.'

'En het slechte nieuws?'

'Een van hen is bereid een immuniteitsverklaring te ondertekenen.'

'Denk je dat Alvarez bluft?'

'Nee.'

'Wanneer moet dat gaan gebeuren?'

'Morgenmiddag. Niet later dan twee uur.'

'Maar hij vertelde je dat jij tot dinsdag de tijd hebt.'

'Die blijkt nu dus te zijn ingekort. Hij geeft me tot morgenmiddag twee uur de tijd een beslissing te nemen.'

Het tijdstip waarop Angel wordt voorgeleid. 'Wat ben je van plan?'

'Er een nachtje over slapen.'

'Tony,' zeg ik, 'morgenochtend moet ik nog een paar getuigen spreken in verband met Angel. Morgenmiddag twee uur is de voorgeleiding.'

'Ik begrijp het. Ik zal Rolanda bellen.'

'Waar ben je, Mick?' vraagt Pete. Ik praat met hem via mijn mobieltje. Het is even na elven. Ik heb Rosie en Grace naar Rosies wagen gebracht, die voor ons kantoor geparkeerd stond. Inmiddels zijn ze onderweg naar huis. Misschien dat Grace morgenochtend de les maatschappijleer maar even overslaat. Ik schuif dit punt van ouderlijke zorg maar even terzijde, want ik weet dat het voorlopig toch geen bal uitmaakt.

'Ik zit in de auto,' zeg ik, maar ik verzwijg dat ik op weg ben naar Leslie voor een openhartig gesprek.

'Ik vrees dat je er een probleem bij hebt,' meldt hij. 'Die Suburban had als eindhalte de hoek van Fifth Street en Mission Street.'

De hoofdredactie van de *Chronicle*. 'Heb je iemand zien uitstappen?'

'Jerry Edwards en een vent met een blitse camera.'

Meer hoeft hij me niet uit te leggen. Ons onderonsje met Dominic Petrillo zal morgenochtend voorpaginanieuws zijn.

20
'KAN DIE GSM EVEN EEN PAAR MINUUTJES UIT?'

'Mijn vader is magistraat bij het Hooggerechtshof. Van mij werd verwacht dat ik in zijn voetsporen zou treden.'
Rechter Leslie Shapiro, *San Francisco Chronicle*, 6 juni

'Je bent weer laat, Michael,' zegt Leslie. Ze staat met de armen over elkaar. Zowel in de rechtszaal als privé hecht rechter Shapiro veel waarde aan punctualiteit.

Ik sta in de deuropening van haar appartement. Het is even na middernacht. De afgelopen paar dagen heb ik ongeveer drie uur geslapen en het ziet er niet naar uit dat daar op de korte termijn verbetering in komt. Ik doe mijn best berouwvol te klinken. 'Het spijt me, Leslie. Het was een lange dag.'

Ze draagt een lichte blouse en een spijkerbroek. Haar contactlenzen hebben plaatsgemaakt voor een dunne metalen Calvin Klein-bril. We lopen naar de smalle woonkamer, spaarzaam gemeubileerd met een lederen sofa en bijpassende fauteuil, die zo zijn gearrangeerd dat het uitzicht naar buiten optimaal is. Het is een heldere avond en ik kan het lichtbaken op Alcatraz zien. De muur tegenover de open haard is voorzien van twee inbouwkasten, die uitpuilen van wetboeken en klassieke romans. De foto van haar ouders op de schoorsteenmantel herinnert me eraan dat Leslie enig kind is. Foto's van neven of nichten ontbreken. Het vertrek oogt onberispelijk. Ze woont al geruime tijd alleen.

We lopen naar de kleine keuken. De geur van tomatensaus, oregano en parmezaanse kaas begroet ons. Het marmeren aanrecht is brandschoon. Mijn eigen wortels omvatten vele generaties van Jan Steen-achtige huishoudens. Stel dat we ooit gaan samenwonen, dan vrees ik dat mijn leefgewoonten voor Leslie een aanmerkelijke bron van ergernis zullen gaan worden. Haar blik wordt iets zachter. 'Ik heb iets lekkers voor je gemaakt. Vegetarische lasagne.' Een lief gebaar. Ze kookt niet graag. 'Ik zal het even voor je opwarmen.'

'Dank je, Les. Je hebt je flink uitgesloofd.'

'Geen punt. De restjes gebruik ik de komende dagen wel voor de lunch. Sinds de oude kantine is verdwenen, is het eten op het paleis van justitie een stuk minder lekker. De sfeer is verdwenen.'

Enkele jaren geleden lokte een McDonald's veel vaste klanten weg uit de kantine in het souterrain. Hoewel hij qua sfeer veel weg had van de lunchroom op St. Ignatius, vormde de cafetaria binnen het gerechtsgebouw een gedemilitariseerde zone waar agenten, aanklagers, strafpleiters en zo nu en dan een paar rechters zich onder elkaar mengden. Mijn vader nam me er als kind altijd mee naartoe om te lunchen. In mijn tijd als pro-Deoadvocaat heb ik het een paar keer met de officier van justitie op een akkoordje gegooid terwijl we op onze tosties zaten te wachten.

We kletsen wat terwijl ze de lasagne opwarmt en twee glazen merlot inschenkt. Daarna nemen we plaats op de twee stoelen aan haar degelijke keukentafel van gelamineerd hout. De cd-speler staat aan en ik hoor de glasheldere stem van Judy Collins met 'Both Sides Now'. Als student had ik een oogje op haar. Dat lijkt inmiddels eeuwen geleden. De laatste regel van het tweede couplet klinkt me wel heel toepasselijk in de oren: '*I really don't know love at all*.'

Er verschijnt een vermoeide glimlach op Leslies gezicht. Ze duwt haar tong stevig tegen haar wang en zegt: 'Zo, enne, hoe was jouw daggie, Jul?'

Ik speel mee. 'Lekker, Jut. En de jouwe?'

'O, heerlijk hoor, schat.' Haar toon blijft vrolijk. 'Zeg, die klant van je, is dat een moordenaar?'

'O, nee hoor, duiffie.' Maar het lukt me niet meer mijn gezicht in de plooi te houden. Terwijl ik antwoord, moet ik lachen: 'Ze heeft haar echtgenoot echt niet met een oscar geslagen. Ik bedoel, dat ken toch niet?'

Ze schiet in de lach, heft haar glas en klinkt tegen het mijne. 'Op jou, Jul.'

'Op jou, Jut. En op ons.' Ik neem een slokje van mijn wijn. 'Leslie, het spijt me echt dat ik zo laat ben.'

'Geeft niet. Toen we aan dit kleine avontuurtje begonnen, wist ik al dat je onregelmatige uren draaide.' Ze knipoogt en voegt eraan toe: 'Het goedmakertje komt nog wel.'

'Snel, hoop ik.'

'We zullen zien.' Ze laat haar wijn in haar glas walsen. 'Hoe ging het vandaag?'

'Niet zo best.' Ik doe bondig verslag, beginnend met de vondst van Martin Kents lichaam om vijf uur vanochtend, en eindigend met het gesprek in de Ambassador's Club eerder deze avond. Ik zwijg over Tony's problemen en het gesteggel met Theresa bij Sylvia thuis. Sommige dingen horen binnen de familie te blijven.

Zonder commentaar hoort ze het aan. 'Je had een drukke dag vandaag,' merkt ze op als ik klaar ben.

'En het zal er niet beter op worden.' Ik werp een blik op mijn horloge en

167

vertel haar over mijn plan voor een onderonsje met Daniel Crown, dat over zeven uur moet plaatsvinden. 'Dus misschien ontmoet ik een filmster.'

Haar glimlach wordt breder. 'Zou je een boodschap willen overbrengen? Dat hij me volledig mag bezitten – wanneer en waar hij maar wil. Wat mij betreft zelfs in de getuigenbank van mijn rechtszaal, midden op de dag.'

'Ik zal het doorgeven. Geldt dat ook voor mij?'

Met een schuine grijns antwoordt ze: 'O, als jij in mijn rechtszaal met Daniel Crown in de weer wilt zijn, dan moeten jullie dat maar onderling met elkaar bekokstoven.'

Ik grinnik. 'Zo bedoelde ik het niet helemaal.'

'Weet ik.'

'Dus?'

'Dus wat?'

Ze maakt het me niet gemakkelijk. 'Als Crown niet beschikbaar is, geldt voor mij dan hetzelfde aanbod?'

Ze wordt ernstig. 'Nog even niet.'

O jee. Ik probeer hoopvol te klinken. 'Later misschien?'

'Misschien.'

Komt-ie: 'Want...?'

'Het ligt gecompliceerd.'

Mijn gsm gaat en ik krimp ineen. Ik had dat rotding gewoon moeten uitzetten. Leslies gezicht verstrakt weer tot een ijzige blik. 'Ik kan maar beter opnemen,' zeg ik. 'Waarschijnlijk is het Rosie.'

'Zoals gewoonlijk.'

Ik klap mijn mobieltje open, maar het nummer op de display herken ik niet. 'Met Michael Daley.'

'Jerry Edwards, *San Francisco Chronicle*.' Hij klinkt als Walter Matthau.

Kolere. 'Ik lees je stukken graag, Jerry. Maar je belt wat ongelegen.'

Hij laat zich niet afschepen. 'We hebben al veel aandacht besteed aan het China Basin-project.'

'Ik heb je stukken gelezen, ja.'

'En ook aan de dood van Richard MacArthur.'

'Het is niet niks.'

'Volgens een van onze bronnen had je vanavond op de luchthaven een ontmoeting met Dominic Petrillo.'

Zoals iedere goede journalist zal hij geen vragen stellen, maar enkel statements spuien, in de hoop dat ik zijn conclusies zal bevestigen. Ik probeer wat tijd te winnen door zelf een vraag te stellen.

'Wie is die bron?'

'Dat is vertrouwelijk.'

'Ik begrijp dat je je bronnen niet wilt onthullen. Maar aan de andere kant zie ik het niet zitten allerlei beweringen te bevestigen dan wel te ontkennen die enkel geruchten zijn.'

168

'Dus u ontkent dat die ontmoeting ooit plaatsvond?'

Leuk geprobeerd. 'Ik bevestig of ontken helemaal niets.'

'Meneer Daley, we hebben deze informatie uit zeer betrouwbare bron.'

Ik probeer het nog eens: 'En wie mag dat dan wel zijn?'

'Ik.'

'Aha, dus jíj zat in dat Suburban-busje dat Petrillo naar de luchthaven volgde?'

Een vals lachje. 'In de roos, meneer Daley.'

Hij wil informatie. Ik ook. 'Waarom volgde jij Petrillo?' vraag ik hem.

'Dat deden we niet. We hielden Richard MacArthur in de gaten, maar toen Petrillo uit zijn woning vertrok besloten we eens te kijken waar hij heen ging.'

'En dus reed je hem achterna naar de luchthaven?'

'Net als u.'

In de roos. 'Ik neem aan dat jullie foto's hebben?'

'Klopt. We hebben een leuk kiekje van jullie tweeën buiten voor de vertrekhal. We plannen hem op de voorpagina van de ochtendeditie.'

Verdomme.

'Bekijk het van de zonnige kant,' vervolgt hij. 'Over een paar uur bent u een bekende persoonlijkheid.'

Ik had eigenlijk gehoopt mijn kwartiertje in de schijnwerpers voor een ander tijdstip te kunnen reserveren.

'Dus,' pakt hij de draad weer op, 'wilt u nog iets zeggen over uw ontmoeting met meneer Petrillo?'

Open vragen beantwoorden is wel het laatste wat ik wil. Hij biedt me net voldoende touw om mezelf te kunnen verhangen. 'En als ik zeg: geen commentaar?'

'Dan drukken we de feiten af zoals we die kennen.' Hij kucht eventjes en voegt eraan toe: 'Uiteraard biedt dit ons wat meer speelruimte voor interpretaties.'

Ik kijk Leslie wat hulpeloos aan en probeer mijn woorden zorgvuldig te kiezen. 'Ik kan bevestigen dat ik in verband met ons onderzock in de zaak-Angelina Chavez een ontmoeting had met Petrillo. Hij kan een getuige zijn. Omwille van de vertrouwelijkheid zal het duidelijk zijn dat ik daarover verder geen mededelingen kan doen.'

Maar hij laat zich niet ontmoedigen. 'Heeft hij nog bijzonderheden verteld over de moord op MacArthur? We weten dat hij die vrijdagavond aanwezig was.'

'Je weet dat ik daar niets over kan zeggen.'

'Wil hij *The Return of the Master* nog steeds volgende week uitbrengen?'

'Dat zul je hem moeten vragen.'

'Hebben jullie nog over het China Basin-project gepraat?'

Ik herhaal mijn mantra en zeg hem dat ik geen commentaar heb.

Hij veinst frustratie. In werkelijkheid weet hij donders goed dat hij van mij weinig kan verwachten. 'Eerder vandaag kwam hij met een verklaring dat Millennium Studios zich afzijdig zal houden van de zaak-Chavez. Duidt uw onderlinge gesprek op een veranderd standpunt?'

'Geen commentaar, Jerry.'

'Bent u met Petrillo aan het onderhandelen?'

'Nee.'

'Vanavond was hij bij Richard MacArthur over de vloer. Waar hadden ze het over?'

'Weet ik het? Ik was er niet bij.'

'Bent u uit op een akkoordje met Richard MacArthur?'

'Uiteraard willen we graag zijn medewerking.'

Hij zucht. 'U maakt het me niet bepaald gemakkelijk, meneer Daley.'

Sinds wanneer is het míjn taak om het jóú gemakkelijk te maken? Maar goed, ook ik kan schijnheilig zijn: 'Wij willen net zo graag weten wat er precies is gebeurd als jij, Jerry. Mijn cliënte is onschuldig en we moeten weten wie de echte moordenaar van haar echtgenoot is.'

Even is het stil aan de andere kant van de lijn. Vervolgens: 'Hebt u al met Carl Ellis gesproken?'

'Nog niet.'

Hij veinst vertwijfeling. 'U moet me echt een kapstok geven, meneer Daley!'

'Mijn cliënte is onschuldig.'

'Kom op, meneer Daley.'

'Ik heb je alles verteld wat ik tot nu toe te melden heb, Jerry.'

'Goed, u uw zin. We zullen het moeten doen met wat we hebben.' Zonder een 'Tot ziens' hangt hij op. In de krant van morgenochtend zal ik aan het kruis worden genageld.

Ik drink mijn glas leeg en zet het op tafel. 'De *Chronicle*?' vraagt Leslie.

'Ja.'

'Wanneer?'

'Morgenochtend. Op de voorpagina.'

Ze probeert me wat op te beuren. 'Je wordt de oogappel van de media. Je telefoon zal roodgloeiend staan, zelfs met de hoorn van de haak. Wie weet? Misschien word je wel gevraagd als de nieuwe woordvoerder van Viagra.'

'Daar zou ik maar niet op rekenen.'

Haar blik wordt weer ernstig. 'Wat voor onwaarheden gaat-ie over je schrijven?'

'Ik weet niet wat zijn invalshoek zal worden. Maar het zal weinig fraais zijn.'

Ze probeert het te relativeren. 'Zelf word ik in de media voortdurend bekritiseerd, achteraf. Stelt weinig voor. De meeste mensen lezen de krant nauwelijks.'

'Hij zal het er ook in *Mornings on Two* over gaan hebben.'

'Geen hond die daarop let.'

Het is lief van haar me een beetje op te beuren. Mijn gedachten glijden terug naar het gesprek met Edwards van zo-even. Ik vraag me af wat ik allemaal tot ontploffing heb gebracht.

Ik zie even een bezorgde blik. 'Kan ik iets doen?' vraagt ze.

'Zou je Jerry Edwards een weekje achter de tralies kunnen zetten?'

'Tuurlijk. Verder nog iets?'

Een rugmassage zou wel lekker zijn. 'Neuh. Je zei dat je wilde praten.'

'Klopt.'

'Is dit daar een goed moment voor?'

'Ja, hoor.' Ze strijkt even met een vinger over haar lippen. 'Kan die gsm even een paar minuutjes uit?'

Slecht voorteken. Ik doe wat ze me vraagt. 'Weet je zeker dat je er nu over wilt praten?'

Een kleine aarzeling. Ze bijt op haar lip. 'Ja.'

Ik zet me schrap. Zwijgend zitten we aan tafel. Het lijkt wel een eeuwigheid, maar het is waarschijnlijker dat het slechts een paar opgelaten seconden zijn. Ze leunt wat achterover op haar stoel. Ik wat voorover op de mijne. Ze slikt. Ik kuch. Ze krabt aan haar oor. Ik kijk haar aan. Ze wendt haar blik af. De balts van een wanhopig stel van middelbare leeftijd in de eenentwintigste eeuw.

Ter zake. Ik haal diep adem. 'Jij eerst?'

'Nee,' antwoordt ze meteen, en ze voegt eraan toe: 'Jij bent de mediaster. Jij eerst.'

Wat gebeurt hier toch allemaal? Het voelt alsof ik weer terug ben op de middelbare school en alle moed bijeensprokkel om Carolyn te vragen voor het schoolbal. Wordt het dan nooit gemakkelijker? Ik pak haar hand. Eerst trekt ze hem terug, maar ze ziet de blik in mijn ogen en bedenkt zich. Haar vingers sluiten zich om mijn hand. 'Luister,' begin ik, 'ik weet dat we een paar moeilijke dagen achter de rug hebben…'

'Dit heeft niets te maken met de afgelopen dagen. Dit heeft te maken met welke kant we op gaan.'

Ik kies voor een verdedigende omhaal. 'Welke kant wil je dat het op gaat tussen ons?'

Ze kaatst meteen terug. 'Welke kant had jíj in gedachten?' Het lijkt wel wat op een juridisch verhoor. Eerst kijken wat de ander te zeggen heeft, daarna pas reageren. Ook weer een reden waarom juristen maar beter niets met elkaar kunnen beginnen. Ooit zal iemand er een dissertatie over schrijven.

Daar gaan we dan. 'Goed,' zeg ik. 'Dit is hoe ik erover denk.' Haar ogen sperren zich open. 'Ik vind je leuk, Leslie. Heel erg leuk,' zeg ik zacht.

'Ik jou ook.'

Ik kijk in haar ogen, zoek een hint. Niets. Rechters doen veel praktijkervaring op in het verhullen van emoties. Het zou leuk zijn zo'n groepje aan de pokertafel te zien. Ik besluit open kaart te spelen. 'Ik begin eigenlijk al van je te houden, Leslie, en ik wil meer vastigheid.'

Haar ogen staren me wijdopen aan. 'Hoe vast?'

Ik hoopte eigenlijk op iets meer enthousiasme. Gaat-ie. 'Heel vast.'

Oprecht verschrikt kijkt ze me aan. 'Wil je trouwen?'

Luchtalarm! De schuilkelder in! Ik krabbel terug. 'Nee, nee. Tenminste, nog niet. Daar is het nog te vroeg voor.' Ik vervloek mezelf terwijl ik dit zeg. Er zijn puisterige scholieren die meer schwung hebben dan ik.

'Wat wil je dan zeggen?'

Ja, wat zég ik eigenlijk? 'Ik wil dat we een stel zijn – een écht stel – dat zich niet schaamt voor de rest van de wereld. Ik wil een echte relatie op-bouwen – een vaste relatie.'

Ze houdt nog steeds mijn hand vast. Terwijl ze me de vraag stelt, twin-kelen haar ogen: 'Je vraagt of ik zin heb in een vaste relatie?'

Zoiets. 'Daar komt het wel op neer.'

'Je bent me er eentje, Michael Daley.'

Is dit een goed of een slecht teken? In mijn ervaring is het meestal een slecht teken als iemand je met je volledige naam aanspreekt. En het is zelfs nog erger als ze ook je tweede voornaam gebruiken. Als kind al wist ik dat wanneer mijn moeder me met Michael Joseph Daley aansprak, ik in de pro-blemen zat. Ik leun achterover en zwijg. Houd je mond dicht. Laat haar pra-ten.

Haar blik vangt de mijne. 'Michael Daley, ik denk de hele dag aan je. Zelfs op mijn rechtersstoel. Ik wil bij je zijn, je glimlach zien. Ik wil op zon-dag samen met je in Café Trieste de krant lezen en koffiedrinken.'

Ik begin al aardig hoopvol te worden.

Ze slikt moeizaam. 'En ik wil dat je er 's ochtends bent om me vast te houden als ik eenzaam en bang ben.'

Zo openhartig is ze nog nooit geweest. Ik knijp even zacht in haar hand en fluister: 'Zolang ik er ben, zul je nooit eenzaam zijn. Of bang.'

'Zelfs rechters zijn wel eens bang, Michael. En iedereen voelt zich wel eens eenzaam.'

'Waar ben je bang voor, Leslie?'

Ze denkt even na. 'Om de rest van mijn leven alleen te zijn. Het is heer-lijk om onafhankelijk te zijn, maar het is nog beter om je leven met iemand te delen.'

We kunnen elkaar een hand geven. 'Ik wil het met jou delen, Leslie.'

'En ik met jou.'

Toch bespeur ik enige terughoudendheid in haar stem. 'Hoor ik hier een "maar" doorklinken?'

'Het is zo gecompliceerd.'

Verdomme. Voor Leslie ligt alles gecompliceerd. Ik doe mijn best mijn emoties te bedwingen. 'Hoezo?'

'Er spelen zoveel dingen mee.'

'We zijn geen kinderen meer. We hebben allebei onze bagage. En dat zal echt niet als bij toverslag verdwijnen als we besluiten samen verder te gaan. Waar het echt om gaat, is de vraag of we het bij elkaar zijn belangrijk genoeg vinden en bereid zijn die bagage voor lief te nemen. Als je het wilt weten, is dat voor mij belangrijk genoeg.'

Ze slaat haar ogen neer.

'Wat zit je echt dwars, Leslie?'

Ze schuift wat heen en weer op haar stoel. 'Ik wil niet met Rosie concurreren.'

Hier hebben we het al vaker over gehad. 'Dat hoeft ook niet.'

'Volgens mij wel.'

Ik breng mijn handen omhoog. 'Wat moet ik je verder nog vertellen? We zijn zakenpartners. Ze is vrij om om te gaan met wie ze maar wil.'

'Zo simpel ligt het niet.'

Ze heeft gelijk. 'Het is tijd dat we allebei de draad van ons leven weer oppakken. En ik wil graag met jou verder.'

'En Grace?'

Onbespreekbaar. Grace gaat vóór Leslie. 'Daar zul je mee moeten leren leven. Ze hoort bij de bagage. Als jij me tot een keuze dwingt, zal Grace het van je winnen.'

Ze schiet in de verdediging. 'Zo ver zal ik het heus niet laten komen, Michael. Ik weet best hoeveel je dochter voor je betekent.'

'Maar wat is het probleem dan?'

Ze neemt nog een slokje wijn. 'Stel dat ze helemaal niet bij mij wil zijn?'

'Ze trekt niet bij je in, hoor.'

'Dat weet ik. Maar we zullen wel met elkaar omgaan. Stel dat ze me niet mag?'

'Dat gebeurt niet.'

'Dat weet je niet. Stel dat ze een hekel aan me heeft. Dat ze denkt dat ik de plek van haar moeder wil innemen?'

Een onvoorspelbaar risico. 'Ik ben wel met andere vrouwen uit geweest. Daar heeft ze nooit moeilijk over gedaan.'

'Tot nu toe. Maar je weet nooit hoe ze zal reageren.'

'Nee, dat weten we niet. En daar zullen we nooit achter komen, tenzij we het gewoon proberen.'

'Voor mij staat er ook een hoop op het spel, Michael. De gevoelens van een tienjarige kunnen een enorme invloed hebben op een relatie.'

'Ik ben niet de baas over haar gevoelens, Leslie. Ik kan alleen maar proberen het voor haar – en ons – zo leuk mogelijk te maken. We zullen gewoon ons best moeten doen. En jij zult een zeker risico moeten aanvaarden.'

'Misschien wel meer dan ik aankan.'

'Als dat je besluit is, dan kan ik dat begrijpen.' Ik peins even. 'Maar ik zou het wel heel erg vinden.' Nu we toch bezig zijn, kunnen we maar beter meteen alles op tafel gooien. 'Wat zit je nog meer dwars?' vraag ik.

'Als we bij elkaar blijven, kan dat nog leuk worden, gezien mijn werk.'

'Dat kunnen we omzeilen.'

'Zo gemakkelijk gaat dat niet. Als rechter ben je net een priester.'

Niet helemaal. 'Hoezo?'

'Je leeft onder een vergrootglas. Je moet vierentwintig uur per dag waken voor mogelijke belangenverstrengelingen. Je moet je vrienden zorgvuldig uitkiezen. Met bepaalde personen kun je maar beter niet worden gezien. En bovendien moet je goed uitkijken met wie je het bed deelt. Soms denk ik wel eens dat je maar beter alleen kunt slapen.'

'Nou, als ik me niet vergis, is het celibaat voor rechters een stuk soepeler geregeld dan dat voor priesters.'

'Dat besef ik, ja. Maar toch kan zelfs de schijn van onfatsoen mijn carrière al behoorlijk schaden. Stel dat ik iemand leer kennen en dat leidt tot een belangenverstrengeling, dan kan het gedaan zijn met mijn carrière. Mijn beoordelingsvermogen en mijn onpartijdigheid zullen in twijfel worden getrokken. En dan is er nog de politiek. Als ik echt een kans wil maken bij de federale rechtbank, moet ik er wel voor zorgen dat mijn cv onberispelijk blijft.'

Een legitiem punt. 'Tot dusver heeft het je geen problemen opgeleverd,' zeg ik.

'Weet ik. Maar dat kan elk moment veranderen.' Ze loopt naar haar koffertje op haar kleine werktafel in de hoek van de keuken. Ze haalt er een bruine envelop uit, die ze me overhandigt. Of ik even bladzij 2 wil opslaan. 'Het laatste punt, onderaan.'

Ik bestudeer de rechtbankdocumenten. Het is haar agenda voor de komende week. De zaak waarnaar ze verwijst is die van het OM versus Benjamin Taylor. De aanklacht luidt: bezit van een geestverruimend middel. De voorlopige hoorzitting is aanstaande donderdag.

'Dat is de zoon van Carolyn,' zeg ik.

'Juist. Jullie staan vermeld als raadslieden. Een belangenverstrengeling dus.'

'Ik weet het. Ik heb het er al met Carolyn over gehad. We dragen de zaak aan iemand anders over.'

Ze kijkt verschrikt op. 'Weet Carolyn van ons?'

'Inmiddels wel, ja. Ik moest het haar wel vertellen.'

'Heeft ze het doorverteld?'

'Nee.'

'En jij?'

'Alleen aan Rosie.' Ik denk even na. 'En aan Grace.'

Ze zucht. 'Het zal niet de laatste keer zijn dat ik jullie in mijn rechtszaal zal tegenkomen.'

'Nee, dat denk ik ook niet.'

'En hoe denk je dat aan te gaan pakken?'

174

'We zijn bereid ons terug te trekken uit alle zaken die misschien door jou moeten worden gevonnist.'

'Dat kan ik jullie niet aandoen.'

'Jawel, dat kun je best.'

'Maar ik zal het niet toestaan.'

'Dan zullen we een andere oplossing moeten zoeken.'

'Wat raad je aan?'

'Je kunt zeggen dat je uit vrees voor partijdigheid onze zaken niet zult behandelen.'

'Maar dat zal niet altijd haalbaar zijn.'

'Het is altijd haalbaar. Alleen zal het niet altijd even gemakkelijk zijn. Als je echt wilt, kun je onder elke hoorzitting uitkomen.' Ik besef dat het wat bot klinkt.

'Ik zal een reden moeten aanvoeren.'

Ik heb twee dagen nauwelijks kunnen slapen. Ik voel me uitgeput en overmand. Ik heb geen zin in spelletjes, en dus gooi ik mijn kaarten op tafel. 'De reden is dat je met mij het bed deelt. Als we daar gewoon voor uitkomen, zal iedereen het begrijpen.'

Stilte. Ze laat haar wijn in haar glas walsen en staart door het raam naar het lichtbaken van Alcatraz. Ik laat mijn kin op mijn hand rusten. Zij is nu aan zet. Ik ga haar niet helpen.

Ten slotte zegt ze: 'Ik moet erover nadenken. Ik zit midden in gesprekken met mijn collega's. Misschien dat ik later dit jaar presiderend rechter kan worden. En dan is er ook nog het federale hof.'

Ik ben niet van plan mijn leven in de wacht te zetten. 'Je zult ze vroeg of laat over mij moeten vertellen. Ze komen er toch wel achter. Je kunt ze maar beter voor zijn.'

'Weet ik, maar de timing is slecht. Degenen die deze beslissingen nemen, zitten niet te wachten op een rechter die een relatie heeft met een strafpleiter. Als Democraat heb je het al moeilijk genoeg. Ik wil ze niet de kans geven mij ervan te beschuldigen dat ik er niet de juiste principes op na hou om een federale rechter te kunnen zijn.'

'Iedereen weet dat je Democraat bent. En dat je een vriendje hebt, heeft niets te maken met of je al of niet geschikt bent om rechter te zijn.'

'Maar daar gaat het niet om, Michael. Het heeft te maken met politiek. Het zal al lastig genoeg zijn om een aanstelling bij de federale rechtbank te krijgen. En als ik ook nog eens de reputatie krijg dat ik een vrouw met een twijfelachtige moraal ben, dan schiet het niet echt op.'

'Dus daar gaat het eigenlijk om? Als je met mij wordt gezien, is dat slecht voor je carrière?'

Ze krabbelt iets terug. 'Nee. Er zijn nog andere factoren. Ik probeer de risico's af te wegen tegen de mogelijke voordelen.'

Ze klinkt alsof ze een vonnis moet vellen. 'Luister,' zeg ik. 'Dit is geen civiele zaak waarin je plussen en minnen tegen elkaar afweegt. En het is ook geen strafzaak waarin je probeert vast te stellen of de aanklager zijn zaak overtuigend heeft bewezen. Een relatie met een strafpleiter zal je geen gouden pluim op je cv opleveren. Aan de andere kant hebben we het ook over míjn gevoelens. Ik ben bereid voor je te bloeden, Leslie. Ik vertelde je net dat ik bereid ben me uit elke zaak terug te trekken die voor jou misschien een probleem kan gaan vormen. Maar je lijkt te aarzelen om hetzelfde voor mij te doen.'

'Ik moet erover nadenken.'

'Je bent al wekenlang aan het nadenken.'

'Ik heb nog wat tijd nodig.'

Haar nu tot een antwoord dwingen, zou niet goed zijn. Zelf weet ik inmiddels dat het stellen van ultimatums meestal contraproductief werkt. Ik probeer een middenweg te kiezen. 'Ik wil het graag snel weten, Leslie.'

'Hoe snel?'

'Snel.'

'Hoe snel is snel?'

Ik haat zulk gesteggel – vooral met collega's. 'Ik ga echt niet een halfjaar zitten wachten totdat je aanstelling als presiderend rechter misschien rond is. En ook geen jaar totdat je misschien voor het Northern District bent genomineerd. Zoveel geduld heb ik niet.'

'Dat zou ook onredelijk zijn.' Ze zwijgt even. 'Het spijt me, Michael. Het valt voor mij ook niet mee. Meer zit er vanavond niet in, ben ik bang.'

Verder wil ik niet gaan. 'Ik begrijp het,' mompel ik, niet echt overtuigd.

Ze drinkt haar glas leeg. 'Wil je nog even blijven en naar een cd'tje luisteren? Neem nog maar een wijntje, hoor.'

Ik hoor de stem van Judy Collins: 'Send in the Clowns.' 'Ik denk dat ik het even van je tegoed houd,' zeg ik. 'Morgen wordt een drukke dag. Ik denk dat het beter is als ik nu naar huis ga.'

'Hé, Mick,' fluistert Pete. 'Waar zit je?'

'Ik rijd nu bij de Waldo Grade.' Het is bijna twee uur in de ochtend. Mijn mobieltje ruist wat nu ik langs de kust in de richting van de tunnel aan de noordkant van de Golden Gate rijd. De mist is inmiddels komen opzetten en ik kan nauwelijks verder kijken dan de lichtbundels van mijn koplampen. 'En waar zit jij?' vraag ik.

'Op het eind van de doodlopende laan waar Little Richard woont.'

'Met jou is het altijd lachen, Pete.'

'Wacht maar tot je de rekening krijgt.' Ondanks zijn aanhoudende geklaag heeft hij er wel degelijk lol in. Hij houdt van de jacht.

Ik vertel hem over mijn gesprekje met Jerry Edwards.

'Ik zal morgen kijken of je in de krant staat. Zal vast een mooi stuk zijn.'

'Al iets van Kaela Joy Gullion vernomen?'

'Nee. Als ze de boel hier werkelijk in de gaten houdt, dan heeft ze zich goed verborgen.'

'Nog bezoek geweest sinds je terugkomst?'

'Eentje. Cheryl Springer.'

'Wat had de vrouw van Daniel Crown bij Little Richards woning te zoeken?'

'Weet ik veel. Misschien had ze een paar suggesties voor de filmmontage.'

'Hoelang is ze gebleven?'

'Ongeveer twintig minuten. Ze keek niet blij toen ze wegging.'

Ik hoop dat haar wederhelft aan zijn dagelijkse kop koffie zit als ik hem over een uur of zes bij Willie's zal treffen.

21
'OMGAAN MET GECOMPLICEERDE DINGEN, DAAR DRAAIT HET JUIST OM IN HET LEVEN'

Baas filmstudio voert geheim overleg met advocaten filmster.
San Francisco Chronicle, maandag 7 juni

'Heb je de krant al gelezen?' vraag ik Rosie. Het is zes uur in de ochtend. Ze staat in de keuken en schenkt water in het koffiezetapparaat. Grace slaapt nog.

Ze negeert mijn vraag. 'Hoe was het bij je vriendin gisteravond?' vraagt ze op haar beurt.

Belangrijke zaken eerst.

'Ging wel,' antwoord ik eerlijk.

Ik heb een verschrikkelijke nacht achter de rug. Ik heb uren liggen woelen, ben om halfzes maar opgestaan en daarna hierheen gekomen. Rosie was al wakker en aangekleed toen ik verscheen. Haar kleine tv staat aan op Channel Two. De *Chronicle* ligt op de keukentafel. Ik bekijk de foto van Petrillo, Rosie en mij op het trottoir voor de vertrekhal van United Airlines. Petrillo's ogen puilen uit, ik kijk omlaag en Rosie staat met de armen over elkaar. De kop luidt: BAAS FILMSTUDIO VOERT GEHEIM OVERLEG MET ADVOCATEN FILMSTER. Verder nog een kleinere foto van Petrillo die Little Richards woning verlaat.

'En?' vraagt Rosie, 'is Leslie bereid het wat serieuzer aan te pakken?'

Niet bepaald. 'Ze weegt nog steeds haar opties af.'

'Dat doet ze al weken.'

'Ze is erg nauwgezet.'

Rosie kijkt afkeurend. 'Het moet voor haar inmiddels toch wel duidelijk zijn? Allemaal smoesjes.'

'Het ligt gecompliceerd.'

'Welnee. Omgaan met gecompliceerde dingen, daar draait het juist om in het leven. De rest kan iedereen.'

Een waarheid als een koe. 'Er spelen meerdere factoren mee.'

'Zoals?'

'Haar carrière. Voor een potentiële kandidate voor het federale hof van justitie oogt het niet zo goed als ze omgaat met een strafpleiter.'

'Met wie ze slaapt heeft niets te maken met haar kwaliteiten als rechter.'

'Het zou kunnen worden beschouwd als een dwaling.'

'Nou, toen ik nog met jou sliep, vatte ik dat echt niet op als een dwaling.'

'Ja, maar jij was ook niet genomineerd voor een betrekking bij het federale hof.'

Een flauwe glimlach. 'Zeg haar dat ze eindelijk eens volwassen moet worden en moet ophouden met zeuren.'

'Ik geloof dat ik dat haar min of meer duidelijk heb gemaakt.'

'En dat werd niet echt met groot enthousiasme ontvangen zeker?'

'Klopt.'

Ze zucht. 'En verder?'

Ik leg uit dat Leslie zich zorgen maakt om Grace. 'Ze is bang dat Grace haar niet kan uitstaan.'

'Dat gevaar bestaat,' erkent Rosie. Haar toon is verzacht. 'Ik zal doen wat ik kan om dat te voorkomen.'

'Dank je.' Ik zwijg even en voeg eraan toe: 'Ze maakt zich ook zorgen om jou.'

'Om mij?' reageert ze meteen. 'Hoezo?'

'Ze denkt dat we nog steeds iets voor elkaar voelen.'

'En, is dat zo?'

'Ik kan alleen voor mezelf spreken.'

'En, sprekend voor jezelf: wat is je conclusie?'

'Kom, Rosie. Ik dacht dat we het erover eens waren dat het tijd werd om gescheiden verder te gaan. Ik dacht dat jij dat wilde.'

Haar ogen vlammen. 'Kom daar niet mee aanzetten. En vertel mij niet wat ik wel of niet wil. Wat wil jíj?'

Het is veel te vroeg voor zulke vragen. Ik slik even moeizaam en zeg: 'Ik zal altijd iets voor je blijven voelen, Rosita, maar ik denk niet dat we voorbestemd zijn ons leven met elkaar te delen. Volgens mij zou het beter zijn als we ieder afzonderlijk op een positieve manier verdergaan.'

'En jij wilt verder met Leslie?'

'Ik denk van wel.'

Ze knikt. 'Je houdt van haar?'

'Ja.'

'En zij van jou?'

'Ze doet haar best.'

'Zeg haar dat ze nog meer haar best moet doen.'

'En jij, Rosita?'

'Hoezo, ik?'

'Ben jij al klaar om verder te gaan?'

'Ik denk het.' Ze zwijgt even. 'Ik heb heel wat kwaliteiten.'

'Dat weet ik.'

'Heb je enig idee hoe groot mijn offer is?'

'Hoe dat zo?'

Ze glimlacht. 'Ik heb mijn eigen seksspeeltje opgegeven zodat jullie tweeën lekker konden rollebollen. Laat ze dan op zijn minst de beleefdheid opbrengen om serieus werk van je te maken, zodat mijn zelfbeheersing niet voor niets is geweest.'

De eeuwige pragmaticus. 'En waar pas ik binnen dit geheel? Het lijkt wel alsof je mij als een soort speelbal beschouwt.'

Haar ogen dansen. 'Absoluut.'

Ik grinnik. 'Denk je dat ik ooit in een sprookje mag meespelen waarin ik uiteindelijk toch het meisje krijg?'

'Dat is ooit gebeurd,' antwoordt ze. 'Daarna trouwden we en hielpen we alles om zeep.'

'Niet alles,' zeg ik. 'We hebben Grace nog.'

'Dat is waar.'

'En we hebben elkaar.'

'Dat ook.'

'Denk je dat andere gescheiden koppels ook zulke gesprekken voeren?' vraag ik.

'Wij zijn anders dan die anderen.'

Dat is zeker waar. Het is een van de redenen waarom huwelijkstherapie bij ons niet werkte. Volgens Rosie zijn we allebei weinig ontvankelijk voor conventionele stimuli. Ik ben hierheen gereden om Angels zaak en het artikel in de *Chronicle* te bespreken. In plaats daarvan kreeg ik tien minuten lang adviezen over mijn liefdesleven. Ze heeft het unieke talent me duidelijk te maken dat ik me als een idioot aanstel, waarna ik me opeens een heel stuk beter voel.

Ze is klaar om ter zake te komen. 'Nou, dat was een mooie foto in de krant.'

'We staan er slecht op.'

'Het kon erger.' Ze fronst haar wenkbrauwen. 'Ze hebben je rechterkant genomen.'

'Dus?'

'Dat is altijd al je beste kant geweest.'

Ik zit in zak en as, en zij maakt alleen maar geintjes. Ik wou dat ik net als zij de dingen in perspectief kon plaatsen – en 's nachts een oog dicht kon doen.

Ze neemt een slokje van haar jus d'orange. 'Die kop over dat geheime overleg is echt belachelijk. Er was niets geheims aan. We waren in een openbare ruimte en ze hebben ons voor een overvolle vertrekhal op de kiek gezet. Ze hadden ons ook naar de Ambassador's Club kunnen volgen.'

'Maakt niet uit. Het artikel suggereert dat we het op een akkoordje wilden gooien.'

180

'Onzin. We hadden de verkeerde vent te pakken. Voorzover ik weet heeft de baas van Millennium Studios niet de bevoegdheid in te stemmen met een gedeeltelijke schuldbekentenis voor een aangeklaagde crimineel. Beseft Edwards wel dat Petrillo's firma miljoenen in deze film heeft geïnvesteerd? Verwacht hij soms dat-ie Angel laat barsten? Hij probeert juist te waken over zijn investering.'

Net als ik wil reageren, kapt ze me af en wijst naar de tv. 'Volgens mij hebben ze je nieuwe vriendje te gast.'

De presentator met het onberispelijke haar fronst het voorhoofd en vertelt ons op zijn allerbeste gedragen toon dat er in de zaak-MacArthur belangrijke vorderingen te melden zijn. 'Politiek verslaggever van de *Chronicle*, Jerry Edwards, is nu aangeschoven.' Zijn toon suggereert dat Edwards toevallig in de buurt was en besloot even binnen te wippen voor een praatje.

Edwards ziet eruit alsof hij de nacht in zijn gekreukte regenjas heeft doorgebracht. Zijn smalle stropdas zit los en zijn boord staat open. Hij heeft opvallend veel weg van een bulldog. 'Belangrijke ontwikkelingen sinds gisteren,' bromt hij voor de camera. Zijn presentatie houdt het midden tussen die van Walter Winchell en Paul Harvey. 'Een van onze camerateams was gisteravond op de luchthaven.'

'Goh, da's ook toevallig,' is Rosies commentaar.

Edwards steekt zijn kin wat vooruit en begint sneller te praten. 'En wie zagen we daar arriveren?' Hij zwijgt even en antwoordt: 'Niemand minder dan Dominic Petrillo, de baas van Millennium Studios, die *The Return of the Master* en tevens het omstreden China Basin-project financieren.'

Ik vind het altijd tamelijk irritant als mensen op tv zichzelf een vraag stellen en vervolgens zelf het antwoord geven alsof ze een orakel zijn. Zelf geef ik er de voorkeur aan slechts tegen mezelf te kletsen als ik alleen ben.

Edwards zet het gesprek met zichzelf voort. 'En wie waren er nog meer? Niemand minder dan Michael Daley en Rosita Fernandez, de raadslieden van Angelina Chavez.'

'Dat zegt helemaal niets,' roep ik en ik besef daarna pas dat ik tegen een tv-toestel praat.

'En dat is nog niet alles,' gaat Edwards verder. Hij spert zijn ogen open. 'Waar denkt u dat de heer Petrillo zich eerder gisteravond bevond?'

De presentator pikt het op. Hij klinkt als Ed McMahon die Johnny Carson zijn zinnetjes aangeeft. 'En, waar?'

'Bij Richard MacArthur junior. Toeval? Ik dacht het niet.'

'Denk je dat hij ook zo tegen zijn vrouw praat?' vraagt Rosie.

'Ja,' zeg ik. 'Dan liggen ze samen in bed en dan vraagt zij: "Zin in seks vanavond?" En dan antwoordt hij: "Ik dacht het niet."'

Ik zie een zweem van een grijns.

Edwards is nog lang niet uitgepraat. 'En met wie zat meneer Petrillo gisteravond in de Postrio aan tafel? Met niemand minder dan Carl Ellis, de aannemer voor het China Basin-project.'

'Ik dacht dat Ellis terug was naar Vegas,' zeg ik.

Rosie kan het niet laten. Ze glimlacht en antwoordt: 'Ik dacht het niet.'

Edwards legt uit dat het voorstel voor het studioproject volgende week getoetst gaat worden. 'En de burgers van San Francisco dan?' vraagt hij. 'Waarom geheim overleg op een luchthaven?'

De presentator verschijnt weer in beeld. Hij neemt het stokje over en vraagt: 'Waarom, Jerry?'

Edwards priemt met een wijsvinger naar de camera. 'Dat weten we niet,' luidt zijn antwoord.

'Kijk, dat noem ik inzicht,' zeg ik. 'Wat is televisie toch een geweldig medium, hè?'

Rosie maant me tot stilte.

Edwards is nog niet klaar met zijn verhaal. 'Het klinkt verdacht,' stelt hij. 'We zullen de situatie blíjven volgen. We zúllen gaan praten, mét Dominic Petrillo, mét Michael Daley en Rosita Fernandez. Mét Angelina Chavez, mét Richard MacArthur en Carl Ellis. Wíj gaan ervoor zorgen dat het China Basin-project zonder een volledige hoorzitting geen voortgang vindt.'

'En we blíjven doorkletsen om vooral naar ons eigen gelul te kunnen blijven luisteren,' voegt Rosie eraan toe.

Even later werp ik opnieuw een blik op het scherm. Er worden beelden getoond van vlammen die uit het dak van een drankzaak omhoogschieten. 'Is dat niet vlak bij Tony's groentewinkel?' vraag ik.

Rosie kijkt en knikt. Ze zet het geluid iets harder. De nieuwslezer vertelt dat een grote brand een drankwinkel op Twenty-fourth in de as heeft gelegd. Er zijn geen gewonden. De brandweer verricht een onderzoek naar mogelijke brandstichting.

Rosies telefoon gaat. Ik neem op. Het is Tony. 'Heb je al gezien wat ze met de winkel van Roberto Peña hebben gedaan?' vraagt hij.

Ik tel een en een bij elkaar op. 'Ja. Wie hebben het gedaan?'

'Geen idee.' Hij ademt zwaar. 'Het is drie straten van mijn winkel. Ik durf te wedden dat ik de volgende ben.'

'Kalm blijven, Tony.'

'Kun jij makkelijk zeggen. Roberto's winkel ligt in puin. Hij had wel dood kunnen zijn.'

'We weten helemaal niet of dit iets met jou te maken heeft.'

'Laat me even met Rosita praten.'

Ik geef haar de telefoon. Binnen de familie Fernandez wordt alleen Spaans gesproken als er grote problemen zijn. Een paar minuten later is het gesprek voorbij. 'Ik moet er meteen heen,' zegt ze. 'Ik wil met brigadier Alvarez praten.' Ze peinst even. 'Je bent nog steeds van plan vandaag Daniel Crown te onderscheppen?'

'Ja. Wil je nog mee?'

'Nee. Ik moet echt naar Tony. Ik hoor het wel of je van Crown iets wijzer bent geworden.'

'Denk je echt dat Crown vandaag komt?' vraag ik de jongedame in Willie's Café, die het bedienen van het espressoapparaat tot een ware kunst heeft verheven.

Ze heet Becky, maar voor de meeste klanten is ze gewoon de koffiejuffrouw. Als ze even een praatje met haar zouden maken, zouden ze ontdekken dat ze een alleenstaande moeder is die een studie volgt. Het valt niet mee om met een bescheiden inkomen en een kind van vier de touwtjes aan elkaar te knopen. Haar blonde haar golft over haar schouders. Haar ogen lijken te oud voor een vierentwintigjarige.

'O, die komt wel, hoor,' verzekert ze me. 'Sinds zijn zoon in de eerste klas zit, slaat hij geen dag over. Behalve als hij voor filmopnamen de stad uit moest.'

In mijn jeugd gingen de meeste mensen 's ochtends eerst naar de koffieshop en de donutzaak voor een eerste bakkie. In Marin County zie je hen in etablissementen als Willie's, een nette koffietent aan de rand van Kent Woodlands, een welvarend stadsdeel omgeven door een bosrijke canyon langs het stroomgebied van Mount Tam. Een driekamer-opknapwoning hier zal je op ten minste twee miljoen dollar komen te staan. Mijn auto wekt tussen alle stationwagons op het parkeerterrein een eenzame indruk. De eikenhouten tafeltjes in het restaurant zijn gedekt met geruite tafelkleedjes. Het zoete aroma van verse koffie en eigengemaakte muffins verspreidt zich door de gezellige ruimte. Een jongeman met een gekwelde blik en piercings in verscheidene lichaamsdelen bedient de grill achter de toonbank. Alle wachtenden in de rij lijken een designer-joggingoutfit of een wielrennersshirt te dragen. Aantrekkelijke au pairs wiegen baby's in opgevoerde wandelwagentjes. De sfeer is vriendelijk, ja bijna opgewekt.

Ik zit aan het eind van de koffiebar, niet ver van de ramen. Het is even voor achten. Onderweg heb ik Grace bij school afgezet. Rosie is naar Tony. Daarna gaat ze naar Angel in het paleis van justitie. Ik prik in mijn roereieren en drink mijn koffie. Het is een warme ochtend. Ik had liever een plekje op het terras gehad. Een gestage stroom joggers en wielrenners maakt grapjes aan de bar. Het lijkt wel alsof iedereen elkaar kent – behalve mij. Ik heb meer met Becky gemeen dan met al deze bezoekers hier en probeer me te verbergen achter het sportkatern. Mijn foto staat namelijk op de voorpagina.

Tien minuten verstrijken. Ik heb mijn eten op, bestel bij Becky nog een kop koffie en betaal de rekening. Van Crown nog steeds geen teken te bespeuren. Eindelijk, het is inmiddels halfnegen, geeft Becky me een knikje. Ik werp een blik op de ingang. Crown komt binnen en pakt een stoel aan een tafeltje in de hoek bij de ramen. Hij lijkt meer op een yup uit een mooie buitenwijk van Chicago dan op een aankomende filmster. Hij draagt een T-shirt van de universiteit van Illinois en een korte sportbroek. Zijn goudblonde haar is achterovergekamd en zijn ogen gaan schuil achter een zonnebril. Becky komt even achter de bar vandaan om hem zijn kop koffie te brengen. Ze kletsen eventjes. Het lijkt erop dat hij zijn vaste bestelling plaatst, wat dat ook mag zijn. Terwijl ze haar plek achter de bar weer opzoekt, passeert ze me. 'Nu is je kans.'

Terwijl ik naar Crowns tafeltje loop voel ik dat ik zwaar uit de toon val. Ik moet later vandaag in de rechtszaal verschijnen en ben dus in pak. Ik ben de enige die geen stretchbroek draagt. Ik heb het gevoel dat alle ogen op me zijn gericht.

Crown kijkt op nu ik aan zijn tafeltje sta. Een paar maanden geleden woonde ik een seminar bij over strafrechtelijke procedures, gegeven door een flamboyante strafpleiter genaamd Mort Goldberg. Zijn stelling was dat als je iemand aan het praten wilt krijgen, je moet doen alsof je hem kent en je complimenteus moet beginnen. Als vleien niet helpt, kun je het altijd nog op een andere manier proberen. Ik steek mijn hand uit en zeg: 'Danny, ik ben Mike Daley. Mijn dochter en jouw zoon hebben met elkaar gevoetbald.'

Ik word beloond met de reactie waarop ik hoopte. Er verschijnt een brede glimlach op zijn gezicht en hij lijkt op zijn gemak. 'Hoe heet uw dochter ook alweer?' vraagt hij.

'Grace.'

'O ja, die ken ik nog wel,' liegt hij en hij krabbelt dan terug. 'Ik geloof het wel, tenminste. Kijk, eh… ik ben veel onderweg. Vandaar dat ik wel eens een naam van een teamgenootje van mijn zoon vergeet.'

Hij slaat zijn krant open. Ik heb nog niet echt contact. Ik ga voor een tweede onzinvraag en vraag hem hoe het is om in Marin te wonen.

Hij is iets toeschietelijker. 'Heel leuk,' is zijn antwoord. 'In LA was het alleen maar ellende. In Marin respecteren ze onze privacy. Als ik bijvoorbeeld hier ben, word ik behandeld als een van de buren. Sean en Robin wonen iets verderop bij ons in de straat. We kunnen ze gewoon uitnodigen voor een barbecue, zonder dat er voortdurend helikopters in de lucht hangen.'

Terwijl ik snel de stoel tegenover hem pak, probeer ik vooral nonchalant te blijven. Je slaat geen goed figuur wanneer je je onder de indruk toont bij het horen van de naam van een van onze plaatselijke beroemdheden. Met Sean en Robin worden de Penns bedoeld, die hier ongeveer anderhalve kilometer vandaan wonen. Hun verhuizing hierheen veroorzaakte enige beroering omdat de nieuwe schutting die ze wilden iets hoger bleek dan wettelijk was toegestaan. Uiteindelijk zagen de stadsvaders in dat de schutting gluurders en tabloidfotografen zou ontmoedigen. Ongeacht de hoogte ervan zijn het goede buren. Ik heb ze wel eens gezien bij wedstrijden van de Little League.

We kletsen nog wat. Hij lijkt zich niet te storen aan mijn gezelschap. 'Luister Danny,' waag ik het erop. 'Er is eigenlijk nog iets waar ik het graag even met je over wil hebben.'

Zijn voorkomen verandert plotsklaps. Hij pakt zijn krant, maar slaat hem niet open. Als aankomend filmster moet je voortdurend op je hoede zijn.

'Ik moet je iets bekennen,' zeg ik. 'Ik ben de advocaat van Angelina Chavez.'

De warme gloed in zijn ogen is snel verdwenen. Hij zwijgt. Ik kan maar beter open kaart spelen. Ik wijs naar zijn krant. 'Die man daar op die foto, dat ben ik, samen met mijn partner en Dominic Petrillo.'

Hij kijkt naar de voorpagina, vervolgens naar mij, maar blijft zwijgen.

'Je zou me echt enorm helpen als je even wat vragen beantwoordde.'

Hij leunt achterover. 'Mijn advocaten hebben me geadviseerd met niemand te praten.'

'Gewoon een paar vragen. Je zou Angelina er een plezier mee doen.'

Een grimas. 'Ik heb de politie alles al verteld. Mijn mensen hebben me aangeraden met niemand te praten.'

Ik wou dat ik 'mensen' had. 'Ik ben er niet op uit om jou, of wie dan ook, in de nesten te werken. Ik wil alleen maar weten wie er waren en hoe laat iedereen wegging.' En ook als je me een volledig verslag wilt geven, wil ik best luisteren, hoor.

Hij denkt even na en antwoordt: 'Cheryl en ik gingen tegen tweeën naar huis.'

Het is een begin. 'Jullie zijn regelrecht naar huis gereden?'

'Ja.'

'Wie waren er toen nog?'

Hij slaat zijn ogen op naar de koffiebar en denkt even na. 'Dick MacArthur, zijn zoon en Marty Kent.' Hij knikt even om te benadrukken dat hij niemand is vergeten.

'En Angelina?'

'Die was er ook, maar die ging al vroeg naar boven.'

'En Dom Petrillo en Carl Ellis?'

Hij wuift even met beide handen. 'Die waren net weg voordat wij afscheid namen.'

Hij begint weer wat te ontdooien. 'Hoe vond je de film?' vraag ik.

Hij schenkt me zijn gouden glimlach. 'Geweldig. Hij is nog beter dan ik dacht. Dick MacArthur was echt een geweldige regisseur.'

'Iedereen vond de film goed?'

'O, ja. Volgens Dom Petrillo zou hij alleen al in Amerika minstens honderd miljoen opbrengen.' Hij knipoogt even. 'Nou, volgens mij zit er veel meer in.'

Toen ik met Petrillo sprak, toonde hij zich echter een stuk gereserveerder over de film. Mensen horen vaak wat ze het liefst willen horen, denk ik. 'De verwachtingen zijn hooggespannen,' lieg ik.

Zijn ogen lichten op. 'Ja, misschien willen ze zelfs het reclamebudget verhogen,' zegt hij.

Ik probeer naïef te klinken. 'Danny,' vraag ik, 'bestaat er een kans dat Dicks dood de première zal vertragen?'

'Nee. Alles is nu in gang gezet. Het is te laat om nog te stoppen.' Hij kijkt even omlaag naar de krant.

'Is je afgelopen vrijdagavond iets merkwaardigs opgevallen? Iemand die zich vreemd gedroeg? Iemand die uit zijn humeur was?'

Hij kijkt niet op. 'Nee.'

'En Angelina?'

'Nee.' Zijn ogen zijn nog steeds op de krant gericht. Hij probeert zich afzijdig te houden.

'Ze was niet gestrest of boos?'

Ten slotte kijkt hij me aan en antwoordt: 'Ze was een beetje gestrest, maar niet boos.'

'Even onder ons, de politie vertelde dat ze misschien iets te veel had gedronken.'

'Dat is mogelijk.'

'En misschien had ze ook wat coke gebruikt.'

Hij aarzelt even. 'Dat zou ik niet weten.'

Nee, vast niet. Maar als ik nu te veel aandring, heb ik daar alleen maar mezelf mee. Ik vraag hem hoe Little Richard en Kent zich die bewuste avond voelden.

'Die hadden het prima naar hun zin,' is zijn antwoord. Hij kijkt even achterom en zwaait naar iemand.

Ik werp een blik door het raam en zie dat Cheryl Springer met grote passen naar de ingang loopt. Hij gebaart haar onze kant op. Ik zie een duidelijke grimas op haar gezicht. Terwijl ze ons tafeltje nadert, begint hij me aan haar voor te stellen, maar ze onderbreekt hem. Op niet mis te verstane toon deelt ze hem mee: 'Daniel, ik moet nú met je praten.'

Het laatste beetje warmte in Crowns ogen verdwijnt. 'Dit is Mike,' zegt hij. 'Zijn dochter kent Jason. We zaten net aan een kop koffie.'

Ze geeft me een ferme maar ongeïnteresseerde handdruk. Ze klemt de kaken opeen. Ik vermoed dat ze iets ouder is dan Crown, ook al is het soms lastig iemand die haar haren, ogen, neus en borsten onder handen heeft laten nemen op de juiste leeftijd te schatten. 'Cheryl Springer,' zegt ze met opeengeklemde kaken. 'Excuseert u ons, ik wil met mijn echtgenoot spreken.'

'Natuurlijk,' zeg ik, maar ik blijf zitten waar ik zit.

Haar norse blik wordt norser. 'Onder vier ogen…' klinkt het nu een stuk lager. Ze zet haar bovenmaatse oranje zonnebril af. 'Nu…'

'Nou,' reageer ik, 'ik hoopte eigenlijk ook nog even met u te kunnen praten.'

Ze schudt haar gebleekte, kroezige manen. Ik zie een blik van herkenning in haar ogen. Ze wijst met een vinger naar me en zegt: 'U bent Angelina's advocaat.'

Ontkennen heeft geen zin. 'Ja,' zeg ik.

Haar grimas maakt plaats voor iets wat het midden houdt tussen irritatie en paniek. Kwaad kijkt ze haar man aan. 'Waar hadden jullie het over?' vraagt ze bits.

'Ik vertelde Mike een beetje over wat ik die avond heb gezien.'

Ze klinkt nu als een lagereschooljuf die op vermanende toon een stout tweedeklassertje toespreekt: 'Daniel, je hebt al met de politie gepraat. Het is niet de bedoeling dat je dat ook met anderen doet.'

Hij verweert zich. 'Ik probeerde alleen maar Angelina te helpen.'

'Ze is een volwassen vrouw. Die kan best voor zichzelf zorgen. Daarom heeft ze meneer Daley ingehuurd.'

Ik val mijn nieuwverworven maatje bij. 'Danny wilde ons alleen maar helpen erachter te komen wat er precies is gebeurd,' leg ik uit. 'We moeten de ware toedracht van Dicks dood achterhalen.' Ik zwijg even, en voeg eraan toe: 'Daarnaast hadden we het ook even nog over de première van *The Return of the Master*.'

Haar ogen boren zich in de mijne. 'En wat is daarmee?'

'Ik vroeg Danny zojuist of de film nog op tijd zal uitkomen.'

Ze kijkt me ongelovig aan. 'Natuurlijk zal-ie op tijd uitkomen.' Vervolgens richt ze zich tot haar wederhelft. 'Je hebt toch niet gesuggereerd dat er een kans op uitstel is, hm?'

Hij wekt de indruk alsof hij elk moment in een donker hoekje kan wegkruipen. Zijn antwoord is nauwelijks hoorbaar, zo zacht klinkt het: 'Nee...'

Ik wil haar aan de praat houden. 'Bent u blij met het uiteindelijke resultaat?'

'Uiteraard.'

'En dat geldt ook voor de anderen?'

'Ja.'

'En Dom Petrillo en Richard MacArthur zetten de première door?'

'Absoluut.'

'Wanneer hebt u daar voor het laatst met Richard over gesproken?'

Een achterdochtige blik. 'Waarom vraagt u dat?'

'Gewoon uit nieuwsgierigheid. Hij vertelde me dat men het gezien Angelina's huidige situatie misschien van slechte smaak vond getuigen.'

'Over de datum van de première bestaat geen enkele twijfel, meneer Daley. Daar heb ik het gisteravond nog met hem over gehad.'

Wat haar bezoek aan huize Richard meteen verklaart. 'Waren er die vrijdagavond nog mensen die zich vreemd gedroegen?'

'Nee. Het was een gezellig feestje.'

'En u bent tegen tweeën naar huis gegaan?'

'Ja. We zijn regelrecht naar huis gereden.' Ze zucht. 'Meneer Daley, Danny en ik hebben het hele verhaal al aan de politie verteld, en we hebben echt geen tijd om alles nog eens te herhalen. We hebben een afspraak in de stad.'

'Waar kan ik u bereiken?'

Ze geeft me een visitekaartje met een postbusadres en een telefoonnummer. 'Als u dit nummer belt, nemen we contact met u op,' zegt ze. Vervolgens wijst ze naar het parkeerterrein en trekt haar wederhelft praktisch uit zijn stoel omhoog.

'Heb je Crown nog in Willie's getroffen?' vraagt Rosie. Ze belt vanuit Tony's groentewinkel. De laatste tijd lijkt het wel alsof we ongeveer negentig procent van de tijd enkel telefonisch communiceren.

'Reken maar.' Ik vecht tegen het verkeer op de Golden Gate Bridge terwijl ik op weg ben naar de stad. 'Lijkt me op zich best een aardige vent.'

'Is-ie net zo lekker als in zijn films?'

Ach, waarom haar fantasie om zeep helpen? 'Beter nog. Ik heb hem alleen niet gevraagd of hij ook met jou wilde kennismaken. Dat leek me iets te voortvarend voor een eerste ontmoeting.'

'De volgende keer ga ik met je mee.'

'O, en ik kreeg nog een bonus. Ik heb zijn vrouw ook ontmoet.'

'Hoe is ze?'

'Een almachtige verschrikking.'

'Ben je nog iets te weten gekomen?'

'Nee. Ze hielden zich netjes aan het officiële verhaal. Iedereen vond de film te gek, en iedereen had het naar zijn zin. De première gaat gewoon door.'

'Denk je dat ze de waarheid spraken?'

'Ik betwijfel het. Er is iets gaande. Zijn vrouw was pissig omdat-ie met me zat te praten. Ze sleurde hem bijna letterlijk het restaurant uit. Ik weet even niet wat ik hier verder mee aan moet.' Daarna informeer ik naar de brand in de drankzaak.

'Het lijkt op brandstichting.'

'Weten ze al of het iets met het bouwproject voor de nieuwe filmstudio te maken heeft?'

'Daar is het nog te vroeg voor. Na de voorgeleiding gaan we met brigadier Alvarez praten. Maar eerst ga ik kijken hoe het met Angel is. Daarna is mij om elf uur in het kantoor van Nicole Ward een korte audiëntie met Marty Kents zoon toegezegd.'

'Ik zie je daar.'

22

'MIJN VADER PLEEGDE GEEN ZELFMOORD'

KENT, Martin H. Op 5 juni jl. overleden op tweeënzestigjarige leeftijd. Geliefd echtgenoot van wijlen Marilyn en vader van Scott en Michelle. Gerespecteerd filmbaas en ex-marinier. De dienst zal in besloten kring plaatsvinden. Giften te zijner nagedachtenis zullen worden overgemaakt aan de American Cancer Society.

San Francisco Chronicle, maandag 7 juni

'Ik ben nog even bij de Golden Gate Bridge gestopt en heb de bewaker gesproken die Angel heeft aangetroffen,' vertel ik Rosie. 'Hij vond haar tijdens zijn ronde. Hoelang ze daar heeft gestaan, kon hij niet zeggen.'

Het is elf uur in de ochtend en we wachten voor het kantoor van officier van justitie Nicole Ward. Die zit binnen, samen met de zoon van Marty Kent. Ik vrees het moment waarop de deur open zal gaan. We moeten hem enkele gevoelige vragen voorleggen. Voor ons wellicht vervelend, maar voor hem waarschijnlijk een marteling. Om eerlijk te zijn heeft Ward het ons een stuk gemakkelijker gemaakt door ons toestemming te geven voor een gesprek. We hebben beloofd hem thuis niet lastig te vallen.

'Heeft die bewaker verder nog iemand gezien?' vraagt Rosie.

'Nee.' Ik vertel haar dat hij bevestigde dat Angel achter het stuur zat en dat de motor draaide. 'Hij heeft toen de politie gebeld. Daarna heb ik het hoofd van de bewaking gesproken en ook alle anderen die van vrijdag op zaterdag dienst hadden, maar niemand heeft haar daar zien aankomen.'

Ze vraagt of ze daar ook bewakingscamera's hebben.

'Ja, maar niet op de parkeerplaats.' Ik vertel dat er camera's in de tolcabines zijn om mogelijke oplichters te kunnen spotten, en ook op de voetgangerspaden in verband met mogelijke brugspringers. 'De beambte die die avond de videoschermen bemande, heeft niets verdachts gezien. Het was mistig en het zicht was slecht. Hij heeft beloofd de banden voor ons te kopiëren.'

'En verkeerscamera's?' wil ze weten.

'Eentje staat er boven op het beheergebouwtje. Daarop zijn alle zes de rijbanen te zien, plus de voetgangerspaden aan de zuidkant van de brug.'

'Stond hij zaterdagochtend om drie uur ook aan?'

'Hij staat altijd aan. Tv-stations gebruiken de beelden voor de actuele verkeersinformatie op hun websites. Ook zij hebben beloofd voor kopieën te zorgen.'

De deur gaat open. Nicole Ward voegt zich bij ons en sluit de deur achter zich. 'Hou het kort,' fluistert ze. 'Hij moet vandaag met het vliegtuig naar LA om de begrafenis te regelen.'

'Heeft Rod Beckert de doodsoorzaak al kunnen vaststellen?' vraagt Rosie.

'De officiële oorzaak is verdrinking, maar het was zelfmoord. Hij is van de brug gesprongen. Waarschijnlijk heeft hij toen hij het water raakte het bewustzijn verloren. Hij had nog andere verwondingen die hiermee verband houden.'

'Is Ron zeker van zijn zaak?'

Ward slaat de armen over elkaar. 'Rod Beckert is al meer dan dertig jaar hier de patholoog-anatoom. Er zijn meer dan duizend zelfmoordpogingen vanaf deze brug gedocumenteerd. Hij heeft de twijfelachtige eer meer autopsies van brugspringers op zijn naam te hebben dan wie ook ter wereld. Het antwoord op jullie vraag luidt dan ook: "Ja, hij is zeker van zijn zaak."'

Toch willen we hem daarover graag persoonlijk aan de tand voelen. 'Heeft iemand hem zien springen?'

'Nee.'

'Heeft een van de camera's het geregistreerd?'

'We wachten nog op de videobanden.'

'Enig idee waarom hij dit heeft gedaan?'

Ward haalt haar schouders op. 'Zijn vrouw is een jaar geleden gestorven. Hij had financiële problemen, stond onder grote druk. Ik vermoed dat hij in een depressie zat.'

'Zijn zoon onderkent dat?'

Ward sluit haar ogen. 'Nee. Hij zit nog steeds met de schok, weigert het vooralsnog te geloven. Op zich begrijpelijk, gezien de omstandigheden.'

Rosies ogen schieten even mijn kant op. Daarna kijkt ze Ward weer aan. 'We willen nu graag even met hem praten.'

'Prima. Maar hou in gedachten dat het pas twee dagen geleden is dat zijn vader zelfmoord pleegde.'

'We houden het kort, Nicole,' zegt Rosie.

'Meneer Kent,' begint Rosie, 'om te beginnen willen we u condoleren met het verlies van uw vader.'

Scott Kent knikt, maar zegt niets. Marty Kents enige zoon blijkt een jongere, langere en minder robuuste versie van zijn vader. Hij werkt bij een van de grote makelaarskantoren in het centrum en zo ziet hij er ook uit. Het grijs van zijn grijze zakenkostuum past prima bij zijn haar. Zijn huid is bleek en de wallen onder zijn ogen doen vermoeden dat hij de afgelopen dagen bijzonder weinig heeft geslapen. Nicole Ward zit met de handen gevouwen achter haar bureau.

Rosie begint voorzichtig. 'Kon u goed met uw vader opschieten?'

Kent slaat zijn ogen neer. 'Ja.'

Ze buigt zich iets naar voren. 'We hebben begrepen dat uw moeder onlangs is overleden.'

Hij neemt een slokje water. 'Dat is al bijna een jaar geleden.'

'Sorry.'

'Ja.'

'Het moet voor hem een groot verlies zijn geweest.'

'Ze waren al veertig jaar getrouwd. De laatste drie jaar was ze ziek. Kanker.'

Rosie kijkt me even aan. Ik neem het over. 'Meneer Kent, hebt u na de dood van uw moeder gemerkt dat uw vader zich anders ging gedragen?'

'Hij was een aantal maanden erg aangedaan.'

'Dat is volkomen begrijpelijk. Het spijt me als ik misschien te persoonlijk ben.'

'Ik wil net zo graag als u weten wat er met mijn vader is gebeurd, meneer Daley.'

Hij toont zich buitengewoon hoffelijk. 'Bespeurde u iets van gedeprimeerdheid?'

Kent slikt. 'Nee.'

'Had hij hulp? Van een therapeut misschien, of van een geestelijke?'

'Onze priester ontfermde zich over hem. Hij vocht terug, meneer Daley. Aan zijn energie mankeerde niets. Hij verheugde zich op de première van de film, en was met name enthousiast over de nieuwe studio. Hij en Dick MacArthur spraken al jaren over een nieuwe faciliteit hier.'

'Is hij zich de laatste paar maanden anders gaan gedragen? Had hij stress? Was hij oververmoeid?'

'Hij stond voortdurend onder spanning, meneer Daley. Hij was betrokken bij de voorbereidingen voor de première van *The Return of the Master*; hij zette zich in voor de goedkeuring van de bouwplannen. Hij had een volle agenda, maar was vol enthousiasme.'

Ik vraag of hem de afgelopen weken iets is opgevallen aan zijn vader.

'Niets.'

'Hoe ging het tussen hem en Dick MacArthur?'

'Ze waren als broers. Twee oude mannen die schreeuwden, tierden en vloekten. Ze hadden altijd wel iets om ruzie over te maken, om elkaar daarna als goede vrienden te omhelzen. Meestal luisterde Dick naar wat mijn vader te zeggen had.'

'Hoe ging hij om met Angelina?'

'Op een heel professionele manier. Eigenlijk vond mijn vader het ongepast dat een man zo oud als Dick een vrouw trouwde die zoveel jonger was. En dat liet hij weten ook, maar Dick negeerde hem.'

'En kon hij het goed vinden met Dicks zoon?'

'Laten we zeggen dat hij erkende dat het produceren van films Richard junior goed afging.'

'We hebben geruchten gehoord dat uw vader financiële problemen had. In de kranten is gesuggereerd dat hij niet blij was met de afspraken voor het studioproject.'

'Niets van waar,' klinkt het enigszins gepikeerd. 'Hij was ontevreden, omdat hij het vermoeden had dat Dominic Petrillo en Carl Ellis Dick MacArthur onder druk hadden gezet om met een kleiner aandeel akkoord te gaan.'

'Hij wilde zich niet terugtrekken?'

'Geen sprake van.'

'En hij wilde ook niet opnieuw onderhandelen?'

'Een man een man, een woord een woord, meneer Daley.'

Ik kijk even naar Rosie, die het weer van me overneemt. 'Meneer Kent, heeft mevrouw Ward u al verteld dat de patholoog-anatoom de doodsoorzaak van uw vader heeft vastgesteld?'

Het antwoord is bijna niet te verstaan. 'Ja.'

'En u beseft dat dr. Beckert concludeert dat het zelfmoord moet zijn geweest?' vraagt ze zacht.

'Ja, dat besef ik.'

'Luister,' zegt ze, 'ik weet dat het niets aan de zaak verandert, maar ik moet het vragen…'

Scott Kent brengt een hand omhoog. Zijn ogen worden kobaltblauw. Hij kijkt Rosie aan en antwoordt op niet mis te verstane toon: 'Ik heb dr. Beckerts rapport gelezen. Mijn vader speelde bij het All American footballteam van UCLA, en hij was marineofficier. Toen hij in Vietnam drie mannen uit een brandend dorp redde, kreeg hij daarvoor een Purple Heart. Hij geloofde altijd dat waardigheid in tegenslag hét kenmerk van een echte vent was.' Hij begint geëmotioneerd te raken. 'Mijn vader was advocaat, zakenman, een soldaat en een held. Nooit raakte hij in paniek. Het kan me niet schelen wat dr. Beckert allemaal concludeert. Hij heeft mijn vader nooit ontmoet. Mijn vader pleegde geen zelfmoord. En er is niets waarmee hij – noch u – me van het tegendeel kunt overtuigen.'

Rosie en ik bevinden ons nog steeds in de werkkamer van Nicole Ward. Scott Kent is inmiddels op weg naar de luchthaven om zijn vliegtuig te halen. Ward zit nog steeds achter haar bureau. Lisa Yee heeft zich intussen bij ons gevoegd. Een complete doos met dossiermappen ploft voor mijn neus op tafel. 'We kopiëren al onze documenten,' deelt ze me mee. 'MacArthurs en Kents autopsierapporten; foto's van de plaats delict; vingerafdrukanalyses met betrekking tot de woning, de auto en de oscar; informatie over de film en het studioproject; plus achtergrondgegevens.' Ze haalt haar schouders op. 'Ik zie jullie wel bij de voorgeleiding.'

'Kunnen we het daar nog eventjes over hebben?' vraagt Rosie.

Ward neemt het woord. 'Er valt niets te bespreken. We spelen ieder onze normale rol. Jullie cliënte zal verklaren dat ze onschuldig is, waarna jullie om borgtocht verzoeken. Wij zullen dat afwijzen, waarna de rechter de datum voor de voorlopige hoorzitting vaststelt. Het zal hooguit een kwartier duren. Daarna gaan we naar beneden en laten we de media onze standpunten weten. In de zeven seconden die ik toebedeeld krijg, zal ik verklaren dat onze zaak waterdicht is. Jullie zullen verklaren dat jullie cliënte onschuldig is. De tv-stations zullen buiten voor de deur eigenhandig het vonnis willen vellen, en vanavond kunnen we onszelf op het journaal zien. En als er verder weinig nieuws is, wie weet komen we zelfs op CNN of *Entertainment Tonight*.'

Ik weet even niet wat me het meest ergert: Wards zelfvertrouwen, haar cynisme of het feit dat ze met haar beschrijving van het hele scenario waarschijnlijk de spijker op de kop slaat.

'Je bent de aanklacht vergeten,' bromt Rosie.

'Moord met voorbedachten rade.' Ze aarzelt even en voegt eraan toe: 'Wellicht met inachtneming van verzwarende omstandigheden.'

Rosie kijkt kwaad. 'De doodstraf?'

Het bluffen begint. 'Absoluut.'

Rosie slaat een verbijsterde toon aan. 'In een zaak met alleen maar indirecte bewijzen? Op basis waarvan, als ik vragen mag?'

Ward laat zich niet uit het veld slaan. 'De oude troef: artikel 129, punt 2(a).'

Ik ben nooit onder de indruk geweest van lieden die hele delen uit het wetboek van strafrecht uit het hoofd leren en citeren. Haar triomfantelijke blik suggereert dat ze hoopt dat ik haar vraag de desbetreffende tekst te citeren. Dat pleziertje gun ik haar niet. Artikel 190.2(a) van het wetboek van strafrecht vermeldt een lijst van 'verzwarende omstandigheden' waarbij de doodstraf mag worden geëist. Hieronder vallen onder andere meervoudige moorden, moorden op rechters of agenten en moord in verband met beroving, ontvoering of verkrachting. Volgens artikel 190.2(a1) mag de doodstraf worden geëist als de moord opzettelijk was en omwille van financieel gewin werd gepleegd. 'We praten hier niet over een moord in opdracht,' zeg ik.

'Kan zijn, maar rechtbanken zijn bereid deze status ook toe te kennen aan zaken waarin andere vormen van financieel gewin meespelen.'

Een agressieve interpretatie. Misschien bluft ze. Aangezien ik toch niet in staat ben haar op andere gedachten te brengen, vraag ik: 'Wat voor financieel gewin precies?'

'Dat heb ik je al uitgelegd. Aanspraak op een levensverzekering van een miljoen dollar en een aanzienlijke erfenis volgens het testament van haar man. Zijn dood maakt de huwelijkse voorwaarden ongeldig. Zijn bezittingen zullen nu volgens het testament moeten worden verdeeld. Zij krijgt de helft van alles, met uitzondering van de wijnmakerij.'

Weet ik, weet ik. Tijd voor een afleidingsmanoeuvre. 'En MacArthurs zoon?' vraag ik.

'Wat wil je weten?'

'Die had financieel heel wat op het spel staan. Volgens het testament erft hij de helft van zijn vaders contanten en aandelen, onder meer de helft van zijn aandeel in MacArthur Films. En de wijnmakerij.'

'Dus?'

'Nou, als je toch op zoek bent naar iemand met een financieel motief, zou ik hem zeker niet uitsluiten.'

Ward veinst ongeloof. 'Je denkt dat hij zijn eigen vader heeft vermoord?'

'Je mag de mogelijkheid niet uitsluiten.'

'Onzin. Ga maar na. Hij hoefde slechts een paar maanden te wachten voordat zijn vader van Angel zou scheiden. Daarna zou zijn vader het testament zo hebben aangepast dat zijn zoon de enige erfgenaam werd. Hij had alleen maar even hoeven wachten. Hij zou alles opstrijken zodra zijn vader zou komen te overlijden.'

'Misschien had hij geld nodig. Misschien bedacht zijn vader zich.'

'In welk opzicht?'

'Weet ik het? Er was helemaal geen garantie dat hij Richard tot enige erfgenaam zou maken.' Over MacArthurs maîtresse in LA, die misschien een deel van de buit zou opstrijken, zwijg ik liever. Het zou de suggestie kunnen wekken dat Angel een motief had en in een vlaag van jaloezie haar man vermoordde.

Ward zet de tegenaanval in. 'Even realistisch, Mike. Kijk eerst naar de feiten voordat je de schuld op een ander afschuift. Denk je nu echt dat een jury zoiets gelooft? Richard junior kan dit nooit van tevoren hebben bekokstoofd. Hij wist niet hoe laat de gasten die avond zouden vertrekken, kon niet voorspellen dat Angel beneveld raakte – aangenomen dát. We hebben geen enkel bewijs dat hij haar naar de brug heeft gereden.'

'Ik wil je er alleen maar op wijzen dat je geen enkele mogelijkheid mag uitsluiten. En bovendien: vlak vooral Marty Kent niet uit.'

'Hij pleegde zelfmoord.'

'Ik ben daar anders niet van overtuigd. En zijn zoon ook niet.'

'Rod Beckert wel. Sinds wanneer ben jij de patholoog-anatoom?'

'Hij heeft Marty Kent nog nooit ontmoet.'

Ze is nog steeds niet om. 'Hij zat in een depressie en stond onder enorme druk.'

'Hij was een advocaat en een ex-marinier die precies wist hoe je daarmee moest omgaan. Stel dat hij inderdaad zelfmoord pleegde, dan pleit dat hem nog niet vrij.'

'Je hebt geen greintje bewijs.'

Ik voel mijn nek rood worden. 'O jawel. Zijn vingerafdrukken zaten op het stuur van MacArthurs wagen. Kent kan hem die klap hebben verkocht,

Angelina in de auto hebben gezet en haar naar de brug hebben gereden.'

'Dat hij het stuur heeft aangeraakt, wil nog niet zeggen dat hij er iets mee te maken heeft gehad. De wagen was nieuw. Misschien mocht hij van MacArthur even een proefritje maken.'

Ik geef het niet op. 'Misschien heeft hij MacArthur vermoord en Angelina naar de brug gereden.'

'Geef ons de bewijzen, dan bekijken we de zaak.'

'En die andere vingerafdrukken op het oscarbeeldje?' vraag ik. 'Je vertelde ons eerder dat ze er nog mee bezig waren. Zitten die van Kent er ook op?'

Ze aarzelt even. 'Ja.'

Dit komt goed uit. 'Dus zijn vingerafdrukken zitten op het moordwapen. Dat moet voldoende zijn om hem als verdachte te beschouwen.'

'Niet tenzij je nog ander bewijsmateriaal vindt.'

Het lokt bij Rosie een nieuwe vraag uit. 'Wiens vingerafdrukken zijn er op de oscar aangetroffen?'

Ward pakt het dossier met het onderzoeksresultaat en slaat pagina 4 op. Ze overhandigt Rosie het document. 'Hier staat het.'

Rosie wordt allengs verbaasder. 'Hier staat dat jullie acht mensen hebben geïdentificeerd die het beeldje in hun handen hebben gehad.' Afgezien van Big Dick en Angel leest ze ook de namen op van Kent, Little Richard, Petrillo, Ellis, Crown en Springer.

'Dus?'

'Jullie hebben Kents vingerafdrukken aangetroffen op zowel het wapen als de auto. Jullie hebben bovendien Little Richards vingerafdrukken op het moordwapen gevonden. Hoe kunnen jullie deze twee namen dan wegstrepen?'

Ward priemt met een wijsvinger naar me. 'Iedereen – jullie cliënte inbegrepen – heeft bevestigd dat de oscar tijdens de toost van hand tot hand is gegaan. Daarom zitten al hun vingerafdrukken op het beeldje. Niemand kan op enigerlei wijze regelrecht met de moord op Big Dick MacArthur in verband worden gebracht.' Ze tikt met haar potlood op haar bureaublad en voegt eraan toe: 'Geen vingerafdrukken, geen voetafdrukken, geen bloed, niks.' Ze heft de handen en wil opstaan.

Maar Rosie is nog niet klaar. 'Kom op, Nicole. Je betoog zit vol hiaten. Reken maar dat jullie voor schut staan zodra we ze tegenover de jury zullen aanstippen.'

Ward toont zich niet onder de indruk. Het is nu haar beurt om te vorsen. 'Zoals?'

'Op Angelina's kleding is geen spoortje bloed aangetroffen. Hoe kan ze haar man met een oscar buiten westen hebben geslagen zonder zelf onder de bloedspatten te komen?'

'Ze waste haar handen en ontdeed zich daarna van haar bebloede kleding.'

'Waar?'

'Ergens tussen de woning en de Golden Gate Bridge.'

'Hebben jullie die kleren gevonden?'

'Nee.'

'Waarom heeft ze zich dan niet meteen ook van die oscar ontdaan?'

'Dat weet ik niet.'

We houden dit rollenspel nog een paar enerverende minuten vol. Ward houdt voet bij stuk. Rosie bladert driftig door de dossiers. Ze wijst erop dat Angel, Little Richard, Petrillo, Ellis, Crown, Springer en Kent die avond allemaal tot laat zijn gebleven. 'Je zult toch zeker wel rekening hebben gehouden met het feit dat iemand weer naar de woning kan zijn teruggegaan?'

'Natuurlijk. Er zijn geen bewijzen die één bepaald persoon in verband brengen met de moord.'

Een impasse. Hier, in Wards werkkamer, zullen we het niet voor elkaar krijgen de aanklacht geseponeerd te krijgen. Ik wil reageren, maar ik zie dat Rosie eventjes haar hand omhoogbrengt: het is tijd om te hergroeperen.

Terwijl we het kantoor uit lopen, vraag ik Lisa Yee: 'Kan ik je heel even spreken?'

Ze werpt even een blik naar haar baas. 'Als het over de zaak gaat, heb ik liever dat Nicole erbij is.'

'Het gaat over Benjamin Taylor, een jongen die is aangeklaagd wegens drugsbezit.'

Opnieuw kijkt Yee even naar Ward, die nu knikt. 'Ik zie je over vijf minuten in mijn kamer,' zegt Yee.

23
'MIJN HANDEN ZIJN GEBONDEN'

'Ons kantoor legt zich vooral toe op het aanklagen van drugdealers. We zijn voor een harde aanpak om zo de toevloed van het geestverruimende middel dat bekendstaat als ecstasy een halt toe te roepen.'
Lisa Yee, hulpofficier van justitie, *San Francisco Chronicle*, maandag 7 juni

'Wat vond je ervan?' wil Rosie een paar minuten later weten.

We staan in de gang voor Lisa Yee's werkkamer. Yee zit nog bij Ward. 'Waarvan?' vraag ik.

'Scott Kent.'

'Volgens mij is-ie een normale vent die het even flink zwaar heeft. Ik ben geneigd hem te geloven. Het moet voor hem niet meevallen rekening te houden met de mogelijkheid dat zijn vader inderdaad zelfmoord pleegde.'

Rosie knikt. 'Maar?'

'We moeten zijn verhaal met enige scepsis bekijken. Verplaats jezelf eens in hem. Je vaders lichaam werd eergisteren gevonden. Alleen het verwerken van zijn plotselinge dood is al erg genoeg en het laatste wat je wilt horen, is dat hij zichzelf misschien van het leven heeft beroofd.' Ik peins even. 'Als priester heb ik het ook meegemaakt. Mensen willen zoiets pas geloven als ze de harde bewijzen onder ogen krijgen. Zo zit de mens nu eenmaal in elkaar.'

Ze knikt, maar zwijgt.

'En Little Richard?' vraag ik. 'Hij liep een materieel, financieel risico.'

'Als hij tot zijn vaders scheiding had gewacht, zou hij nog meer hebben geërfd.'

'Misschien heeft hij dringende verplichtingen. En zo'n warme band had hij nou ook weer niet met zijn vader.'

'Ja, maar dat geldt ook voor jou en je vader. Dat wil nog niet zeggen dat je hem zou hebben vermoord.'

'Dit ligt anders. We moeten alle mogelijkheden bekijken. Ik vind dat we op zijn minst nog een keer bij hem langs moeten.'

Daar is Rosie het mee eens.

'Wat vond je van Nicoles besluit om te gaan voor verzwarende omstandigheden?' vraag ik.

'Dat had ik wel verwacht.'

'Je denkt dat ze het echt meent?'

'Waarschijnlijk wel. Het is ook een onderhandelingstactiek. Ze probeert Angel meer onder druk te zetten. We kunnen er niets tegen doen.'

Ik zie Lisa Yee onze kant op komen en draai me weer om naar Rosie. 'Ik ga het met haar over Ben hebben. Kom je erbij zitten?'

'Nee. Ik moet nog wat telefoontjes plegen, en daarna moet ik met Angel praten.'

'Benjamin Taylor is een drugsdealer,' geeft Lisa Yee me te verstaan. Ze zit achter een gehavend metalen bureau in de raamloze werkkamer die ze met een andere jonge hulpofficier deelt. 'Ik word betaald om drugshandelaren te vervolgen.'

'Hij is nog maar een jongen, Lisa,' werp ik tegen. 'Hij is nog nooit gearresteerd, heeft zelfs nog nooit een bekeuring gekregen.'

Haar bureau en haar dossierkast zuchten onder het gewicht van stapels papier. Haar kleren van de stomerij hangen in een cellofaanzak aan een spijker in de zware houten deur. Een zwoegende ventilator voert een zinloze strijd tegen de hitte van dertig graden. Een bruinpapieren lunchzakje ligt in haar opengeklapte koffertje op de linoleum vloer. Haar Hastings-bul hangt aan de muur vlak boven haar bureau. Ze is cum laude afgestudeerd en had bij elk kantoor zo aan de slag gekund. Maar ze heeft gekozen voor deze bedompte kamer om boeven op te kunnen bergen. Ze trekt wat aan haar katoenen blouse, die aan haar huid plakt. 'Hij verkocht ecstasy, Mike,' zegt ze.

'Dat weet je niet zeker.'

'We hebben een ooggetuige.'

'Je hebt hem immuniteit beloofd als hij wilde getuigen.'

'Is onderdeel van de rechtsgang. We willen de distributiekanalen lamleggen. Heb je enig idee hoe ernstig de problemen met deze drug zijn?'

'Toevallig wel, ja. Het is gevaarlijk spul.' Ik kies voor een redelijke toon. 'Luister,' ga ik verder, 'hij is bereid te bekennen dat hij iets van dat spul in zijn bezit had, maar hij dealde niet. Jullie staan niet sterk. Jullie zaak rammelt.' 'Rammelen' betekent binnen de muren van het paleis van justitie ongeveer zoiets als een zaak die ergens het midden houdt tussen een overtreding en een misdaad. Het is de officier van justitie die in zo'n geval de knoop doorhakt. 'Jullie kunnen nooit hardmaken dat het hier om een misdrijf gaat.'

Yee gaat er niet in mee. 'Hij had een plastic zak met honderd pillen bij zich.'

'Die zaten in een rugtasje dat iemand hem in zijn handen drukte vlak voordat de politie arriveerde.'

Een grijns. 'Beloof me alsjeblieft dat je met iets beters voor den dag komt dan de geijkte smoes dat je cliënt ervoor mag opdraaien.'

Dit gaat de verkeerde kant op. 'Als hij aan het dealen was, waarom had hij dan niet meer dan twaalf dollar op zak?'

'Omdat hij geen goeie dealer was. Bovendien was het nog vroeg in de avond.'

'Het was drie uur in de ochtend.'

Een mondhoek gaat omhoog. 'De meeste raveparty's beginnen dan pas.'

Ik voel me oud.

'Bovendien,' gaat ze verder, 'is ecstasy goedkoop. Als je er echt aan wilt verdienen, moet je een hoop van die pilletjes verkopen.'

Dat laatste is waar. En dat is een van de dingen die deze drug zo aantrekkelijk maken. Ik probeer het nog eens. 'Je bent dus echt van plan om een jongen van negentien voor een ernstig misdrijf aan te klagen?'

'Ja.'

Ik zucht diep, houd mijn handen omhoog en zeg: 'Lisa, hoe kunnen we dit fiksen?'

Ze strijkt met een vinger over haar kin. 'Er valt niets te fiksen.'

'Wees redelijk. Klaag hem aan wegens bezit. Geef hem een voorwaardelijke straf. Ik zal hem overhalen een nuttige taakstraf te kiezen.'

'Er valt niets te fiksen,' herhaalt ze.

Haar toon staat me niet aan. 'Wat zit hierachter?' vraag ik.

Haar antwoord klinkt een stuk minder overtuigend. 'Het is onze taak drugdealers op te bergen.'

'Lisa,' zeg ik, 'even onder ons. Je kunt je tijd toch wel beter besteden dan aan het opsluiten van overtreders zonder strafblad? Wat is hier aan de hand?'

Ze wijst naar de deur. 'Doe eens dicht.'

Ik doe wat ze me vraagt. Bedompter kan het hier niet worden. Ik wacht.

Haar blik wordt serieus. 'Dit blijft onder ons.'

'Begrepen.'

Ze wijst naar het plafond. 'Dit komt van hogerhand.'

'Van Nicole?'

'Nog hoger.'

Maar Nicole is de hoogste hier. 'Wie dan?'

'De burgemeester.'

Wat? 'Sinds wanneer is hij betrokken bij de rechtspraak?'

'Hij wil zich met deze zaak bemoeien.'

'Waarom?'

'Hij ligt zwaar onder vuur. De *Chronicle* publiceerde een aantal artikelen over dat onze drugsaanpak zogenaamd te soft is. Ze schreven dat we met halve maatregelen komen, in plaats van dat we een OM zijn. Dit jaar is verkiezingsjaar. De burgemeester werd zenuwachtig en belde met de officier van justitie. Hij belde Nicole en droeg haar op de boel aan te scherpen, met name waar het gaat om raves en nachtfeesten. Alles wat te maken heeft met coke, heroïne, ecstasy krijgt voorrang. De jongens die afgelopen weekend werden opgepakt, kunnen hun borst natmaken.'

Slecht nieuws. De kans dat het gezonde verstand zal zegevieren vermindert aanzienlijk zodra politici een zaak voor hun politieke karretje willen spannen. 'En wat speelt hier nog meer?' vraag ik.

'Verder niets.'

Daar ben ik niet echt van overtuigd. 'Kom op, Lisa. We zijn altijd recht door zee geweest, jij en ik. Heeft het iets te maken met oud zeer tussen Nicole en Carolyn?'

Een verontwaardigde blik. 'Absoluut niet.' Ze kijkt me recht in de ogen. 'Hun persoonlijke verleden heeft niets met deze zaak te maken.'

Ik geloof haar, en probeer het nog een laatste maal. 'Hoe kunnen we dit oplossen, Lisa? Een paar normale, beschaafde mensen lopen het risico te worden beschadigd. Zo worden er levens vernietigd.'

'Mijn handen zijn gebonden, Mike.'

'En als het je eigen zoon was?'

'Dan zou ik hem op het hart drukken vooral niet in drugs te handelen.'

Die opmerking heb ik verdiend. 'Wat is er nodig om de zaak te seponeren?'

Haar frustratie lijkt oprecht nu ze antwoordt: 'Laat hem schuld bekennen aan een misdrijf. Ik zal een lichte straf eisen.'

'Hij belandt in de gevangenis tussen andere drugsdealers.'

'Meer kan ik niet doen.'

'Het is belachelijk.'

'Vertel dat maar tegen de burgemeester.'

Verdomme. Vertel dat maar tegen Ben, en Carolyn.

24

'ZEG HET ALSOF JE HET MEENT'

'In mijn rechtszaal verwacht ik fatsoen.'
Hogere rechter Elizabeth McDaniel, sprekend tot nieuwe leden van
de orde van advocaten van Californië

Rechter Elizabeth McDaniel tuurt over het randje van haar leesbril naar Angel. 'Begrijpt u het u ten laste gelegde, mevrouw Chavez?'

De temperatuur in de inmiddels stille rechtszaal is slechts iets lager dan zo-even in Lisa Yee's werkkamer, en het ruikt er naar de kluisjes van de lokale YMCA. Verslaggevers vechten om een plek op de jurybanken. Jerry Edwards zit vooraan en draagt hetzelfde pak als op *Mornings on Two*. Little Richard zit vooraan op de uitpuilende publieke tribune. Nicole Ward heeft samen met Lisa Yee plaatsgenomen achter de tafel van de aanklager.

Rosie staat achter de katheder, ik sta bij de tafel van de verdediging, naast Angel, die gekleed is in een oranje jumpsuit. Ze lijkt op iedere andere beschuldigde misdadiger. Haar matte ogen draaien naar Rosie, die haar even toeknikt. 'Ja,' fluistert Angel.

Rechter McDaniel is een hartelijke vrouw van in de vijftig, die toen haar kinderen het huis uit waren rechten ging studeren. Ze zette haar echtgenoot aan de kant, eindigde als beste van haar jaar op de rechtenfaculteit van Hastings en kreeg een baan bij een groot advocatenkantoor. De eindeloze papierwinkel van civiele zaken beu vertrok ze naar het OM, waar ze zich opwerkte tot hoofd van de narcoticadivisie. Ongeveer vijf jaar geleden werd ze aangesteld als rechter. Ze lijkt haar werk net zo leuk te vinden als ieder ander hier. Ze is een beetje de moederkloek. Geheel volgens de traditie die ze zelf als officier van justitie in gang zette, organiseert ze elk jaar een feestje om nieuwe, jonge aanklagers kennis te laten maken met de rechters en andere leden binnen de advocatuur. Voor een strafpleiter is het een eer een uitnodiging te ontvangen. Ik ben ooit uitgenodigd geweest. Rosie krijgt elk jaar een uitnodiging.

Rechter McDaniels ronde gezicht krijgt iets ernstigs. 'Mevrouw Chavez, ik moet u verzoeken wat luider te praten zodat onze stenograaf en ik u kunnen verstaan.' Ook al woont ze al meer dan dertig jaar in de Bay Area, je hoort nog steeds iets zuidelijks in haar accent. Na een paar glazen whisky zal ze je vergasten op anekdotes over haar jeugd in het landelijke Alabama. Ze schenkt Angel een warme glimlach en voegt eraan toe: 'Toen ik vanochtend opstond, voelde ik me nog een heel stuk jonger.'

Op de publieke tribune wordt gegrinnikt. Voor rechtbankverslaggevers is het een feest om de gang van zaken in haar rechtszaal te mogen verslaan.

'Je moet iets harder praten,' fluister ik tegen Angel.

Ze draait zich om naar de rechter. 'Ja, Edelachtbare,' antwoordt ze, maar nu iets te luid.

'Dank u, mevrouw Chavez. En hebben uw advocaten u uitgelegd dat de aanklacht ook verzwarende omstandigheden omvat?'

In elk geval neemt ze niet het woord 'doodstraf' in de mond. Angel sluit haar ogen. Het lijkt wel alsof ze in een trance verkeert. Ik pak haar bij haar arm en fluister: 'Je moet antwoorden, schat.'

Met nog altijd gesloten ogen antwoordt ze: 'Ja, Edelachtbare.'

Rechter McDaniel buigt zich iets naar voren en kijkt me onderzoekend aan. 'Edelachtbare,' zeg ik, 'mevrouw Chavez is zich bewust van de aard van de aanklacht.'

Waarop de rechter knikt. 'Mevrouw Chavez, ik verzoek u nu uw verklaring af te leggen.'

Stilte. Alle ogen zijn gericht op Angel. Ik kan het uurwerk van de klok achter in de zaal horen zoemen. Angel slikt. Wanhopig kijkt ze Rosie aan. Die geeft een knikje, waarna Angel de rechter aankijkt. Haar lippen vormen het woord 'onschuldig', maar er komt geen geluid uit haar mond.

Rechter McDaniel zet haar leesbril af en glimlacht geduldig. 'Het spijt me, mevrouw Chavez,' zegt ze, 'maar u zult iets harder moeten praten, hoor.'

Uit Angels ogen straalt een niet-aflatende angst. Haar hulpeloze blik schiet even naar Rosie, die nu naar onze tafel komt gelopen. 'Zeg het alsof je het meent,' hoor ik haar in Angels oor fluisteren.

Angel vecht tegen haar tranen. Ze dept haar ogen met een tissuetje en antwoordt met gebroken stem: 'Onschuldig, Edelachtbare.'

Ik neem haar bij de hand en leid haar voorzichtig terug naar haar stoel.

Rechter McDaniel knikt. 'Dank u, mevrouw Chavez.' Ze maakt een notitie en meldt voor de notulen dat de gedaagde schuld heeft ontkend. Daarna zet ze haar leesbril weer op en tuurt op haar rooster. Zonder op te kijken, deelt ze mee: 'Bij wederzijdse goedkeuring stel ik voor om over te gaan tot het bepalen van een datum voor de voorlopige hoorzitting.'

Rosie onderbreekt haar. 'We willen graag enkele punten bespreken, Edelachtbare.'

De leesbril gaat weer af. 'Ja, mevrouw Fernandez?'

Rosie loopt naar de katheder. 'We willen eisen dat het OM ons vóór de hoorzittingsdatum en het liefst eind deze week inzage geeft in de stukken.'

De rechter kijkt Ward aan. 'Kunt u zich daarin vinden, mevrouw Ward?'

'Dat wordt krapjes,' is het antwoord.

'Het OM stuurt immers aan op een halsmisdaad, Edelachtbare,' zegt Rosie.

Rechter McDaniels aarzelt geen moment. 'Klinkt redelijk. Aldus wordt besloten. Verder nog iets, mevrouw Fernandez?'

'De verdediging wil om borgtocht verzoeken.'

'Ik heb begrepen dat mijn collega, rechter Van den Heuvel, daar niet erg enthousiast over was.'

'Dat klopt,' antwoordt Rosie. 'Sterker nog, ze wees ons verzoek af.'

De rechter glimlacht. Een slecht teken. Volgens ingewijden is het een slecht teken wanneer rechter McDaniel glimlacht. En als ze over 'we' begint, dan zit je echt in de problemen. 'We hechten bijzonder veel waarde aan het oordeel van rechter Van den Heuvel,' zegt ze.

Rosie ziet de bui al hangen. Ik ontwaar een licht geïrriteerd trekje om haar mond. 'Wij ook, Edelachtbare, maar we hoopten dat u het in dit geval zou willen heroverwegen.'

Ward springt overeind. 'Protest, Edelachtbare.'

Rechter McDaniel gebaart haar weer te gaan zitten. 'U komt zo meteen aan het woord,' zegt ze. Haar glimlach wordt breder. Met die moederlijke grijns wordt het bijna onmogelijk haar nog in een zinvol debat te betrekken. Je voelt je een uilskuiken en je staat voor schut. De pers geniet. 'Mevrouw Fernandez,' zegt ze ten slotte, 'we weten dat mevrouw Chavez op de parkeerplaats bij de Golden Gate Bridge werd gearresteerd. Wat suggereert dat ze probeerde te vluchten.'

'We zitten met een aantal ernstige vragen over hoe mevrouw Chavez daar is terechtgekomen,' verweert Rosie zich. 'Wij geloven dat de bewijslast uiteindelijk zal uitwijzen dat iemand haar naar die plek heeft gereden.'

Ward is weer overeind gekomen. Opnieuw maant de rechter haar te gaan zitten. Daarna leunt McDaniel achterover in haar stoel. 'Mevrouw Fernandez, het hof begrijpt uw positie. Desalniettemin is de vraag of de gedaagde vluchtgevaarlijk is een van de zaken die het hof in overweging moet nemen. Afgaande op wat we tot dusver hebben gezien, moeten we vaststellen dat mevrouw Chavez in zekere mate als vluchtgevaarlijk kan worden aangemerkt, zo lijkt het.'

'Edelachtbare, mijn cliënte is bereid haar paspoort in te leveren en volledige inzage in haar activiteiten te bieden. Verder is ze bereid een elektronische enkelband te dragen zodat de politie haar bewegingen kan volgen. Ze legt zich neer bij een beperking van haar bewegingsvrijheid en een avondklok. Voor mevrouw Chavez is het onmogelijk zich op straat te begeven zonder te worden herkend. U hebt haar woord – en het mijne – dat ze, wanneer gedaagd, gewoon in de rechtszaal zal verschijnen.'

Waarna de rechter naar Ward wijst. 'Uw beurt.'

Ward staat op. 'Edelachtbare, de gedaagde was bezig met een vluchtpoging toen ze werd gearresteerd. Om drie uur in de ochtend reed ze onder invloed van alcohol en drugs. Als ze bij de brug niet buiten kennis was geraakt, zou ze allang in het buitenland zitten. Wie weet beschikt ze in het buitenland over contant geld of bankrekeningen. Dít was al een vluchtpoging. Als u haar laat gaan, is het misschien te laat.'

Rosie herhaalt nog eens dat Angel volledig zal meewerken en niet zal vluchten.

De rechter buigt iets naar voren en vouwt de handen. Haar glimlach verdwijnt. 'Mevrouw Fernandez,' zegt ze, 'we kennen elkaar nu al lange tijd, nietwaar?'

'Ja.'

'En u bent de afgelopen jaren regelmatig in deze rechtszaal verschenen, niet?'

Rosie knikt.

'En we hebben u meerdere malen het voordeel van de twijfel gegund, ja?'

'U bent altijd uiterst redelijk geweest, Edelachtbare.'

Rechter McDaniel priemt met een vinger naar haar. 'En ook nu wil ik u best het voordeel van de twijfel gunnen. Maar ik moet de belangen van uw cliënte afwegen tegen de waarschijnlijkheid dat ze opnieuw zal vluchten. Bovendien moet ik de zwaarte van de aanklacht in overweging nemen. Zoals u weet, mevrouw Fernandez, wordt van mij niet verwacht dat ik borgtocht verleen bij een halsmisdaad.'

En dat klopt. Volgens het strafrecht mag een rechter bij een halszaak waarin de bewijslast evident of het vermoeden van schuld zeer aannemelijk is, geen borgtocht verlenen. In de praktijk houden de rechters zich hieraan. Ik heb slechts eenmaal meegemaakt dat een rechter in een halszaak borgtocht verleende, en dan zelfs nog met ernstige beperkingen.

Rosie komt met de correcte reactie. 'Edelachtbare, in het belang van de rechtspraak hebt u te allen tijde de discreditionaire bevoegdheid borgtocht te verlenen. We geloven dan ook dat u legitiem kunt vaststellen dat het bewijs omtrent mevrouw Chavez' schuld niet evident en het vermoeden daarvan niet aannemelijk is.' Vervolgens somt ze op waarom de bewijslast wankel is.

Zwijgend hoort rechter McDaniel Rosies betoog aan. Daarna kijkt ze haar aan en breekt haar af met de woorden: 'Met alle respect jegens u en uw cliënte, mevrouw Fernandez, het is aan dit hof om te beoordelen of de bewijslast evident genoeg dan wel het vermoeden van schuld aannemelijk is. Uw verzoek om borgtocht is afgewezen.'

Angel hapt naar lucht. Ik houd haar hand vast terwijl ze probeert weer op adem te komen. Daarna laat ze het hoofd moedeloos zakken en begint te huilen.

204

'Edelachtbare,' smeekt Rosie, 'mevrouw Chavez is níét vluchtgevaarlijk.'

'Dit is mijn uitspraak, mevrouw Fernandez.'

De eerste grote confrontatie en we delven het onderspit. Eén slag, geen wijd.

Angel beeft. Ze begint te snikken. Ik sla mijn arm om haar schouders. Rosie kijkt me bezorgd aan. Daarna tilt Angel haar hoofd op, kijkt de rechter recht in haar gezicht aan en roept: 'Rechter McDaniel, als u mij in die gevangenis laat zitten, dan vermoorden ze me!'

Opwinding op de publieke tribune, maar rechter McDaniel hoeft haar hamer slechts één keer te laten neerkomen. Het wordt weer doodstil in de zaal, op het gedempte gesnik van Angel na. De rechter wijst met haar hamer naar Angel. Van de moederlijke glimlach rest inmiddels geen spoor. 'Mevrouw Chavez, als u in mijn rechtszaal wilt verblijven, zult u ons via uw raadslieden moeten aanspreken. Is dat duidelijk?'

De tranen stromen over haar gezicht. 'Ja, Edelachtbare,' snikt ze.

Vervolgens wijst de rechter met haar hamer naar mij en daarna naar Rosie. 'Ik vertrouw erop dat u tweeën ervoor zorgt dat dergelijke uitbarstingen niet meer voorkomen?'

'Ja, Edelachtbare,' antwoorden we in koor.

Rosie staat nog steeds achter haar katheder. 'Edelachtbare, als voorzorgsmaatregel en in het belang van de veiligheid van onze cliënte wil ik u vragen mevrouw Chavez in afgezonderde bewaring te stellen.'

Opnieuw springt Ward overeind. 'Edelachtbare,' protesteert ze, 'ook al zijn wij begaan met de veiligheid van gedetineerden binnen onze faciliteiten, we vinden niet dat de gedaagde, enkel omdat ze een bekende persoonlijkheid is, recht heeft op een voorkeursbehandeling.'

'Edelachtbare,' verduidelijkt Rosie, 'voordat ze haar eigen cel kreeg, is mevrouw Chavez door een medegevangene bedreigd. U kunt er toch wel voor zorgen dat ze uit de buurt van de overige gedetineerden wordt gehouden?'

Rechter McDaniel is er niet blij mee. 'We zijn uiteraard begaan met mevrouw Chavez' veiligheid. Ik zal de zaak in de raadskamer bespreken.'

'Betekent dit dat mevrouw Chavez haar eigen cel krijgt?'

De rechter geeft geen krimp. 'Het betekent dat ik met de gevangenisdirectie zal bepalen hoe haar veiligheid het beste kan worden gewaarborgd.'

Hoewel ze uiterlijk onbewogen blijft, zie ik de groeiende vertwijfeling in Rosies ogen. Dit gaat niet goed. Toch geeft ze de moed niet op. 'Edelachtbare, nog een laatste punt.'

'En dat is?'

'Morgen zal de echtgenoot van mijn cliënte in besloten kring worden gecremeerd. Zijn as zal over de zee worden uitgestrooid.' Het vuurwerkonderdeel laat ze achterwege.

'En?'

'We willen u, Edelachtbare, verzoeken mevrouw Chavez toestemming te verlenen de dienst bij te wonen.'

Ward wil daar niets van horen. 'Protest, Edelachtbare. De borgtocht is afgewezen. Geen enkele rechter zal zoiets toestaan. Er bestaan totaal geen richtlijnen voor zulke verzoeken.'

'Edelachtbare,' gaat Rosie verder, 'de uitspraak van het hof inzake de borgtocht wordt door ons niet aangevochten. Maar in het belang van de medemenselijkheid en de redelijkheid zouden we u willen vragen de uitvoering van dit verzoek mogelijk te maken.'

Als je geen poot hebt om op te staan, gooi het dan op medemenselijkheid en redelijkheid.

'Edelachtbare,' protesteert Ward, 'dit is wel een zeer ongebruikelijk verzoek. Het valt volledig buiten de normale procedure. Dit vraagt om speciale afspraken met de politie en de hulpsheriffs. Edelachtbare, dergelijke drastische maatregelen kunt u toch niet van ons verlangen?'

Met ingehouden stoïcisme hoort de rechter Wards protest aan. Daarna vormt haar brede mond zich tot een bedachtzame streep. Ze richt het woord tot Angel. 'Mevrouw Chavez, wat hebt u hierop te zeggen?'

Tot dusver heeft Angel de hele tijd naar de tafel voor haar gestaard. Ze kijkt op naar de rechter en antwoordt met gebroken stem: 'Hij was mijn man, Edelachtbare. Ik wil afscheid van hem kunnen nemen.'

'Bent u bereid te betalen voor de extra politie-inspanningen die daarvoor nodig zijn?'

'Ja, Edelachtbare.'

Ward kan zich bijna niet meer beheersen. 'Edelachtbare, dit is zeer uitzonderlijk. Ik vind dat u op zijn minst de naaste familieleden van het slachtoffer dient te horen om te kijken of zij het wel aanvaardbaar achten dat de gedaagde de dienst bijwoont.'

Rechter McDaniel kijkt Ward aan. 'Mevrouw Chavez ís naaste familie.'

'Ik vind dat we ook de andere familieleden moeten horen – degenen die niet van moord worden beschuldigd.'

Rosie grijpt in. 'Edelachtbare…'

Rechter McDaniel kapt haar af. Ze kijkt Ward aan. 'Is hier een familielid aanwezig om daar iets over te kunnen zeggen?'

'De zoon van de heer MacArthur is aanwezig.'

Rechter McDaniel peinst even. 'Tja, dit is inderdaad ongebruikelijk, maar in het belang van de redelijkheid vind ik dat we moeten luisteren naar wat hij ons kan vertellen.'

Ze kijkt op naar de publieke tribune. 'Wil de heer MacArthur zich kenbaar maken?'

Alle ogen zijn nu gericht op de voorste rij van de tribune. Traag komt Little Richard overeind. Hij is gekleed in een donker pak. Op weloverwogen toon antwoordt hij: 'Edelachtbare, gezien de omstandigheden vindt de familie MacArthur het ongepast om de gedaagde bij de dienst aanwezig te laten zijn. We zijn van mening dat het van weinig respect voor mijn vaders nagedachtenis getuigt.'

Angel springt overeind en priemt met een wijsvinger naar Little Richard, die nog geen meter van haar af staat. 'Jij hebt niet het recht over mij te oordelen!' bijt ze hem toe. 'Je hebt alles aan je vader te danken. Je hebt hem nooit ook maar een greintje respect getoond. Je aasde alleen maar op zijn centen.'

Rechter McDaniel hanteert wederom haar hamer en verzoekt om orde. MacArthur junior kijkt Angel aan en de minachting druipt van zijn stem: 'Je zult jezelf bedoelen! Hij heeft je van de straat geplukt. Hij gaf je een plek om te wonen, gaf je geld en bood je een rol in zijn films. En wat doe jij? Jij vermoordt hem.'

'Niet waar!' roept Angel geëmotioneerd.

'Edelachtbare!' roept Ward.

Ik posteer me tussen Angel en Little Richard in. Het zindert in de rechtszaal. Rechter McDaniel laat haar hamer weer neerkomen. Angel snikt.

Even later keert de rust weer terug. Little Richard zit met de armen over elkaar. Zijn blik is zelfingenomen. Angel zit weer achter haar tafel en haar vingers klampen zich om een tissuetje. Rechter McDaniel richt het woord tot Rosie. 'Hebt u hier verder nog iets aan toe te voegen?'

'Edelachtbare,' zegt ze, 'in het belang van de medemenselijkheid willen we u beleefd verzoeken om mevrouw Chavez de crematie van haar man te laten bijwonen.'

Rechter McDaniel heeft genoeg gepeinsd. In de benauwde rechtszaal valt een doodse stilte. De innemende glimlach is definitief verdwenen. Na een paar seconden, een eeuwigheid zo lijkt het, richt ze het woord tot Angel. 'Mevrouw Chavez, ik vrees dat ik de politie met een te grote last opzadel als ik u toesta de crematie van uw man bij te wonen. Ik denk dat het in ieders belang is als u zich in plaats daarvan op uw verdediging concentreert. Ik oordeel derhalve dat u de crematie van uw man niet mag bijwonen.'

Rosie probeert het nog een laatste maal. 'Edelachtbare...'

Rechter McDaniel brengt een forse hand omhoog. 'Dit is mijn uitspraak, mevrouw Fernandez.'

Twee slag, geen wijd.

Angel begint te beven, en vervolgens te snikken. Rosie loopt vanaf het spreekgestoelte naar haar toe en houdt haar vast. 'Alles komt goed, alles komt goed,' herhaalt ze. Daarna draait ze zich om naar de rechter. 'Kunnen we een korte pauze inlassen?'

Rechter McDaniel brengt een wijsvinger omhoog. 'Ik denk dat we deze zitting in dertig seconden kunnen afronden.' Ze bestudeert opnieuw even haar rooster. 'Als datum voor de voorlopige hoorzitting stel ik voor: vandaag over een week, om twee uur.' Ze kijkt Ward aan. 'Ik neem aan dat u vanaf volgende week kunt beginnen, mevrouw Ward?'

'Ja, Edelachtbare.'

Daarna kijkt ze Rosie aan. 'En kunt u hiermee akkoord gaan, mevrouw Fernandez?'

Een weifelend knikje. 'Ja, Edelachtbare.'

Rechter McDaniel raadpleegt wederom haar rooster en voegt eraan toe: 'Rechter Leslie Shapiro zal voorzitten.'

Shit! Ik probeer Rosies blik te vangen, maar ze ziet het niet. Ze fluistert iets tegen Angel, die nu wordt weggeleid.

Rechter McDaniel laat haar hamer neerkomen. 'Ik schors deze zitting.'

Drie slag, geen wijd! De ramp is nu compleet.

25
'DIT OVERLEEF IK NIET'

Deze middag ontkende Angelina Chavez schuld aan moord met voorbedachten rade.
Een voorlopige hoorzitting zal volgende week plaatsvinden onder leiding van rechter
Leslie Shapiro.
KGO Radio, maandag 7 juni, 16.00 uur

'We moeten praten,' zeg ik tegen Rosie.

We staan op de drukke gang buiten voor de rechtszaal van rechter McDaniel. Angel wordt afgevoerd naar de detentievleugel.

Rosie kijkt me niet aan. 'Nu even niet.'

De mediahorde omsingelt ons. Ik vang een glimp op van Nicole Ward, aan het andere eind van de gang. Ik hoor haar tegen een verslaggever zeggen hoe zorgvuldig en tactvol rechter McDaniel heeft gehandeld. Rosie en ik tonen ons licht teleurgesteld over de borgtochtuitspraak. Daarna komen we met de bekende platitudes over hoe sterk we in onze schoenen staan. Tegenover de camera's verzekeren we iedereen er helemaal klaar voor te zijn. 'We verwachten dat mevrouw Chavez op alle punten zal worden vrijgesproken,' zeg ik.

'Wat kunt u ons over rechter Shapiro vertellen?' roept een reporter van Channel Five.

Meer dan je denkt. 'We hebben de afgelopen jaren meerdere zaken verdedigd in haar rechtszaal,' antwoord ik, 'en we hebben grote waardering voor haar. Ze is een consciëntieuze en ervaren rechter.' Bovendien is ze mooi, en fantastisch in bed. En reken er vooral niet op dat ze volgende week Angels voorlopige hoorzitting voorzit.

'Is uw cliënte bereid schuld te bekennen in ruil voor strafvermindering?'

'Nee,' antwoordt Rosie. Ze grijpt mijn arm. 'Verder geen commentaar.'

We wringen ons tussen de menigte door en duwen de zware houten deur naar het trapportaal open. Daar is het stil. Boven aangekomen, blijven we even staan. 'En wat doen we met Leslie?'

'Ze zal uiteraard contact met je opnemen.'

'Wat wil je dat ik doe?'

Ze kijkt me streng aan. 'Het is jullie probleem. Dus zoek maar een oplossing.'

Angels stem klinkt uitgedoofd: 'Dit overleef ik niet, tante Rosie,' zegt ze. De paniek die zo-even in de rechtszaal nog van haar afstraalde, heeft nu plaatsgemaakt voor berusting, zo lijkt het. Haar wangen zijn bedekt met opgedroogd traanvocht. Haar schouders hangen moedeloos. De raamloze cel meet nauwelijks drie bij een meter twintig en de plexiglazen deur roept bij mij associaties op met een vissenkom. Een brits, een wastafel en een toilet zonder wc-bril. Om de tien minuten passeert er een cipier.

Rosie pakt haar hand. 'We krijgen je hier wel uit.'

'Vergeet het maar.'

'Niks daarvan. Je moet alleen geduld hebben.'

'Het maakt allemaal toch niets meer uit. De kaarten zijn al geschud. Ik kan het verder wel vergeten.'

'Niks daarvan,' herhaalt Rosie.

'Jawel. Mijn leven is ten einde. Zelfs al krijgen jullie me vrij, ze zullen me vermoorden.'

'Wie?'

'Weet ik het? Dicks zoon, Petrillo, Ellis...'

'Ze krijgen je heus niet te pakken.'

'Reken maar – als iemand hier ze tenminste niet vóór is.'

'Niemand zal je iets aandoen.'

'Ik kan me de rest van mijn leven toch niet hier blijven verbergen? Uiteindelijk zal ik deze cel met een ander moeten delen. En dan is het dus echt afgelopen.'

'Dat zal niet gebeuren.'

'O, jawel.'

Rosie probeert haar moed in te spreken, maar moet het opgeven. 'Angel,' probeert ze ten slotte, 'je hebt je al vaker door moeilijke tijden heen geslagen.'

'Maar niet zo erg als nu.'

'Dat klopt, maar ik wil dat je sterk blijft. Je moet al je krachten aanspreken. Je moet alert blijven en volhouden.'

'Kan ik niet.'

'Je móét. Je gaat het redden.'

Ze straalt nu een bijna ijzige kalmte uit. Ze oogt bijna sereen als ze zegt: 'Het is heel lief dat jij en Mike willen helpen. Maar jullie weten net zo goed als ik: dit overleef ik niet.'

'Ze geeft het op, Rosie,' zeg ik. We staan vlak naast de opnameafdeling.

Rosies blik wordt ijzig. 'Ze is sterker dan je denkt. Ze heeft al haar moeders problemen ook doorstaan. Ze vermant zich wel. Let maar op.'

'Ik hoop het.'

'Ik weet het.' Ze denkt even na. 'Heb je Leslie nog kunnen bereiken?'

'Nog niet. Ik heb een bericht ingesproken.'

'En nu?'

'Het is een belangenconflict. Een van ons zal zich uit de zaak moeten terugtrekken.'

Ze kijkt me aan en zegt op haar beste advocatentoontje: 'Maar wij niet. Er staat te veel op het spel en Angel zal alleen ons vertrouwen.'

Uiteraard heeft ze gelijk. 'Ik weet het.'

'Dus blijven er voor jou twee opties over. Leslie neemt het enige juiste besluit en trekt zich terug, of jullie tweeën zetten een punt achter jullie relatie.'

Ze probeert me op een makkelijke manier voor het blok te zetten. 'Nou,' zeg ik, 'je weet net zo goed als ik dat zelfs al zouden we vandaag uit elkaar gaan, ze deze zaak niet zal kunnen behandelen. We kunnen ruziën tot we een ons wegen over de vraag of het qua juridische gedragsregels puur een belangenconflict is, of niet. Uiteindelijk zal het geen bal uitmaken. Het blijft verdacht. Het wekt in elk geval de indruk van een conflict. Het geeft ons reden om de rechtsgeldigheid van de hoorzitting aan te vechten. En dat weet ze. Ze moet zich wel terugtrekken.'

Rosie slikt. 'Denk je dat ze dat ook zal doen?'

'Ja.'

'Wat zou voor haar het beste alternatief zijn?'

'Dat niemand erachter komt dat we een relatie hebben.'

'En voor jou?'

Ik denk even na. 'Dat we daarmee doorgaan.'

Een sceptische blik. 'Wat denk je dat het zal worden?'

'Ze zal zich terugtrekken.'

'Ik bedoel jullie relatie.'

'Ik ook.'

Haar mondhoeken trekken omlaag. 'Vervelend, Mike.'

'Zeg dat wel.'

'Het is een ongebruikelijke situatie.'

'Dat zeker.' Ik zwijg even. 'Toch moet je één ding erkennen.'

Ze kijkt me verwonderd aan. 'Wat bedoel je?'

'Ik heb wel een nieuwe, unieke manier gevonden om een relatie om zeep te helpen. Zulke creativiteit verdient wel een bonusje, vind ik.'

'Wellicht heb je jezelf overtroffen.' Ze legt een hand op mijn arm en glimlacht. 'Red je het wel?'

Het bekende verhaal. Er zijn maar een paar echte zekerheden in een mensenleven: de dood, belastingformulieren en het feit dat Mike Daley het meisje nooit zal krijgen. 'O, ik red het wel.'

Net als we de deur open willen trekken om naar buiten te gaan, komt

Rolanda op ons afgelopen. Met een onmiskenbaar vastberaden blik in de ogen vertelt ze ons: 'Ik probeer jullie al een uur te bereiken. We moeten direct naar mijn vaders groentewinkel.'

'Maar we hebben om vijf uur een afspraak met Dennis Alvarez,' zeg ik.

'We moeten nu gaan. Mijn vader heeft gebeld. Hij zei dat hij door iemand in de gaten werd gehouden, en dat het niet over de telefoon kon.'

26
'WERK MET ONS MEE'

*'We sluiten brandstichting als mogelijke oorzaak voor de merkwaardige brand bij
Peña's Liquors in Mission District nog steeds niet uit.'*
Brigadier Dennis Alvarez, KGO Radio, maandag 7 juni, 16.00 uur

Tony haalt zijn tandenstoker uit zijn mond. 'Alles is veranderd,' zegt hij.
Hij, Rolanda, Rosie en ik zitten op houten kratjes bij het afgiftepunt achter
in de zaak. Het is vier uur in de middag. De geur van verse groenten om-
ringt ons. Rosie eet een appel. Op de voorpagina van de middagkrant bestudeer ik een foto van de uitgebrande slijterij twee straten verderop.

'Zijn ze er al achter wat er precies gebeurd is?' vraag ik Tony.

'Brandstichting. De boel fikte als een tierelier.'

'Wie heeft het gedaan?'

'Het is heel professioneel aangepakt. De daders zullen ze heus niet vinden.' Hij kijkt nors. 'Roberto's familie had de winkel al dertig jaar. Nu moeten ze helemaal opnieuw beginnen.'

Ik hoop dat ze zijn verzekerd. 'Wie zit erachter?'

'Weet ik niet precies.'

'Heb je nog met Armando Rios gesproken?'

'Hij zei dat alles in orde zou komen en dat ik mijn mond moest houden.'

Niets verrassends. 'Had Roberto contact met de politie?'

'Waarschijnlijk. Wat zegt dit over mijn situatie, denk je?'

Weinig goeds.

'Heb je met brigadier Alvarez gesproken?' vraagt Rolanda.

'Nog niet. Ik wilde eerst met jullie praten.'

'Je zei dat er nog iets was.'

'Ja.' Hij opent een bruine envelop, trekt een stapeltje polaroids tevoorschijn en geeft ze aan Rolanda. 'Niet schrikken, meid.'

Ze bekijkt de foto's en haar gezicht wordt asgrauw. 'Hoe kom je hieraan?' vraagt ze haar vader.

'Ik vond ze eerder vandaag in de brievenbus. Ik heb de bezorger niet gezien.'

Ik vraag of ik ze ook even mag zien en bekijk ze samen met Rosie. De eerste foto is van de drankwinkel. Op de tweede is te zien dat Rolanda ons kantoor verlaat. Op de derde gaat ze haar appartement binnen. Op de vierde stapt ze in haar auto. De laatste foto is het meest alarmerend: ze loopt Tony's winkel in. Om haar hoofd is een rode cirkel getrokken met een streep er schuin doorheen. De foto gaat vergezeld van een op een tekstverwerker gemaakte boodschap die luidt: 'Slimme mensen weten wanneer ze hun mond moeten houden.'

Rolanda kijkt ons aan, maar zegt geen woord. Tony slaakt een zucht. 'Je begrijpt nu waarom ik niet over de telefoon wilde praten.'

'Al iets verdachts gezien, figuren zien rondhangen?' vraag ik.

Tony schudt van nee.

Rosie draait zich om naar Rolanda. 'En jij?'

Ze slikt. 'Ik ook niet.'

Rosie bijt op haar onderlip. 'We moeten voorzichtig zijn.'

Wat dacht je. Als ik in hun schoenen zou staan, konden ze me nu al bij elkaar vegen.

'Jullie zijn de deskundigen. Wat nu?'

Rosie en ik wisselen een blik. 'Bel de politie,' is haar advies. 'We moeten brigadier Alvarez spreken. We kunnen dit niet op eigen houtje oplossen.'

Tony gooit zijn tandenstoker in de prullenbak. 'Ze hebben al één winkel in de hens gestoken...' Hij kijkt even naar zijn dochter. 'Waarom denk je dat ze ons kunnen beschermen?'

'Het draait allemaal om wie je vertrouwt,' zeg ik.

'Ik vertrouw helemaal niemand.'

Rolanda klinkt precies als Rosie als ze zegt: 'Mike heeft gelijk. Je kent Dennis al van jongs af aan, pa. Wie vertrouw je liever: hem of die schurken die Roberto's winkel in de fik hebben gestoken?'

Tony geeft een aai over zijn dochters wang. 'Jij bent het enige wat ik nog heb, schat.'

'Alles komt goed, pap,' klinkt het geëmotioneerd.

'Van jouw lippen rechtstreeks naar Gods oor.'

'Laten we Dennis gaan opzoeken.'

Alvarez bekijkt de foto's waarop Rolanda te zien is. 'Enig idee wie deze foto's heeft gemaakt?' vraagt hij Tony.

'Nee.'

We zitten in een spreekkamer op het politiebureau van Mission District. Tony zit op een houten stoel. Rolanda staat naast hem, Rosie staat bij de deur.

Alvarez kijkt op naar Rolanda. 'Is je toevallig iets vreemds opgevallen?'

'Nee.'

Hij zucht. 'We zullen de foto's onderzoeken op vingerafdrukken. Het zijn polaroids, dus navraag doen bij fotozaken heeft geen zin. Ik neem aan dat jullie ze hebben aangeraakt?'

We knikken alledrie. Alvarez legt uit dat we misschien wat bruikbare vingerafdrukken hebben beduimeld.

Tony slaat de armen over elkaar. 'En wat gaan we hieraan doen, Dennis?'

'Ik zal voor jullie beiden politiebescherming regelen.' Hij peinst even. 'Ik heb nog steeds jullie hulp nodig.'

Rolanda is niet onder de indruk. 'Ik neem aan dat je Roberto Peña hetzelfde aanbod hebt gedaan?'

Alvarez trekt wat met zijn snor terwijl hij in gedachten een snelle afweging maakt hoeveel hij ons moet vertellen, en hoe. 'Inderdaad.'

Rolanda wordt zichtbaar nijdig. 'Zijn winkel smeult nog na en wij zijn inmiddels bedreigd!'

'Jullie kunnen rekenen op bescherming.'

'Net als Roberto zeker?' Ze wijst met een vinger naar hem. 'Die mevrouw op die foto's, dat ben ík, ja?'

Alvarez' handen ballen zich tot vuisten. 'Zijn situatie was anders. Hij heeft een grote mond, moet iets tegen de verkeerde persoon hebben gezegd. Er gingen geruchten dat hij op het punt stond een deal te sluiten.'

Tony's blik krijgt iets gelatens. 'Hoe weet je dat hij mijn naam niet heeft genoemd? Waarom denk je dat ze ons zo-even niet zijn gevolgd?'

'Jou zal niets overkomen,' is Alvarez' antwoord.

'Hoe weet je dat zo zeker? Ze hebben mijn naam heus niet zomaar uit een hoge hoed getoverd. Ze stuurden me foto's van Rolanda. Ze weten dat ik nu met jou zit te praten, dat kan niet anders.'

'Ik sta niet toe dat jij of Rolanda dit bureau zonder politiebegeleiding verlaat.'

'Wat heb ik aan een leger om me heen? Ik heb een winkel te runnen.'

'En ik een praktijk,' vult Rolanda aan. 'Waarom pakken jullie Armando Rios niet op voor een verhoor?'

'Hebben we al gedaan.'

'En?'

'Hij belde zijn advocaten en zweeg in alle talen. Een uur later stond hij alweer op straat.'

'Waarom arresteerden jullie hem niet?' vraag ik.

'Te weinig bewijzen.'

Rolanda is verontwaardigd. 'Onzin. Jullie hebben mijn vaders verklaring. En nu deze foto's.'

Alvarez schudt zijn hoofd. 'Je vader is tot nu toe nog niet bereid geweest een verklaring af te leggen. En we kunnen hem op geen enkele manier in verband brengen met de foto's.'

'En als ik nu eens bereid ben te verklaren dat hij me geld heeft geboden?' oppert Tony.

'Dat is niet voldoende. Hij heeft het geld niet zelf bezorgd, maar via een tussenpersoon.'

Tony's irritatie wordt zichtbaar. 'Dus jullie arresteren hem pas als jullie hem op heterdaad kunnen betrappen terwijl hij mij een zak geld overhandigt?'

'Jouw woord tegen het zijne is niet genoeg. Bovendien willen we hem onder druk kunnen zetten om achter de naam van de geldschieter te komen.'

'Je wilt dat ik me verborgen hou?'

'We willen je bescherming bieden.' Hij kijkt Rolanda aan. 'En jou ook.'

Tony wordt ijzig stil. Zo blijven we zitten. Alvarez kijkt op zijn horloge. Rosie en ik kijken elkaar even aan.

Op Alvarez' gezicht verschijnt een grimas. 'De tijd dringt, Tony. Ze hebben al een van je buren te grazen genomen. Ik wil die gasten pakken voordat er gewonden vallen.'

Tony heft zijn handen. 'Zeg maar wat ik moet doen.'

'Werk met ons mee. Vertel ons wat je weet. Probeer erachter te komen wie Armando Rios financiert.'

'Hoe?'

'Zeg Rios dat je wilt praten. Zeg dat je je zorgen maakt over die brand in Peña's winkel. Dat je niet graag bedreigd wilt worden en dat je garanties wilt.'

'En als hij me niet wil spreken?'

'Hij zal je willen spreken.'

'En jij wilt dat gesprek opnemen?'

'Als het even kan.'

Hij kijkt Alvarez een moment achterdochtig aan. 'Vergeet het maar. Ik ga echt geen zendertje dragen.'

'Dat hoeft ook niet.'

'En waar ben jij?'

'We hebben een stuk of tien agenten buiten. We zullen je beschermen.'

'En als hij me helemaal niets vertelt?'

'Dan zullen we iets anders moeten verzinnen.'

'Ben je bereid met Rios een deal te sluiten?' vraagt Rosie.

Alvarez aarzelt even. 'Misschien…'

Rosie wijst met een vinger naar hem. 'Da's niet voldoende. Je moet hem een aanbod doen. Hij zal eerst immuniteit willen voordat hij iemand aanwijst.'

'Ik kan niets beloven.'

Tony pikt het op: 'Dan wil ik ook niet met hem praten. Ik ben nog lang niet levensmoe.' Hij wijst met zijn duim naar Rolanda. 'Als jullie mij arresteren, zal mijn advocaat me opdragen te zwijgen. Daarna zal ik Jerry Edwards van de *Chronicle* een exclusief interview geven waarin ik verklaar dat jullie bezig zijn om de kleine ondernemers hier onder druk te zetten.

Moet je eens kijken wat er gebeurt zodra dit op de voorpagina komt.'

Er valt een stilte in het bedompte vertrek. Dennis Alvarez vouwt de armen over elkaar en staart naar het plafond. Ten slotte zegt hij: 'Misschien dat ik Rios immuniteit kan bieden als hij me vertelt wie de geldschieter achter de omkopingen is.' Hij zwijgt even en voegt eraan toe: 'Maar daarvoor moet ik eerst overleggen met de commissaris en de officier van justitie.'

We beginnen zowaar vorderingen te maken. Ik overhandig hem mijn mobieltje. 'We wachten wel even,' zeg ik.

Tony bedenkt zich: 'Ik heb nog meer voorwaarden.'

Alvarez fronst zijn voorhoofd. 'En die zijn?'

'Ik krijg volledige immuniteit. Rolanda zal de onderhandelingen over mijn voorwaarden voeren. Ik wil vierentwintig uur per dag een smeris in mijn winkel en een surveillancewagen voor mijn appartement. Net zo lang totdat dit hele gedoe is afgelopen. Verder wil ik politiebewaking voor Rolanda's appartement en voor haar kantoor. Bovendien wil ik de namen van de andere winkeliers met wie jullie hebben gesproken. Zodat ik de namen weet, mochten ze me verlinken.'

Alvarez aarzelt even. 'Afgesproken. Verder nog iets?'

'Ik wil ook een politiewagen voor mijn moeders woning. Hij kijkt even naar Rosie. 'En ik wil dat de politie van Larkspur een surveillancewagen voor het huis van mijn zus laat posten.'

'Je vraagt een hoop,' zegt Alvarez hoofdschuddend.

'Ik bied ook een hoop.'

'Dat was het?'

'Dat was het.'

Alvarez knikt. 'Hoe snel kun je met Armando Rios contact opnemen?'

'Ik bel hem zodra jouw commissaris akkoord gaat met mijn voorwaarden en ik die politiewagen voor mijn winkel zie verschijnen.'

'Denk je dat Tony hier verstandig aan doet?' vraagt Rosie. Met een slakkengang kruipen we tussen het drukke verkeer over Mission Street naar ons kantoor. Rolanda is bij Tony gebleven om de details van zijn immuniteitsovereenkomst uit te werken. De commissaris veinsde grote terughoudendheid voordat hij Armando Rios uiteindelijk toch immuniteit beloofde. Zo ook Nicole Ward. Allemaal toneel. Er zijn veel grotere vissen te vangen dan Tony en Armando.

'Hij had geen andere keus,' zeg ik. 'Nu heeft hij Rios iets te bieden. Samen uit, samen thuis. Ik denk dat ik hetzelfde zou hebben gedaan.'

Rosie zucht. 'Ik wil niet dat Tony of Rolanda iets overkomt.'

'Ik ook niet.'

'En ik betwijfel of ze hen kunnen beschermen.'

'Ik weet het. Hoe sneller hij met Rios tot zaken komt, hoe beter. We zullen zo snel mogelijk de *Chronicle* erbij halen. Jerry Edwards zal heel wat te vragen hebben. Ze zullen iedereen in de gaten houden die er misschien iets mee te maken heeft. Tony zal vierentwintig uur per dag in de gaten worden gehouden, door de politie dan wel de pers. Het is niet perfect, maar op federale getuigenbescherming na het best haalbare.'

'Toch zit het me niet lekker.'

'Mij ook niet. Maar voorlopig is dit het beste wat we kunnen doen, Rosie.'

Ze knikt.

Mijn mobieltje gaat. Ik neem op. 'Ik hoorde dat je het druk had,' zegt Pete. De lijn valt even weg nu we onder het viaduct door rijden. Daarna kan ik hem weer verstaan.

'Waar ben je?' vraag ik.

'Op mijn stek bij Richards woning. Ik ben iets verderop gaan zitten. Ik zit nu in een boom.'

Altijd nog beter dan in de penarie, lijkt me. 'Wat kun je van daaruit zien?'

'De voordeur van zijn huis.'

Ik vraag hem of Little Richard vandaag nog bezoek heeft gehad.

'Een paar minuten geleden kwam Armando Rios even langs.'

Zo zo. 'Klinkt alsof-ie verslag komt uitbrengen. Wie nog meer?'

'Cheryl Springer.'

'Ze brengt daar heel wat tijd door.'

'Het begint te klikken. Ik neem aan dat ze over de filmrelease wilde praten.'

'En wie nog meer?'

'Eve.'

De alomtegenwoordige Eve. 'Enig idee waarvoor?'

'Ze komt elke dag. Het lijkt bij haar werk te horen.'

Ik vraag hem of hij verder nog iets heeft ontdekt.

'Ik heb met het cateringbedrijf gesproken. Ik heb goed en slecht nieuws.'

Ik haat dit soort spelletjes. 'Oké, wat is het goede nieuws?'

'Niemand heeft Angel Big Dick zien vermoorden.'

'Goed werk, Pete. En het slechte nieuws?'

'Dat niemand iemand anders hem heeft zien vermoorden.'

Daar heb ik wat aan, zeg. 'Verder nog iets?'

'Een van de cateraars was bezig in de garage toen Marty Kent arriveerde. De deur stond open. Ze zei dat Big Dick Kent op de oprit tegemoet liep en hem een ritje in zijn nieuwe Jaguar aanbood. Wat dus betekent…'

'Dat het OM Kents vingerafdrukken op het stuur kan verklaren.'

'Juist.'

Hier komen we niet verder mee. 'En verder?'

'Ik heb Kaela Joy Gullion opgespoord.'

Ik kan de verleiding niet weerstaan. 'Hoe ziet ze er in het echt uit?'

'Nog beter dan langs de zijlijn.'

'Waar heb je haar gevonden?'

'In een boom.'

'Pardon?'

'Je hoorde me wel.'

Ik hoop maar dat hij een grapje maakt. 'Dezelfde boom als waarin jij nu zit?'

'Hoe raad je het zo.'

Ik vraag wat ze daar doet.

'Hetzelfde wat ik doe: Little Richard in de gaten houden. Aanvankelijk was ze niet erg blij mij hier tegen te komen, maar toen ik haar een biertje aanbood, werd ze een stuk ontvankelijker.'

In gedachten zie ik mijn broer al voor me, zittend in een oude eik, Budweisers achteroverslaand met de ex-cheerleader. 'Zou ze met ons willen praten?'

'Ja.'

'Wanneer?'

Het wordt even stil op de lijn. Daarna hoor ik zijn stem weer: 'Vanavond. Zodra we zeker weten dat Little Richard en zijn knuffeltje weer onder de wol liggen.' Een korte aarzeling. 'Ik denk dat dat tegen enen zal zijn.'

Weer een lange nacht voor de boeg. 'Afgesproken.'

'Kom naar de Edinburgh Castle.'

Het is een oude pub iets ten noorden van het stadhuis. 'Ik tref je daar,' zeg ik, zwijg dan even en vraag: 'Ben je nog iets te weten gekomen over de crematie?'

'De boot van de Neptune Society zal morgenmiddag om één uur afvaren.'

'Enig idee wie de eer krijgen het stoffelijk overschot van Richard MacArthur de lucht in te zien knallen?'

'Dat merken we morgen wel. Joey D'Augustino zei dat hij ons op zijn boot zou meenemen.'

Perfect. Joey is een gepensioneerde smeris die een paar jaar geleden een vissersboot kocht. Het is altijd lekker als je iemand kent die connecties heeft met de Wharf.

27
'DENK JE ECHT DAT ER EEN HEMEL IS?'

'Richard MacArthur is overleden als gevolg van een klap op het achterhoofd. Martin
Kent verdronk. Zijn verwondingen komen overeen met die van een persoon die van de
Golden Gate Bridge is gesprongen.'
Patholoog-anatoom Roderick Beckert, KGO Radio,
maandag 7 juni, 19.00 uur

'Wat ben je aan het doen?' vraagt Rosie me.

'Ik kijk naar de foto's van de plaats delict. Het leek me een leuke onder-
breking na die politie- en autopsierapporten.'

We zijn terug op kantoor. Het is maandagavond en het loopt tegen achten. Ik begin hoofdpijn te krijgen. Ik kan niet geloven dat we nog geen
tweeënzeventig uur met deze zaak bezig zijn. De eerste paar dagen na een
arrestatie zijn het zwaarst. Je onthoudt dan maar weinig.

Ze probeert me op te beuren. 'Je bent me er een.'

'Het was of dit, of naar de Giants. En je weet hoe dol ik ben op bloederi-
ge toestanden.'

Een zweem van een glimlach. 'We zijn een beetje humeurig vanavond,
hè?'

'Ik ben gewoon moe.'

'Ik ook,' klinkt het serieus.

Er scheelt haar iets. 'Wat is er, Rosie?'

Ze probeert luchtig te klinken. 'O, de onderzoeksresultaten.'

O jee. 'En?'

Ze trekt een zuinig mondje. 'Niet zo leuk,' antwoordt ze haastig.

Ik voel een knoop in mijn maag. 'Slecht nieuws?'

Haar toon blijft vlak. 'Hoeft niet per se. Je weet hoe zoiets gaat: nog meer
onderzoeken.'

Ze houdt iets achter. 'Wanneer?' vraag ik.

'Binnenkort.'

'Ik ga met je mee.'

'Wie weet hou ik je daar aan.'

'Rosie, als het je soms niet uitkomt om nu aan Angels zaak te werken…'

'Nee, geen punt. Het is beter om in de weer te zijn. Het leidt me af van…' ze aarzelt even, '… dat andere gedoe.'

Lieve Rosie. Ik herinner me de dag dat ze het eerste knobbeltje op de röntgenfoto ontdekten en hoe ze het kalm in medische termen aan me beschreef. Ik hoefde me vooral geen zorgen te maken, zei ze. Die avond ging ze uit met die vent van het OM en ik mocht niet blijven. Grace vertelde me later dat Rosie de hele nacht was opgebleven en had gehuild. 'En als we er nog iemand bij moeten halen, dan…'

'Hoeft nog niet.'

Ik probeer het nogmaals. 'Rosie, je moet vooral nu goed voor jezelf zorgen.'

'Lees me in godsnaam niet de les.'

'Je hebt een lange dag achter de rug. Ga toch lekker naar huis.'

'Zo meteen. Ik moet nog wat dingen doen. Het wordt een drukke week.'

Vertel mij wat. 'Wil je erover praten?'

'Over Angel?'

'Over jou.'

Ze trekt haar gezicht in de plooi. 'Nu even niet.'

Ik heb geleerd niet door te drammen. Ze laat het me wel weten wanneer ze er klaar voor is. 'Morgen misschien?'

'Misschien.' Ze kijkt door het raam naar First Street. Op de Golden Gate University om de hoek zijn de avondlessen voor aankomende juristen inmiddels in volle gang. Een paar studenten houden buiten even pauze. Een beetje wazig staart ze voor zich uit. 'Zodra Angels zaak is afgerond, denk ik dat ik even een vakantie inlas.'

Dat zou ze misschien wat eerder moeten doen. Een beetje gas terugnemen gaat haar zeer moeilijk af. Mij ook, trouwens. 'Goed idee,' zeg ik.

'Ik lijk in de verste verte niet op die jonge, gretige studenten aan de overkant. Ik doe dit werk nu bijna twintig jaar. Misschien is het tijd om de accu wat op te laden.'

'Misschien.' Ze draait zich weer naar me om, en ik zie tranen in haar ogen. 'Wat is er, Rosie?'

'Ik begin me oud te voelen, en dat vind ik maar niks.'

'Bij mij begon dat al tien jaar geleden.'

Ze schenkt me een weke glimlach. 'Ik bedoel het niet negatief, Mike, maar jij hebt gewoon een oude inborst. Ik heb daar altijd van gehouden. Misschien komt het door je priestertijd. Je leek altijd een stuk ouder en wijzer dan je ware leeftijd zou doen vermoeden.'

'Ik voel me een stuk ouder dan dat ik eruitzie. En voor mij zul jij altijd jong en mooi blijven.'

Haar ogen krijgen iets melancholieks. 'Je bent lief,' zegt ze, 'maar slijmen kun je niet.'

'Je zei anders net dat ik zeer wijs ben voor mijn leeftijd.'

'Klopt. Maar je blijft een slechte praatjesverkoper.' Ze denkt even na. 'Je vindt het dus goed als ik na deze zaak even een vakantie inlas?'

'Tuurlijk.'

'Ik beloof dat ik Fernandez & Daley niet zal opgeven.'

'Wat je ook beslist, ik respecteer het.'

'Jij zou ook wel een vakantie kunnen gebruiken. Heb je nog nagedacht over dat aanbod van de decaan?'

'Een beetje.'

'En?'

'Misschien wel leuk om een tijdje professor te zijn.'

'Je denkt er serieus over na?'

'Ja.'

Ze glimlacht en verandert van onderwerp. 'Wat valt er op de foto's te zien?'

'Wat je zo ongeveer kan verwachten.' Ik vertel haar de hoogtepunten. Iemand viel MacArthur van achteren aan, waarna hij van het balkon viel. De bevindingen van de lijkschouwer zijn precies zoals Nicole Ward al beschreef. Hij stierf als gevolg van een klap op het achterhoofd. Bij Kent was het zelfmoord.

'Nog kans dat dr. Beckert zijn conclusies omtrent Kent zal bijstellen?'

'Dat betwijfel ik. Ik ken hem al twintig jaar. Nog nooit is hij van gedachten veranderd. Niet één keer.'

'Wat nog meer?'

'Het verhaal van de buurman klopte. En uit de gesprekken met de catering is gebleken dat MacArthur Kent inderdaad een proefritje in zijn nieuwe wagen liet maken. Ook het bloedonderzoek en de vingerafdrukken op de oscar klopten.'

'Daar gaan onze mogelijkheden om gerede twijfel aan te voeren,' stelt ze vast.

'Nou, inderdaad.'

'En Eve?'

'De politie heeft met haar gepraat. Ze zei dat ze aan het begin van de avond bij Little Richard was. Daarna is ze naar huis gegaan. Ze woont bij de jachthaven, niet ver van Kent.'

'En de beelden van de bewakingscamera's van de Golden Gate Bridge?'

'Zodra we ze binnen hebben, zullen we ze bekijken. Waar is Rolanda?'

'Bij Tony. Ze zijn het eens over een immuniteitsgarantie.'

'Mooi. En nu?'

'Tony heeft morgenochtend met Armando Rios een afspraak op zijn kantoor.'

'Ik neem aan dat de politie de boel gaat omsingelen?'

'Hij komt met genoeg mankracht om het bewind van een klein derdewereldland omver te werpen.'

'En als Rios over een eigen militie beschikt?'

'Dan breekt de Derde Wereldoorlog uit.' Ze denkt even na. 'Ik denk niet dat hij een leger in stelling brengt. Dat is niet zijn stijl. Hij is een manipulator, geen vechter. Bovendien weet hij dat Tony met de politie heeft gesproken. Hij is niet gek. Hij weet dat hij in de gaten wordt gehouden.'

'Hoe denk je dat hij het zal gaan spelen?' vraag ik.

'Dat zullen we morgen wel zien.'

'Waar slaapt Tony vannacht?'

'In zijn eigen huis. Rolanda blijft bij hem. Er staat een politiewagen vóór en eentje achter het huis.'

'Het lijkt erop dat Dennis woord heeft gehouden.'

'Ik hoop het maar. Ik heb tegen Tony gezegd dat we met hem meegaan.'

'Klinkt spannend.'

'Hij leek het aanbod wel te waarderen. Wees maar een beetje op je hoede.'

'Jij ook.'

Een sardonische grijns. 'Dat is nou het mooie van een ernstige ziekte, Mike. Het maakt je leven een heel stuk simpeler. Je bent er zo druk mee bezig of je ooit zult genezen dat je niet meer toekomt aan piekeren over andere dingen.'

Ze heeft een unieke kijk op het leven. Ik zou dan ook niet verrast moeten zijn te merken dat dat ook voor een ziekte als kanker geldt. 'Weet je wat?' zeg ik. 'Laat mij je zorgen overnemen. Daar ben ik zeer bedreven in. Op het seminarie hebben we dat een heel semester geoefend, namelijk.'

Haar grijns wordt breder. 'Ik dacht dat priesters juist heel enthousiast moesten zijn over de reis naar de hemel.'

'Wie weet ben ik daarom wel geen priester meer. Laten we het erop houden dat ik misschien minder enthousiasme voor het idee kon opbrengen dan een aantal van mijn voormalige medepriesters. Dat je toevallig priester bent, wil nog niet zeggen dat je op problemen uit moet zijn.'

Ze wordt ernstig. 'Denk je echt dat er een hemel is, Mike?'

Ik denk even na. 'Ja.'

'Zeker weten?'

'Tamelijk zeker.'

'En als je je vergist?'

'Een hele hoop mensen zullen na hun dood dan voor een flinke teleurstelling komen te staan. Dat geldt ook voor mij.'

Ze laat het onderwerp niet rusten. 'Als je daar komt, wat is dan het eerste wat je zult doen?'

'Eerst eens wat tijd met mijn vader doorbrengen. Er zijn nog een paar dingen te bespreken waar we nooit aan toe zijn gekomen.'

'Wat voor dingen?'

'Nou, dat ik hem wil bedanken voor alle moeite die hij zich heeft getroost. We hadden onze ups en downs, maar naarmate ik zelf ouder word, besef ik dat hij alles heeft gegeven.' Ik denk even na en zeg: 'En ik wil eens flink tegen hem tekeergaan omdat hij zichzelf zo slecht verzorgde en nooit is opgehouden met roken.'

'Verder nog iemand?'

'Ik wil mijn moeder graag vertellen dat het goed gaat met Grace. Daar was ze altijd bezorgd over. En ik wil mijn grote broer weer eens zien. Het zou leuk zijn te weten wat hij met zijn verdere leven had willen doen.'

'Hij moet wel een apart type zijn geweest,' merkt Rosie op.

'Klopt.' Nog steeds zie ik Tommy haarscherp voor me, in zijn football-outfit, spelend voor het team van de universiteit van Californië. Ik zal nooit die ene keer vergeten dat hij de bal zó de tribune in schopte nadat hij in de laatste grote wedstrijd tegen het universiteitsteam van Stanford de winnende touchdown had gescoord. Een jaar later was hij er niet meer. Hij had in de NFL kunnen spelen. 'Je zou hem leuk hebben gevonden. Hij zag er goed uit, was atletisch en je kon vreselijk met hem lachen.'

'Hij zag er beter uit dan jij?'

'Misschien een beetje.'

'Je mist hem, hè?'

'Ja, ik mis hem. Hij was maar een jaar ouder dan ik.'

Een paar minuten is het stil. 'Heb je Leslie al gesproken?' vraagt ze even later.

'Nog niet. Ze heeft niet teruggebeld.'

'Waarom wacht ze?'

'Waarschijnlijk weegt ze haar opties af.'

'Ongetwijfeld.'

Ik kijk op mijn horloge. Het is acht uur. 'Ik moet er vandoor,' zeg ik.

'Waar ga je heen?'

'Een getuige ondervragen.'

'Wie?'

Ik wijs door het raam naar First Street. Rosie kijkt me wat verward aan. 'Je wordt met een limo opgehaald?'

'Was het maar waar. De getuige zit achter het stúúr.'

'Je gaat hem in de auto ondervragen?'

'Haar. En waarom ook niet? Ik vroeg haar of ze me kon laten zien waar ze Petrillo en Ellis moest afzetten. Bovendien heeft ze beloofd dat ze de minibar zou bijvullen.'

'Gratis?'

'Nee, die limo moest ik huren.'

'Wat kost dat?'

'Negentig dollar per uur. Ik dacht: misschien praat ze wat makkelijker als ik haar betaal.'

'Je bent me er eentje.'

Ik knipoog. 'Wil je mee?'

'Ik denk het niet.'

'Kom op, Rosie. Een extra passagier hoeft niet te betalen. Wanneer heb je voor het laatst in een limousine gereden?'

'Toen we trouwden.'

'Nou, tijd voor een tweede kans. Het hoort gewoon bij het werk. Grace zit bij Melanie en Jack. Ik durf trouwens te wedden dat er een fles champagne koud staat. Kom, ga mee, dan toosten we op de geweldige dag die we vandaag mochten beleven.'

Haar glimlach wordt breder. 'Ach, waarom ook niet?'

28
ALLLURE 1

Een vleugje luxe. Het bewijs van een goede smaak.
Uit de brochure van limousineverhuurbedrijf Allure

De chauffeuse wijst naar de villa van Big Dick. 'Daar heb ik meneer Petrillo en meneer Ellis opgehaald.'

Rosie en ik zitten achter in de zwarte Lincoln met kentekenplaat ALLURE 1. De zon gaat onder. Het hek is dicht en in de woning is het donker.

'Hoe laat was dat?' vraag ik.

Ze heet Bridget, een pezige dame met een zangerig Iers accent. Ze vertelt ons dat haar ouders ongeveer tien jaar geleden met het verhuurbedrijf zijn begonnen. Ze leidt het bedrijf inmiddels samen met haar broer. Ze draait zich even naar ons om. 'Dat was tegen kwart voor twee.'

Dit strookt met Petrillo's verhaal. 'Jullie zijn rechtstreeks naar het Ritz gereden?'

'Nee.'

Rosies ogen worden groot. 'Waar zijn jullie dan heen gegaan?'

'Eerst reden we naar de Golden Gate Bridge.'

Kijk aan. 'Waarom?'

'Het lag op de route en meneer Ellis wilde hem graag zien. Eerst heb ik ze naar Fort Point gereden. Daarna naar de parkeerplaats bij het tolplein.'

'Kunt u ons even laten zien hoe u toen bent gereden?'

'Natuurlijk.' Ze start de wagen en rijdt over North Twenty-fifth Avenue. Daarna slaat ze links af Lincoln Boulevard op. We hebben maar een paar minuutjes nodig om de kronkelende heuvelweg door het Presidio af te leggen. We passeren de toegangsweg naar Baker Beach en de Battery Chamberlin. Vervolgens rijden we langs het beheergebouw en onder Doyle Drive door. Ze volgt de smalle weg naar Fort Point en stopt bij de plek waar zaterdagochtend het lichaam van Marty Kent werd aangetroffen.

'Is meneer Petrillo of meneer Ellis uitgestapt om wat rond te lopen?' vraag ik.

'Nee. Ze bekeken de omgeving vanuit de wagen.'

'Waar ging de rit vervolgens naartoe?'

'Naar het parkeerterrein bij de brug.'

We volgen het spoor terug over de heuvel. Ze draait Lincoln Boulevard op en slaat kort daarna rechts af het parkeerterrein op. Het is inmiddels donker en de mist komt opzetten. Ze parkeert naast de plek waar Angel zaterdagochtend werd aangetroffen. 'Waar stopte u precies?' wil ik weten.

Ze zet de motor af en wijst naar de snackkraam. 'Daarginds.'

'Waren er nog meer mensen?'

'Een paar auto's. Het was vrij laat.'

Ik vraag of Petrillo of Ellis is uitgestapt.

'Allebei. Ze liepen wat rond.' Ze wijst naar de zuidtoren. 'Ze liepen langs de souvenirwinkel, daarna kwamen ze terug. Het hek naar het voetgangersgedeelte zat op slot. Ze konden niet de brug op.' Ze bleven niet langer dan vijf minuten bij de brug, zegt ze.

'En daarna reed u beide heren terug naar het Ritz?'

'Ja.' Ze bevestigt dat ze daar allebei zijn uitgestapt.

'En zijn ze, voorzover u weet, de rest van de nacht in het hotel gebleven?'

De jonge vrouw trekt even aan de zwarte stropdas die losjes om haar hals hangt. 'Meneer Petrillo ging naar binnen,' antwoordt ze. 'Meneer Ellis bleef in de lobby.'

'Hoe weet u dat?'

'Ik liep even naar binnen om van het toilet gebruik te maken. Ik ken de portier namelijk. Het was laat en hij staat toe dat ik de auto op de oprijlaan parkeer.'

'En?'

'Toen ik weer naar buiten liep, zag ik meneer Ellis. Hij vroeg me of ik nog tijd had voor een rit. Ik vertelde hem dat ik iemand van het vliegveld moest ophalen en dat ik al laat was. Ik bood aan een van onze andere chauffeurs op te piepen, maar hij zei dat hij wel een taxi zou nemen.'

'Weet u ook waar hij heen wilde?'

'Terug naar het huis van meneer MacArthur.'

Wát? 'Zei hij ook waarom?'

'Nee.'

Dit is wel heel merkwaardig. 'Is hij daar aangekomen?'

'Dat weet ik niet.'

'Weet u de naam van de portier van afgelopen vrijdagnacht?'

'Graham Morrow.'

Ik vraag of hij vanavond dienst heeft.

'Ik geloof van wel.'

'Kunt u ons naar het hotel rijden zodat we even met hem kunnen praten?'

Morrow blijkt een blonde adonis met schouders die breed genoeg lijken om de Golden Gate Bridge te kunnen schragen. Aandachtig bekijkt hij de foto van Ellis. 'Sorry, mate. Ik mag niets over onze gasten vertellen. Huisregels,' antwoordt hij met een vriendelijk Australisch accent.

Ik probeer kalm te blijven. 'We vragen je ook niet allerlei geheimen te onthullen. We willen alleen maar weten of hij het hotel nog heeft verlaten nadat Bridget hem afgelopen zaterdagnacht hier heeft afgezet.'

Hij heft zijn gehandschoende handen. 'Ik kan niet helpen, mate. Huisregels.'

'Laat me even met de chef praten.'

Een paar minuten later verschijnt hij in het gezelschap van een formele jongedame die eruitziet alsof ze pas drie weken geleden haar MBA-bul heeft ontvangen. Ze doet me denken aan Zuster Karen Marie Franks, mijn lerares in het derde jaar op St. Peter's. SALLY TODD lees ik op haar naamplaatje. 'Het spijt me,' laat ze ons weten. 'We praten niet over onze gasten, tenzij we daarvoor toestemming hebben. Huisregels.'

Toevallig hebben ze bij Fernandez & Daley ook huisregels. Weiger je ons beleefd te woord te staan, dan komen we terug met een dagvaarding. Ik probeer haar vriendelijk over te halen. 'Mevrouw Todd,' zeg ik, 'we hebben slechts één vraagje voor meneer Morrow. We zijn er echt niet op uit om met een dagvaarding te komen.'

'Het spijt me, meneer Daley. Ik heb geen keus.'

Ik zucht wat overdreven. 'Zoals u wilt.' Ik klap mijn mobieltje open en toets het nummer in van ons kantoor. Carolyn neemt op. 'Zou je even twee dagvaardingen voor me kunnen opstellen?' vraag ik. 'En ook graag even een standaardantecententenonderzoek naar mevrouw Sally Todd en meneer Graham Morrow?'

Ik krijg de reactie die ik verwacht. 'Waar heb je het in 's hemelsnaam over, Mike?' vraagt Carolyn verbaasd.

Met een hand dek ik mijn mobieltje af, draai me om naar Graham en Sally en vraag: 'Mag ik uw volledige namen, alstublieft?'

De manager verbleekt. De Aussie kijkt haar licht paniekerig aan. 'Eh, luister…'

Ik onderbreek hem en bespeur een glimp van een grijns op Rosies gezicht. Ze besluit het spelletje mee te spelen en er zelfs een schepje bovenop te doen: 'En ook graag uw sofinummer…'

Sally Todd verstijft. Als ze dit aan haar bazen moet uitleggen, kan ze de komende twintig jaar nachtdiensten draaien. 'Wat wilt u precies weten, meneer Daley?' vraagt ze.

Het is fijn om te weten dat je met wat onvervalste bluf op zijn tijd nog een heel eind kunt komen. 'We willen graag weten of meneer Ellis, nadat hij een paar minuten na tweeën hier werd afgezet, nog is weggegaan.'

De manager kijkt Morrow even aan. 'Heb jij hem nog gezien?'

'Ja.'

'Vertel meneer Daley maar wat je weet.'

Ik breng mijn mobieltje even naar mijn mond. 'Carolyn, laat maar zitten. Ik denk niet dat we die dagvaardingen nog nodig hebben.'

'Je bent een ongelofelijke zakkenwasser, jij,' klinkt het in mijn oor.

'Je hebt helemaal gelijk.' Ik klap mijn mobieltje dicht. Rosies pretogen glimmen. Ik draai me om naar mijn nieuwe vriend. 'Heeft meneer Ellis het hotel daarna nog verlaten?'

Crocodile Dundee junior tuurt naar de ondergaande zon. 'Yeah, mate.' Zijn joviale toontje is terug.

'Weet je ook waar hij heen ging?'

Hij krabt even over zijn kin. 'No, mate,' luidt zijn antwoord.

'Herinner je je toevallig de naam van het taxibedrijf nog?'

'Onze vaste firma: Veterans.'

En dan nu even een gokje: 'Ken je de chauffeur?'

'Ik ken alle taxichauffeurs. Het was Joe Lynch.'

Weer een aanwijzing. 'Had je nog dienst toen Ellis terugkwam?'

'Ja. Dat was een paar minuten na drieën.'

'Hij kwam terug in dezelfde taxi?'

Morrow aarzelt even. 'Nee, hij zat niet in een taxi.'

O nee? 'Hoe kwam hij dan terug?'

'Iemand gaf hem een lift in zo'n chique stationwagon, mate.'

'Welk merk?'

'Ik geloof een Lexus.'

Ik vraag hem of hij zich de bestuurder nog kan herinneren.

'Dat wordt een beetje lastig, mate.'

Nog één keer mate en ik wurg die vent. 'Was het een man of een vrouw?'

'Een vrouw.'

'Hoe zag ze eruit?'

'Jong. Aantrekkelijk. Lang, donker haar. Beetje exotisch, zeg maar.'

Ik kijk even naar Rosie. Ze vangt mijn blik en haar lippen vormen geluidloos de naam: Eve.

Ik kijk Graham Morrow aan: 'Thanks, mate.'

29
JOE LYNCH

'Dit is voor mij gewoon tijdelijk werk.'
Joe Lynch, taxichauffeur voor taxibedrijf Veterans

Even later staan Rosie en ik in de lobby van het Ritz. Ik haal mijn mobieltje tevoorschijn en bel 411 om het telefoonnummer van Veterans Cab op te vragen. Daarna toets ik het nummer in en wacht. Een schorre stem neemt op. 'Veterans Cab. Momentje, alstublieft.'

Rosie kijkt me nieuwsgierig aan. 'Die vent die net opnam, klinkt net als Louie uit *Taxi*,' zeg ik. Ze glimlacht.

Een moment later hoor ik de stem weer. 'Veterans.'

'Heeft Joe Lynch vanavond dienst?' vraag ik.

Ik hoor hem even zijn keel schrapen. Daarna roept hij naar iemand: 'Heeft Lynch zich gemeld?'

'Ja.'

'Hij heeft dienst,' is zijn antwoord. 'U hebt hem nodig?'

'Ja. Het Ritz graag.'

'Naam?'

'Mike.'

'Over vijf minuutjes.'

In tegenstelling tot de man van de centrale heeft Joe Lynch een diepe baritonstem en praat hij met een deftig Brits accent. 'Ik doe dit werk om de rekeningen te kunnen betalen,' zegt hij. 'En verder studeer ik om voor de radio voiceover-stemmen te kunnen inspreken.'

Rosie en ik zitten achter in taxi 714. We rijden over Pine Street voor onze tweede rit in het afgelopen uur naar Sea Cliff. Ik mis Bridgets limo nu al. Lynch' lyrische stembuigingen zijn een schrale troost voor de vermoeide vering en de hobbelige rit. Hij is een echte prater, dus ik heb weinig moeite hem op gang te krijgen.

'Hoelang doe je dit werk al?' vraag ik.

We rijden inmiddels bijna tachtig waar je vijftig mag. Hij draait zich even om. Twee donkerbruine ogen kijken me aan. Zijn korte grijze haar en getrimde snor steken scherp af tegen zijn donkerbruine huid. 'Zestien jaar,' is het antwoord. Godzijdank draait hij zich net op tijd weer om zodat we de dubbelgeparkeerde bestelbus nog net kunnen ontwijken.

Hij doet me denken aan een New Yorker of iemand uit LA die zegt dat hij acteur is, ook al werkt hij al twintig jaar 'tijdelijk' voor een telefoonbedrijf. 'Waar kom je vandaan, Joe?'

'De Britse Maagdeneilanden.'

Dat verklaart het accent. 'Je hebt een heel opmerkelijk accent.'

'We hadden het thuis niet breed, maar mijn moeder stond erop dat we netjes leerden spreken.' Zonder dat ik erom vraag, vertelt hij met gepaste trots dat zijn dochter aan de universiteit van Californië medicijnen studeert.

We rijden in westelijke richting over Geary Boulevard naar het Richmond District. Ondertussen probeer ik ter zake te komen. 'Weet je nog hoe laat je meneer Ellis bij het Ritz ophaalde?'

'Rond tweeën.'

'Waar wilde hij heen?'

'Naar een woning in Sea Cliff. Ik rijd er wel even heen.' Hij slaat rechts af op Twenty-fifth Avenue en rijdt een stuk in noordelijke richting. Daarna slaat hij links af El Camino del Mar op, vlak voordat Twenty-fifth Avenue overgaat in de doodlopende North Twenty-fifth Avenue.

'Was het niet de woning aan North Twenty-fifth?' vraagt Rosie.

'Nee. Het was op El Camino del Mar.' Hij rijdt nog een paar straten verder en stopt ten slotte voor de woning van Little Richard. 'Hier is het.'

Rosie en ik wisselen een blik. Wat had Ellis hier in vredesnaam te zoeken? 'Hoe laat was dat?' vraag ik.

'Kwart over twee.'

'Waren er nog mensen wakker?'

Hij parkeert aan de overkant, waar het verboden is, en zet de motor af. 'Er brandde licht binnen. Hij vroeg me niet op hem te wachten.'

'Dus je hebt hem niet teruggebracht naar het hotel?'

'Nee.'

'Je weet heel zeker dat die tijdstippen kloppen, Joe?'

'Heel zeker.' Hij glimlacht. 'Ik hoopte eigenlijk dat hij me zou vragen op hem te wachten.'

'Waarom?'

'Hij gaf me twintig dollar voor een ritje van twaalf. Ik hoopte eigenlijk op nog eens twintig voor de terugrit.'

Om tien uur zijn we terug in mijn werkkamer. Joe Lynch heeft ons een paar minuten geleden thuisgebracht en in een opwelling gaf ik hem een biljet van twintig dollar. Hij gaf mij zijn privé-nummer. Rosie leunt tegen haar favoriete plek: de punt van mijn bureau. 'Moet je luisteren,' zeg ik.

Ik druk op de knopjes van mijn voicemail. Na tien berichten van tv-stations en kranten te hebben overgeslagen, beland ik bij het bericht dat ik wil laten horen. Het is de stem van Leslie. 'Michael,' zegt ze, 'bel me zo snel mogelijk terug. Ik blijf op voor je.' Vervolgens geeft ze het telefoonnummer van haar gsm.

Ik kijk Rosie aan. 'Nou, wat denk jij ervan?'

'Moeilijk te zeggen. Nogal cryptisch.'

'Durf je je aan een voorspelling te wagen?'

'Vergeet het maar.'

'Ik ben niet optimistisch,' zeg ik.

'Je kunt nooit weten,' is haar reactie. We zwijgen even. Daarna komt ze ter zake. 'Oké, Sherlock, wat had Ellis om twee uur 's nachts bij Little Richard te zoeken?'

'Ik neem aan dat hij over het China Basin-project wilde praten.'

'En was het inderdaad Eve die hem terugbracht naar het Ritz?'

'Waarschijnlijk. Wie zou Little Richard anders hebben moeten bellen?'

'Hoe snel kun je in Vegas zijn?'

'Morgen, of anders woensdag.'

'Wat ga je nu doen?'

'Ik moet met Carolyn overleggen. Daarna heb ik een afspraak met Pete in de Edinburgh Castle.'

'Is het niet een beetje laat voor de kroeg?'

'Voor een ontmoeting met Kaela Joy Gullion zou ik de hele nacht opblijven.'

30
KAELA JOY

'Ik was helemaal niet van plan privé-detective te worden. Het is gewoon zo gelopen.'
Kaela Joy Gullion, profielschets in de *San Francisco Chronicle*

Eerst moet ik Leslie bellen. Ik toets haar nummer in en wacht. 'Ha, Michael,' is het eerste wat ik hoor.

Ik vrees het ergste. 'Hoe wist je dat ik het ben?'

'Intuïtie.' Ze aarzelt. 'Je weet dat ik Angelina's voorlopige hoorzitting moet voorzitten? Dat is een belangenconflict.' Ze zwijgt even. 'We moeten praten.'

'Inderdaad.'

'Maar vanavond kan ik niet, en ik wil het ook niet over de telefoon doen.'

Ik vrees het allerergste. 'Ik ook niet.'

'Wat dacht je van morgenavond? Misschien is het beter als we ergens afspreken waar we niet worden herkend.'

Bij haar thuis? opper ik. Geen goed idee, vindt ze. Ik voel me een tiener die het ouderlijk huis wil ontglippen. We spreken af in een sushirestaurant aan de rand van Richmond.

'Is er iets waar we het nu al over moeten hebben?' vraag ik.

'Morgen praten we verder, Michael.'

'Bedankt dat je even met Ben hebt gepraat,' bedankt Carolyn me een paar minuten later.

'Alles komt goed.'

'Ik hoop het. Ik heb weer met Lisa Yee gesproken. Ze wil hem nog steeds aanklagen voor een misdrijf.'

Daar gaat mijn gepassioneerde pleidooi voor clementie. Terwijl Rosie en ik in onze zoektocht naar meer informatie de hort op waren, heeft Carolyn de juridische voorbereidingen voor haar rekening genomen. De laatste twee dagen is ze bezig geweest met het opstellen van de dagvaardingen en de verzoekschriften voor inzage in de dossiers. Vervelend, maar zeer belangrijk werk. Het is elf uur en we zitten in Rosies werkkamer.

'Ik zal nog eens met haar praten,' zeg ik.

'De hoorzitting is donderdag.'

'Ik heb Randy Short gesproken. Hij staat klaar als we hem nodig hebben.'

Ze zucht.

Ik pak haar hand. 'We gaan deze klus klaren, Caro.'

Kaela Joy Gullion zou zo kunnen doorgaan voor een beroepsbasketbalster. Het ranke postuur van de voormalige Niners cheerleader, lengte een meter vijfentachtig, verraadt een veelvuldig bezoek aan de sportschool. Haar zwarte spijkerbroek zit strak om haar eindeloze benen. Het voormalige model heeft een romige teint, volle lippen en hoge jukbeenderen. Alleen van heel dichtbij zou je kunnen ontdekken dat ze inmiddels al dik in de veertig is. Haar kastanjebruine, halflange haar gaat schuil onder een zwarte, gebreide muts. Zij en Pete lijken net een stel geveltoeristen. Ze neemt een slokje van haar Guinness en verklaart: 'Wijlen Richard MacArthur was een zakkenwasser.'

Duidelijke taal. Ik vang Petes blik. Hij glimlacht. 'Vertel ons maar gewoon wat je denkt.'

Op haar gezicht verschijnt de glimlach die twintig jaar geleden de covers van glamourbladen sierde. Ze trekt haar muts af en schudt haar weelderige haardos los. Als Dominic Petrillo vindt dat Angels glimlach harten kan laten smelten, dan heeft hij die van Kaela Joy vast nog nooit gezien.

We hebben ons achter in het etablissement verschanst, bij de dartborden. De Edinburgh Castle is een oude pub tussen Larkin Street en Polk Street, in wat een eeuw geleden nog als een modieuze stadsbuurt gold. Tegenwoordig heet de wijk Tenderloin en wordt de pub omringd door peepshows. Een gelikte tent kun je het niet noemen, maar toch heeft het, tja, sfeer. Een lange bar loopt langs de volledige lengte van de pijpenla. Het ruikt er naar Guinness-bier. Hoewel er geen keuken is, regelen ze op de hoek wat fish en chips voor je als je honger hebt. Als vorm van vermaak in dit deel van de stad trad hier op zaterdagavond een doedelzakspeler op. Een paar jaar geleden ging hij met pensioen en tot nu toe hebben ze nog geen vervanger gevonden. Misschien maar beter ook. Het lawaai was nog erger dan dat in de disco-bowling waar Grace me bij tijd en wijle mee naartoe sleept.

'Hoe is je contact met Millennium Studios tot stand gekomen?' vraag ik.

'Het hoofd van de beveiliging heeft een paar jaar in het oefenteam van de Niners gespeeld. Ik hielp hem bij zijn scheiding. Hij huurde me in voor wat klusjes in Zuid-Californië.'

Ik mag haar nu al. 'Wat ben je over Dick MacArthur te weten gekomen?'

'Alle horrorverhalen kloppen.' Haar toon is zakelijk. Ze bestelt nog een Guinness en onthult ons alle banale details. 'Hij was een echte smeerlap,' vertelt ze. 'Hij had ik weet niet hoeveel buitenechtelijke kinderen. Dit is zijn verdiende loon.' Ze neemt een slokje van haar bier. 'Jouw cliënte werd flink genaaid. Die huwelijkse voorwaarden die hij haar dwong te ondertekenen, waren puur in zíjn voordeel. Ze zal geen cent van zijn geld erven.' Ze heft haar handen. 'Ze was nog maar een jonge meid. Hij gebruikte haar. Ik weet hoe het is om met een klootzak getrouwd te zijn.' Het venijn in haar stem is opvallend. Hoewel het op zich een grappig verhaal lijkt dat ze haar ex-man in Bourbon Street met één vuistslag velde nadat ze hem met een ander had betrapt, moet het hele gedoe voor haar behoorlijk aangrijpend zijn geweest.

Ze komt nog maar net op gang. 'En MacArthur junior is een nóg grotere zakkenwasser dan zijn vader,' klinkt het vervolgens.

Het DNA-profiel van de MacArthurs lijkt rijkelijk te zijn voorzien van het zakkenwassersgen. 'Waarom wil je eigenlijk met ons praten?' vraag ik.

Ze glimlacht naar Pete. 'Ik mag jouw broer wel. Het zal een stuk makkelijker zijn als we mekaar helpen. Jouw cliënte is gewoon een lieve meid en iemand is bezig haar in de val te laten lopen. Dat gaat me aan het hart.'

Ik zou haar graag willen geloven.

'Luister,' vervolgt ze, 'ik doe dit echt niet alleen omdat ik zo'n aardige meid ben. Jullie lijken me op zich best geschikt, maar ik moet ook de belangen van mijn eigen cliënt behartigen. Angelina's arrestatie bemoeilijkt de filmpremière.' Ze wordt serieus. 'Petrillo weet dat ik hier zit. Hij heeft me opgedragen mee te werken. Anders zou ik hier echt niet met jullie zitten te kletsen.'

'Wat kun je ons over Petrillo vertellen?' vraag ik.

'Ik ga geen vertrouwelijke zaken onthullen.'

'Wat kun je ons melden dat niet vertrouwelijk is?'

Ze grijnst. 'Dat hij ook een zakkenwasser is, maar wel een heel slimme.'

'Waarom ging hij in zee met MacArthur?'

'Omdat-ie goed is in films maken.'

'Er zijn anders nog veel meer goeie filmmakers, die bovendien veel minder aandacht vergen.'

Een veelbetekenende grijns. 'Ken je LA een beetje?'

'Een beetje.'

'In de filmindustrie verwáchten ze juist dat je een klootzak bent. Dat hoort er gewoon bij. Ben je dat niet, dan maken ze gehakt van je. MacArthur was geen haar slechter dan de meeste filmbonzen. Petrillo bekeek het gewoon zakelijk. Het script was goed, en hij had een regisseur die de klus aankon. En dus gaf hij groen licht voor de film.'

'En al die geruchten over toestanden op de set?'

'Allemaal waar. En totaal irrelevant. Filmsterren hoeven helemaal niet met hun regisseurs te kunnen opschieten. Petrillo wilde gewoon dat die film werd gemaakt. De rest was poppenkast. Het kon hem echt geen reet schelen of Dick en Angelina elkaar elke dag voor rotte vis uitmaakten.'

Wat formuleert ze toch omzichtig. 'Zal hij de film op tijd gaan uitbrengen?'

'Natuurlijk.'

'Hij vertelde ons dat hij misschien even zal wachten vanwege Dicks overlijden.'

Haar ogen sperren zich open. 'Onzin. Ze kunnen hoe dan ook op gratis publiciteit rekenen. Ze krikken het promotiebudget nog wat op en verklaren in een extra persbericht dat de film juist een toepasselijk eerbetoon zal zijn. Ze zetten Richard junior in de *Today*-show en plaatsen advertenties in de *Daily Variety*. Zelfs al is-ie slecht, dan nog zal hij het eerste weekend vijftig miljoen opbrengen.'

'En de geruchten over aanpassingen aan het script en het opnieuw casten van enkele rollen?'

'Daar is nooit sprake van geweest. Het filmbudget was al overschreden. Denk je nou echt dat ze helemaal van voor af aan zouden willen beginnen?'

Duidelijk. 'Wil Petrillo de bouwplannen voor de nieuwe studio doorzetten?'

'Voorzover ik weet wel, ja.'

'Konden hij en MacArthur het goed met elkaar vinden?'

'Je vraagt me of mijn cliënt MacArthur irritant genoeg vond om hem te laten vermoorden?'

Ik mag haar aanpak wel. 'Daar komt het op neer, ja.'

'Doe even normaal. Petrillo kan net zo weerzinwekkend zijn als MacArthur was. Ze hadden allebei last van een te groot ego en behandelden iedereen als voetvolk. Maar tussen een klootzak en een moordenaar zit wel enig verschil. Petrillo is gehaaid en hebzuchtig, maar hij opereert binnen de grenzen van de wet – voorzover die binnen de filmindustrie van toepassing zijn.' Ze knipoogt even naar me. 'Trouwens, ik werk niet voor moordenaars.'

De wat bleek ogende barkeeper, die eruitziet alsof hij zojuist per boot vanuit Glasgow is gearriveerd, komt naar ons tafeltje en vertelt ons dat het de laatste ronde is. Ik betaal het bier. Afgezien van een paar darters zijn we de enige gasten.

'En MacArthurs zoon?' vraag ik Kaela.

'Een sukkel,' is het antwoord.

'Vertel mij wat. Wat is zijn motief?'

'Geld. Hij ligt weer eens in scheiding. Zijn overheadkosten zijn nogal hoog. Hij betaalt al alimentatie aan zijn eerste ex, heeft een paar dure tweede huisjes en hij restaureert graag klassieke sportwagens. Op zich best een redelijke filmproducent, maar hij ziet zichzelf vooral als regisseur. Hij wilde niet dat het fortuin van zijn vader werd opgeslokt door "het luchtkasteel aan de Bay", zoals hij het noemde.'

'Hij wil het China Basin-project afblazen?'

'Absoluut. Niet rendabel, zoals ze in het onroerendgoedwereldje zeggen. Hij wilde zijn erfenis niet verkwanselen.'

'Hij kan zich toch terugtrekken?'

'Dat zal hem miljoenen gaan kosten. De overeenkomst heeft een nevenvoorwaarde die het voor de deelnemers extra kostbaar maakt zich terug te trekken. Van zijn vaders investering ziet hij maar een paar centen terug, en bovendien moet hij als boete aan de overige investeerders nog eens vijf miljoen dollar ophoesten.'

'Hij zit klem.'

'Hoeft niet. Als de bouwplannen worden afgekeurd, hoeft hij die boete niet te betalen.'

'Zijn Petrillo en Ellis bereid hem uit te kopen?'

'Meteen, als het moet. Maar dan hebben ze wel een probleem. Het zal ze niet lukken om vóór de hoorzitting, volgende week vrijdag, voor zeshonderdduizend vierkante meter een nieuwe huurder te vinden. De bouwcommissie zal misschien besluiten de bouwvergunning nog even niet te verlenen. Ze zijn nu op zoek naar een tweede huurder, als reserve. Ondertussen willen ze zo snel mogelijk die vergunning binnenslepen en aan de slag gaan.'

'En als Richard junior zich terugtrekt zodra de vergunning rond is?'

'Wie dan leeft, dan zorgt.'

Het ligt gecompliceerder dan ik dacht. 'Hoe groot is de kans dat de bouwvergunning verleend zal worden?'

'Fifty-fifty.'

Vandaar dus dat iemand de middenstand in Mission District het een en ander toeschoof. 'Heeft Angelina nog een aandeel hierin?' vraag ik.

'Misschien. Volgens het testament heeft ze recht op de helft van MacArthurs vermogen, met inbegrip van de helft van zijn aandelenpakket in MacArthur Films. Waarschijnlijk zullen ze de deal niet zonder haar toestemming kunnen wijzigen.'

Het klinkt alsof Angel een troef achter de hand heeft. 'Denk je dat MacArthur junior zijn vader kan hebben vermoord?'

'Financieel gezien had hij duidelijk een motief, en het boterde totaal niet tussen die twee.'

'Enig bewijs daarvan?'

'Hij arriveerde die avond pas laat, en zijn vingerafdrukken zaten op de oscar.'

Ik licht haar in over het bezoekje van Carl Ellis later die nacht. Daarvan heeft ze zelf niets gemerkt, vertelt ze. Daarna informeer ik naar Kent.

'Hij was niet gelukkig. Kennelijk was hij na de dood van zijn vrouw niet meer de oude. En hij was niet bepaald in zijn sas over het China Basin-project. Hij vond dat Ellis en Petrillo er veel beter bij voeren dan ze verdienden. Bovendien geloofde hij niet dat MacArthur Films aan de financiële verplichtingen zou kunnen voldoen. En zijn eigen geld stond op het spel.'

'Kan het zijn dat vorige week voor hem de bom ontplofte?'

Ze grijnst. 'Je weet echt niet van ophouden, hè? Waarom kom je niet gewoon ter zake en vraag je me of hij gestoord genoeg was om Dick Mac-Arthur om zeep te helpen?'

Ik hap toe. 'Oké, kom maar op met je antwoord.'

'Je bent vergeten dat hij je cliënte erbij lapte en zelfmoord pleegde.'

'Ja, dat ook nog.'

Haar perfecte kin rust op haar rechterhand en ze buigt zich iets over de tafel. In haar antwoord klinkt niets van twijfel door: 'Nee.'

'Waarom niet?'

'Waarom zou hij Angelina erbij lappen als hij toch zelfmoord wilde plegen?'

Tja, waarom? Ik zwijg even om mijn gedachten te ordenen. Daarna vraag ik: 'Wilde Kent het bouwproject cancelen?'

'Nee. Hij wilde echt dat het doorging.'

Dit staat haaks op alles wat we tot nu toe hebben gehoord. Ik vraag waarom.

'Die overeenkomst was al getekend. Maar voor hem zat er een gouden randje aan. Hij had voor zichzelf een speciale bonus bedongen voor als de plannen zouden slagen: drie miljoen dollar voor het binnenhalen van de bouwvergunning.'

'Daar heb ik in de overeenkomst anders niets over gelezen.'

'Er stond ook niets op schrift. Het was met een handdruk bezegeld. Kennelijk was zijn vermogen opgegaan aan slechte investeringen en de experimentele behandelingen voor zijn vrouw. Hij had dat geld hard nodig. Er gingen geruchten dat hij lokale ondernemers omkocht om hem te steunen.'

Ik houd me van de domme. 'Kloppen die geruchten?'

Ze kijkt me koket aan. 'Ik zou het niet weten. Maar Jerry Edwards lijkt er anders behoorlijk van overtuigd.'

'En Petrillo en Ellis hadden daar niets mee te maken?'

'Petrillo niet. Van Ellis weet ik het niet.'

Je kunt van haar niet verwachten dat ze haar eigen cliënt compromitteert. Toch vind ik het moeilijk te geloven dat Kent dit alles in zijn eentje bekokstoofde, vooral als hij krap bij kas zat. 'Kan het zijn dat MacArthurs zoon erbij betrokken was?'

'Kan zijn. Maar als je ervan uitgaat dat hij tegen de bouwplannen was, dan lijkt het me onwaarschijnlijk dat hij mensen zou omkopen om die plannen juist te steunen.'

Ik weet niet of ik het wel eens ben met de veronderstelling dat Little Richard het bouwproject wilde tegenhouden, hoewel haar uitleg over zijn financiële situatie haar misschien wel eens in het gelijk kan stellen. Ik vraag haar naar Daniel Crown en Cheryl Springer.

'Springer is slechts in één ding geïnteresseerd: zorgen dat de film op tijd in de bioscopen verschijnt. Ze wil niet dat het geld van haar echtgenoot in het China Basin-project verdwijnt.'

'Zou zij iets met MacArthurs dood te maken kunnen hebben, denk je?'

'Ze vonden haar vingerafdrukken op de oscar. Na het feestje is ze samen met dat leeghoofd van haar naar huis gereden. Ik zie niet hoe ik haar verder nog met MacArthur of Angelina in verband kan brengen.'

Wederom een doodlopend spoor. Ze kijkt op haar horloge. Het is bijna twee uur. 'Ik heb begrepen dat Rod Beckert heeft bepaald dat Kent zichzelf van het leven heeft beroofd,' zegt ze.

'Klopt.'

'Hoe denk jij erover?' vraagt ze.

'Tja, daar vraag je me wat.'

'Kom, je hebt toch wel een theorie?'

'Nog niet. Volgens mij heeft hij MacArthur vermoord, Angelina erbij gelapt en is-ie daarna van de brug gesprongen. Maar ik kan helemaal niets bewijzen. De politie en het OM zullen het op zelfmoord houden, totdat het tegendeel kan worden bewezen.' Ik zwijg even en besluit verder te hengelen. 'Hoe denk jij erover?'

'Tja, daar vraag je me wat.'

Ik kaats de bal terug. 'Kom, jíj hebt toch zeker wel een theorie?'

'Wie weet.' Ze drinkt haar glas leeg en beantwoordt mijn vraag met een wedervraag. 'Raad eens waar ik afgelopen vrijdagavond was?'

Dat weet ik al. 'Bij het huis van MacArthur.'

'Van wie weet je dat?'

'Petrillo.'

Ze glimlacht. 'Hij wilde dat ik Ellis in de gaten hield. Er gingen geruchten dat Big Dick en Ellis van plan waren Millennium Studios uit het project te wippen.'

Het lijkt wel alsof iedereen elkaar een hak wilde zetten. Ik vraag haar wat ze die vrijdagavond heeft gezien.

'Ellis vertrok met Petrillo in de limousine. Ik neem aan dat ze samen naar het hotel teruggingen.'

'Ben je ze gevolgd?'

'Ik kon niet zo snel bij mijn wagen komen. Die stond een paar straten verder geparkeerd.'

'Waar zat je verborgen? Beneden op het strand?'

'Nee. Daar zou ik te gemakkelijk te zien zijn geweest. Ik zat in de struiken aan de oostkant van het huis, naast het pad naar het strand.' Ze verzekert ons dat niemand haar daar kan hebben gezien.

Ik vraag haar of ze vanaf die plek het balkon kon zien.

'Nee. En van de voorkant en de oprit zag ik ook weinig.'

'Weet je hoe laat iedereen vertrok?'

'Voor het grootste deel wel, ja.' Ze vertelt dat Ellis en Petrillo om kwart voor twee per limousine vertrokken, en dat Springer en Crown rond twee uur verdwenen. 'Hoe laat Kent of Richard junior wegging weet ik niet precies.'

Ik denk terug aan mijn gesprekje met Joe Lynch en vraag me af of Little Richard en Ellis naar Big Dicks woning terugkeerden. Gingen ze lopend, dan zal Kaela Joy hen waarschijnlijk niet hebben gezien of gehoord. Ik vraag haar of er, nadat Springer en Crown vertrokken waren, nog iemand arriveerde.

'Niet dat ik weet.'

'Heb je nog auto's gehoord toen Springer en Crown eenmaal weg waren?'

'Om tien voor drie hoorde ik een auto stoppen. Ik denk dat er iemand werd opgehaald, maar wie weet ik niet. Om ongeveer tien voor halfvier hoorde ik opnieuw een auto wegrijden. Ik weet niet wie erin zaten.'

Nu hebben we dus twee wagens die we niet kunnen thuisbrengen. Angel, Kent – ja, zelfs Little Richard of Ellis zou in een van de twee kunnen hebben gezeten. 'Die tweede wagen, was dat toevallig MacArthurs nieuwe Jaguar?'

'Dat weet ik niet.'

We zitten er zo dichtbij! 'Heb je met de politie gesproken?'

'Ik heb rechercheur O'Brien alles verteld wat ik weet. Hij zei trouwens dat je cliënte de dader is.'

'Ben je het met hem eens?'

'Als dat zo was, zou ik nu niet met je zitten praten om je te helpen.'

Ik drink mijn Guinness op. 'Je zei dat je een theorie had over Kent.'

'Tegen drieën hoorde ik voetstappen. Iemand liep via het pad omlaag naar het strand.'

'Kon je zien wie het was?'

'Niet met zekerheid.'

'Een man of een vrouw.'

'Een man.'

'Enig idee wie?'

'Ik vermoed Kent.'

'Wat vond je ervan?' vraag ik Pete. We staan buiten voor de Edinburgh Castle en kijken Kaela Joy Gullion na, die over Geary Boulevard wegslentert. Daklozen en nachtbrakers maken ruim baan voor haar. De kreet 'Kom vooral niet in mijn buurt' belichaamt ze volkomen.

Pete frunnikt wat aan zijn snor. 'Ik geloof haar.'

Ik ook. 'Het lijkt er dus op dat de film toch nog op tijd in première gaat. Blijft over het studioproject. Als ze gelijk heeft, wilden Big Dick en Kent een aandeel, en wilde Little Richard eronderuit.'

'Yep. En het lijkt erop dat Ellis en Petrillo ook meedoen, maar het is lastig te bepalen aan wiens kant ze staan. Misschien werken ze wel samen en proberen ze de anderen te naaien.'

'Misschien.' Ik vecht tegen mijn vermoeidheid. 'En die auto's?' vraag ik.

'De eerste zou een taxi geweest kunnen zijn. De tweede was waarschijnlijk de Jaguar.'

'Wie zat erin?'

Hij glimlacht. 'Als we dat wisten, zou de hele zaak in kannen en kruiken zijn, ja toch?'

Nou en of. 'Denk je dat het Kent was die langs Kaela Joy liep?'

'Waarschijnlijk.'

'Waar ging hij heen?'

'Naar de brug om zelfmoord te plegen.'

Ik ben geneigd het met hem eens te zijn. En reken maar dat ook Nicole Ward deze redenering zal aanvoeren. Petes mobieltje gaat. Hij neemt op en geeft het aan mij. 'Rosie,' zegt hij.

Waarom belt ze in godsnaam naar Petes mobieltje? Ik grijp het ding. 'Alles in orde met jou en Grace?' vraag ik snel.

'Ja.' Ze klinkt uitgeput. 'Ik probeer je al een tijd te bereiken.'

Ik trek mijn eigen gsm tevoorschijn en zie dat de batterij leeg is. 'Het is na tweeën.'

'Ik weet het. Waar ben je nu?'

'Op de hoek van Polk en Geary.' Ik vertel haar dat we Kaela Joy hebben gesproken.

'Ik hou het van je tegoed. Hoe snel kun je naar het ziekenhuis komen?'

'Meteen. Is je moeder in orde?'

'Met haar is alles prima.'

Mijn hoofd tolt. 'Tony? Rolanda? Theresa?'

Ik hoor haar even diep ademhalen. 'Angel heeft geprobeerd zelfmoord te plegen.'

Mijn god. 'Gaat ze het redden?'

'Weet ik niet.'

'Ze werd verdomme bewaakt. Hoe hebben ze zoiets kunnen laten gebeuren?'

Rosie bewaart haar kalmte. 'Ik zie je in het ziekenhuis.'

'Ik kom eraan.'

31
'ZE WILDE ECHT DOOD'

'Angelina Chavez is voor behandeling opgenomen. Zodra we meer informatie hebben,
hoort u meer.'
Woordvoerder ziekenhuis van San Francisco, dinsdag 8 juni, 03.00 uur

Ik hoor Rosie tegen Theresa zeggen dat ze zo snel mogelijk terugbelt. Daarna klapt ze haar mobieltje dicht en kijkt me met een vermoeide frons aan.

'Hoe is het met Angel?' vraag ik.

We staan naast een politiebewaker bij de intensive care van het ziekenhuis van San Francisco. De grauwe gang ruikt naar een geconcentreerd, professioneel ontsmettingsmiddel en personeel loopt af en aan.

Rosies ogen zijn roodomrand en haar stem klinkt nauwelijks harder dan een fluistering. 'Ze wilde echt dood. Ze heeft wat bloed verloren, maar ze denken dat ze het wel zal redden.'

Goddank. 'Weten ze ook hoe ze het heeft gedaan?'

'Ze heeft haar pols doorgesneden. Vraag me niet hoe ze aan dat scherpe voorwerp is gekomen.'

'Ze behoorde bewaakt te worden, verdomme.'

'Dat gebeurde ook. Ze lag onder een laken. De cipier zag het bloed nadat ze bewusteloos was geraakt.'

Ik vraag of ze een briefje heeft achtergelaten.

'Ze vonden een stukje toiletpapier.' Rosies stem breekt. 'Er stonden slechts zes woorden op: "Ik heb mijn man niet vermoord." Ze laat haar hoofd tegen mijn schouder vallen en ik houd haar stevig vast. Ik heb mijn armen nog steeds om haar heen terwijl we de wachtkamer binnenlopen. Ik laat haar in een stoel zakken en geef haar wat water. De tv staat op Channel Four, maar het geluid staat af. Ik zie een nieuwskop met de mededeling dat Angel een poging tot zelfmoord heeft ondernomen. Langzaam hervindt Rosie haar kalmte. Zwijgend zitten we naast elkaar.

Even later krijgen we bezoek van een jonge arts in een witte jas. 'Uw nicht is bij kennis, mevrouw Fernandez,' deelt hij mee. 'Het komt allemaal goed. Ze heeft wat bloed verloren, maar haar verwondingen waren relatief licht. Ze heeft heel veel geluk gehad.'

'Mogen we haar zien?'

'Een paar minuutjes, maar houd het kort. Ze is erg moe.' De arts aarzelt even. 'Mevrouw Fernandez,' vervolgt hij, 'we hebben enkele onregelmatigheden in haar bloed ontdekt.'

Rosies ogen schieten even mijn kant op. 'Wat voor onregelmatigheden?'

'Aanvankelijk dachten we dat ze zwanger was en hebben we nog wat tests gedaan. Daarna vertelde ze ons dat ze zwanger is geweest, maar dat daar ongeveer twee weken geleden een einde aan is gekomen.'

'Een abortus?'

'Nee, mevrouw Fernandez. Een miskraam.'

Rosie sluit even haar ogen, opent ze weer en vraagt: 'Zal ze in de toekomst nog kinderen kunnen krijgen?'

'We denken van wel. Er lijkt geen sprake te zijn van permanente schade. Wel zullen we wat meer tests moeten doen. Tot nu toe lijken er geen gevaarlijke grenzen te zijn overschreden.'

Goed nieuws, gezien de omstandigheden. 'Hoe ver was de zwangerschap gevorderd?' vraag ik.

'Nog niet ver. Zo'n zes à acht weken.'

Rosie laat de arts weten Angel zo meteen te zullen bezoeken. Ze draait zich naar me om: 'Wat moet ik tegen haar zeggen? Wat moet ik tegen mijn zus zeggen?' Ze wendt haar blik even af. 'En alle mogelijke juridische gevolgen, ik moet er niet aan denken. De kranten zullen er vol van staan.'

Ik pak haar hand. 'We moeten onze aandacht nu op Angel richten. Ze moet weten dat we achter haar staan – en dat altijd zullen doen – ongeacht wat. Dat is wat we haar nu moeten vertellen. En je zus, die moeten we vooral kalm houden. We zullen flink wat hulp van je moeder en je broer nodig hebben. Jij moet je vooral om Angel, en waarschijnlijk ook om Theresa, gaan bekommeren. Je bent de enige familie die ze hebben. Carolyn, Pete en ik houden ons wel bezig met het juridische getouwtrek en het onderzoek. Hoe dan ook, we komen er wel doorheen.'

'Kun jij makkelijk zeggen.'

'Meer kunnen we niet doen.' Ik kijk haar in de ogen. 'Wil je dat ik met je meeloop naar Angel?'

'Dat zou misschien wel fijn zijn. Bedankt.'

Angels ooit zo levenslustige ogen zijn nu dofgrijs. Ze draagt een nachthemd van het ziekenhuis. Aan haar arm zit een infuus. 'Ik heb het nu echt helemaal verziekt,' fluistert ze.

Ik sta bij de deur. Rosie houdt Angels vrije hand in de hare. 'Alles komt goed,' zegt ze.

Angel lijkt wel een tiener. De tranen staan haar in de ogen. 'Mijn man is

243

dood, tante Rosie,' zegt ze. 'En mijn baby ook. En ik blijf voor de rest van mijn leven in de gevangenis.'

'We zorgen ervoor dat je daar wegkomt, lieverd. Je hebt nog een heel leven voor je.'

'Mijn leven is voorbij.'

Rosie strijkt Angels haren uit haar ogen en geeft een kus op haar voorhoofd. 'Waarom heb je ons niet verteld dat je zwanger was?'

'Dat had geen zin meer. De baby was al weg.'

'Hoe ver was je?'

'Maar een paar weken. Ik ben twee keer niet ongesteld geworden.'

'Wisten nog meer mensen dat je zwanger was?'

'Dick wist het.'

Rosie slikt. 'Vond hij het leuk?'

Angel neemt een slokje water en haalt diep adem. 'Nee,' is het antwoord. Rosie kijkt even verschrikt. 'Waarom niet?'

Angel begint te huilen. Door haar tranen heen kijkt ze me aan. 'Oom Mike, mag u nog steeds de biecht afnemen?'

Wat moet ik antwoorden? Ik kan haar nu echt niet naar de Kerk verwijzen. 'Natuurlijk, lieverd,' zeg ik.

Ze kijkt me aan en zegt: 'God, ontfermt U zich over mij, want ik heb gezondigd.'

'Wanneer was je laatste biecht?'

'Ongeveer twee jaar geleden.'

Ik vang Rosies blik. Ze heeft de hand van haar nicht nog steeds vast. Ik kijk Angel weer aan. 'Waar gaat het om, lieverd?'

'Ik heb mijn baby verloren, oom Mike.'

'Zulke dingen gebeuren. Het is geen zonde, en je moet niet jezelf de schuld geven.'

'Jawel, dat moet ik wél.'

Rosie geeft een kneepje in haar hand. 'Nee, dat moet je niet. Jij kon er niets aan doen.'

'Wel.'

'Het was niemands schuld,' probeer ik nogmaals.

'Maar het was juist wél mijn schuld, oom Mike. Ik verwaarloosde mezelf, zorgde niet voor mijn baby. Ik nam drugs, dronk alcohol. God heeft besloten dat ik geen goede moeder zou zijn.'

'Nee, Angel,' zeg ik. 'Ieder mens maakt fouten. Je moet jezelf niet de schuld geven.'

'Jawel! En bovendien was dat niet het enige.'

Het ontlokt Rosie een bezorgde blik. Ze kijkt Angel aan. 'Wat bedoel je precies, lieverd?'

Angel bijt op haar lip. Tranen vloeien. Ze probeert Rosie te omhelzen, maar het infuus zit in de weg. Ten slotte flapt ze eruit: 'Dick was niet de vader!'

244

32
'IK MOET HET JE VRAGEN'

'We waren erg geschokt toen we het nieuws over Angelina Chavez' zelfmoordpoging
hoorden. We hopen dat ze snel en volledig zal herstellen.'
Cheryl Springer, KGO Radio, dinsdag 8 juni, 03.30 uur

Het hele verhaal stroomt naar buiten. 'Ik wist dat Dick een verhouding had met een actrice in LA,' vertelt Angel ons. 'En dus sliep ik ook met een ander. Daarom word ik nu door God gestraft. Ik verdiende het mijn man te verliezen. En mijn baby.' Ze verliest zich weer in een vloed van tranen. Onbeheerst snikkend drukt ze haar hoofd tegen Rosies schouder. Rosie houdt haar stevig vast, wiegt haar heen en weer en fluistert in haar oor. Vanaf het voeteneind van het bed kijk ik hulpeloos toe.

Uiteindelijk wint Angels vermoeidheid het van de tranen en slaagt Rosie erin haar wat te kalmeren. Angel neemt nog een slokje water en sluit haar ogen. Rosie buigt zich over haar heen. 'Wist Dick dat hij niet de vader was?'

'Ja. Hij zei dat ik het moest laten weghalen. Toen ik zei dat ik dat niet wilde, zei hij dat hij een scheiding zou aanvragen. Hij zou ervoor zorgen dat ik nooit meer aan de bak kwam in de filmindustrie – nooit meer.' Ze slikt. 'Daarna sloeg hij me.'

Godallemachtig. 'Waar?' vraag ik.

'In mijn buik. Ik begon te bloeden, belde een ambulance. Maar toen ik in het ziekenhuis arriveerde, was ik de baby al kwijt.'

Achter in mijn keel voel ik het branden. De gore smeerlap.

Angel slaat de ogen neer. 'Hij kwam niet eens op bezoek. Hij zei dat het mijn verdiende loon was, en dat ik vanwege de huwelijkse voorwaarden geen cent zou krijgen. Ik was een uilskuiken. Had ik maar een advocaat moeten inhuren.'

Rosies ogen spuwen vuur. 'Het is niet jouw schuld,' geeft ze Angel nogmaals te verstaan.

'Wel waar.' Ze kijkt me aan. 'Denk je dat God het me kan vergeven?'

Een van de redenen waarom ik het priesterschap de rug toekeerde was omdat ik meelf niet geschikt genoeg vond om als woordvoerder van God te functioneren. Ik zwijg even in de hoop dat Hij me een teken zal geven. Daarna antwoord ik zacht: 'God houdt van je, Angel. God zal je vergeven.'

'Weet je dat zeker, oom Mike?'

'Heel zeker, lieverd.'

Ze knikt onderdanig en begraaft haar gezicht in Rosies oksel. De arts verschijnt en zegt dat Angel nu moet rusten. Rosie weet er nog een paar minuutjes bij te sprokkelen. Ze kijkt Angel weer aan. 'Lieverd, ik moet het je vragen. Wie was de vader?'

Het antwoord is nauwelijks verstaanbaar: 'Danny Crown.'

Mijn god. 'Weet hij het?'

'Ja.'

'En heb je hem ook van de miskraam verteld?'

'Ja.'

'Wanneer?'

'Vrijdagavond. Hij was woedend op Dick.'

33
'CROWN IS WEER IN THE PICTURE'

'Onze bronnen hebben verklaard dat Daniel Crown, Angelina Chavez' tegenspeler in
The Return of the Master, *tevens de vader van haar baby is.'*
Jerry Edwards, KGO Radio, dinsdag 8 juni, 16.00 uur

Vier uur in de ochtend. De combinatie van zware kalmeringsmiddelen en totale uitputting heeft Angel uiteindelijk doen indutten. Rosie en ik staan buiten op de gang, waar Jack O'Brien met een van zijn agenten staat te kletsen. Nicole Ward is even langs geweest om te informeren hoe het met Angel is. Ze deelde ons mee dat de hoorzitting gewoon zal doorgaan.

We hebben O'Brien verteld dat Angel onlangs een miskraam heeft gehad en dat Crown de vader was. We hebben hem uitgelegd dat Crown woedend was op Big Dick. Het heeft geen zin het weg te stoppen. Ze komen er toch wel achter en bovendien hebben ze er een nieuwe verdachte bij. De keerzijde is dat ze zullen beweren dat de miskraam Angel een extra motief verschafte. De roddelbladen zullen ervan smullen.

Rosie en ik banen ons een weg tussen de verslaggevers door die zich op de treden voor de ingang hebben verzameld. De ochtendjournaals zullen de kijkers trakteren op mijn 'Geen commentaar!'. Eenmaal in de auto valt er een doodse stilte. Rosie laat zich achterover tegen de hoofdsteun zakken en sluit haar ogen.

Als we tien minuten later bij Sylvia arriveren, kunnen we onze lol op. Sylvia probeert zo goed en zo kwaad als ze kan de schijn nog een beetje op te houden, maar Theresa blijkt een hopeloos geval. Het beetje zelfbeheersing dat ze nog heeft, verdwijnt als sneeuw voor de zon nu we de woning betreden. 'Zal Angel het redden?' vraagt ze voortdurend. Rosie heeft een uur nodig om haar te kalmeren, maar Theresa wil per se naar het ziekenhuis om Angel te bezoeken.

Uiteindelijk weet Rosie haar ervan te overtuigen dat ze beter tot morgen kan wachten, wanneer Angel wakker is.

Rosie en ik doen geen oog dicht. We zitten aan haar moeders keukentafel, drinken koffie en buigen ons over de mogelijke scenario's. Onze vermoeidheid maakt dat ons analytisch vermogen met sprongen achteruitgaat. We praten over Daniel Crown, en over mijn gesprek met Kaela Joy Gullion.

'Ward zal aanvoeren dat ze hem heeft vermoord vanwege de miskraam,' zegt Rosie. 'Het testament, de huwelijkse voorwaarden en de levensverzekering zouden wel eens irrelevant kunnen zijn.'

'Denk jij dat ze het gedaan heeft?'

'Nee, dat denk ik niet.' Haar bruine ogen kijken staalhard voor zich uit. 'Maar je kunt erop rekenen dat Nicole Ward daar wél van uitgaat.'

Ik probeer haar wat hoop te geven. 'Crown is weer in the picture. Hij was kwaad over die miskraam.'

'Kwaad genoeg om iemand te vermoorden?'

'Misschien. En zijn vrouw? Ze was erbij. Misschien heeft ze hem wel geholpen.'

Rosie is nog steeds sceptisch. 'Denk je dat ze hebben samengewerkt?'

'Geen idee. Misschien deed hij het in zijn eentje en hielp ze hem met het opruimen. Het zou niet de eerste keer zijn.'

Ze vindt het maar niets. 'Ze vertrokken voordat Kent en Little Richard naar huis gingen.'

'Dat zeggen ze. Misschien zijn ze later teruggekomen.'

'Het bewijs ontbreekt.'

'Kaela Joy vertelde dat er even voor drieën een auto arriveerde.'

'We kunnen niet bewijzen dat Crown en zijn vrouw daarin zaten. En zelfs dan nog, waarom Angel voor de moord laten opdraaien?'

'Misschien was ze de enige getuige?'

'Als een van hen of allebei Angel in Big Dicks auto naar de brug reed, hoe zijn ze dan teruggekomen om hun eigen auto op te pikken?'

'Misschien reed hij haar naar de brug en werd hij door zijn vrouw daar opgepikt. Of hij is teruggelopen.'

Rosie is doodmoe. 'Onze cliënte heeft zojuist bekend dat haar man haar een stomp in haar buik heeft gegeven, wat tot een miskraam heeft geleid. Het bezorgt niet alleen Crown, maar ook háár een motief.' Zwijgend drinken we onze koffie op.

Om zes uur in de ochtend verlaten we Sylvia's woning. Ik breng Rosie terug naar het ziekenhuis en ga daarna naar huis om me te verkleden. Dit is mijn tweede slapeloze nacht en mijn handen beven terwijl ik over de Golden Gate Bridge rijd. Angels zelfmoordpoging is hét grote nieuws op de radio. Ik hoor Nicole Ward meedelen dat ze, ongeacht de situatie, de zaak zo snel mogelijk wil voortzetten. Op mijn stem hoeft ze bij de verkiezingen niet meer te rekenen.

Om kwart voor zeven betreed ik mijn appartement. Ik stap onder de douche en probeer de vermoeidheid van me af te spoelen. Als ik even later onder de douche vandaan kom, duizelt het me even. Mijn oog valt op het knipperende lampje van mijn antwoordapparaat in mijn slaapkamer. Ik druk op de berichtentoets en hoor een bekende stem. 'Meneer Daley, met Jerry Edwards van de *San Francisco Chronicle*. We willen graag uw reactie op de zelfmoordpoging van uw cliënte.' Een kleine pauze. 'We hebben vernomen dat ze zwanger was en dat Daniel Crown de vader van het kind was.' Daarna laat hij een telefoonnummer achter.

De volgende stem is die van Tony. 'Ik wil je er voor de zekerheid even aan herinneren dat je er morgenochtend om negen uur bij bent als ik met Armando Rios praat.' Ik loop naar de keuken en schenk wat water in het koffiezetapparaat. Denk je dat je alles gehad hebt, moet je over nog geen drie uur alweer in Rios' kantoor zitten.

34
'IK WIL ZEKER WETEN DAT MIJ NIET HETZELFDE OVERKOMT'

'Binnen deze gemeenschap geld ik als een gerespecteerd zakenman. De diensten die ik mijn cliënten aanbied zijn volledig legitiem.'
Armando Rios, *Mornings on Two*, dinsdag 8 juni, 07.00 uur

'Wat heeft dit te betekenen?' vraagt Armando Rios aan Tony. Met een zweem van ongeloof in zijn stem voegt de zelfverzekerde Rios er vervolgens aan toe: 'Eerst zeg je dat je me onder vier ogen wilt spreken, daarna breng je opeens een heel circus mee.'

Het is negen uur de volgende ochtend. Rosie heeft besloten bij Angel in het ziekenhuis te blijven. Tony, Rolanda en ik staan in een halve kring in Rios' kantoor, gevestigd op de eerste verdieping van een gerestaureerd Victoriaans gebouw en gesitueerd op de hoek van Eighteenth Street en Guerrero Street. Rios blijkt een tengere man van achter in de veertig met een stralend bruine teint en prachtig golvend, zilvergrijs haar dat perfect past bij zijn driedelige pak van Wilkes-Bashford. *Business casual* is niet de correcte outfit voor iemand die opereert binnen de stadspolitiek. Hij vraagt of we koffie willen. We accepteren. Daarna neemt hij plaats achter zijn antieke, mahoniehouten bureau. Tony neemt plaats in de stoel tegenover hem. Rolanda en ik vinden een plek op de zachte leren sofa.

Tony vouwt de armen over elkaar. 'We moeten praten.'

Rios kijkt ons aan. 'Met alle respect, maar waarom heb je je familie meegenomen?'

'Ze zijn mijn advocaten.'

Rios bekijkt de foto van zijn kleinkinderen op het lage archiefkastje. Vervolgens verschijnt er een melodramatische frons op zijn voorhoofd. 'Je familie telt heel wat advocaten.'

'Ik ben juridische problemen graag een stap voor.'

'En waarom zit Dennis Alvarez beneden voor mijn deur in zijn surveillancewagen?'

250

'Hij heeft ook belangstelling.' Tony leunt wat voorover. 'We moeten eens praten over wat er met Roberto Peña's winkel is gebeurd.'

Rios' reactie komt meteen: 'Een verschrikkelijk ongeluk. Ik heb enkele buurtbewoners gevraagd bij te springen.' Hoewel hij al sinds zijn jeugd in de VS woont, spreekt hij nog steeds met een licht accent.

'Het was brandstichting,' zegt Tony.

'Daar weet ik niets van. Ik heb begrepen dat ze een onderzoek zijn begonnen.'

'Ik wil zeker weten dat mij niet hetzelfde overkomt,' zegt Tony, en zijn stem klinkt voorbeeldig kalm.

Rios' geveinsde verontwaardiging maakt plaats voor de gelikte glimlach van de politicus. Hij werpt even een blik op de foto van het Little League-team dat hij sponsort. 'Tony,' zegt hij, 'we kennen mekaar nu al een hele tijd.' Hij mag dan een Spaans accent hebben, zijn intonatie komt regelrecht uit *The Godfather*. 'Ik heb jou respect getoond door je hier in mijn kantoor uit te nodigen. Maar jij respecteert mij duidelijk niet. Je behandelt me alsof ik een of andere crimineel ben.'

Tony heeft zich ondertussen niet verroerd. Hij houdt zijn armen nog altijd stevig voor zijn borst gevouwen en zijn ogen strak op Rios gericht. Ze kennen elkaar nu al veertig jaar. Tony weet precies wanneer hij voor de gek wordt gehouden. 'En, Armando, ben je dat ook?' vraagt hij zacht.

De nepglimlach verdwijnt. 'Nee.'

Hun blikken kruisen elkaar. 'We hadden een afspraak, Armando,' begint Tony.

'Waar heb je het over?'

'Je weet precies waar ik het over heb. Jij betaalde mij twintig ruggen en ik stemde toe het China Basin-project te steunen. De helft van het geld heb ik aan de stuurgroep van de Democraten overgemaakt. Jij moest ervoor zorgen dat niemand in de problemen zou raken. Ik heb woord gehouden, jij niet.'

Rios toont opnieuw zijn grijns. Even kijkt hij naar mij en vervolgens richt hij zijn blik weer op Tony. Hij klinkt geruststellend: 'Zelf herinner ik het me ietsje anders, Tony. Een van mijn cliënten riep mijn hulp in bij het verkrijgen van steun voor het studioproject. Ik belde jou om ons te helpen. Mijn cliënt ging akkoord om jou schadeloos te stellen voor een bedrag van tienduizend dollar. Die schadeloosstelling is betaald. Daarmee is de zaak afgehandeld.'

Tony laat zich niet de les lezen. 'Helemaal niet!' roept hij. 'De politie is bij me op bezoek geweest. Jij moest ervoor zorgen dat dát niet zou gebeuren. Ze weten alles, Armando. Ze weten alles over jou.'

Rios geeft geen krimp. 'Ik heb de politie mijn verhaal verteld,' klinkt het op afgemeten toon. 'Ze kwamen met wat ongegronde beschuldigingen over illegale partijcontributies.'

'Die jij ontkende.'

'Natuurlijk ontkende ik die, Tony.' Zijn blik wordt ernstig. 'Ik heb een reputatie te verliezen. Alles wat ik doe, wordt met argusogen bekeken. Als ik de regels overtreed, is het gedaan met mijn reputatie. Dat kan ik me echt niet veroorloven.' Uit een humidor haalt hij een lange Cubaanse sigaar tevoorschijn, die hij even liefkoost tussen zijn vingertoppen. 'Als die beschuldigingen klopten, zou ik nu allang gearresteerd zijn.'

Ik voel dat mijn hart wat sneller begint te kloppen. Omkoping is één, maar om je aloude vriend recht in zijn gezicht te beschimpen, is twee. Het lijkt wel alsof hij wil zeggen: pak me dan als je kan.

Rolanda kijkt hem met een ijzige blik aan. 'Je geluk zal een keertje opraken, Armando. Je kunt niet elke winkel afbranden om je sporen uit te wissen. Je kunt niet alle winkeliers in de buurt gaan intimideren. Iemand zal op een goeie dag met zijn vinger naar jou wijzen.'

Zijn toon blijft arrogant. 'Ik bied mijn cliënten diensten aan. Zij betalen me om ervoor te zorgen dat ze niet in de problemen komen.'

'Nou, in mijn geval heb je het er anders aardig bij laten zitten,' merkt Tony op.

Rios zwijgt.

Rolanda schudt haar hoofd. 'Werk met ons mee. Werk mee met de politie.'

'Ik heb niets onwettigs gedaan,' houdt hij vol.

Rolanda laat zich niet uit het veld slaan. 'Dennis Alvarez kan je immuniteit beloven, zegt hij. Ze willen weten wie de geldschieter achter deze omkoping is.'

Rios blijft volhouden: 'Ik heb geen idee waar je het allemaal over hebt.'

Tony neemt weer het woord. 'Armando, ik ben naar jou gekomen omdat we al van kinds af aan vrienden zijn. Jij kunt hier een eind aan maken voordat er slachtoffers vallen.' Hij zwijgt even. 'Anders gaan er doden vallen,' zegt hij, waarbij hij elk woord benadrukt.

'Er komt geen volgende keer. Ik betreur het dat Roberto brand in zijn zaak had. Ik hoop maar dat het geen brandstichting is geweest. Hoe dan ook, ik had er niets mee te maken.'

Rolanda kan zich niet meer beheersen. 'Gelul!' zegt ze. 'Zo meteen ga je me nog vertellen dat je ook niets te maken had met die foto's die bij mijn vaders winkel werden bezorgd.'

Rios kijkt haar een moment aan en werpt Tony vervolgens een verwonderde blik toe. 'Wat voor foto's?'

Rolanda geeft het antwoord. 'Foto's van mij. Iemand heeft me gevolgd, Armando. Iemand bedreigt ons. Jij moet ons vertellen wie dat is.'

Tony laat hem de kopieën van de foto's zien. Rios is zichtbaar geschrokken. Zijn zelfverzekerde gedrag is opeens verdwenen en zijn gezicht wordt asgrauw. 'Enig idee wie deze foto's genomen heeft?' vraagt hij.

Ook Tony's ogen staan somber. 'We hoopten eigenlijk dat jij ons dat kon vertellen.'

Rios slikt. 'Dat kan ik niet.'

Rolanda's geduld is op. 'Je bedoelt dat je het niet wilt,' zegt ze.

Rios legt zijn sigaar neer. 'Ik bedoel dat ik het niet kan.'

Rolanda's stem stijgt een halve octaaf: 'Wat klets je toch?'

Er wordt nu niet meer gebluft. Rios kijkt nu doodernstig. 'Ik weet niet wie er voor die brand in Roberto's winkel verantwoordelijk is. En ik weet ook niet wie die foto's heeft genomen.'

'Waarom zouden we jou moeten geloven?' vraagt ze.

'Ik kende je vader vanaf dat we nog jochies waren. Ik was erbij toen jij werd gedoopt. En ik droeg de kist toen je moeder werd begraven,' voegt hij er op zachte toon aan toe. Hij zucht diep. 'Bovendien, het is de waarheid.'

'Dan is het aan jou om uit te vinden wie erachter zit.'

'Dat kan ik niet.'

Tony staat op. 'Dus wij moeten dat risico maar lopen?!' tiert hij. 'Die gasten achtervolgen ons, Armando! Wie hier ook achter zit, uiteindelijk zullen er doden gaan vallen!'

'Ik kan niets doen.'

Tony priemt met een vinger naar Rios' gezicht. 'Weet je nog wat coach Nava altijd zei als we weer een basketbalwedstrijd in de "Y" hadden?'

'Hij zei zoveel.'

'Maar weet je nog wat hij altijd zei als iemand ons wilde zieken?'

'Kan ik me niet meer herinneren.'

'Dan zei hij dat we die gasten gewoon even een harde elleboogstoot midden in hun borstkas moesten geven. En als ze daarna wéér begonnen, wisten ze tenminste dat ze iets konden terugverwachten.'

'Ik hou je echt niet voor de gek, Tony.'

'Dat doe je wel, Armando. Met je nette pakkie en je gouden manchetknopen. Je zit hier een beetje in je kantoor, drinkt je cappuccinootjes. Je vriendje de burgemeester verleent je bepaalde gunsten en jij zorgt ervoor dat projectontwikkelaars uit Vegas het nodige smeergeld regelen.' Hij haalt diep adem. 'Voor mij ben je nog steeds een doodordinaire sukkel uit de buurt. Kom aan mij en mijn familie en ik ram m'n vuist dwars door je borstkas. Ik wil dat jij die schurken van je het volgende meedeelt: de politie zal ze overal bespioneren. Wij hebben bescherming, zij niet. Als jouw honden op ons afkomen, zullen we ze te grazen nemen – met jou erbij. Duidelijk?'

'Ik heb helemaal niets met die foto's te maken,' herhaalt Rios.

'Ik geloof er geen zak van! En zelfs al geloofde ik je wel, dan nog hou ik je persoonlijk verantwoordelijk. Als mij of Rolanda ook maar iets overkomt, zal jou hetzelfde te wachten staan.'

'Is dat een dreigement?'

'Nee, een belofte.' Tony kalmeert wat en vervolgt op zachtere toon: 'Ik sta echt paf, Armando. Toen we nog jochies waren, was de hele buurt net één grote familie. Mensen bekommerden zich om elkaar. Ze bedreigden de kinderen van hun vrienden niet, brandden de winkels van hun vrienden niet plat.' Nadrukkelijk wijst hij opnieuw met zijn vinger naar Rios. 'Ik herken jou niet meer. Vroeger stond je voor je zaak. Ik keek tegen je op, want jij werd advocaat, maakte iets van je leven. Je zei altijd dat je opkwam voor de kleine man. Nu ben je zowaar deel van het probleem geworden. Je bent net zo corrupt als het systeem waar je vroeger tegen tekeerging. Ik ben blij dat je ouders niet meer kunnen zien wat er van je is geworden, Armando.'

Stoïcijns hoort Rios Tony's tirade aan. Hij bevingert zijn sigaar en staart uit het raam naar het verkeer op Guerrero Street. Vervolgens kijkt hij zijn oude jeugdvriend aan en vraagt op nauwelijks verstaanbare toon: 'Wat wil je dat ik doe?'

Tony kijkt Rolanda even aan, die het antwoord geeft: 'Werk mee. Vertel de politie wie de omkoping financiert. Zeg ze dat ze die schurken een halt toeroepen.'

'Wat zit er voor mij in?'

'Vrijstelling van strafvervolging en de mogelijkheid je eigen draai aan het verhaal te geven.'

Tony werpt een blik op de foto's van Rios' kleinkinderen op het lage archiefkastje. 'En misschien de kans om iets van je zelfrespect terug te winnen.'

Rios fronst. 'En als ik weiger mee te werken?'

Tony wordt somber. 'Dan kun je maar beter ogen in je achterhoofd hebben, want ik zal je geen moment met rust laten voordat ik weet wie ons heeft bedreigd. Dennis Alvarez zal me naar het paleis van justitie escorteren, waar ik onder ede zal verklaren dat jij mensen hebt omgekocht en opdracht hebt gegeven om Roberto's winkel in de fik te steken.'

'Je hebt geen enkel bewijs. Ik beschik over advocaten. Binnen enkele uren zal de zaak worden geseponeerd.'

'Misschien, misschien ook niet. Ik bel Jerry Edwards van de *Chronicle* en bied hem een exclusief interview. Ik vertel hem alles wat ik weet, Armando. Wie weet troon ik hem wel mee hierheen, doen we een interview voor *Mornings on Two*, pal voor je deur.'

Rios toont zich nog altijd onaangedaan. 'Je zult jezelf voor schut zetten en mijn naam zal worden gezuiverd.'

'Waarna je je carrière wel kunt vergeten. De burgemeester zal niets meer met je te maken willen hebben. Op het stadhuis zal iedereen je mijden. Een regelneef zonder connecties, daar heb je niets aan. Wellicht dat je eindelijk eens naar een echte baan moet gaan solliciteren.'

Rios zwijgt geïrriteerd. Tony's gezicht is rood van woede. Rolanda balt haar hand telkens tot een vuist.

Even laat ik de situatie op me inwerken. Daarna sla ik een verzoenende toon aan: 'De politie zit niet achter jou aan, Armando. Als je nu samenwerkt, zullen ze je beschermen. Maar als je nog langer wacht, kan de situatie wel eens heel snel veranderen.'

'Mijn advocaten zullen me beschermen.'

Ik vuur meteen terug. 'Niet tegen degenen die Roberto's winkel hebben laten afbranden.'

Stilte. Rios stopt zijn sigaar terug in de humidor. Ik kijk naar Tony, die nog altijd voorovergebogen zit. Daarna kijk ik Rios weer aan. 'Armando,' zeg ik, 'je weet hoe het zal aflopen. Iemand zal de lul zijn. Iemand zal achter de tralies belanden. Als jij met ons samenwerkt, kun je het op een akkoordje gooien. Je hebt de kans het hele verhaal naar je hand te zetten. Wie weet ben je uiteindelijk de grote held.' Ik leun even achterover om hem een moment bedenktijd te gunnen. Daarna voeg ik eraan toe: 'Het komt allemaal neer op vertrouwen.'

Rios peinst even. Hij drukt op een toets van zijn telefoon en zegt tegen zijn secretaresse dat hij niet gestoord wenst te worden. Daarna loopt hij naar zijn minibar, schenkt voor zichzelf een kop koffie in en gaat weer achter zijn bureau zitten. We wachten. Hij staart uit het raam en frunnikt wat aan zijn keurig getrimde snor. Ten slotte weegt hij zijn woorden zorgvuldig af en zegt: 'Ik wil dat jullie het volgende even goed begrijpen. Bij de regelingen die ik trof om steun te verwerven voor het China Basin-project ging het om tamelijk bescheiden bedragen. Geweld of intimidatie is daarbij geen moment een punt van overweging geweest. Ik keur dergelijke tactieken jegens mijn vrienden of hun kinderen volkomen af. Zo doe ik geen zaken.'

Zijn poging zichzelf vrij te pleiten is oprecht, en volkomen irrelevant. 'Met alleen een verontschuldiging komen we er niet,' zeg ik. 'Wat we nodig hebben, is informatie. Wie heeft die brand in die slijterij bevolen?'

Zijn mondhoeken krullen omlaag. 'Dat weet ik niet.'

'Wie heeft die foto's bij Tony bezorgd?'

'Dat heb ik al gezegd: ik-weet-het-niet.'

'Gelul, Armando.'

Rolanda leunt voorover. 'Iemand zal het niet overleven, Armando. Jij kunt dit nu stoppen, of anders je geluk beproeven bij Carl Ellis, Dominic Petrillo, Richard MacArthur junior of wie er verder de touwtjes in handen heeft. Maar als jij besluit met hen in zee te gaan, ben ik blij dat ik niet in jouw schoenen sta.'

'Ik heb totaal geen zeggenschap over degenen die bij deze zaak betrokken zijn,' is zijn reactie. 'Ik heb geen idee wie er achter die brand in Roberto's winkel zit.'

'Hoe kan dat nou?' vraag ik.

'Ik heb in deze zaak maar met één persoon te maken gehad.'

'Wie?'

'Ik noem pas namen zodra mijn immuniteit gegarandeerd is.'

'Prima,' zeg ik. 'Bel je advocaat alvast maar.' Ik haal mijn gsm tevoorschijn.

'Wie ga je bellen?' vraagt hij.

'Brigadier Alvarez.'

35

'HIJ VERTELDE ME DAT DE SITUATIE ONDER CONTROLE WAS'

'De berichten dat ik betrokken zou zijn bij de recente brand in de slijterij in Mission District zijn volledig uit de lucht gegrepen. Zoiets zou ik nooit over mijn kant laten gaan.'
Armando Rios, KGO Radio, dinsdag 8 juni, 11.00 uur

Twee uur later zit Rios nog steeds te mokken. De bescheiden bijeenkomst in zijn kantoor is inmiddels uitgegroeid tot een volwaardige topconferentie met onder meer brigadier Alvarez, de districtscommandant van het politiebureau in Mission District, Lisa Yee en Rios' advocaat. We hebben de voorwaarden voor de immuniteitsovereenkomst inmiddels uitgewerkt. Zijn humeurige advocaat van een van de grote kantoren uit de stad heeft hem al tien keer gevraagd of hij dit echt wil doorzetten. Waarop Rios steeds weer herhaalt dat hij geen andere keus heeft. Politiek adviseurs verliezen veel invloed zodra ze een keer zijn aangeklaagd.

Alvarez neemt het voortouw. 'Door wie werd u benaderd om de steun van de kleine winkeliers voor het China Basin-project te winnen?' is zijn vraag aan Rios.

'Martin Kent.'

'Die is dood.'

'Dat weet ik.'

'Weet u ook de oorzaak?'

'Uit de krantenberichten heb ik begrepen dat het om zelfmoord ging.'

'Deed u nog met anderen zaken?'

'Al mijn contacten verliepen via meneer Kent. Hij vertegenwoordigde een groep investeerders waaronder MacArthur Films, Millennium Studios en bouwbedrijf Ellis.'

Het klinkt alsof Rios enige distantie tussen hem en Ellis en Petrillo wil scheppen.

'Wat vroegen ze van u?' vraagt Alvarez.

Rios' uitleg strookt met Tony's verhaal. Ongeveer tien winkeliers in Mission District kregen ieder twintigduizend dollar als ze een steunbetuiging aan het China Basin-project zouden ondertekenen. De helft van het bedrag mochten ze houden, de andere helft ging naar de Democraten van het stadsdeel. Het geld werd betaald en de petities werden ondertekend.

'Ik neem aan dat u voor deze diensten zult worden gehonoreerd?' vraagt Alvarez.

'Ja.'

'Hoeveel?'

Rios kijkt nors en werpt even een blik naar zijn advocaat, die hem zegt dat hij de vraag moet beantwoorden. 'Vijftigduizend dollar vooraf en nog eens tweehonderddduizend zodra de bouwvergunning binnen is.'

Niet slecht. Een kwart miljoen dollar voor een paar dagen lobbyen. Ik heb duidelijk de verkeerde baan gekozen. 'Ben je al betaald?' vraag ik.

'Ik heb alleen het voorschot binnen. De rest krijg ik als aanstaande vrijdag de bouwplannen worden goedgekeurd. Het is doodnormaal om voor een advies een honorarium te ontvangen.'

De normaalste zaak van de wereld. Maar ambtenaren met smeergeld paaien, is toch wel even wat anders. Ik moet zeggen dat hij zeer zelfverzekerd blijft, zelfs nu hij door de politie wordt ondervraagd.

Brigadier Alvarez is echter een stuk minder onder de indruk. 'Wat ging er fout?' is zijn vraag.

Rios blijft zich verweren. 'Niets. Daarna kreeg de pers er op de een of andere manier lucht van. Jerry Edwards begon vragen te stellen. Een paar deelnemers werden nerveus.'

'En dat hebt u tegen de heer Kent gezegd?'

'Ja.'

'Wanneer?'

'We belden hem vorige week.'

Opeens schakelt Rios over op 'we'.

Alvarez gaat verder. 'Wat kwam daaruit?'

'Hij zei dat hij het verder wel zou regelen.'

'En, dat deed hij?'

'Dat weet ik niet.'

Alvarez bijt op een tandenstoker. Daarna informeert hij naar de brand in de winkel van Roberto Peña.

'Daar weet ik helemaal niets van.'

'Heeft de heer Peña geld aanvaard in ruil voor zijn steun aan het studioproject?'

'Ja.' Hij aarzelt even. 'Ik vertelde meneer Kent dat ik het vermoeden had dat meneer Peña door de politie was benaderd.'

Alvarez gaat voor de confrontatie. 'Toevallig ontstond die brand in zijn zaak vlak voordat we zijn immuniteitsovereenkomst rond hadden. Hebt u daar een rol in gehad?'

'Absoluut niet.' Hij doet in lobbyen en geld. Spierkracht gebruiken laat hij aan anderen over.

Zo gaat het gepingpong nog langer dan een uur door. Rios betrekt Kent bij de omkopingen, maar houdt vol dat hij niet weet wie de geldschieter is, dat het hele plan volkomen legaal was en dat hij geen enkel idee heeft wie er achter de brand in de winkel of de foto's van Rolanda zit. Zonder verdere bewijzen zal het moeilijk, zo niet onmogelijk, zijn uit te vinden of Big Dick, Little Richard, Ellis of Petrillo er direct bij betrokken was.

Alvarez probeert een andere invalshoek. 'Tegen wie bracht u na het overlijden van de heer Kent verslag uit over de vorderingen van het studioproject?'

Rios probeert de vraag te omzeilen. 'Hij is pas een paar dagen geleden overleden.'

Ik besluit een handje mee te helpen. 'Onze speurneus zag dat u gisteravond bij Richard MacArthur op bezoek was. Hebt u het er met hem nog over gehad?'

Rios lijkt even ontdaan van het nieuws dat hij in de gaten werd gehouden. Daarna antwoordt hij op vlakke toon: 'Ik heb meneer MacArthur de situatie uitgelegd.'

'Wist hij van uw afspraken met meneer Kent?'

'In elk geval wél toen ik er gisteravond met hem over had gepraat.'

'En daarvoor?'

'Dat weet ik niet.'

'Wilde hij nog steeds doorgaan met het project?'

'Ja.'

Volgens Kaela Joy Gullion dus niet.

'Gaf hij u verder nog instructies?' vraagt Alvarez.

'Hij vertelde me dat de situatie onder controle was en dat ik verder niets meer hoefde te ondernemen.'

Even later hebben we ons verzameld achter in Tony's groentewinkel 'Je hebt in elk geval je immuniteitsovereenkomst op zak,' zeg ik.

'Ik hoop dat ik lang genoeg mag leven om ervan te kunnen genieten,' is Tony's reactie. 'Als Rios de waarheid vertelt, dan is Kent de enige van wie we weten dat hij erbij betrokken was.'

'De andere investeerders moeten ervanaf hebben geweten,' zeg ik.

'Maar dat weten we niet zeker, en we kunnen niets bewijzen.'

'Iemand heeft dat geld opgehoest,' zeg ik. 'Misschien weet Little Richard meer dan hij laat blijken.'

'Misschien.'

Ik voel me gefrustreerd. 'We kunnen de lijn van Rios doortrekken naar Kent. Maar daar houdt het verder op. Dennis Alvarez vertelde dat hij Richard had laten ondervragen over zijn ontmoeting met Rios. Zoals te verwachten viel, antwoordde Richard dat hij helemaal niets wist van de afspraken die Kent had gemaakt om de zaak wat te smeren. Hij zei verrast te zijn dat Kent zich met dergelijke laag-bij-de-grondse praktijken had ingelaten. Bovendien ontkende hij iets te weten van de brand in de winkel.'

'Verrassing!' reageert Tony met een schouderophaal.

Ik kijk Rolanda en Tony even aan. 'Ik vind dat we Rios op zijn huid moeten zitten,' opper ik.

Rolanda kijkt me wat verwonderd aan. 'Wat had je in gedachten?'

'Laten we terugvechten. Laten we hém eens in de gaten houden. Wie weet brengt hij ons naar zijn bron. Eens kijken hoe leuk híj het vindt om te worden bespioneerd.'

Rolanda's gezicht fleurt op. 'Ik ben ervoor. Laat mij hem maar in de gaten houden. Eens kijken hoe hij dát vindt.'

Tony kijkt me een beetje bezorgd aan. 'Ik zie het niet zitten.'

'Ik kijk heus wel uit, hoor,' verzekert Rolanda hem.

'En toch zie ik het niet zitten,' houdt Tony vol.

Maar Rolanda's besluit staat vast. 'Ik blijf uit de buurt. En als er iets staat te gebeuren, bel ik Dennis Alvarez.'

Tony strijkt over zijn kin. 'Hm. Misschien toch geen slecht idee,' oordeelt hij ten slotte.

Ik bel Rosie in het ziekenhuis en doe verslag van ons bezoekje aan Rios.

'Nou, Tony is in elk geval buiten gevaar,' zegt ze.

'Als ze hem inderdaad kunnen beschermen.' Ik vertel haar over ons plan om Rios in de gaten te blijven houden.

Ze klinkt somber. 'Is dat wel veilig?'

'Rolanda is heel voorzichtig. Ze zal goed uitkijken. Hoe is het met Angel?' vraag ik.

'Lichamelijk komt het allemaal goed, emotioneel is ze een wrak.'

'Jij blijft daar nog even?'

'Ja. En daarna moet ik terug naar kantoor.' Er valt een korte stilte. 'Heb je vanochtend Jerry Edwards nog op het nieuws gezien?'

'Ja.'

'Hij heeft een boodschap voor je achtergelaten. Kennelijk heeft Crown ontkend de vader te zijn. Hij wil Angel interviewen.'

'Vergeet het maar. Misschien dat Ward en O'Brien nu wakker worden en Crown als medeverdachte gaan beschouwen.'

Ik hoor Rosie zuchten. 'Dit is een ramp. Als Angel de kranten onder ogen krijgt, wordt ze volslagen hysterisch. Mijn zus zal volkomen buiten zinnen raken.'

'Gewoon rustig aan, één ding tegelijk,' zeg ik. Ik hoor het holle cliché al nazinderen terwijl ik de woorden uitspreek.

'Zie je de krantenkoppen al voor je, Mike?'

'Angelina Chavez droeg Daniel Crowns liefdesbaby,' zeg ik.

'Zoiets, ja. Ze zal er totaal van ondersteboven zijn.'

'We kunnen het wel aan, Rosie.'

'Ja.' Er valt even een stilte. De raderen zijn inmiddels in gang gezet. 'We moeten met Daniel Crown praten,' stelt ze voor. 'En ook met Little Richard.'

'Ik zal zo snel mogelijk contact met ze opnemen.'

'Waar ga je nu naartoe?'

'Ik ga een boottochtje maken met Pete. Eens kijken wie er allemaal op Big Dicks begrafenis zijn uitgenodigd.'

36
EEN PASSEND AFSCHEID

De Neptune Society van Noord-Californië biedt verschillende afscheidsdiensten om
tegemoet te komen aan al uw wensen. Met onze goedopgeleide specialisten garanderen
we dat de plechtigheid op een waardige en ondersteunende wijze wordt afgewerkt.
Speciale diensten, uitstrooiing boven zee en vooraf vastleggen van eigen wensen is
mogelijk.
Brochure van de Neptune Society

'Gaat het?' vraagt Joey D'Augustino me. Met een brede glimlach, die de diepe rimpels op zijn getaande gezicht nog eens extra aanzet, breekt het gelaat van de gepensioneerde agent en thans visser open. Hij geeft me een vaderlijk klopje op mijn schouder. 'Heb je Dramamine ingenomen, zoals ik je heb aangeraden?'

'Ja.'

'Hoeveel?'

'Niet genoeg.'

'Je redt 't wel, Mikey.'

Ik hoop het maar. Ik kijk op naar Pete, die zich een kapitein Ahab waant: hij houdt zijn verrekijker strak op de *Naiad* gericht, het jacht van de Neptune Society, die ongeveer achthonderd meter voor ons vaart. We proberen niet op te vallen, maar dat valt niet mee met een vissersboot van zes meter, midden op de baai. Het is dinsdagmiddag halftwee en we zijn net onder de Golden Gate Bridge door gevaren. Het is een schitterende dag voor een rouwplechtigheid. De zon schijnt en mijn hoofd bonkt. Het water is kalm, maar mijn maag voelt alsof ik de woelige scène in *The Perfect Storm* herbeleef. Ik had Pete in zijn eentje met Joey op pad kunnen laten gaan, maar ik ging ervan uit dat de frisse lucht me goed zou doen. Slecht plan. Het zoute water dat me om de oren spat en de dieseldampen maken me misselijk.

'Kun je ze zien?' vraag ik Pete.

'Ja. De kapitein staat achter het roer, verder wat matrozen aan dek, en Gilligan, Ginger, MaryAnn en de professor op het achterdek. De Howells zitten aan de muntcocktails.'

'Doe me een lol, Pete.'

'Je voelt je een stuk minder misselijk als je je een beetje ontspant, Mike. Er zijn maar vier passagiers op de boot. Little Richard draagt zijn matrozenpakje.'

Aan wal maakt mijn broer nooit grapjes. Waarom hij nu met deze Jay Leno-imitatie op de proppen komt, ontgaat me. 'Wie zijn er nog meer?'

Hij tuurt nog vijf seconden naar de *Naiad*. 'Kun je iets dichterbij komen?' vraagt hij Joey.

'Tuurlijk.' Hij geeft wat meer gas en we koersen in de richting van de vuurtoren van Point Bonita op de Marin Headlands. In het zuiden kan ik Big Dicks villa pal boven Baker Beach zien liggen. Met een wijde, omtrekkende beweging passeren we de *Naiad*, die nu halverwege de brug en de oceaan vaart. Pete tuurt aandachtig door zijn verrekijker. 'MacArthur krijgt nu van een van de matrozen een urn overhandigd. Dat moet de as van zijn vader zijn.'

'Wie zie je nog meer?' vraag ik.

'Twee mannen en een vrouw met lang haar en een donkere huid.'

Eve. Ik laat mijn omzichtigheid varen. Ik zet me schrap, kom overeind en pak de verrekijker aan. Mijn benen voelen als elastiek. Ik richt de kijker op de *Naiad* en zie Little Richard naast Eve staan. Vervolgens kijk ik recht in de ogen van Dominic Petrillo, die per vliegtuig vanuit LA moet zijn gekomen. Ik stel de scherpte wat bij en kan vervolgens mijn ogen niet geloven: naast Petrillo staat Daniel Crown. De vader van Angels ongeboren kind blijkt een van de vier genodigden bij de crematie van haar echtgenoot.

Ik voel Petes hand op mijn arm. 'Gaat het, Mick? Het lijkt wel alsof je net een spook hebt gezien.'

Ik vertel hem over Crown.

Verwonderd kijkt hij me aan. 'Wat heeft die vent daar te zoeken?'

Mijn hersens draaien op volle toeren. 'Of hij heeft geen greintje fatsoen in z'n lijf, of Angel liegt.'

Ik zie een flits en hoor een knal. De passagiers en de bemanning duiken even ineen en kijken vervolgens omhoog. De Grote Oceaan vormt een machtig decor terwijl we kijken hoe de as van Big Dick hoog aan de hemel uiteenspat. Een passend afscheid voor een man die zijn hele leven voor vuurwerk heeft gezorgd.

'Ben je ziek of zo?' vraagt Nicole Ward. 'Je ziet er verschrikkelijk uit, zeg.'

Dank je. 'Ik ben even op een boot geweest,' leg ik uit.

Het is halfvier dezelfde middag. Rosie en ik hebben een bespreking met Ward in haar kantoor. Jack O'Brien zit aan het eind van de lange vergadertafel en heeft zijn handen om een kop koffie. Lisa Yee zit naast Ward, die ons heeft ontboden voor een laatste verslag omtrent Angels toestand. Als tegemoetkoming heeft ze ons wat nieuwe informatie beloofd.

De officier van justitie kijkt me vragend aan. 'Het leek je wel een leuke dag voor een zeiltochtje?'

'Ik ben even wezen kijken wie er allemaal bij MacArthurs afscheid aanwezig waren.' Ik vertel haar dat ik zijn zoon, Eve, Petrillo en Crown heb gezien.

Ze fronst haar wenkbrauwen. 'Was Crown er ook?'

'Walgelijk,' zegt Rosie meteen.

Ward kijkt haar wat achterdochtig aan. 'Dan lijkt het erop dat jullie cliënte de waarheid vertelt over de baby.'

'Crown is de vader,' bromt Rosie. 'Hij was woedend op Dick MacArthur. Die veroorzaakte de miskraam. Dat maakt Crown tot een verdachte.'

'We weten helemaal niet wie de vader is,' stelt Ward. 'Jullie cliënte gaf toe dat ze kwaad was op haar man vanwege de miskraam. Misschien werd dat haar motief om hem te vermoorden. Je denkt toch niet dat Crown was komen opdagen als hij inderdaad de vader is, of wel?'

Ik vang Rosies blik. 'Dat moet je hem vragen,' is haar antwoord.

'Hebben we gedaan. Hij ontkende.'

'Natuurlijk ontkende hij. Maar waarom geloof je hem?'

'Zijn woord is nog altijd beter dan dat van jullie cliënte, tenzij we het tegendeel kunnen bewijzen. Jullie cliënte is de wanhoop nabij. Ze heeft het hele verhaal verzonnen om de schuld van zich af te kunnen schuiven.'

'Dat weet je helemaal niet,' zegt Rosie.

'We bekijken alles wat jullie cliënte zegt met een gezonde, kritische blik.'

'We zullen om een DNA-test verzoeken.'

'Wij ook.' Ward gaat verder en deelt ons mee dat het nog onduidelijk is of er weefselmonsters van de foetus beschikbaar zijn. Ze zegt dat men in het Saint Francis-ziekenhuis bezig is de dossiers door te spitten.

Nors kijkt Rosie haar aan. 'Je zei dat je wat nieuwe informatie had?'

'Klopt,' zegt Ward en hij knikt naar O'Brien. Die zet de videorecorder aan. Het beeld op het tv-scherm is wazig. Ik zie een zwartwitopname die zo uit *America's Most Wanted* kan komen.

'Dit zijn opnames van de verkeerscamera op het beheersgebouwtje van de Golden Gate,' legt O'Brien uit.

Ze zijn gemaakt door dezelfde camera die elke ochtend op *Mornings on Two* de verkeersbeelden levert. In de linkerbenedenhoek zijn de datum en het tijdstip te zien als kleine, witte bloklettertjes en cijfertjes. We kijken naar de beelden van zaterdagochtend halfvier. Het scherm is donkergrijs. 'Weet je zeker dat dat ding het deed?' vraag ik.

'Het is lastig te zien,' geeft O'Brien toe. 'Het was mistig.'

Ik kan net een paar auto's onderscheiden die in zuidelijke richting rijden. Een bord boven de weg in tegenovergestelde richting vermeldt dat er twee rijbanen open zijn.

Een paar minuten verstrijken. Ik begin ongerust te raken. Rosie zit aan het scherm genageld. Ik buig me net iets meer naar het beeld toe als Ward opeens naar het scherm wijst. 'Daar!' roept ze.

Ik staar naar de in nevelen gehulde brug. 'Waar?'

O'Brien stopt de band en spoelt even terug. Ward buigt zich iets meer naar het scherm toe. Ik doe hetzelfde. Ik kan haar parfum ruiken nu we allebei een kleine zestig centimeter van het negentien-inch Zenith-scherm af zitten.

Ik kijk even naar Rosie, die nog altijd aandachtig naar het tv-scherm staart. 'Waar dan?' vraag ik.

Ward wijst op het voetgangerspad aan de oostkant van de brug. 'Kijk, daar.'

O'Brien laat de videoband in superslowmotion afspelen. De koplampen van enkele auto's die in zuidelijke richting passeren, werpen hun lichtbundels voor zich uit in de mist. Met haar rechterwijsvinger volgt Ward het voetpad naar de poort aan het eind van de brug. 'Daar heb je hem.'

'Ik zie een schim,' zeg ik.

'Het is Martin Kent.'

Ik ben niet overtuigd. 'Laat nog eens zien?'

Ze speelt de band nog een keer af. Ditmaal gebruikt ze een pen als aanwijzer. Ik ontwaar het silhouet van een man die over het trottoir naar het toegangshek van de brug loopt. 'Geen twijfel mogelijk,' stelt Ward. 'Kijk, hij stopt bij het hek. Hij probeert een besluit te nemen.'

Rosie kijkt me bezorgd aan. We zien hoe de schim naar het afgesloten hek staart. Hij peinst een moment en werpt even een blik op de weg. Daarna draait hij zich om en een moment verschijnt zijn gezicht recht in beeld. Hij draagt een pak en een stropdas, en heeft niets in zijn handen.

Ward draait de band nu beeldje voor beeldje af. 'Hier klimt hij over de reling langs de weg.' Nadrukkelijk wijst ze naar het scherm. 'Zo heeft-ie dus het toegangshek met het prikkeldraad weten te omzeilen.' Ze tikt met de pen tegen het scherm. De schim beent snel het wegdek op en verdwijnt in de mist. Zelfs Wards haviksogen kunnen geen uitsluitsel geven over wat er vervolgens moet zijn gebeurd.

'Hoe laat was dat?' vraagt Rosie.

'Tien voor vier in de ochtend. Vlak nadat ze jullie cliënte hadden aangetroffen en ongeveer twintig minuten nadat ze het lichaam van haar man hadden gevonden.'

'Je weet helemaal niet zeker dat dit Kent was,' zeg ik. 'En dan nog, hij had ruimschoots de tijd om Angelina naar de brug te rijden.'

'Of te lopen.' Ward vertelt ons over haar gesprek met Kaela Joy. 'Ze zei dat ze zaterdagochtend vroeg Kent naar de brug heeft zien lopen.'

'Nou, tegen ons vertelde ze dat ze hem niet kon identificeren.'

Ward aarzelt even. 'Tegen mij zei ze dat het Kent was.'

Ze bluft. Ik heb Kaela Joy er speciaal nog naar gevraagd. Haar antwoord was dat ze het niet zeker wist. We steggelen wat over onze respectievelijke gesprekken met Kaela Joy. Het eindigt in gelijkspel.

Een moment zitten we zwijgend bijeen. Het begint er steeds meer op te lijken dat Marty Kent zaterdagochtend even voor vieren van de brug is gesprongen. Maar wat er in de paar minuten voorafgaand aan zijn dood is gebeurd, blijft nog hoogstonduidelijk.

Rosie probeert Ward zoveel mogelijk uit te horen. 'Even aangenomen dat je gelijk hebt, waarom wilde Kent een eind aan zijn leven maken?'

'Volgens zijn zoon zag hij het na de dood van zijn vrouw niet meer zitten. Hij had een hoop geld verloren in de markt en de behandeling van zijn vrouw had hem een fortuin gekost.' Met een veelbetekenende blik voegt ze eraan toe: 'We hebben met Dennis Alvarez van het bureau in Mission District gesproken. Kent was betrokken bij het aanbieden van steekpenningen om zo steun te werven voor het studioproject. Volgens Dennis zou hij zijn aangeklaagd. Het zou zijn reputatie om zeep hebben geholpen.'

Rosie en ik wisselen een blik, maar we zeggen niets.

'En er is nog meer,' gaat Ward verder. Ze trekt een dun formulier uit een envelop en schuift het onder mijn neus. 'Dit is een amendement van MacArthurs testament.'

Ik leg het velletje tussen Rosie en mij in en we beginnen allebei te lezen. Ward vestigt onze aandacht op artikel 3, dat zegt: 'Aan mijn zoon Richard MacArthur, indien hij mij overleeft, laat ik na: al mijn beleggingen en al mijn contant geld, aandelen, pensioenrekeningen, pensioenplannen, winstdelingen, bonusaandelen, overige rechtmatige pensioenplannen, persoonlijke en niet-persoonlijke bezittingen van allerlei aard, meubilair, roerend goed, auto's en overige voorwerpen van huishoudelijke dan wel persoonlijke aard, samen met alle daarbij behorende verzekeringspolissen.' Ik zoek naar Angels naam, maar kan hem niet vinden.

'Angel is uit het testament geschrapt,' constateert Rosie. 'Alles gaat naar MacArthurs zoon.'

Ward knikt. 'Precies.'

'Hoe kom je hieraan?'

'Van MacArthurs notaris.'

'Heb je er al met zijn zoon over gesproken?' vraag ik.

'Ja. Hij is niet van plan het aan te vechten.'

Je meent het. 'Wist hij ervan?'

'Pas toen de notaris hem erover belde. Het blijkt dat zijn vader ook zijn levensverzekering heeft geannuleerd. Jullie cliënte maakt niet langer aanspraak op de miljoenenuitkering.'

Wat? 'Sinds wanneer?'

'Ongeveer twee weken geleden.'

'Nou, dat heeft hij Angel duidelijk niet verteld.'

'Daartoe was hij ook helemaal niet verplicht.'

Rosie probeert haar stem te beheersen: 'Ik waardeer het dat je deze informatie met ons hebt willen delen.'

'Volgens de regels hebben jullie er recht op.'

Rosie denkt een moment na. 'Jullie beseffen dat dit jullie zaak behoorlijk ondermijnt?'

Ward doet haar best nonchalant te klinken. 'Hoe dat zo?'

'Onze cliënte had dus helemaal geen motief om haar man te doden. Als hij de levensverzekering had geannuleerd en zijn testament had aangepast, zou ze hoe dan ook geen cent hebben gekregen.'

Ward corrigeert haar: 'Jullie cliënte had misschien geen financiéél motief, maar ze wist niet dat hij die levensverzekering had beëindigd en zijn testament had aangepast. Ze wist niet beter dan dat ze hoe dan ook aanspraak maakte op de helft van de verzekeringsuitkering en de helft van zijn bezittingen. Ze wist dat het testament de huwelijkse voorwaarden tenietdeed. Door hem te vermoorden vóórdat hij van haar zou scheiden, kon ze zich van zijn fortuin verzekeren.'

Rosies ogen beginnen te glimmen. 'Hun huwelijk liep op de klippen. Ze moet hebben geweten dat hij wilde scheiden.'

Stoïcijns hoort Ward het aan. 'Ze had nog andere motieven.'

Rosie besluit tot een kat-en-muisspelletje. 'Zoals?'

'Ze was woedend op haar echtgenoot omdat hij haar tijdens de filmvertoning voor schut zette. Daarnaast speelt het hele gedoe omtrent haar zwangerschap een rol. Jullie cliënte gelooft dat haar man haar kind heeft gedood.'

'Dat kun je nooit van je leven bewijzen,' is Rosies reactie.

'Jullie zullen haar als getuige moeten dagen om haar versie te vertellen,' riposteert Ward.

'Nee, dat doen we niet. Bovendien zul jij er ook niet blij mee zijn als hij een kwetsbaar ogende vrouw die door haar eigen man is geslagen voor een jury brengt.'

Ward strijkt eventjes over haar fijngevormde kin, kijkt even naar O'Brien en richt vervolgens het woord weer tot ons: 'Jullie onderschatten jury's. Ik ben er echt niet op uit om jullie cliënte de grond in te boren. Ze heeft zichzelf gisteravond bijna van het leven beroofd. Ik heb het vermoeden dat financiële motieven niet de grootste rol hebben gespeeld. Als ik kijk naar haar relatie met Crown, dan denk ik dat ze vooral uit woede heeft gehandeld. Ik denk dat ze haar man in een vlaag van razernij heeft gedood.'

'Dat druist dus in tegen moord met voorbedachten rade,' stelt Rosie vast.

Ward knikt. 'Misschien.'

'Ben je bereid daarin mee te gaan?'

'Ik ben misschien bereid de aanklacht af te zwakken tot moord. Dat zal me niet in dank worden afgenomen, maar daarmee is wel de doodstraf van tafel.'

Rosie gaat in de aanval. 'Je wilt dus dat ze moord bekent in een zaak waarin ze zelfs niet eens wegens doodslag kan worden aangeklaagd?'

Ward buigt zich iets over de tafel. 'Ik zal de wind van voren krijgen. Je cliënte kan over vijftien jaar weer vrij zijn. Ze is nog jong. Ze komt er goed vanaf.'

266

Flauwekul. 'Ik zal met mijn cliënte overleggen,' besluit Rosie.

'Ga je het haar aanraden?'

'Ik zal erover nadenken.'

'Wat vind je van Nicoles aanbod om de aanklacht af te zwakken tot moord?' vraag ik Rosie. We zitten in de auto en zijn onderweg naar ons kantoor.

'Ze weet dat ze een probleem heeft. Met het annuleren van de levensverzekering en de wijziging in het testament verdwijnt Angels financiële motief.'

'Er zijn nog altijd de miskraam en de verhouding met Daniel Crown,' werp ik tegen. 'Wie weet toont Ward aan dat er tóch sprake was van voorbedachten rade.'

'Klopt,' is Rosies reactie, 'maar Angel zal het meeste mededogen weten op te wekken. Jury's veroordelen niet graag iemand die ze zelf als een slachtoffer beschouwen. Ward werkt aan haar verkiezingscampagne. Haar vrouwelijke achterban zal het niet fijn vinden als ze een kwetsbare jonge vrouw hard aanpakt die net een miskraam achter de rug heeft. Ik denk dat ze de aanklacht uiteindelijk zal afzwakken tot doodslag.'

Ik deel haar zelfvertrouwen niet. We weten niet of Angel wel de waarheid heeft gesproken over Crown.

'Wat ga je nu doen?' vraagt ze.

'Ik moet naar een Little League-wedstrijd.'

Ze kijkt me vragend aan. 'Grace speelt pas donderdag, hoor.'

'Weet ik, maar de zoon van Daniel Crown heeft vanmiddag om vijf uur een wedstrijd.'

37

'HET BEGINT ALLEMAAL MET DIE EERSTE LEUGEN'

Hartenbreker Daniel Crown heeft in een verklaring alle beschuldigingen ten stelligste ontkend dat hij de vader van Angelina Chavez' ongeboren kind is.
Entertainment Tonight, dinsdag 8 juni

Meteen zodra hij me ziet verschijnt er een nadrukkelijke frons op Daniel Crowns gezicht. 'Waarom denk je dat ik nog iets tegen jou te zeggen heb?' mompelt hij tegen me. Hij staat naast het hek achter de achtervanger in het rustieke Ross Common, een met bomen omgeven park in een peperdure woonwijk genesteld in een eikenbos aan de noordkant van Mount Tamalpais. Hij werpt een honkbal naar zijn zoon, die op de werpheuvel staat.

Ik snuif de frisse boslucht eens diep in en zeg op mijn beste priestertoontje: 'Je moet me echt helpen, Danny.'

'Praat maar met mijn advocaat.'

'Alsjeblieft, Danny.'

Hij vangt een worp van zijn zoon en houdt de bal even bij zich. Hij draait zich naar me om. 'Kunnen we even kappen met die onzin?' zegt hij zacht genoeg zodat zijn zoon het niet kan horen. 'Gisteren, bij Willie's, was de eerste keer dat we elkaar hebben ontmoet. Ik heb mijn zoontje Jason gevraagd of hij jou kende. Hij kent jouw dochter helemaal niet. Ze heeft nooit in zijn team meegespeeld. Je was me gewoon aan het uithoren.'

'Het spijt me, Danny.'

'Rot toch op.'

'Luister…'

Hij geeft me de machoblik die hij in zijn tijd als soapster bijna heeft geperfectioneerd. 'Nee, luister jij maar eens. Jullie verspreiden alleen maar leugens. Jullie zijn bezig mijn huwelijk kapot te maken. En mijn carrière.' Hij kijkt even naar zijn zoon. 'Hoe denk je dat Jason zich voelt als zijn vriendjes hem vragen of zijn vader echt met Angelina Chavez naar bed is geweest? Denk maar niet dat je mijn gezin te gronde kunt richten enkel om je cliënte te redden.'

Ik vind het oprecht vervelend voor zijn zoontje. Het zijn altijd de kinderen die er het meest onder te lijden hebben, zo lijkt het. 'Het spijt me, Danny.'

Hij kijkt me wat meewarig aan en werpt de bal weer naar zijn zoon. 'Dat had je je eerder moeten bedenken, voordat je met de media sprak.'

Ik probeer het nog eens. 'Ik hoopte echt dat ik je kon overhalen mijn cliënte te helpen.'

Een sarcastische grijns. 'Er is nooit iets tussen ons geweest. Mijn advocaat neemt wel contact met je op.'

Ik probeer een voorzichtige toon. 'Ik praat liever met jou.'

'Ik heb niet met haar geslapen. Ze liegt.'

'Help ons dan te achterhalen wat er werkelijk is gebeurd.'

'Dat heb ik gisteren al geprobeerd. Vandaag zijn mijn vrouw en ik bedolven onder telefoontjes van allerlei idioten die denken dat ik met Angelina naar bed ben geweest. Als je met me wilt praten, stuur je maar een dagvaarding. Mijn advocaten zullen je nog jaren aan het lijntje houden.'

'Danny,' zeg ik, 'ze zullen in staat zijn te bevestigen dat je inderdaad de vader bent. We zijn met het OM overeengekomen een DNA-test te laten uitvoeren.'

Dit weet even zijn aandacht te vangen. Daarna kijkt hij me aan en zegt: 'Kom maar terug met een dagvaarding.'

Ik besluit zwaarder geschut in te zetten. 'Ze gaan weefselmonsters van de foetus onderzoeken.' Vraag me niet of het waar is, maar ik besluit het rookgordijn zo dik mogelijk te maken. 'Standaardprocedure.'

Aandachtig kijkt hij me aan, zoekend naar trekjes die erop kunnen wijzen dat ik bluf. Ik staar verbeten terug. Zijn ogen blijven op de mijne gericht.

De coach roept de spelers op de thuisplaat bijeen. Vader Crown en ik kijken toe hoe het jeugdteam een rondje om het veld jogt. Met de armen over elkaar moedigt hij zijn zoon aan. Ten slotte draait hij zich weer naar me om met de mededeling: 'Ik heb je verder niets meer te zeggen.'

'Als je liegt, ziet het er een stuk slechter voor je uit.'

'Hoeveel slechter kan het nog worden dan? Je hebt me nu al van vreemdgaan beschuldigd. Waarom me ook niet meteen van de moord op Dick MacArthur beschuldigen, nu je toch bezig bent?'

Wie weet doen we dat ook. 'Dat heb ik nooit gezegd, Danny.'

Hij priemt met een vinger naar me. 'Wat ben jij voor een zakkenwasser? Dick MacArthur was een geweldig regisseur, en mijn vriend. Zijn zoon nodigde me uit voor het laatste afscheid, omdat we vrienden zijn en omdat hij weet hoezeer ik zijn vader respecteerde.'

Met uitzondering dan van de keren dat je aan het rotzooien was met zijn vrouw.

Hij is nog niet klaar met zijn verhaal. 'Denk je nou echt dat ik die afscheidsdienst zou hebben bijgewoond als ik inderdaad met Angelina naar bed ging? Hoe laag schat je me in?'

Ik probeer het nogmaals. 'Je bent beter af als je gewoon de waarheid vertelt.'

Hij steekt zijn perfect gevormde kin naar voren. 'Dat risico wil ik wel nemen.'

'Jij bent geen verdachte. Als ze jou op een leugen betrappen, zullen ze je niet met rust laten.'

'Ik heb niets te verbergen.'

Precies het antwoord dat ik verwachtte. 'Laat me je een goede raad geven, gratis en voor niets.'

'Is er dan echt geen manier om je te laten opdonderen?'

'Nee.' Ik buk, pak een honkbal en werp die naar Crown. 'Ik ben al zo lang advocaat,' vertel ik. 'Mijn ervaring is dat zodra je eenmaal begint te liegen, het steeds moeilijker wordt je verhaal vol te houden. Uiteindelijk zal de politie een klein hiaatje ontdekken. Daarna nog een. Voordat je het weet, ben je bezig je verhaal bij te stellen. En daarmee ga je de mist in. Je herinnert je de details niet meer. Dat is het punt waarop ze je bij je kladden hebben, Danny. Het begint allemaal met die eerste leugen. Daarna heb je het niet meer in de hand.' Ik glimlach even en voeg eraan toe: 'Mijn voormalige secretaresse zei altijd: als een kaartenhuis ineenstort, dan is dat een probleem. Maar als een broodje-aapverhaal verkeerd valt, dan word je pas echt misselijk.'

Crown is onaangedaan. Hij werpt de bal naar zijn zoon. Daarna draait hij zich weer naar me om en reageert op kalme toon: 'Laat mij jóú dan eens wat gratis advies geven, Mike. Jouw cliënte liegt. Uiteindelijk zal de politie een klein hiaatje ontdekken. Toen ze vertelde dat ze haar man niet had vermoord, beging ze haar eerste leugen. De tweede is dat ik de vader ben. Kortom, ze heeft al twee leugens voorsprong op me. Jij mag dan een goede advocaat zijn, maar ze zal het niet gaan redden.'

'Ze zullen je weten te vinden,' zeg ik. 'Ze weten dat jij en Angelina die avond aan de coke zaten. Je reclasseringsambtenaar zal graag willen weten wat je daarover te melden hebt.'

Hij aarzelt. 'Daar heb ik het met de politie al over gehad.'

'Jouw vingerafdrukken zijn op het zakje aangetroffen.'

'Angelina drukte het in mijn handen, en ik gaf het weer terug. Zij is degene met een drugsprobleem.'

'Hoe kon dat zakje op de passagiersstoel van de auto van haar man terechtkomen?'

'Ze moet het daar hebben neergelegd.'

Een voorspelbaar antwoord, en tegelijkertijd ook een schild. Ik kijk hem recht in de ogen en vraag: 'Wat is er écht gebeurd?'

Hij aarzelt niet. 'Cheryl en ik hadden een dineetje en daarna bekeken we de film, dronken wat champagne. Tegen tweeën gingen we naar huis. Toen we weggingen, was Dick nog springlevend.'

Het is zijn verhaal en daar houdt hij zich aan. Als ik niet beter wist, zou ik zweren dat hij de waarheid sprak.

'Waar zit je?' vraagt Rosie. Ze belt vanaf kantoor.

'Op de Golden Gate Bridge.' Ik sta klem in de file bij de zuidtoren terwijl ik, om halfzeven in de avond, terugrijd naar de stad. Ik kijk opzij naar het voetgangerspad aan de oostkant, waar we op de videoband Marty Kent zagen lopen. Terwijl ik stapvoets in de richting van het beheergebouwtje rijd, kijk ik ook nog even naar de parkeerplaats aan de oostkant.

'Hoe ging het bij Crown?'

'Niet goed.' Ik doe verslag van ons gesprek.

'Je bedoelt dat hij niet brak en tijdens de match van zijn zoontje niet ter plekke een spontane bekentenis aflegde? Zo ging het immers altijd bij *Perry Mason*.'

'In het echte leven lopen de dingen soms anders.'

'Gaf hij toe dat hij de vader van Angels baby is?'

'Integendeel.'

'Dus je bent geen stap verder gekomen?'

'Daar lijkt het wel op, ja.'

'Misschien dat ik de volgende keer eens met hem moet gaan praten.'

'Mij best.' Ik vraag of ze nog iets van Tony heeft vernomen.

'In de winkel lijkt alles rustig.'

'En Armando Rios?'

'Rolanda belde. Hij is de stad uit.'

'Waarheen?'

'Vegas. Ik neem aan dat hij Carl Ellis wilde spreken. Rolanda volgt hem.'

Interessant. 'Heeft Pete nog gebeld?'

'Ja. Hij zei dat Petrillo naar LA is teruggevlogen en dat Little Richard en Eve de wijnmakerij weer hebben opgezocht. Hij wil daar morgenochtend vroeg met ons afspreken.'

'Mij best. Rijd je met me mee?'

'Tuurlijk. Zo'n ritje zal me goed doen.' Ze aarzelt even, en vraagt: 'Waar ga je nu naartoe?'

'Ik rijd even naar Baker Beach om wat met Petes mensen te kletsen. Daarna moet ik vanwege een andere dringende zaak in Richmond zijn.'

'En die behelst?'

'Een openhartig gesprekje met Leslie.'

38
'ZO GECOMPLICEERD HOEFT HET TOCH NIET TE ZIJN?'

'Een rechter moet elke vorm van belangenconflict vermijden en trouw blijven aan haar principes.'
Rechter Leslie Shapiro, *California State Bar Journal*

Kabuto Sushi is een klein restaurantje op de hoek van Geary Boulevard en Fifteenth Street. Hoewel de ambiance ver te zoeken is, kunnen de gerechten van de sushi-meesterkok zich meten met die van de beste koks van de stad. De vaste gasten kletsen wat met de chef. Leslie en ik zitten aan een tafeltje achterin. Het is tien uur in de avond. Ze geniet van de exotische creaties. Zelf heb ik geen honger.

'Eigenlijk mogen we helemaal niet met elkaar praten,' zegt ze. 'Dit is *ex parte*. Je zou je vergunning kunnen verliezen.'

Als priester al had ik een hekel aan mensen die in het Latijn tegen me kletsten. Hoewel ik best weet dat ze gelijk heeft, heb ik nu even geen zin in een lezing over ethische normen. 'En jij je hamer,' antwoord ik en ik besef dat het niet de meest tactische zet is.

Ze spoelt haar sushi weg met een slokje thee. Daarna zet ze haar kopje neer en kijkt me recht in de ogen. 'Sorry dat ik zo bits was.'

'Van hetzelfde.'

Ze gaat niet-rechterlijk gekleed: een vale spijkerbroek, een paar oude Nikes en een vaalblauw sweatshirt met het logo van de universiteit van Californië. 'We hebben onszelf in een typische "no-win"-situatie gemanoeuvreerd,' zegt ze.

Ik knik en laat haar praten.

Ze trekt een zuinig mondje. 'Ik heb de voorzittende rechter verteld dat ik Angelina's hoorzitting niet kan leiden.'

Ik ben opgelucht. 'Het spijt me, Leslie.'

'Mij ook.'

'Je hebt het goede besluit genomen.'

'Ik ben dan ook van plan deze morele overwinning te gaan vieren.'

'Vroeg hij je nog waarom?'

'Ik vertelde hem dat het een privé-zaak was. Toen hij doorvroeg, heb ik geantwoord dat het om een situatie ging waarbij het gevaar van belangenverstengeling aanwezig was. Meer hoefde hij niet te horen. Hij heeft de zaak naar rechter McDaniel verwezen. Zij is bekend met de feiten en ze had nog een gaatje.'

Niet echt waar we op zaten te wachten. We krijgen dus een toegift in de rechtszaal van de rechter die ook de voorgeleiding heeft gedaan. 'Voor ons zou jij een veel betere uitkomst zijn geweest,' zeg ik.

'Klopt.' Ze aarzelt even. 'Ze zal jullie een eerlijke kans geven.'

Dat zeker. 'Blijft over jij en ik.'

Ze neemt snel nog even een slokje van haar thee. 'Ja.'

Ik weet nooit of ik in zulke situaties het woord moet nemen of moet afwachten. Mijn gevoel fluistert me het eerste in, mijn verstand het laatste. Mijn gevoel wint het van mijn verstand. 'Leslie,' zeg ik, 'ik voel nog steeds hetzelfde voor je.'

De bekende zucht. Ze zoekt even oogcontact, wendt haar blik af en slaat de ogen neer. 'Je bent een heerlijke, lieve, slimme en aardige vent, Michael Daley.'

Ze prijzen je altijd eerst de hemel in om je vervolgens met een moker de grond in te stampen. Ik zet me schrap voor de grote 'maar'.

Ze kijkt op. 'Maar deze relatie is me te gecompliceerd.'

Ik heb het al vaker gehoord. 'Zo gecompliceerd hoeft het toch niet te zijn?' werp ik tegen.

'O, jawel.' Ze slikt en eventjes denk ik een traan in haar ogen te zien. 'Michael, ik geloof niet dat het een goed idee is als we elkaar nog langer blijven zien…'

Niet reageren. Laat haar praten.

Haar antwoord lijkt een beetje op dat van een rechter: 'Het zal niets worden zo. Het kan tot allerlei persoonlijke conflicten leiden.' Ze aarzelt even, en voegt eraan toe: 'Ik geloof niet dat het veel toekomst heeft.'

Ik haat het als mensen een relatie met 'het' aanduiden. Maar het is beter nu even niet over haar woordkeus te gaan discussiëren. Ik voel hoe mijn keel rauw wordt en mijn maag zich in een knoop legt. In gedachten hoor ik de klaaglijke stem van Bonnie Raitt: *I can't make you love me if you don't.* Ik leg mijn kin op de rug van mijn hand en kijk haar in de ogen. Ik weet niet wat ik moet zeggen, en dus zeg ik maar niets.

Ze voelt zich opgelaten. Ze eet wat van haar sushi, maar gooit het plotseling terug op haar bord. Met tranen in de ogen kijkt ze me aan. 'Zeg dan iets, verdomme. Schreeuw voor mijn part tegen me. Word boos. Word verdrietig. Huil. Maar zit me niet zo dom aan te staren!'

Ik reik over de tafel en leg een vinger op haar lippen. 'Je hoeft niets meer te zeggen,' zeg ik. 'Alles is al gezegd. Diep vanbinnen wisten we waarschijnlijk allebei dat het een keer zou ophouden.' Ik veeg de tranen van haar wangen. 'Het komt allemaal goed. Het was van meet af aan een gok.' Ik herinner haar aan wat ze tegen me zei toen we voor het eerst met elkaar uitgingen: 'Rechters mogen niet huilen.'

Ze glimlacht een beetje. 'Ik zal je missen.'

'Ik jou ook.'

'Ik hoop dat we vrienden kunnen blijven?'

Een aardige gedachte en precies wat je zegt in zo'n situatie. Maar de kans is bijna nihil dat dat zal gebeuren. 'Zou ik fijn vinden,' zeg ik.

Daarna praten we nog een poosje wat geforceerd over koetjes en kalfjes. Ik sta erop de rekening te betalen. In wat als een bescheiden poging tot verzoening bedoeld lijkt, pakt ze mijn hand: 'Vind je het erg, nu we officieel gewoon vrienden zijn, dat ik je een vriendelijke raad geef?'

'Nee hoor. Gaat het over Angelina's zaak?'

'Daar mogen we het niet over hebben.'

'Goed, waarover dan?'

'Over jou.'

O jee. Ik zet me schrap voor een lange opsomming van mijn tekortkomingen. 'Iets verkeerd gedaan?'

'Nee.'

'In bed?'

Ze giechelt. 'Nee, ook dat niet. Het heeft te maken met jou en Rosie.'

'Wat is er met ons?'

Ze bijt even op haar onderlip. 'Ik weet dat dit misschien niet het goede moment is…'

Waarschijnlijk niet, nee.

'Maar ik vind toch dat je eens moet kijken of jullie de draad weer kunnen oppakken samen.'

Ik heb drie nachten niet geslapen en mijn ex-vrouw annex zakenpartner annex boezemvriendin heeft kanker. Mijn nieuwe vriendin heeft het nog geen tien minuten geleden met me uitgemaakt en nu voelt ze zich genoodzaakt mij in mijn liefdesleven van advies te dienen. 'Ik waardeer je goede zorgen,' antwoord ik, 'maar bij ons ligt het ook best gecompliceerd.'

'Maar zo gecompliceerd hoeft het toch niet te zijn?'

Ik haat het als mensen mijn woorden terugkaatsen. 'Samenwonen ging ons niet erg goed af,' zeg ik.

'Je kunt het toch nog eens proberen?'

'Je bent anders niet de eerste die het heeft geopperd. We hebben het geprobeerd, maar het ging niet.' En bovendien heb ik me vijf jaar lang door mijn therapie moeten worstelen om over de depressies en het schuldgevoel heen te komen. 'Ik wil er niet over praten.' Of eigenlijk: niet met jóú.

'Luister nou even.'

Ik heb geen keus. 'Oké, ik luister.'

'Ze is je maatje, Michael. Daar zoek ik zelf al zesenveertig jaar naar. Iedereen ziet dat, behalve jij en Rosie.'

Vanwaar toch die behoefte van jan en alleman om mijn liefdesleven onder de loep te nemen? Ik ga voor een vertrouwde uitvlucht. 'Kun jij makkelijk zeggen.'

'Ja.' Ze slikt even. 'En wacht vooral niet te lang. Er zal een dag komen waarop je wakker wordt en beseft dat je het al die tijd volkomen hebt genegeerd.'

Ik reageer niet.

'Luister,' zegt ze, 'ik wil me heus niet mengen in…'

'Dat doe je al.'

'Kijk nou eens een keer naar het grote plaatje.'

'Ik ben een man van kleine plaatjes.'

Ze wordt pissig. 'Jezus, Michael, zet voor één keer eens je trots opzij.'

'Vertel dat maar tegen haar.'

Ze aarzelt even. 'Heb ik al gedaan,' fluistert ze.

Wat? 'Wanneer?'

'Een maand geleden. We hadden een gesprekje.'

Nu is het mijn beurt om pissig te worden. 'Waarover?'

'Over jou.'

Verdomme. 'Waarom?'

'Ik wilde zeker weten dat ik niet op haar terrein kwam.'

Nooit geweten dat mijn leven zo'n open boek was. Nog even en ze komen met zo'n nieuwe realitysoap over mij: de vrouw die het het langst met me weet uit te houden, wint een miljoen. 'En, wat was de conclusie?'

'Ze zei dat jullie waren overeengekomen ieder je eigen weg te gaan. Ze wilde je niet voor de voeten lopen.'

Ik zeg niets.

Ze geeft me een onzeker knikje. 'Geloof mij nou maar.'

'Nou, ik waardeer je deskundige oordeel.'

'Ik kan mensen goed beoordelen.'

Als dat echt zo was, zou je het nu niet met me hebben uitgemaakt. Ik probeer er een eind aan te breien. 'Ik zal je missen, Leslie.'

'En ik jou ook. Is er nog iets wat ik voor je kan doen?'

Ik denk even na. 'Misschien dat je inderdaad iets voor me kunt doen. Zou je beledigd zijn als ik je om een gunst vraag?'

'Zeg het maar.'

Gaat-ie. 'Donderdagochtend vindt er in jouw rechtszaal een voorlopige hoorzitting over Carolyns zoon plaats.'

Behoedzaam kijkt ze me aan. Ze weet dat ik op het punt sta buiten mijn boekje te gaan. 'Ik ken de feiten.'

'Ik wil dat je de aanklacht tenietdoet.'

Ze kijkt me eventjes ijzig aan. 'Je meent het serieus?'

'Ja.'

'Je wilt me overhalen een zaak te fiksen?'

'Het is een nepaanklacht. Nicole Ward wil gewoon zendtijd.' Ik grijns een beetje en vervolg: 'En "fiksen" klinkt wel erg grof, vind je niet? Laten we het erop houden dat ik je wil aanmoedigen de zaak in het belang van het recht tot een goed einde te brengen. Bovendien heb je nog zat andere zaken om je mee bezig te houden. Als er meer schot in Angels zaak komt, dan zal het paleis van justitie nog maandenlang door de media worden belegerd. Een compleet circus wordt het. Je weet hoe rampzalig het verkeer in deze stad is?'

'Ik ben bekend met de feiten.'

'Ik help je alleen maar om elke ochtend op tijd op je werk te komen. Belangrijker nog: ik help jóú. Jij kunt voorkomen dat de stad logistiek gezien op slot komt te zitten.'

'Ik kan niet geloven dat je dit van me vraagt.'

'Ik ook niet.'

Ze werpt me een kritische blik toe. 'Hij is een doodnormale, goeie jongen?'

'Ja.'

'En dit is gewoon een van Nicole Wards publiciteitsstunts?'

'Mm-mm.'

Haar gezicht plooit zich tot een glimlach. 'Wat zit er voor mij in?'

Ik zucht eens wat overdreven. 'Gezien ons gesprek van een paar minuten geleden ben ik bang dat ik je niet langer seksueel tegemoet kan komen. Dus ik denk dat je jezelf moet belonen met de wetenschap dat je de goede keus maakt en een goeie jongen aldus nog een kans geeft.' Dat ze daarmee tevens een reeks ethische normen overschrijdt, wat haar wellicht op sancties kan komen te staan en mij mijn baan zou kunnen kosten, laat ik veiligheidshalve maar even achterwege.

'Meer niet?'

'Meer niet.'

Haar grijns verdwijnt. 'Ik beloof niks.'

'Duidelijk.'

'Kun je het nog een beetje bolwerken?' vraag ik Rosie.

Het is even na middernacht en ik zit inmiddels thuis. Voor het eerst in vier dagen lijkt het erop dat ik een paar uurtjes *quality time* in mijn eigen bed mag doorbrengen. Ik ben weliswaar moe, maar voel me tegelijkertijd gek genoeg opgelucht over de breuk tussen mij en Leslie. Misschien word ik ouder en wijzer. Misschien was onze relatie nog te pril. Misschien ben ik gewoon afgestompt.

'Het was weer een glorieuze dag vandaag,' zegt ze.

De toon in haar stem verontrust me. Ze is niet alleen moe, er is duidelijk iets aan de hand. 'Wat is er, Rosita?'

Een zucht. 'Het hoofd van Graces school belde. Er waren problemen.'

O jee. Ondanks haar ongewone thuissituatie is Grace een prima leerling, die nooit ruziemaakt. 'Wat is er gebeurd?' vraag ik.

'Een van de kleine Neanderthalertjes in haar klas begon haar te pesten met Angel. Daarna begonnen ook een paar andere kinderen mee te doen.'

Kinderen van tien kunnen behoorlijk zieken. Ik vraag hoe Grace reageerde.

'Ze liet zich niet kisten en ze kwam voor haar nicht op. Daarna heeft ze het tegen haar lerares verteld.'

Precies wat haar moeder ook zou hebben gedaan.

Rosie aarzelt even. 'Toen ze weer terugkwam in de klas begon ze opeens te huilen. De lerares wist haar te kalmeren. Daarna belde het schoolhoofd me. Ze vertelde dat Grace zich weer beter voelde, maar vroeg ons toch een oogje in het zeil te houden.'

Een minder voortvarende school zou nooit hebben gebeld. 'En wat vertelde Grace zelf?'

'Ze heeft zich goed gehouden, zei dat het allemaal weinig voorstelde. Ik heb nog een beetje doorgevraagd, maar niet al te veel.' Haar stem breekt even. 'Ze heeft veel aan d'r hoofdje, Mike.'

'Ik doe mijn uiterste best voor jullie.'

'Dank je.' We praten nog wat. 'Hoe liep het met Leslie?' vraagt ze even later.

'Niet zo lekker.'

'Heeft ze zich uit Angels zaak teruggetrokken?'

'Ja.' Ik aarzel even. 'En ook uit onze relatie,' voeg ik eraan toe.

Het wordt even stil op de lijn. 'Rot voor je, Mike,' zegt ze.

'Ja, nou. De acteurs zijn nieuw, maar de film eindigt altijd weer hetzelfde.'

'Wil je niet even langskomen?'

De oude verlokkingen liggen op de loer, maar mijn verstand wint het van mijn driften. 'Nee, dank je. Morgenochtend pik ik je wel op.'

'Wat je wilt, Mike.'

'Geef Grace een zoen van me.'

39
LITTLE RICHARD – HET VERVOLG

'The Return of the Master zal gewoon volgens plan in première gaan. Zo zou mijn
vader het ook hebben gewild.'
Richard MacArthur junior, *Daily Variety*, woensdag 9 juni

'Weet je zeker dat hij daar binnen zit?' vraag ik Pete.

'Ja.'

Het is acht uur in de ochtend en Pete, Rosie en ik staan vlak buiten de imposante stenen poort die toegang biedt tot het erf waar de MacArthur Cellars te vinden zijn. Een verfrissende bries waait over de 320 hectaren goedverzorgde wijnranken en we worden omhuld door de zoete geuren van druiven en jasmijn. Ik begrijp nu waarom Big Dick besloot om een welgestelde wijnboer te worden.

Zinfandel Lane was nog een zandpad toen hier, iets ten zuiden van St. Helena, in de jaren tachtig van de negentiende eeuw de eerste wijnstokken werden geplant. Als je het verkooppraatje op het wijnlabel van MacArthur Cellars mag geloven, zijn het klimaat en de aarde hier meer dan uitstekend voor de cabernet, om nog maar te zwijgen van de Zinfandeldruiven. De oorspronkelijke eigenaren legden de bedden aan en bouwden een bescheiden woning en een kleine, uit steen opgetrokken wijnmakerij. In de jaren veertig werd het perceel opgekocht door een van de pioniers van de moderne wijnindustrie van Napa Valley, die ook de historische gebouwen restaureerde. Het inspireerde Francis Coppola tot eenzelfde onderneming bij de Inglenook wijnmakerij op het landgoed Niebaum, iets ten zuiden van Oakville, hier niet ver vandaan.

Dick MacArthur had grote plannen toen hij twintig jaar geleden het grootste deel van het landgoed aan Zinfandel Lane kocht. Tot ergernis van zijn buren sloopte hij het stenen gebouw waar de oorspronkelijke wijnmakerij in was ondergebracht en verving het door een ware wijnfabriek plus proeflokaal. Het moderne bouwwerk ziet eruit als een munitiedepot. Ook de oude woning is verdwenen. Op de vrijgekomen plek is een nepkasteel van zo'n driehonderd vierkante meter verrezen, compleet met filmzaal, een zwembad van Olympische afmetingen, een volledig ingerichte sport-ruimte en zes gastenverblijven. Je waant je in Club Med.

Pete vertelt ons dat hij de afgelopen nacht vanuit zijn wagen, iets ver-derop bij de oprit naar Highway 29 aan de westkant van Zinfandel Lane, weinig bijzonders heeft gezien. Zijn collega-boomklever Kaela Joy Gullion hield de wacht bij de kruising van Zinfandel Lane en de Silverado Trail, aan de oostkant van de vallei. Onder het genot van een uitgelezen ontbijt van donuts en koffie werden de bevindingen uitgewisseld. Hij deelt ons mee dat Little Richard en Eve hier gisteravond zijn gearriveerd. Ze dineerden in de TraVigne en gingen daarna naaktzwemmen in het zwembad. Dat laat-ste duurde tot twee uur in de nacht. Little Richard lijkt zijn vaders begrafe-nis al weer aardig te boven. Eve werd vanochtend voor het laatst gezien in de auto, rijdend in de richting van St. Helena. Kaela Joy is haar gevolgd.

Op het bordje aan het afgesloten ijzeren hek valt te lezen dat het proef-lokaal gesloten is. Rosie en ik lopen naar het belendende kioskje, alwaar een geüniformeerde bewaker naar een zwartwitbeeldscherm tuurt. De net-te jongeman zal niet veel ouder dan negentien zijn. Zijn raampje staat open en hij kijkt op nu we hem naderen. 'We hebben een afspraak met meneer MacArthur,' zegt Rosie.

'De wijngaard is vandaag gesloten. Meneer MacArthur ontvangt van-daag geen bezoekers. Zijn vader is overleden.'

Rosie werpt hem een moederlijke blik toe. 'We zijn kennissen.' Ze zwijgt even. 'En tevens de advocaten van zijn vaders echtgenote.'

Dat 'advocaten' lijkt zijn aandacht te trekken. Hij neemt de hoorn van de haak en toetst een viercijferig nummer in. 'Mm-mm,' hoor ik hem een paar maal mompelen. Zijn hoofd knikt. Hij werpt ons een hulpeloze blik toe. Ten slotte dekt hij met een hand de hoorn af en vraagt: 'Hebt u een af-spraak?'

'Ja.'

'Momentje.' Aan wie het ook moge zijn die aan de lijn hangt, legt hij uit dat Rosie en ik een afspraak hebben, en hij benadrukt nog eens dat we An-gels advocaten zijn. 'Mm-mm,' klinkt het nog een paar maal. Daarna hangt hij op en glimlacht opgelucht naar ons. Op het moment dat ik denk dat hij ons wil wegbonjouren zegt hij: 'Er wordt iemand gestuurd om u naar bin-nen te begeleiden.'

'Ik begrijp echt niet waarom jullie je tijd verspillen door hiernaartoe te ko-men,' zegt Little Richard een paar minuten later. 'Ik ben al door de politie ondervraagd en ik heb jullie al alles verteld wat ik weet.'

Ik had verwacht hem op de patio aan te treffen, met een kop koffie en misschien kwekkend in zijn mobieltje. In plaats daarvan leidde de bewaker ons langs de woning heen recht naar de garage, die groot genoeg is voor acht auto's en die een elegante, hoewel wat onwerkelijke reparatiewerkplaats annex oldtimermuseum moet voorstellen. Hij ziet er in elk geval leuker uit dan Phil Menzio's garage, waar ik mijn Corolla heen breng voor verse olie en zo nu en dan een consult. Ik zie zes oldtimers, stuk voor stuk in verschillende stadia van restauratie. Slechts één van de deuren staat open en binnen overheerst de zurige combinatie van benzinelucht, lak en motorolie. Little Richard gaat gekleed in een vale spijkerbroek en een MacArthur Cellars T-shirt. Hij is bezig een Ferrari uit 1957 van een nieuwe laklaag te voorzien.

'Sorry dat we je weer even moeten lastigvallen,' zegt Rosie.

'Het hoort nu eenmaal bij jullie werk,' klinkt het gedempt.

Ik kijk snel even naar Rosie. 'Goh, Richard,' begin ik. 'Nooit geweten dat je zoveel belangstelling voor oldtimers had.'

Zijn ogen lichten op. Hij schenkt wat thinner in een emmer. 'Er zijn drie dingen waar het voor mij in het leven om draait,' doceert hij. 'Mooie vrouwen, goede wijn en oude auto's.' Hij wijst naar twee prachtig gerestaureerde Lamborghini's en een Tucker in topconditie. 'Die Tucker is voor Francis Ford Coppola.' Hij klinkt trots. 'Hij gaat hem op zijn eigen wijnboerderij tentoonstellen.'

Hoewel zijn manier van doen behoedzaam blijft, is het venijn van afgelopen zaterdag verdwenen. Hij neemt ons mee naar een belendend gebouw, waar hij ons een rondleiding geeft langs een tiental gerestaureerde wagens. De Jaguar uit 1938, vandaag de dag meer dan een miljoen waard, is zijn favoriet.

We lopen terug naar de garage en Little Richard begint met het mengen van de lak. 'Moet je je niet bezighouden met de promotie van de film?' vraagt Rosie.

'Dat kan de studio alleen wel af.'

Zijn 'laat-maar-waaien'-houding verwondert me. 'Gaan jullie de film gewoon op tijd uitbrengen?' vraag ik.

'Ja.' Hij peinst even en zegt: 'Morgen zit ik in de *Today*-show om te vertellen dat het de wens van mijn vader zou zijn geweest.'

'En, klopt dat?' zeg ik.

Hij lijkt iets berustends over zich te krijgen. 'Waarschijnlijk wel. Het is in elk geval de wens van Dom Petrillo.'

'Ga je weer snel aan een nieuwe film beginnen?' vraagt Rosie.

'Ik hoop het. Ik maak graag films.' Hij haalt zijn schouders op. 'Maar lang niet zo graag als mijn vader. Om eerlijk te zijn ben ik lang niet zo goed als hij was – nog niet, tenminste. En trouwens, als het China Basin-project doorgaat, hebben we geen geld om films te maken.'

Rosie kijkt hem verwonderd aan. Daarna glijdt haar blik naar buiten over de rijen wijnstokken. 'Nou, het lijkt mij dat geld geen probleem hoeft te zijn,' merkt ze op.

'Ik weet hoe het overkomt,' zegt hij, 'maar zo simpel ligt het niet. Mijn vader opereerde altijd op het randje. De filmmaatschappij heeft behoorlijk wat schulden. De nieuwe film was bedoeld om een aantal rekeningen te kunnen betalen. Hij bouwde graag dingen en was van plan het grootste deel van zijn vermogen in de nieuwe studio te stoppen.'

Ik kijk even om me heen. 'Ik krijg anders de indruk dat jij ook graag dingen opbouwt.'

'Maar ik ben wel een heel stuk praktischer dan hij was. Films maken kost een fortuin. Mijn vader begreep dat best, verstandelijk gezien dan. Maar in werkelijkheid negeerde hij de financiële voorwaarden liever – of misschien wilde hij zich daar gewoon niet mee bezighouden. De zakelijke kant liet hij over aan Marty Kent en mij. Wij gingen over de budgetbewaking. En dat was niet eenvoudig...' Zijn toon wordt opeens somber. 'Als Marty en ik er niet bovenop hadden gezeten, was hij al jaren geleden failliet gegaan.' Hij haalt zijn schouders nog eens op. 'Ik vind het leuk om auto's te restaureren en films te maken. Als je het mij vraagt, zouden we beter af zijn als we onze middelen in het filmmaken stoppen dan dat we een nieuw, glimmend gebouw uit de grond stampen.'

'Waarom ging je dan akkoord met het plan?' vraag ik.

'Ik had geen andere keus. Ik liet mijn vader weten dat ik het geen goed idee vond. Hij was het niet met me eens. Waren jij en je vader het altijd over alles eens toen je opgroeide?'

'Nee, natuurlijk niet.'

'En wie won er meestal?'

'Mijn vader.'

Ik zie een veelbetekenende glimlach. 'Bij mij dus ook. Mijn vader wilde zijn droomstudio. Het was zijn geld. Denk je nou echt dat mijn opvatting over de financiële haalbaarheid van het project enig gewicht in de schaal legde? Hij heeft zijn hele leven lang niets anders gehoord dan dat dat-ie geniaal was. En dat woord valt een stuk minder vaak zodra mensen het over mij hebben. Nu zou het ons een fortuin gaan kosten om onder het project uit te komen.'

Families. Rosie komt ter zake. 'Richard,' vraagt ze, 'je vertelde ons dat je tegen tweeën het huis van je vader verliet. Wie waren er nog?'

'Mijn vader, Angelina en Marty Kent.'

'Weet je ook hoe laat Kent vertrok?'

'Nee.'

'Enig idee wat hem kan zijn overkomen?'

'Ik heb begrepen dat hij is gesprongen.'

Rosie speelt open kaart. 'Denk je dat hij je vader heeft vermoord?'

Hij gaat weer verder met het mengen van de lak. Zonder op te kijken, antwoordt hij: 'Ik denk dat Angelina het heeft gedaan. Maar ja, stel dat het toch Marty is geweest, dan zal het me niet verbazen. Hij was een arrogante sukkel, beschouwde zichzelf als het grote brein achter de hele operatie. Voor hem waren mijn pa en ik slechts pionnen. En hij was zwaar over de zeik.' Het venijn in zijn stem verrast me. Hij vertelt ons dat Kent en zijn vader al een tijdje over het project ruzieden. 'Marty dacht dat hij werd genaaid. Mijn vader zocht contact met de andere investeerders om te kijken of hij voor Marty een bonus kon regelen.'

'Is er die vrijdagavond iets gebeurd?'

'Ja. Mijn vader vertelde hem dat de andere investeerders dat bonusplan hadden verworpen.'

Dit klopt met de informatie die we van Nicole Ward hebben gekregen.

'Maar er was nog iets,' gaat hij verder. 'Marty had besloten om de gemeenteraad eens wat te gaan kietelen. Hij huurde een adviseur in om hem te assisteren bij de goedkeuring van de bouwplannen voor het China Basin-project.'

Ik doe voorzichtig. 'Weet je ook zijn naam?'

'Armando Rios. Er kan wat geld van hand tot hand zijn gegaan. Marty heeft me daar nooit iets over verteld.' Hij denkt even na en zegt: 'Marty vertelde me eigenlijk nooit iets.'

'Hoe zou je vader hebben gereageerd als hij wist dat Marty mensen aan het omkopen was?'

'Hij zou hem hebben ontslagen.'

'Richard,' vraag ik, 'hoe ben jij achter Kents afspraak met Rios gekomen?'

Vermoeid kijkt hij me aan. 'Zondagavond werd ik gebeld door Rios. Het was de eerste keer dat ik erover hoorde.'

Dat laatste vraag ik me af. 'Enig idee wie de geldschieter was?'

'Wij niet in elk geval.'

'Zou het Marty Kent kunnen zijn geweest?'

'Dat betwijfel ik. Financieel zat hij klem. Hij verloor een hoop geld op de beurs en spendeerde tonnen aan de behandelingen van zijn vrouw.' Richards manier van doen blijft kalm, wat suggereert dat hij de waarheid vertelt. Of misschien is hij een goede leugenaar. 'De enige echte kandidaten zijn Carl Ellis en Dom Petrillo.'

Mijn hersens draaien op volle toeren. 'Heb je bepaalde redenen om een van hen daarvan te verdenken?'

'Als je slim bent, zou je ze allebei moeten verdenken. Ze zijn alletwee rijk en het studioproject betekent een groot risico voor ze. Waarschijnlijk heeft Ellis meer te verliezen dan Petrillo.'

'Hoezo?'

'Voor zijn bedrijf is het een belangrijk project. Ze hebben andere opdrachten geweigerd om zo meer mankracht tot hun beschikking te hebben. Voor Petrillo is de deal minder van belang, behalve dan dat het goed is voor zijn ego. Zijn firma kan het geld weer gebruiken voor wat nieuwe films.'

Wat waarschijnlijk wel klopt. Ik werp even een blik naar Rosie. Vervolgens kijk ik Richard weer aan en vraag: 'Heb je dit al tegen de politie verteld?'

'Ik heb ze alles verteld wat ik jullie zonet heb verteld.'

Het goede nieuws is dat hij over de brug lijkt te komen en de achterbakse praktijken met Rios bekent. Het slechte nieuws is dat hij tegenover de politie voor zichzelf een ijzersterk alibi heeft geregeld. 'Richard,' vraag ik, 'hoe laat ben je naar Napa gereden?'

'Kort nadat ik weer thuis was gekomen.'

Niet zo snel graag. 'Had je nog bezoek voordat je vertrok?'

Hij legt zijn kwast neer. Zijn ogen schieten heen en weer. 'Eén bezoeker, meer niet.'

'Wie?'

'Ellis.'

'Dat heb je de vorige keer verzwegen.'

Zijn linkerooglid vertoont een zenuwtrekje. 'Ik weet niet meer wat ik jullie allemaal heb verteld.'

Hij liegt. 'Hoe laat stond Ellis voor je deur?'

Hij kijkt op en denkt even na. 'Waarschijnlijk rond tien voor halfdrie,' luidt zijn antwoord.

'Zomaar spontaan? Midden in de nacht?'

'Het was niet de eerste keer.'

'Wat wilde hij?'

'Nog eens onderhandelen over de voorwaarden van het China Basin-project. Hij wilde dat wij een kleiner aandeel namen en de wijngaard als onderpand voor onze financiële verplichtingen zouden geven.'

'En als jij dat weigerde?'

'Dan zou hij de stekker eruit trekken en ons voor de rechter dagen.'

'Waarom kwam hij naar jou, en niet naar je vader?'

'Ik kan beter met hem opschieten dan mijn vader.' Zijn mond krult iets op. 'Mijn vader hield er zo zijn eigen mening op na.'

'Dat heb ik gehoord, ja. Wat heb je tegen Ellis gezegd?'

'Dat ik het er de volgende ochtend wel met mijn vader over zou hebben. Maar hij stond erop dat we meteen naar zijn huis gingen. Ik vond het best, maar ik zei wél dat ik geen zin had hem midden in de nacht uit zijn bed te bellen. Toen we aankwamen, brandde er nog licht. We gingen naar binnen en we hebben gepraat.'

'Was er verder nog iemand?'

'Marty was er nog. Ik neem aan dat Angelina boven was.'

'Ben je de hele tijd gebleven?'

'Nee. Toen Ellis zei dat hij alleen met mijn vader en Marty Kent wilde spreken, ben ik weggegaan en terug naar huis gelopen.'

'Hoe laat was dat?'

'Tegen drieën.'

'En Ellis?'

'Die is teruggegaan naar zijn hotel.'

'Hoe?'

Hij zwijgt even en antwoordt vervolgens: 'Ik heb Eve gebeld en haar gevraagd hem bij mijn vader op te pikken. Ze heeft hem bij het Ritz afgezet.'

Dat zou dus de wagen kunnen zijn geweest die Kaela Joy om drie uur hoorde wegrijden. 'Waarom reed je zelf niet?'

'Ik had te veel gedronken.'

O ja? 'Maar je bent wel naar je wijngaard gereden.'

'Ja.'

Nee dus. Ik kijk even naar Rosie, die het overneemt. 'Als je vond dat je te veel op had, waarom voelde je je dan helder genoeg om naar Napa te rijden?'

Hij zwijgt even, kijkt me schaapachtig aan en antwoordt: 'Eve reed.'

Dit is in tegenspraak met wat hij ons zondag vertelde. 'Waarom heb je dat onlangs voor ons verzwegen?'

'Luister,' is zijn antwoord, 'ik lig in scheiding, oké? Mijn aanstaande ex beschuldigt me van van alles en nog wat. Eve en ik hebben elkaar een halfjaar geleden leren kennen. Ik denk niet dat het in mijn voordeel is als mijn vrouw erachter komt dat ik een verhouding heb met een ander.'

Waarom vertel je dit nu? 'En waarom zouden we je moeten geloven?'

'Eve heeft het de politie laten weten. Ze kregen inzage in haar gespreksgegevens, troffen daarin mijn telefoontje aan naar Eve met het verzoek Ellis terug te brengen naar zijn hotel, en ze vonden ook gegevens van een telefoongesprek via haar mobieltje, hier op de wijnmakerij, op zaterdag. Ze confronteerden haar ermee en ze bekende. Rechercheur O'Brien vertelde het me gisteren.'

Little Richard en Eve hebben dus zowel tegen de politie als tegen ons gelogen over hun verblijfplaatsen en hun relatie. Over wat nog meer? 'Wat gaat er met de studio gebeuren?'

Opnieuw een schouderophaal. 'Petrillo vertelde me dat ze doorzetten.'

'Doe je mee?'

'Nee. Mijn vader mag dan bereid zijn geweest de wijngaard als onderpand te geven, maar ik niet. Ik trek me terug. Het zal me heel wat gaan kosten, miljoenen waarschijnlijk.'

Ik vraag hem wie er nog waren toen hij voor de tweede maal, zaterdagochtend vroeg, zijn vaders woning verliet.

'Marty Kent en Carl Ellis.'

'Verder nog iemand?'

'Alleen mijn vader en Angelina.'

Als hij de waarheid spreekt, dan maakt dit Kent en Ellis mogelijk tot medeverdachten. 'Richard,' zeg ik, 'ik heb begrepen dat je vader wat wijzigingen in zijn testament heeft laten aanbrengen.'

Hij wordt argwanend. 'Dat gaat jullie helemaal niets aan.'

'De officier van justitie toonde me een kopie van de wijzigingen.'

Hij slikt. 'Tja, wat moet ik daarop zeggen? Hij besloot zijn testament aan te passen.'

'Mij is verteld dat jij er behoorlijk florissant vanaf komt.'

Hij kan een grijns niet onderdrukken. 'Het is alsof je de loterij wint.'

'Enig idee waarom hij dat heeft gedaan?'

'Dat heeft hij me niet verteld. Ik neem aan dat hij op een scheiding aanstuurde.'

Hij doet er wel erg luchtig over. Ik vraag hem of hij iets af weet van een handgemeen dat mogelijk tot Angels miskraam heeft geleid. Hij doet alsof hij nergens vanaf weet.

'Ik heb begrepen dat je Daniel Crown hebt uitgenodigd om bij het afscheid van je vader aanwezig te zijn?'

'We zijn vrienden. Hij respecteerde mijn vader. Ik vond het gepast.'

'Crown is wel de vader van Angelina's baby.'

'Daar geloof ik niets van.' Hij pakt zijn thinner en begint weer te roeren. 'Danny en Angelina konden totaal niet met elkaar opschieten. Zes maanden lang hebben ze elkaar op de set verrot gescholden. Denken jullie nu echt dat ik hem bij het afscheid van mijn vader zou hebben uitgenodigd als ik ook maar een moment het vermoeden had dat hij de vader is? Zo bot ben ik echt niet. Jullie cliënte beschuldigde Danny om zo de schuld bij een ander te kunnen neerleggen.'

'Wie was de vader?'

'Mijn pa. En ik ben bereid dat onder ede te verklaren als het moet.'

Iémand liegt. Ik staar hem doordringend aan en leg vervolgens de kaarten op tafel. 'Wat is er die zaterdagochtend precies gebeurd?'

'Angelina was kwaad. Haar huwelijk en haar carrière waren voorbij. Ze vermoordde mijn vader en wist de brug te bereiken, waarna de drank en de drugs haar te veel werden.'

Het klinkt voor mij niet als een verrassing dat hij een ander wil beschuldigen. Voorlopig is Angelina nog het gemakkelijkste doelwit. 'En Marty Kent?'

'Volgens mij heeft hij zelfmoord gepleegd.'

Volgens mij ook, maar ik zeg het niet hardop. 'En Petrillo en Ellis?'

'Die speelden gewoon mee. Ik durf te wedden dat ze eind deze week het hele bouwvoorstel hebben aangepast. En Danny Crown zal de ster zijn in Petrillo's volgende film.'

'En jij?'

'Misschien dat ik binnenkort aan een nieuwe film begin. Ondertussen werk ik lekker aan mijn oldtimers, zorg voor een uitstekende merlot en tel alvast het geld dat ik van mijn vader ga erven.' Hij knipoogt en voegt eraan toe: 'En bovendien ben ik lekker aan het naaktzwemmen met Eve. Lang niet slecht, als je het mij vraagt.'

Helemaal niet slecht, nee. 'En *The Return of the Master*?'

Hij glimlacht. '*The show must go on.*'

40
ALL ABOUT EVE

'*Met* The Return of the Master *zal Richard MacArthurs reputatie als een van de grote Amerikaanse filmmakers van zijn generatie een feit zijn.*'
Dominic Petrillo, *Daily Variety,* woensdag 9 juni

Als we weer buiten staan, brengen we kort verslag uit bij Pete. Hij blijft achter om Little Richard in de gaten te houden.

Rosie denkt na terwijl we in zuidelijke richting naar Oakville rijden. 'Little Richard is een klootzak,' stelt ze vast, 'maar ik voel ook wel weer een beetje met hem mee, in bepaalde opzichten dan. Ik denk dat hij, als het aan hem lag, zich alleen maar bezig zou houden met zijn wijnmakerij en zijn oldtimers. Niet dat het zijn asociale gedrag goedpraat, maar het moet niet makkelijk zijn geweest om met zijn vader samen te werken.'

Ze is een stuk begripvoller dan ik. 'Geloof je zijn verhaal?' vraag ik.

Haar bedachtzame blik verandert in een smalende grijns. 'Nee.' Ze kijkt naar de rijen netjes verzorgde wijnstokken terwijl we over Highway 29 onze weg vervolgen. 'Hij was te meegaand. Ik zou wel eens willen weten waarom. Zaterdag heeft hij tegen ons gelogen. En nu ook, waarschijnlijk. Hij zei dat hij met Eve naar Napa is gereden. Dat betekent dat zijn vriendin hem dus een alibi verschaft. Hij wees Angel aan als de dader. Als dat niets oplevert, heeft hij bovendien nog gesuggereerd dat Kent er iets mee te maken heeft gehad. En als alles mislukt, kan hij altijd Ellis nog de schuld geven.'

'Wellicht dat Ellis daar het een en ander over kan vertellen,' opper ik.

'Vast wel. Hoe dan ook, hij heeft een leuke plot verzonnen waarin iedereen de dader kan zijn, behalve hijzelf. Het is te doortrapt.'

'Denk je echt dat hij zijn vader heeft vermoord?'

'Ik weet het niet. Ze konden niet goed met elkaar overweg. Hij heeft een financieel motief.'

'Des te meer reden hem in de gaten te blijven houden – en Eve ook.'

Rosie knikt. 'Volgens mij verbergt hij iets. Ik weet alleen niet wat.'

Ik vertrouw op haar gevoel. Zwijgend rijden we verder. Een paar minuten later belt Rosie naar kantoor. Carolyn licht haar in over de gespreksgegevens van vrijdagavond. Daarna klapt Rosie haar mobieltje dicht en vertelt me dat er na vrijdagavond tien uur vanuit Dicks woning geen telefoontjes, ook niet met zijn gsm, zijn gepleegd.

'En Angels mobieltje?' vraag ik.

'Dat hebben ze in haar auto gevonden. Na acht uur die avond is het niet meer gebruikt.'

Ik vraag haar naar mogelijke telefoongesprekken vanuit Little Richards huis.

'Er waren uitgaande gesprekken naar het mobieltje van Eve. Dat is alles.'

'En zijn eigen mobieltje?'

'Twee berichten naar dat van Eve. Het eerste om tien over halfdrie. Het tweede om halfvier.'

Het eerste waarschijnlijk om voor Ellis een lift naar het Ritz te regelen en het tweede met het verzoek hem naar Napa te rijden. Ik informeer naar Petrillo en Ellis.

'Om ongeveer tien voor halftwee was er een telefoontje van Petrillo's mobieltje naar het limousineverhuurbedrijf. Verder niets. Ook geen uitgaande gesprekken vanuit hun hotelkamers in het Ritz, na de vertoning.'

'Maar eens kijken of er in de buurt ook telefooncellen zijn.'

'Laten we dat maar doen.'

'Heeft ze nog met Rolanda gesproken?'

'Ja. Armando Rios heeft zich gisteravond in het Tuscany laten inchecken en heeft vandaag een ontmoeting met Ellis gehad. Ze had geen idee waar het gesprek over ging. Reken maar dat het iets te maken had met het China Basin-project. Carolyn heeft voor jou en Pete een vlucht en een kamer gereserveerd. Om zes uur vanavond vertrek je naar Vegas.'

'Wil je met ons mee?'

'Ik kan maar beter bij Angel blijven en de hoorzitting van aanstaande maandag voorbereiden.'

Lijkt me een goed besluit. Ik vraag haar hoe het met Angel is.

'Ma en Carolyn hebben haar vanochtend bezocht. Verliep niet echt prettig. Fysiek begint ze al aardig te genezen, maar de emotionele littekens komen nu pas opzetten.' Carolyn vertelde dat Angel steeds meer in zichzelf gekeerd raakte. Zo nu en dan weigerde ze te praten.

Mijn mobieltje gaat. Het is Kaela Joy. 'Waar zit je?' vraagt ze.

'Highway 29, in zuidelijke richting.'

'Keer maar om. Ik heb Eve gevonden.'

Yes! 'Wil ze met ons praten?'

'Ik denk van wel.'

'Waar zit je?'

'Bij Gillwood's.'

Het is een lunchcafé aan Main Street in St. Helena. 'Dat vind ik wel.'

'We wachten op jullie.'

Eve knippert met haar lange wimpers. 'Leuk je weer te zien, Mike,' zegt ze. Ze draagt strakke jeans en haar donkere haar golft riant over haar witte katoenen blouse. Zelfs zonder make-up is ze een intrigerende verschijning. 'Wat een leuk toeval.'

Kaela Joy werpt even een blik in onze richting: 'Nou en of, ja.'

Gillwood's is de tegenhanger van Starbucks. In het centrum van het historische zakendistrict van St. Helena is het al tientallen jaren een vertrouwde stek. Hoewel de naam verscheidene malen is veranderd, wordt hier zolang ik me het kan herinneren uitstekend Amerikaans eten geserveerd. Een tiental tafels is verdeeld over de kleine ruimte. In het midden van het restaurantje staat een wat grotere tafel met daarop een bordje dat mensen aanmoedigt bij elkaar aan te schuiven. De keuken bevindt zich achter in de zaak, aan het eind van een gang, vlak achter een bescheiden koffiebar. De ambiance is pretentieloos, de geuren zijn uitnodigend. Personeel van de wijngaarden mengt zich hier tussen jonge moeders. Ik verslind een cholesterolcreatie genaamd 'Gillwood's Roerei Speciaal', een combinatie van eieren, kaas, spek, spinazie, champignons en ui. Mijn huisarts zal vol afgrijzen het hoofd afwenden, maar het is mijn eerste echte maaltijd van de afgelopen paar dagen. Kaela Joy heeft roerei besteld. Rosie eet een bagel.

'Eve,' begin ik, 'we hebben met Richard gesproken.'

Ze omklemt haar koffiemok, maar zegt geen woord.

'Ik heb begrepen dat je Richard zaterdagochtend naar de wijnmakerij hebt gebracht?'

Ze aarzelt even. 'Ja, dat klopt,' antwoordt ze.

'Dat heb je me eerder niet verteld.'

Ze slaat haar ogen neer. 'Ik wilde jullie niet misleiden. Ik probeerde onze relatie verborgen te houden. Richard heeft het even heel moeilijk nu.'

Wat je zegt. 'Ik heb ook begrepen dat je die zaterdagochtend meneer Ellis terug hebt gebracht naar het Ritz.'

Ze knikt.

'Hoe laat was dat?'

'Een paar minuten voor drie.'

'Waar pikte je hem op?'

'Voor het huis van meneer MacArthur.'

Ik kijk even naar Kaela Joy en vraag: 'Wélke meneer MacArthur?'

Ze trekt een pruillip. 'Meneer MacArthur senior.'

Tot dusver klopt haar verhaal met dat van Little Richard. 'Pikte je meneer Ellis én Richard op?'

'Alleen meneer Ellis.'

'En Richard dan?'

'Die was nog binnen met zijn vader en meneer Kent. Alleen meneer Ellis stond buiten op me te wachten.'

Rosie zet haar mok neer. Op dit punt spreken Eve en Richard elkaar tegen. De laatste vertelde namelijk dat hij naar huis ging terwijl Ellis en Kent nog steeds met zijn vader in gesprek waren. Eve verklaarde zo-even echter dat Little Richard juist bleef maar dat Ellis wegging. Ik wil zeker weten dat ik haar goed heb verstaan en vraag dus op onschuldige toon: 'Weet je zeker dat hij nog steeds met zijn vader was toen je meneer Ellis naar het Ritz bracht?'

Ik bespeur een glimp van ongemak in haar ogen. 'Ja,' antwoordt ze.

'En daarna reed je terug om Richard op te halen?'

'Nee, ik haalde hem juist bij zijn eigen huis op.' Ze vertelt dat Richard zelf lopend naar huis was gegaan terwijl zij intussen Ellis naar het Ritz bracht. Daarna belde hij naar haar mobieltje met het verzoek hem thuis op te pikken. 'Rond halfvier zijn we naar de wijnmakerij gereden.'

'En waarom heb je ons dat afgelopen zaterdag niet verteld?'

'Ik wilde discreet blijven.'

Juist. Rosie werpt me een veelbetekenende blik toe. Ik besluit dat we het naaktzwemavontuur in het Napa-maanlicht maar beter kunnen laten voor wat het is. Ze wil immers discreet blijven. We eten ons ontbijt op, en ik betaal de rekening. Eve verlaat het restaurant en verdwijnt Main Street op.

Voor de ingang van het restaurant blijven we nog even staan en ik licht Kaela Joy in over de discrepanties tussen Little Richards verhaal en dat van Eve.

Haar ogen beginnen te glimmen. 'Dus wie liegt er nu?' is haar vraag.

'Dat weet ik niet precies. Little Richard wilde niet toegeven dat hij de laatste is geweest die zijn vader nog in leven heeft gezien. Hij zei dat Angel de dader is. En voor de zekerheid vertelde hij ons dat Kent en Ellis er ook waren.'

'We moeten meteen met Ellis gaan praten.'

'Pete en ik vliegen vanavond naar Vegas,' zeg ik.

'Ik kom met...' Halverwege haar zin wordt ze onderbroken door gillende sirenes. We zien twee brandweerauto's over Main Street voorbijrazen. 'Wat is dat?' vraagt ze.

Mijn mobieltje in mijn broekzak begint te trillen. Ik klap het open en kan Petes stem bijna niet boven het lawaai uit horen. 'MacArthurs huis staat in de fik! Er was een ontploffing in de garage!'

Mijn god. 'Waar is Little Richard?'

'Weet ik niet!'

Mijn gedachten flitsen terug naar de blikken met thinner. Ik zie weer zijn trotse gezicht terwijl hij me langs zijn gerestaureerde auto's rondleidt, hoor weer zijn stem terwijl hij uitweidt over zijn verzameling oldtimers. Ik zeg tegen Pete dat we zo snel mogelijk komen. Op het moment dat Rosie mijn arm pakt, besef ik dat ik al aan het weglopen ben. Kaela Joy staat naast haar.

'Er was een ontploffing in de wijnmakerij,' zeg ik.

Kaela Joy's donkerbruine ogen kijken opeens ernstig. 'Ik zie jullie daar.'

Rosie en ik lopen naar mijn auto. Op het moment dat ik mijn sleutel in het portier wil steken, pakt ze hem van me af. 'Laat mij maar rijden,' zegt ze.

41
'EEN VAN DIE ROTKARREN MOET ZIJN ONTPLOFT'

Bij de MacArthur Cellars, even ten zuiden van St. Helena, heeft zich zojuist een explosie voorgedaan.
KGO Radio, woensdag 9 juni, rond het middaguur

Highway 29 is volledig verstopt met politie- en ambulancevoertuigen. Op ongeveer achthonderd meter ten noorden van Zinfandel Lane stappen Rosie en ik uit. De rest lopen we. We treffen Pete bij een wegafzetting vlak bij de toegangspoort naar MacArthurs landgoed, waar het inmiddels een gekkenhuis is. Brandweerauto's omsingelen de garage. Een traumahelikopter hangt in de lucht. Dikke zwarte rookwolken stijgen op en in de normaal zo rustige vallei hangt nu een dichte nevel.

'Een van die rotkarren moet zijn ontploft!' roept Pete boven het tumult uit. Hij vertelt dat hij in zijn auto bij de hoofdingang zat toen hij de ontploffing hoorde. Hij heeft meteen het alarmnummer gebeld. 'Vlak nadat de brand was uitgebroken, kwam Eve terug. Ik heb nog geprobeerd de garage te bereiken, maar het vuur was te hevig. Daarna kwam de brandweer en ben ik weggegaan om ze niet voor de voeten te lopen.'

'Heb je nog iets gezien voordat de brand begon?' vraagt Rosie.

'Ik zag een landarbeider op een trekker langs de garage rijden en even later zag ik hem vlak na de explosie naar het huis rennen. Ik weet niet wat er met hem gebeurd is.'

'Heeft Little Richard na ons nog bezoek gehad?' vraag ik.

'Nee.' Hij denkt even na en zegt: 'Misschien zijn jullie de laatsten geweest die hem in leven hebben gezien.'

De politie zal ons het een en ander te vragen hebben. Zwijgend staren we naar het vuur en kijken toe hoe de landarbeiders van de wijngaard af en aan rennen om de kostbare wijnstokken tegen de vlammen te beschermen. Het personeel van de MacArthur Cellars klit in kleine groepjes bijeen bij de poort. Het parkeerterrein naast het proeflokaal staat vol politieauto's. Het afzichtelijke gebouw waarin de wijnmakerij is ondergebracht, staat nog overeind.

Een kordate jongedame met een keurig kapsel en degelijke kleding komt op ons afgelopen en toont een insigne. Ze kijkt Pete aan. 'We willen graag een verklaring van u, meneer Daley.'

Ik kom tussenbeiden. 'En wie bent u?'

'Rechercheur Julie Hart, politiekorps St. Helena. En u bent?'

Pete geeft antwoord: 'Hij is mijn broer. En mijn advocaat,' voegt hij eraan toe.

Rechercheur Hart bekijkt me van top tot teen. Haar blik glijdt naar Pete en ze ziet de gelijkenissen. 'Ik ben Michael Daley,' zeg ik kalm en ik stel daarna Rosie voor. 'We zijn de advocaten van Angelina Chavez.'

Een blik van herkenning verschijnt op haar gezicht. 'We moeten nu even met uw broer praten. Daarna willen we ook u wat vragen stellen.'

Tijdens mijn lange, illustere carrière heb ik honderden verhoren bijgewoond. De meeste op de plaats van het misdrijf, op politiebureaus of in de krochten van het paleis van justitie. De picknicktafel aan de rand van zo'n veertig hectare landelijke wijngaarden aan Zinfandel Lane, met vierhonderd meter verderop Little Richards garage, waaruit nog altijd de vlammen omhoogschieten, is dan ook een wat ongebruikelijke setting om rechercheur Hart te woord te staan.

Die heeft net een weinig vruchtbaar halfuurtje met Pete achter de rug. Hij heeft zeer weinig losgelaten. Pete is al niet zo'n prater en hij weet wanneer je voorzichtig moet zijn tegenover de politie. Op een gegeven moment dreigde ze met inbewaringstelling, waarna hij me verzocht erbij te komen. Daarna ging het heel wat sneller. Rechercheur Hart toonde zich enigszins verbaasd toen ze vernam dat Pete en Kaela Joy Little Richard in de gaten hielden. Zulke dingen komen in Napa Valley hoogstzelden voor. Aan de belendende picknicktafels worden Rosie en Kaela door de collega's van rechercheur Hart aan dezelfde procedure onderworpen.

Ik ben het niet gewend om nu opeens in die andere stoel te zitten. Je voelt je toch wat onzeker zodra een agent je vragen begint te stellen. Rechercheur Harts ondervragingstechniek is helemaal volgens het boekje. Ook van mij zal ze weinig wijzer worden. Ik probeer niet moeilijk te doen, maar ik wil ook niets loslaten wat Angel zou kunnen benadelen. Ze maakt zorgvuldig aantekeningen als ik haar de dertigsecondenversie van mijn verhaal geef: Rosie en ik hadden een gesprek met Little Richard. Hij was bezig aan een auto in zijn garage waar brandbaar materiaal stond. Hij was ons ter wille. Ons is niets verdachts opgevallen. Na afloop ontbeten we met Eve en Kaela Joy bij Gillwood's. Toen Pete belde, zijn we teruggekomen.

Maar rechercheur Hart is niet van zins mijn verhaal klakkeloos te aanvaarden. 'Hoe goed kende u meneer MacArthur?' vraagt ze.

'Ik had hem tot nu toe nog maar één keer eerder ontmoet.'

'Viel u iets merkwaardigs op in zijn gedrag?'

'Nee.'

'Heeft hij iets gezegd over bedreigingen of andere problemen?'

'Nee.' Maar misschien dat u rekening kunt houden met het gegeven dat zijn vader nog geen week geleden werd vermoord?

'Wat deed uw broer hier?'

'We hielden de heer MacArthur in de gaten. We wilden weten of hij mogelijkerwijs betrokken was bij de dood van zijn vader.'

'En?'

Ik wil een lijntje uitzetten. 'We denken van wel,' antwoord ik. 'Zijn vader wijzigde zijn testament om zijn zoon tot de enige erfgenaam te maken. Bovendien was hij een van de laatsten die zaterdagochtend vroeg nog in het huis van zijn vader aanwezig waren.' Ik vertel haar dat we enkele discrepanties hebben geconstateerd tussen zijn verhaal en dat van Eve. Ik raad haar aan met Jack O'Brien te praten. Misschien dat zij hem ervan kan overtuigen Little Richard als mogelijke verdachte te beschouwen.

Ze fronst haar voorhoofd. Zo schijnboksen we nog twintig minuten door. Ze zegt dat ze met O'Brien zal praten. 'Ik moet u en uw collega's verzoeken het ons te laten weten als u van plan bent op reis te gaan.'

'Geen probleem,' zeg ik terwijl ik haar mijn visitekaartje overhandig. Ik vertel haar dat Pete en ik naar Vegas zullen afreizen om daar enkele getuigen te ondervragen. Ik beloof haar op de hoogte te houden van onze verblijfplaatsen. Ik kijk even naar de traumaheli, die nu vanaf het parkeerterrein opstijgt, en kijk rechercheur Hart weer aan. 'Is dat de heer MacArthur?' vraag ik.

'Ja.'

'Zal hij het halen?'

'Nee, meneer Daley. Hij is dood.'

Pete zit op een van de picknicktafels, met de armen gevouwen. 'Rechercheur Hart was nogal opdringerig,' is zijn commentaar.

Ik durf te wedden dat hij destijds als politieagent net zo opdringerig was. 'Ze deed gewoon haar werk.'

'Ze had ook gewoon beleefd kunnen zijn.'

'Ze heeft je in elk geval niet achter slot en grendel gezet.'

Hij werpt me een zijdelingse grijns toe. 'Toen ze hoorde dat ik werd vertegenwoordigd door Fernandez & Daley, was het meteen uit met haar praatjes. Bovendien wist ze best dat ik helemaal niets met Little Richards dood te maken heb. Uiteindelijk vertelde ze me dat die vent op de trekker had bekend de brand te hebben veroorzaakt. Hij sleepte een ketting voort die over de grond schraapte en een vonk veroorzaakte, die weer in contact kwam met de thinnerdampen. Met als gevolg een complete kettingreactie. Het zal als een ongeluk worden beschouwd.'

Hij is ongelofelijk. 'Hoe heb je haar zover gekregen?'

'Kijk, dat een rechercheur jou vragen stelt, wil nog niet zeggen dat jij niet hetzelfde mag doen.'

'Ze onthulde het vrijwillig?'

'Een beetje collegialiteit hoort bij het werk. En trouwens, ik kan best charmant zijn als ik dat wil.'

Misschien had híj beter advocaat kunnen worden.

42
'DEZE ZAAK WORDT VIERENTWINTIG UUR PER DAG GECOVERD'

'Je spreekt ze naar eer en geweten aan. Je doet je best het zo goed mogelijk te doen.'
Elizabeth McDaniel, presiderend rechter, *San Francisco Legal Journal*,
woensdag 9 juni

Iets later die middag zijn we terug in de rechtszaal van rechter McDaniel. Met een koele blik staart ze me van over de rand van haar leesbril aan. De moederlijke stem die ons maandag nog ten deel viel, heeft plaatsgemaakt voor een rechterlijker toon. 'Ik had niet verwacht u weer hier te treffen, meneer Daley.'

Nou, ik ook niet. Toen Leslie zich uit de zaak terugtrok, werd rechter McDaniel ingeschakeld om enkele verzoekschriften te behandelen die we gisteren indienden. Dit is meer dan alledaagse routine. Het oordeel dat ze vandaag zal vellen zal van grote invloed zijn op hoe Angels zaak zich zal ontwikkelen.

Ik doe mijn best haar respectvol te bejegenen. 'We zijn u erkentelijk voor het feit dat u zich op zo'n korte termijn beschikbaar wilde stellen.'

Dit lokt een vluchtige blik van Rosie uit. Tien minuten geleden zijn we uit Napa teruggekomen. Toen we deze hoorzitting belegden, konden we niet vermoeden wat zich op de wijnmakerij zou voltrekken. Op een van de toiletten op de gang heb ik me snel verkleed. Na het debacle van afgelopen maandag leek het Rosie beter als ik vandaag mijn krachten zou beproeven. Misschien dat rechter McDaniel ontvankelijker is voor een nieuw stemgeluid.

De rechter leunt achterover in haar stoel en slaat de volle rechtszaal gade. Ze kijkt naar Nicole Ward en brengt haar beide handen omhoog, het universele gebaar van frustratie. Daarna kijkt ze me aan en vraagt kalm: 'Ik heb uw verzoekschriften gelezen. Waar wilt u dat ik begin?'

Ik moet zeggen: ze gunt ons tenminste de gelegenheid – hoe klein ook – om ons verhaal te vertellen. Ik begin meteen. 'Edelachtbare, de eerste kwestie behelst inzage in de bewijslast door de aanklager. Maandag droeg u mevrouw Ward op om zo snel mogelijk inzage te verlenen.'

Ward protesteert, maar doet dat vooralsnog zittend. 'Dat hebben we gedaan, Edelachtbare.'

'Het OM is zeer terughoudend met de inzage in proces-verbalen en ander bewijsmateriaal,' werp ik tegen.

Ward is inmiddels gaan staan en probeert haar toon te beheersen: 'Dat is volledig uit de lucht gegrepen, Edelachtbare. We hebben al het bewijsmateriaal, zodra we dat gereed hadden, ter inzage gegeven.'

Precies de reactie die ik nodig heb. Ik wil Ward de verdediging in drijven. Straks hebben we veel belangrijker kwesties te bespreken.

Rechter McDaniel beveelt Ward te gaan zitten. Daarna richt ze het woord weer tot mij: 'U zult iets concreter moeten zijn.'

Carolyn overhandigt een lijst aan Rosie, die hem vervolgens aan mij doorgeeft. 'Politierapporten, Edelachtbare. Rechercheur O'Brien heeft ons medegedeeld dat hij zijn eerste verslag afgelopen maandag heeft verstuurd. We hebben het nog steeds niet ontvangen.'

Ward reageert onmiddellijk. 'We hebben nog geen tijd gehad het te inventariseren, Edelachtbare. We zullen meneer Daley het materiaal binnen vierentwintig uur doen toekomen.'

'Edelachtbare,' zeg ik, 'we zien nu al het begin van een structurele vertraging.'

De rechter zet haar leesbril af. Ze wijst naar Ward en zegt: 'Ik eis dat u er alles aan doet om al het bewijsmateriaal direct te catalogiseren en naar de verdediging op te sturen. Is dat duidelijk?'

Ward is razend. 'Duidelijk.'

Daarna richt de rechter het woord opnieuw tot mij: 'En wat u betreft, meneer Daley, twee dagen vertraging lijkt me niet echt structureel. Laten we vooral realistisch blijven.'

Een redelijke reactie. 'Ja, Edelachtbare.'

'Wat nog meer?'

Dan nu het echte werk. 'Edelachtbare,' begin ik, 'er is een aantal serieuze kwesties die volgens ons nadere aandacht verdienen. De constitutionele rechten van onze cliënte zijn geweld aangedaan.'

Dit verleidt rechter McDaniel tot een opgetrokken wenkbrauw, maar ze zwijgt.

'Met name,' vervolg ik, 'werd mijn cliënte pas ruim na haar arrestatie op haar rechten gewezen. Alles wat ze daarvoor heeft gezegd, dient dus niet in de bewijslast te worden opgenomen. Het feit dat dit zo laat plaatsvond, betekent dat ze de bescherming waar ze fundamenteel recht op heeft, moest ontberen.'

Rechter McDaniel onderbreekt me. 'En dus, meneer Daley, wilt u dat ik de zaak seponeer?'

Ze is duidelijk niet bang om spijkers met koppen te slaan. 'Ja,' antwoord ik.

Haar mond vertrekt zich tot een min of meer sarcastisch glimlachje. Ze kijkt Ward aan. 'Wat hebt u hierop te zeggen, mevrouw Ward?'

'Edelachtbare,' antwoordt ze, 'de gedaagde werd op het paleis van justitie, nog voor haar verhoor, op correcte wijze op haar rechten gewezen.'

'Edelachtbare,' werp ik tegen, 'dit dient nog vóór het verhoor te gebeuren. De agent die mevrouw Chavez aantrof, bracht haar op de hoogte van de dood van haar man. Hoe kan mevrouw Ward in 's hemelsnaam suggereren dat mevrouw Chavez niet al bij de brug werd ondervraagd? Het argument van mevrouw Ward ondergraaft de waarde van deze procedure volledig. Mijn cliënte werd aangehouden, moest een blaastest doen en werd gearresteerd. Pas een uur later, in het gerechtsgebouw, werden haar haar rechten voorgelezen. Als u mevrouw Wards uitleg van de wet aldus aanvaardt, dan heeft het voortaan dus geen zin meer om een arrestant op zijn of haar rechten te wijzen.'

Ward gaat meteen in de verdediging. 'Edelachtbare, de heer Daley heeft gelijk dat dit nog vóór het verhoor dient te gebeuren. Echter, de gebeurtenissen bij de brug en de daaropvolgende rit naar het paleis van justitie vormden geen verhoor. Het is een doodnormale zaak dat vrijwillige uitingen van verdachten die nog niet worden ondervraagd gewoon in de bewijslast kunnen worden opgenomen, of deze arrestanten nu op hun rechten zijn gewezen of niet. De rechten van de gedaagde zijn te allen tijde gerespecteerd.'

Ik probeer verbijstering te veinzen. 'O, met andere woorden, mevrouw Chavez maakte gewoon een babbeltje met deze agenten?'

'Ik zeg alleen dat haar verklaring vrijwillig was.'

Mijn god. Het antwoord op de vraag of bepaalde verklaringen al dan niet vrijwillig zijn of in de loop van een verhoor zijn gedaan, is vaak moeilijk te beantwoorden. Daarom instrueren strafpleiters hun cliënten vooral te zwijgen tegen de politie. We steggelen over de laatste uitspraken van het Hooggerechtshof inzake het iemand op zijn rechten wijzen. Ward geeft geen duimbreed toe. Ik ook niet.

Ten slotte oordeelt de rechter: 'Ik zal de aanklacht niet laten vallen. Ik neem deze kwestie in overweging en zal schriftelijk uitspraak doen als duidelijk wordt dat bepaalde verklaringen van mevrouw Chavez dienen te worden uitgesloten.'

Niet echt wat ik had gehoopt, maar wel ongeveer wat ik had verwacht. Weliswaar ging ik er niet van uit dat ze de zaak zou seponeren, maar ze kan in elk geval toch enkele uitspraken van Angel tijdens haar aanhouding bij de brug niet-toelaatbaar verklaren. Door de bank genomen is het geen besluit waar wij ons voordeel mee kunnen doen.

Rechter McDaniel begint wat ongeduldig te worden. Ze kijkt me streng aan. 'Verder nog iets, meneer Daley?'

Dan nu de klapper. 'Edelachtbare,' zeg ik, 'de verdediging wil nu een belangrijk bewijsstuk opvoeren, dat echter op illegale wijze is verkregen.

Een Academy Award-onderscheiding werd aangetroffen in de kofferbak van de auto. Mevrouw Ward gaat ervan uit dat dit het moordwapen is geweest. Wij vinden dat het op onrechtmatige wijze is verkregen en dat het daarom uit de bewijslast moet worden verwijderd.'

Vanuit een ooghoek spied ik even naar Ward. Ze komt overeind, bedenkt zich en gaat weer zitten.

Rechter McDaniel kijkt me vorsend aan. 'In welk opzicht was de vondst onrechtmatig?'

'Mevrouw Chavez werd aangehouden wegens een verlopen rijbewijs en rijden onder invloed. De agent ter plaatse heeft daarna de kofferbak geïnspecteerd. Daarvoor was echter geen gerede aanleiding.'

De rechter richt het woord tot Ward. 'Waarom inspecteerde de agent de kofferbak, mevrouw Ward?'

'De agent trof naast de stoel van de verdachte een zakje met verdachte inhoud aan. Het bleek om cocaïne te gaan.'

Maar zo gemakkelijk komt ze er niet vanaf. 'Was er een gerede aanleiding om de kofferbak te openen?' luidt rechter McDaniels vraag.

Ward moet even nadenken. Ze begrijpt de ernst van de situatie. Als rechter McDaniel negatief beslist, zal ze het moordwapen niet langer kunnen opvoeren en zal haar zaak waarschijnlijk als een kaartenhuis ineenstorten. Ze probeert voorkomend te klinken. 'Edelachtbare, de agent werd geconfronteerd met een situatie waarbij de bestuurster van de wagen onder invloed was, en misschien ook high. De blaastest wees duidelijk uit dat mevrouw Chavez onder invloed achter het stuur zat. Drugs lagen vol in het zicht. Het gedrag van de gedaagde was labiel. In een dergelijke situatie is het niet onredelijk te veronderstellen dat de agent een goede reden had de kofferbak van de auto op de aanwezigheid van nog meer verdovende middelen te doorzoeken.'

Ik interrumpeer. 'Hij wist niet dat het zakje in de auto verdovende middelen bevatte.'

'Hij had genoeg ervaring om de situatie te kunnen inschatten,' is Wards verweer. 'Hij wist precies wat er aan de hand was.'

Rechter McDaniel kijkt me aan. 'Ontkent uw cliënte dat de oscar in de kofferbak werd aangetroffen?'

'Ze weet niet hoe dat ding daar gekomen is,' antwoord ik.

'Beantwoord de vraag alstublieft, meneer Daley. Ontkent ze dat hij in de kofferbak lag?'

Ik heb geen keus. 'Nee, Edelachtbare.'

'En u begrijpt dat het besluit werd genomen mevrouw Chavez te arresteren?'

'Dat klopt.'

'Met als gevolg,' gaat de rechter verder, 'dat de wagen in beslag werd genomen.'

'Ja.'

'U weet dat het doorzoeken van een voertuig, met inbegrip van de kofferbak, standaardprocedure is bij een inbeslagname. Is dat juist?'

Ik kijk Rosie even hulpeloos aan. 'Ja, Edelachtbare.'

'Dus u vraagt mij de oscar uit de bewijslast te verwijderen, ook al geeft u vrijelijk toe dat uw cliënte niet ontkent dat de oscar in de kofferbak lag en dat het voorwerp na een legitieme inbeslagname van het voertuig hoe dan ook zou zijn aangetroffen?'

Ik heb geen keus. 'Ja, Edelachtbare.'

Rechter McDaniel slaakt een zucht. 'Ik zal dit voorwerp niet uit de bewijslast verwijderen, meneer Daley.'

'Maar Edelachtbare…'

'Dit is mijn uitspraak, meneer Daley.'

Verdomme.

Rechter McDaniel schenkt me haar moederlijke glimlach. 'Verder nog iets, meneer Daley?'

Ik ben nog niet helemaal klaar. 'Edelachtbare, deze zaak is door de media volop in de openbaarheid gebracht.' Ik kijk even naar Jerry Edwards, die op de voorste rij zit. 'Het zal onmogelijk zijn om voor onze cliënte een neutrale, onbevooroordeelde burgerjury samen te stellen. We verzoeken daarom om een andere locatie.'

Het is een standaardverzoek. Rechters zijn meestal best bereid hiermee in te stemmen, hoewel de kosten voor het verhuizen van een volledige rechtszaak naar een andere stad aanzienlijk zijn.

Ward is weer van haar stoel opgestaan. 'Edelachtbare,' zegt ze, 'het is nog veel te vroeg om deze kwestie nu al ter sprake te brengen. We zijn nog niet klaar met het vooronderzoek. Dit kunnen we toch wel op een later tijdstip bespreken?'

Ward wil helemaal niet verkassen. Logistiek zal het haar voor problemen stellen en de kans bestaat dat ze in een veel kleiner mediagebied belandt. Voor ons heeft het voor- en nadelen. Ook al verkassen we naar Chico, de media-aandacht zal net zo hevig zijn. Bovendien zijn jury's in San Francisco doorgaans goed opgeleid en tamelijk liberaal. Aan de andere kant zijn Rosie en ik tot de slotsom gekomen dat de hysterische media-aandacht en het kleine arsenaal van juryleden in deze stad het moeilijk zullen maken om twaalf onbevooroordeelde juryleden te selecteren.

De rechter denkt even na. 'Ik zal de zaak in overweging nemen. Na de hoorzitting kunnen we bepalen waar het proces zal plaatsvinden.'

Daar nemen we geen genoegen mee. 'Edelachtbare, deze zaak wordt vierentwintig uur per dag gecoverd, door alle lokale tv-zenders, en is al dagenlang het voorpaginanieuws van alle grote kranten. Het lijkt me duidelijk dat we deze kwestie beter niet op de lange baan kunnen schuiven.'

'Meneer Daley, ik begrijp uw zorgen omtrent de mogelijke effecten van de verslaggeving op de nog te selecteren jury. We bespreken het na de voorlopige hoorzitting van volgende week.'

'Edelachtbare, de locatie van het proces zal in hoge mate bepalend zijn voor onze strategie. In het belang van onze cliënte vind ik dat we hierover zo snel mogelijk een besluit moeten nemen.'

Dit is echt geen loze kreet. Jury's in San Francisco zijn anders dan jury's in andere plaatsen in Californië. De locatie van het proces zal de hele toonzetting van onze zaak in belangrijke mate beïnvloeden.

Rechter McDaniel kijkt me peinzend aan. Hoewel ze mijn argumenten niet klakkeloos aanvaardt, lijkt ze toch bereid de discussie voort te zetten. 'Beschikt u over empirische bewijzen dat de media-aandacht in deze zaak het oordeel van mogelijke juryleden nu al kan hebben aangetast?'

'Ja, Edelachtbare. We willen hierbij een onderzoek opvoeren van professor Stephen Harris van de universiteit van Californië.' Ik leg uit dat Harris geldt als een autoriteit op het gebied van statistisch onderzoek en dat hij een van de toonaangevende politiek enquêteurs van Amerika is. 'We hebben professor Harris bereid gevonden zijn bevindingen toe te lichten.'

Ward slaat de ogen ten hemel. 'Laten we eens horen wat de professor te melden heeft,' is rechter McDaniels reactie.

De rechtbank heeft maar kort nodig om Steve Harris' curriculum vitae door te lopen. Hoewel hij als professor, gespecialiseerd in statistische steekproeven, een volledige aanstelling aan de universiteit van Berkeley geniet, verdient hij het grootste deel van zijn inkomen als politiek adviseur. Hij heeft al dertig jaar voor de nationale verkiezingscampagnes geënquêteerd. Hoewel hij miljonair in het kwadraat is, ziet hij er nog altijd uit als een typische professor: lengte een meter tachtig, dikke bos haar, grijze borstelige baard, John Lennon-brilletje en een opgewekte manier van doen. Carolyn heeft een nieuwe, gestreepte stropdas voor hem gekocht voor bij zijn ouderwetse colbertje. Ward stelt zijn kwalificaties niet ter discussie.

Ik wil dat dit soepel en netjes wordt afgewerkt. 'Professor Harris,' begin ik. 'Hebt u een telefonische enquête verricht met betrekking tot de zaak-Angelina Chavez?'

'Ja.'

'Kunt u in het kort uw onderzoeksmethode beschrijven?'

'Jazeker.' Harris legt uit dat hij onder vierhonderd willekeurig geselecteerde geregistreerde kiesgerechtigden van San Francisco een opiniepeiling uitvoerde. Op een joviale, ontwapenende manier praat hij in wiskundige en lekentermen over steekproefgrootte, standaarddeviaties en foutmarges. Al meteen als hij het woord neemt, zie ik hoe de blik van rechter McDaniel zich verzacht. Ze lijkt geïntrigeerd en geamuseerd.

'Hoeveel vragen legde u de deelnemers voor?' vraag ik.

'Slechts één.'

'En hoe luidde die?'

'Denkt u dat Angelina Chavez schuldig is aan de moord op haar echtgenoot?'

Ik kijk even naar Nicole Ward. Daarna richt ik me weer tot de professor. 'En hoe luidde de uitslag?'

'Achtenzeventig procent antwoordde bevestigend.'

Perfect. 'Geen vragen meer, Edelachtbare.'

Ward is al opgestaan. 'Professor Harris, u zult de eerste zijn die toegeeft dat informele enquêtes als deze zekere beperkingen kennen, toch?'

Harris blijft hartelijk. 'Inderdaad.'

'Sterker nog, de foutmarges variëren, nietwaar?'

'Uiteraard.'

'Is het dan niet correct te beweren dat de resultaten van uw enquête derhalve onbetrouwbaar zijn?'

Harris zwijgt even. Zijn vriendelijke glimlach verdwijnt. 'Nee, mevrouw Ward,' is zijn antwoord. 'Mijn methoden zijn statistisch zeer betrouwbaar. De enige beperkingen zijn het aantal geënquêteerden en de tijd die we hebben om de vragen voor te leggen en de resultaten te verwerken.'

Ward geeft de moed nog niet op. 'Maar u geeft toe dat de resultaten een onjuist beeld geven als het aantal respondenten te klein is, of als deze respondenten niet eerlijk zijn in hun antwoord.'

'Theoretisch kan dat, ja,' antwoordt hij. 'Maar dat is zeer onwaarschijnlijk.'

En zo gaat het steekspel nog een kleine tien minuten door. Harris houdt zich staande. Ten slotte richt Ward het woord tot de rechter. 'Edelachtbare, voordat u over deze kwestie een beslissing neemt, willen we graag van de gelegenheid gebruikmaken om onze eigen expert in te schakelen en zelf een enquête te houden.'

'Protest, Edelachtbare,' interrumpeer ik. 'Mevrouw Ward heeft al aangegeven professor Harris' expertise niet in twijfel te trekken.'

Rechter McDaniel peinst even. 'Afgewezen,' luidt haar oordeel. Ze kijkt Ward aan. 'Ik zal mijn beslissing in dezen uitstellen tot eind deze week. Ik geef u tot vrijdag de tijd om uw eigen expert te zoeken.'

Vervolgens richt ze het woord weer tot mij: 'Ongeacht mijn oordeel in deze kwestie, meneer Daley, zal de voorlopige hoorzitting volgende week in deze rechtszaal gewoon doorgang vinden. Is dat duidelijk?'

Het is geen dag voor grote triomfen, maar meer zit er voor nu niet in. 'Ja, Edelachtbare.'

'Verder nog iets, meneer Daley?'

'Ja, Edelachtbare. Om de mogelijke beïnvloeding van de jurykandidaten nog verder tegen te gaan, verzoeken we u alle betrokkenen in deze zaak een zwijgplicht op te leggen.'

Voor haar een makkelijke beslissing. 'Bij dezen,' zegt ze. Ze brengt haar hamer omhoog en voegt eraan toe: 'Ik schors deze zitting.'

Een uurtje later rijdt Rosie me naar het vliegveld. We rijden net op Highway 101 bij Hospital Curve als de nieuwslezer op de radio bekendmaakt dat Little Richard bij de explosie direct om het leven is gekomen en dat nog drie anderen door het vuur gewond zijn geraakt. Zijn prachtige autocollectie is geheel verwoest en de schade bedraagt drie miljoen dollar. De nieuwslezer sluit af met: 'Volgens de autoriteiten is de brand waarschijnlijk veroorzaakt door een vonk die licht ontvlambaar materiaal in de garage tot ontploffing heeft gebracht. Hoewel het onderzoek nog gaande is, is de verwachting dat het hier een ongeluk betreft en dat er dus geen aanklacht zal worden ingediend.'

Zoals gewoonlijk heeft Pete weer eens gelijk gehad.

'Wat vond jij van het oordeel van de rechter over de oscar?' vraag ik.

'Het verraste me niet. We wisten van tevoren dat het een gok zou zijn. Als het in ons voordeel had uitgepakt, zou het Wards zaak grondig hebben ondermijnd. En dat zag rechter McDaniel niet zitten. Ze is een goeie rechter, maar ze heeft nog altijd een advocatenmentaliteit. Ze wil vooral niet als soft worden gezien,' zegt Rosie, en ze peinst even. 'Als het inderdaad een rechtszaak wordt, dan kunnen we niet om die oscar heen.'

Zoals meestal is haar intuïtie haarscherp. Ik snijd een ander gevoelig onderwerp aan. 'Hoe voel je je, Rosita?'

Haar stoïcijnse blik blijft ongewijzigd. 'Uitgeput, en ziek. Mijn nicht wordt beschuldigd van moord, en ze heeft al een zelfmoordpoging ondernomen. Iedereen die ook maar iets met het China Basin-project te maken heeft, is ofwel een bedrieger ofwel de pijp uit. En wij moeten Angels verdediging tegenover een rechter met OM-sympathieën voeren.' Ze aarzelt even. 'En, hoe voel jij je?'

'Prima. Ik reis vanavond lekker af naar Vegas. Wat wil je nog meer?'

Ik zie een glimp van een grijns.

Zwijgend rijden we verder. 'Dus?' vraag ik even later.

'Dus wat?'

'Ben je klaar om erover te praten?'

'Over Angels zaak?'

'Je onderzoek.'

Een diepe zucht. Ze trekt aan een oorlel, slikt. Haar ogen zijn nog steeds op de weg gericht als ze antwoordt: 'Niet zo gunstig.' Ze draait zich naar me om. 'Ze vonden weer een knobbeltje.'

'Waar?'

'M'n rechterborst.'

'Hoe erg?'

'Erger dan vorige keer.'

'Hoeveel erger?'

'Erg genoeg om belangstelling te wekken. Ik ben nu opgeklommen naar fase 3A.'

Verdomme. 'Wat zijn de opties?'

Haar toon blijft zakelijk. 'Ze raden een volledige mastectomie aan.' Dit betekent het verwijderen van de complete borst, maar niet het onderliggende spierweefsel of de lymfeklieren in de oksel. 'En misschien bestraling,' voegt ze eraan toe. 'Het goede nieuws is dat de vorige bestraling vrij weinig ernstige bijwerkingen veroorzaakte. Het slechte nieuws is alleen dat die weinig resultaat lijkt te hebben gehad.' Ze bijt even op haar onderlip. 'Als je het nog wilt weten: de gemiddelde kans dat ik de komende vijf jaar overleef, is zesenvijftig procent.' Ze werpt me een licht ironische glimlach toe. 'Je zou dus kunnen zeggen dat de kans dat ik hier over vijf jaar nog ben, iets groter is dan enkel kop of munt.'

'Rosie, het komt allemaal goed.'

'Ja. Ik wil er zo snel mogelijk werk van maken. Ik moet morgen terugbellen.' Ze vertelt dat ze de ingreep in het universitair medisch centrum voor kankeronderzoek in het oude Mt. Zion-ziekenhuis wil laten uitvoeren. 'Ik kan wel een hart onder de riem gebruiken.'

'Op mij kun je rekenen,' zeg ik.

'Dank je. Ik wil doorwerken tot de voorlopige hoorzitting, volgende week. Daarna zien we wel hoe het verder moet. Dit heeft echt voorrang.'

'Heb je het Grace al verteld?'

'Ja. Ze nam het goed op. Ze is sterk.'

Jij ook. 'En je moeder?'

'Zij is ook sterk.'

Een familietrek. 'Als er iets is, Rosie…'

'Dan laat ik het je wel weten.' Een vermoeide glimlach. 'Het zou leuk zijn als je de komende paar dagen de moordenaar weet te vinden. Ik denk niet dat ik na de voorlopige hoorzitting nog veel energie heb.'

'Laat dat maar aan mij over.'

'Dank je.' Ze grinnikt even geforceerd. 'Bekijk het van de positieve kant: afgezien van mijn diagnose en de ontploffing op de wijnmakerij is het best een aardige dag geweest.'

'Hoe dat zo?'

'Niemand van onze familie is vandaag gearresteerd.'

De kunst van het relativeren. Ik kan er niets aan doen, maar ik moet lachen. 'Nou, als dat onze nieuwe maatstaf is, zitten we al aardig in de problemen. Rechercheur Hart stond op het punt Pete in verzekerde bewaring te stellen. Hij werkte niet bepaald mee.'

'Hij kan soms erg moeilijk zijn.'

'Hij is koppig.'

'Hoe heeft hij haar van haar plan kunnen afhouden?'

'Hij zei dat hij werd bijgestaan door Fernandez & Daley. Ze liet hem meteen gaan.'

'Onze reputatie snelt ons vooruit.'

Zwijgend rijden we verder. De ramen zijn omlaaggedraaid en de mist komt opzetten. Ik snuif de frisse zeebries op. 'En de zaak-Angel?' vraag ik.

Ze wordt weer de advocate. 'Ik weet het niet precies. Eve en Little Richard spraken elkaar tegen over wie de woning van Big Dick verliet. Als we ze het voordeel van de twijfel gunnen, dan lijkt het erop dat een van de twee zich heeft vergist.' Ze kijkt me sceptisch aan. 'Maar het is aannemelij-

ker dat een van de twee heeft gelogen. Misschien verschaft het ons een ingang. En nu kan de heer MacArthur junior zich niet langer verdedigen.'

Rosie, de onverbeterlijke pragmatist. 'En Eve?' vraag ik.

'Kaela Joy houdt een oogje in het zeil zolang jij en Pete in Vegas zitten.'

Zoveel scenario's. 'Ga je zo meteen nog even langs het ziekenhuis?'
vraag ik.

'Ja. Ik zal Angel op de een of andere manier toch moeten uitleggen wat
er vandaag allemaal gebeurd is.'

43
'DÍT IS AMERIKA'

'We wilden het mooiste vakantiehotel en casino ter wereld bouwen.'
Carl Ellis in zijn toespraak bij de opening van het Tuscany Hotel en casino,
Las Vegas Sun

'Het Tuscany ziet er mooi uit, Mick,' zegt Pete. Hij kijkt uit het raampje van onze Boeing 737 van United Airlines terwijl we de landing inzetten naar McCarran Airport, iets ten zuiden van de strip. Ons toestel had bij vertrek enige vertraging en inmiddels is het bijna middernacht. Ik kijk omlaag naar de oase van vervloekte decadentie omringd door woestijn. Mijn vader zei altijd: 'Vegas is geen stad, het is een gemoedstoestand.'

Ik knipoog naar Pete en zeg: 'Dít is Amerika.'

'Ja, we leven in een geweldig land.'

Ik was pas zes toen ik voor het eerst de schitterende lichtjes van Vegas zag. Pete was nog een baby en Mary, ons jongere zusje, was nog niet geboren. Pa en ma namen ons een paar maal per jaar mee voor een lang weekend. Reno lag dichterbij, maar mijn vader hield vol dat Vegas de plek was waar het allemaal gebeurde. Wij kinderen werden op de achterbank geïnstalleerd en vervolgens ging het in volle vaart dwars door de middenvallei. Voor ons was het een groot avontuur en mijn vader was dol op gokken. Hij kende enkele gepensioneerde agenten uit San Francisco die daar de casino's bewaakten. Zo logeerden we in de leukere hotels, maar wel met korting. De hele dag zaten we met moeder aan het zwembad van het hotel terwijl pa aan de blackjacktafel zat. Als hij gewonnen had, nam hij ons mee uit voor een steak. Had hij verloren, dan kregen we een hamburger. Hoewel ik niet over de exacte percentages beschik, aten we in mijn herinnering vaker steak dan hamburger. Tegenwoordig zijn de hotels en casino's een heel stuk groter en chiquer. De nadruk op zakelijke bijeenkomsten en gezinnen heeft het wat smakeloze imago van de stad iets afgezwakt. Elk nieuw hotel dat verrijst, heeft nu zijn eigen surrogaat-themapark. In bepaalde opzichten heeft de stad meer weg van een gênante Disneyland-imi-tatie dan van een riante gokstad.

Alles in Vegas is erop gericht de bezoeker, en zijn portefeuille, zo snel en efficiënt mogelijk de casino's in te lokken. We hebben zo'n vijfentwintig mi-nuten nodig om op de luchthaven onze bagage op te pikken en een taxi naar het Tuscany te regelen. Het is zo'n achtendertig graden als we via de aangelegde tuinen en het enorme kunstmeer het hotelterrein betreden. De brochure pocht dat het hotel meer dan duizend fonteinen heeft. Midden in de woestijn kletteren watervallen omlaag, en een paar maal per dag wordt er een indrukwekkend gechoreografeerd waterspektakel opgevoerd. Het Tuscany biedt verder het gebruikelijke assortiment chique restaurants, zwembaden, sportcentra en kuuroorden, plus de obligate achtbanen. Er zijn zelfs een botanische tuin en een kunstgalerie. Het belangrijkste is ech-ter dat je er dag en nacht kunt gokken.

In Vegas zie je geen klokken. Ook al is het na middernacht, de lobby is afgeladen. Hoewel het Tuscany zijn best doet een sfeer te creëren die past bij die van de betere hotels, is het een komen en gaan van obligate reisge-zelschappen, zakenlieden, cocktailserveersters, casinopersoneel en bewa-kers. Gelukkig is de rij voor de incheckbalie relatief kort. Onze kamer valt in de categorie 'deluxe', de goedkoopste. Prijs: meer dan tweehonderd dol-lar per nacht.

De aantrekkelijke jongedame achter de receptiebalie draagt een badge waarop te lezen valt dat ze Penny Warner heet. Ze kijkt even naar het scherm van haar computer, waarna haar ogen zich verbaasd opensperren. Ik verwacht dat ze me gaat meedelen dat onze reservering is zoekgeraakt, maar in plaats daarvan krijg ik te horen: 'Meneer Daley, u komt in aanmer-king voor een suite.'

'Echt?' Ik durf te wedden dat we nu op tweeduizend dollar per nacht zitten. Ik draai me om en kijk Pete aan, die zijn blik door de lobby laat glij-den. 'Het ziet ernaar uit dat we een mooiere kamer krijgen,' zeg ik.

Hij knikt alsof hij niets anders verwacht heeft. Ik draai me weer om naar de receptioniste, die me mijn creditcard teruggeeft met de woorden: 'Dit hoeft niet hoor. Uw accommodatie is geheel op kosten van de zaak. Alles is al door uw gastheer geregeld.'

'Mijn gastheer?'

'Ja.'

Ik pijnig mijn hersenen. 'Dit moet een vergissing zijn.'

'Nee, hoor,' zegt ze. 'Meneer Ellis heeft de reservering gedaan.'

Welkom in Las Vegas. Pete tikt me op mijn schouder. 'We moeten uit-vinden hoe we met Ellis in contact kunnen komen,' zegt hij.

'Het lijkt erop dat hij óns al heeft gevonden,' zeg ik.

'Niet slecht, Mick,' oordeelt Pete nadat hij de verlichting in onze twee-ka-mersuite heeft aangeknipt. We werpen even een korte blik op het meer buiten. Daarna inspecteren we het pluchen meubilair in onze zitkamer. De badkamers blijken zelfs groter dan mijn eigen slaapkamer thuis. 'Ik moet weer denken aan die keer dat we in die suite logeerden.'

Mijn vaders vroegere collega kende iemand wiens broer de nachtmanager van het oude Flamingo-hotel was. Bij een van onze laatste reisjes naar Vegas was het hem gelukt een suite te boeken die nog groter was dan ons eigen huis. We voelden ons echte patsers. Bijna het hele weekend zaten we in de kamer voor de tv. We wilden er zo intens mogelijk van genieten. Terugblikkend ben ik ervan overtuigd dat de accommodatie te vergelijken was met de gemiddelde kamer in de Embassy Suites. Ik was zwaar onder de indruk. 'Deze is mooier,' zeg ik.

Hij kijkt de kamer rond en glimlacht. 'Carl Ellis heeft voor prima kamers gezorgd.'

'Zeker weten. Hij weet dat we hier zijn. We moeten contact opnemen.'

'Dat doet hij wel. Hij wil praten. Anders zou hij nooit deze kamer voor ons hebben geregeld.'

Ik pak de hoorn van de haak en bel naar Rolanda's kamer. Er wordt niet opgenomen. Ik probeer haar mobieltje en hoor een voicemailstem.

'Rustig blijven,' zegt Pete. 'Hij zal nu wel weten dat we er zijn.'

Vijf minuten later rinkelt de telefoon. Ik werp een blik op mijn horloge. Kwart voor een. 'Meneer Daley?' vraagt een onbekende baritonstem.

'Ja.'

'Carl Ellis.'

'Goedenavond. Wat kan ik voor u doen?'

'Armando Rios en ik zitten aan tafel met uw compagnon. We zouden het leuk vinden als u erbij komt zitten.'

'Dat slaan we niet af.'

'Uitstekend.'

'Waar treffen we elkaar?'

'In het Firenze.'

'Hoe laat?'

'Nu meteen.'

44

'WE VONDEN HET NOODZAKELIJK HET PROJECT TE HEROVERWEGEN'

'Ik leid een goedlopend, volkomen legaal bedrijf.'
Carl Ellis, *Las Vegas Sun*

Carl Ellis lijkt verdacht veel op Edward G. Robinson. Zelfs zijn stem. 'Welkom in Las Vegas, meneer Daley,' begroet hij me.

Het Firenze vormt het culinaire kroonjuweel van het Tuscany. Het luxueus ingerichte Italiaanse restaurant biedt uitzicht over het meer. Geheel volgens Vegas-traditie heeft het hotel een peperdure kopie van een gevierd restaurant uit New York naar de woestijn gehaald. Dit is wel even wat anders dan de pizza-en-pastatenten in North Beach of de Toscaanse villa's in Florence. Het deftige interieur bestaat uit een elegante combinatie van roodfluwelen stoelen, kraakwitte tafellakens en kleurrijke muurschilderingen. Afgezien van het bedienend personeel en twee vervaarlijk ogende bewakers bleken Carl Ellis, Armando Rios, Rolanda en een gnoomachtig heerschap dat ik niet herken de enige gasten toen Pete en ik zo-even het etablissement betraden. We staan bij een van de ronde tafeltjes in een hoek bij een muurschildering. Het is volkomen stil in het restaurant, wat enigszins beklemmend werkt.

Ellis' glad achterovergekamde, zilvergrijze haar steekt scherp af tegen zijn zwarte Armani-pak en bijpassende zijden overhemd. Hij draagt geen stropdas. Ellis is een van de weinigen in Vegas met voldoende macht en prestige om het toprestaurant in het Tuscany als zijn privé-eetkamer op te eisen. 'Ik hoop dat de accommodatie naar wens is?'

'Nou en of. Bedankt voor uw gastvrijheid.'

'Graag gedaan.' Hij gebaart ons plaats te nemen. 'Wij waren de aannemers bij de bouw van dit hotel. De leiding hier biedt me de gelegenheid zo nu en dan in besloten kring gasten te ontvangen. Ik heb de chef gevraagd om speciaal voor ons iets te bereiden. Ik hoop dat u zich daarin kunt vinden.'

'Absoluut,' zeg ik.

Hij wenkt de ober, die vervolgens wijst naar een collega bij de deur naar de keuken. Het lijkt erop dat we met alle egards zullen worden behandeld. Ik werp een blik op Rolanda, die haar ogen geen moment van Ellis afhoudt. Op Armando Rios' voorhoofd prijkt een frons, maar hij zegt niets.

Ik richt me tot Ellis. 'Ik geloof niet dat we uw collega al eerder hebben gezien.'

Ellis kijkt opzij naar de bedachtzame man en zegt: 'Dit is mijn advocaat. Hij wilde er graag bij zijn.'

Wat te begrijpen is. De wat norse man reikt me een mollige hand, die ik schud. Daarna neemt hij zwijgend plaats. Ellis' zelfverzekerde glimlach vervaagt en hij neemt voortvarend het voortouw. 'Ik neem aan dat u hierheen bent gekomen om met ons over de zaak van uw cliënte te praten.'

'Dat klopt.'

'Ik geld hier al jaren als een gerespecteerd zakenman. Ik geloof in de waarheid en dat je die moet vertellen. Zo hoort het. En het is goed voor de zaken.'

En een quatschverhaal.

Met een mes van echt zilver smeert hij wat boter op een stukje brood en zegt langs zijn neus weg: 'Ik heb mijn verhaal al aan de politie verteld, en ik heb te horen gekregen dat ik me misschien beschikbaar zal moeten stellen om te getuigen op uw cliëntes voorlopige hoorzitting. Ik vermoedde al dat u vroeg of laat contact met me zou opnemen. Toen ik te weten kwam dat u me wilde spreken, leek het me het beste als we in een beschaafde omgeving van gedachten zouden wisselen.'

Bovendien biedt het hem de gelegenheid een gunstige draai aan zijn verhaal te geven. 'Hoe wist u dat ik hierheen zou komen?'

'Het studioproject is een grote opdracht voor ons bedrijf. De situatie waarin uw cliënte zich bevindt, vormt voor ons een aanzienlijke en onnodige complicatie. Net als het vroegtijdige overlijden van Dick MacArthur en zijn zoon. We volgen de situatie. En, om heel eerlijk te zijn, besloten we daarbij ook u in de gaten te houden.'

'U bent ons gevolgd?'

'Ja.' Hij aarzelt even en voegt er op wat beschuldigende toon aan toe: 'Oog om oog, tand om tand is wel zo eerlijk, meneer Daley. U hebt de heer Rios in de gaten gehouden.'

'Hoe weet u dat?'

Hij kijkt naar Armando. 'Wij hebben hem ook gevolgd.'

De frons op Rios' voorhoofd wordt dieper. Ik kijk Ellis aan. 'We hebben begrepen dat u meneer Rios al eerder vandaag hebt ontmoet.'

'Klopt.' Hij kijkt even naar Rolanda en richt vervolgens het woord weer tot mij: 'Ik heb de heer Rios om een statusrapport over het China Basin-project verzocht.' Hij kijkt naar Rios. 'Vertel hem maar wat je mij hebt verteld, Armando.'

Rios vindt het duidelijk maar niets dat hij als een gedresseerd zeehondje wordt aangesproken. Hoe dan ook, op kalme toon vertelt hij: 'Bij onze inspanningen om de goedkeuring voor het China Basin-bouwplan te krijgen, zijn ernstige complicaties opgetreden.'

Ellis leunt achterover in zijn stoel en bespaart Rios de rest van het verhaal: 'Meneer Daley, gezien de gebeurtenissen van afgelopen week vonden we het noodzakelijk het project te heroverwegen.'

'Wilt u nog doorgaan met de plannen?'

'Ja.' Hij zwijgt even en vervolgt: 'Maar het hele project zal een aangepaste investeerdersgroep en een nieuwe hoofdhuurder vergen. Dom Petrillo en ik geloven dat MacArthur Films niet langer een haalbare partner is. We hebben onze juristen verzocht een nieuw bouwplan in te dienen.' Hij kijkt even opzij naar Rios. 'Eentje waarin MacArthur Films niet langer een rol speelt.'

En Armando Rios ook niet, waarschijnlijk. 'Zult u bij het nieuwe voorstel wederom een beroep doen op de heer Rios?' vraag ik.

'Nee.'

Goed. Iedereen is er nu dus uit gewerkt. Big Dick heeft zijn studio niet gekregen, Little Richard is zijn erfenis misgelopen, Marty Kent zijn bonus en Armando Rios de rest van zijn smeergeld.

'Meneer Ellis,' vraag ik, 'hoelang kent u de heer Rios al?'

'We hebben elkaar eerder vandaag voor het eerst ontmoet.'

'U wist dat hij was ingehuurd om te helpen met de vergunningsprocedure?'

'Ja. Het is heel gebruikelijk om een adviseur in te schakelen. Hij heeft een uitstekende reputatie.'

Rios' mondhoeken krullen iets op.

'Bent u zich er van bewust,' ga ik verder, 'dat er beschuldigingen inzake smeergelden de ronde doen om de procedure wat te versoepelen?'

'Dat heb ik gehoord, ja.'

'Weet u daar zelf iets vanaf?' Ik leun achterover en anticipeer de ontkenning.

Hij priemt met een wijsvinger naar mijn gezicht en antwoordt op beheerste toon: 'Ik kan u geruststellen dat ik niets van deze vermeende omkoping af weet en als dat wel zo was, zou ik die ten zeerste hebben veroordeeld.'

Ik ben gerustgesteld. Armando Rios' bloed moet nu waarschijnlijk koken. 'Ik neem aan dat u ook geen idee hebt wie er achter die bedragen zit?' vraag ik Ellis vervolgens.

'Ik heb absoluut geen idee.'

'Het was toch niet Dominic Petrillo?'

Hij schudt nadrukkelijk het hoofd. 'Nee. Het zou Marty Kent geweest kunnen zijn, of iemand binnen MacArthurs bedrijf. Ik zou het verder echt niet weten.'

En dat zowel Kent als de MacArthurs zich inmiddels niet meer onder de levenden bevinden om hun versie van het verhaal te kunnen vertellen, komt natuurlijk ook goed uit. Ik kijk Rios aan. 'Kun jij daar misschien iets meer over zeggen, Armando?' vraag ik.

Hij kijkt even opzij naar Ellis, daarna weer naar mij, en antwoordt: 'Alles werd geregeld door meneer Kent. Waar het geld vandaan kwam, weet ik niet.'

En ik weet niet hoeveel Ellis aan Rios heeft betaald om zijn klep te houden. Ik voel me gefrustreerd, maar ik probeer het niet te tonen. Ik richt me weer tot Ellis en informeer naar de gebeurtenissen van vrijdagavond en zaterdagochtend. Als ik hem vraag waarom hij opnieuw naar Little Richards woning ging, lijkt hij zich niet te willen verschuilen. Hij vertelt dat hij opnieuw over het China Basin-project wilde praten. Hij maakte zich zorgen, zo beweert hij, over het succes van de film en de overlevingskansen van MacArthur Films. 'Om heel eerlijk te zijn,' vervolgt hij, 'heb ik Richard junior verteld dat we nog extra voorwaarden wilden alvorens het project voort te zetten.'

Het is de tweede keer binnen vijf minuten dat hij de kreet 'om heel eerlijk te zijn' gebruikt. 'Wat eiste u precies?' vraag ik.

'MacArthur Cellars als onderpand.'

Dit strookt met Little Richards beschrijving van hun gesprek. Ik vraag hem waarom hij daarover met MacArthur junior in plaats van met senior praatte.

'Hij was veel zakelijker en redelijker.' Ik zie even een knipoog. 'En heel wat plooibaarder. Ik wilde hem eerst een beetje aan het idee laten wennen voordat ik met zijn vader zou praten.'

Ik vraag naar Little Richards reactie.

'Hij was ertegen. Daarna zei ik dat ik met zijn vader wilde praten.'

'Wat u kort daarna inderdaad hebt gedaan.'

'Ja.'

'Hoe reageerde hij?'

'Hij was het er wel mee eens. We hebben elkaar toen de hand geschud. We hadden een akkoord. Om heel eerlijk te zijn, moet ik zeggen dat het me een beetje verraste.'

Daar is-ie weer. 'En dat was het?'

'Dat was het. Ik vroeg Richard junior of hij een taxi voor me kon regelen. In plaats daarvan belde hij zijn assistente.'

'Eve?'

'Ja. Ze heeft me teruggereden naar het Ritz.' Ellis verzekert ons vervolgens dat Big Dick nog springlevend was toen Eve hem kwam ophalen.

'Wie waren er nog toen u vertrok?' vraag ik.

'Richard junior en Martin Kent.' Hij doet even alsof hij nadenkt. 'Ik neem aan dat Angelina boven was.'

Hij kan helemaal niets onderbouwen. 'Hoe reageerden Kent en Little Richard op de nieuwe afspraken?'

'Kent was nijdig, want we vertelden hem dat hij die bonus wel kon vergeten. Richard junior was zelfs nog kwaaier. Hij vond dat zijn vader het meest waardevolle familiebezit op het spel zette. Toen ik wegging, stonden ze op het balkon tegen elkaar te schreeuwen.'

Dat kan wellicht het geschreeuw verklaren dat buurman Robert Neils in zijn slaapkamer hoorde doordringen. Ik vraag hem wat hij denkt dat er die zaterdagochtend werkelijk gebeurd is.

'Ik weet het niet, meneer Daley. Wat ik wel weet, is dat Angelina, Richard junior en Marty Kent alledrie behoorlijk overhooplagen met Dick.'

Het is drie uur in de ochtend. We hebben ons inmiddels teruggetrokken in onze suite. Rolanda zit op de bank. Pete staat voor een van de ramen. Armando Rios zit in de leunstoel.

Rolanda kookt van woede. 'Ellis heeft helemaal niets over die steekpenningen losgelaten! Hij heeft voor zichzelf een perfect alibi geregeld. Nu begrijp ik pas waarom hij met ons wilde praten. Het was gewoon een valstrik! Hij heeft Angel beschuldigd. En als dat niet werkt, kan hij altijd nog MacArthurs zoon en Marty Kent beschuldigen. Geen hond die het kan weerleggen of onderbouwen.'

Ik kijk Rios aan. 'Kun jij ons nog iets geven? Is er een manier waarop we dat smeergeld kunnen opsporen?'

Eventjes staart hij uit het raam. Hij heeft zijn colbertje uitgetrokken en zijn stropdas hangt los om zijn hals. Zelfs politieke regelneven zien er op dit uur van de dag afgeleefd uit. Hij richt het woord tot Rolanda: 'Jij en je vader zijn niet langer in gevaar. Jullie zullen niet meer worden gevolgd en geïntimideerd. De winkel van je vader zal geen schade worden toegebracht. Niemand in ons stadsdeel zal iets overkomen.'

Rolanda blijft echter achterdochtig. 'Hoe weet jij dat nou?'

Bloedserieus antwoordt hij: 'Jullie hebben mijn woord.'

'Hoe weten we of dat iets voorstelt?'

Rios slaat zijn armen over elkaar. 'Jullie moeten me vertrouwen.' Rolanda peinst een moment en knikt ten slotte. Vergeefs probeer ik nog wat meer informatie uit Rios los te peuteren. Hij geeft geen krimp. We zullen nooit weten wat voor afspraak hij met Ellis heeft gemaakt om ervoor te zorgen dat Tony en Rolanda niets zal overkomen. We zullen er niet achterkomen hoeveel geld, mocht daar sprake van zijn geweest, van hand tot hand is gegaan. Ze zullen het nooit kunnen achterhalen. Ik hoop dat Dennis Alvarez iets van belastend bewijsmateriaal vindt dat Ellis of Rios bij de omkopingen betrekt, maar ik heb er een hard hoofd in. Voor Tony en Rolanda hebben we in elk geval bereikt wat we wilden. Dat is voldoende. Dennis Alvarez kan achter Carl Ellis en Armando Rios aan.

Ik ben net aan het wegsukkelen als iets na vieren de telefoon rinkelt. Eventjes denk ik dat ik droom, maar dan herken ik Rosies stem. 'Hoe snel kun je naar LA komen?' vraagt ze.

'Ik denk dat we over een paar uur wel een vliegtuig kunnen halen,' antwoord ik. 'Hoezo?'

'Kaela Joy heeft gebeld. Eve is naar LA gevlogen.'

'Waarom?

'Weet ik niet.'

'Weet ze waar Eve verblijft?'

'Het Beverly Hills Hotel.'

Hoe smaakvol. 'We komen zo snel mogelijk.'

Ze vertelt me dat ze op weg is naar de luchthaven. 'Ik zie je daar wel,' zegt ze.

Ik besef dat Pete in mijn deuropening staat. 'Wie?' vraagt hij.

'Rosie.' Ik vertel hem dat Eve in LA zit. 'Ik ga tickets regelen.'

'Laat maar zitten. Regel liever een auto. Het is maar een kleine vijfhonderd kilometer. Met de auto gaat het sneller.'

45
'HET IS HET PROBEREN WAARD'

DEATH VALLEY NATIONAL PARK – 85 MILES.
Bord langs Interstate 15

Pete zit achter het stuur van onze witte Ford Taurus. We zijn inmiddels twee uur verder. 'Prachtig, Mick,' zegt hij.

Hij bedoelt hiermee de zonsopgang boven de bergen rondom het dorre gebied ten zuiden van Death Valley, dat bekendstaat als Devil's Playground. Het loopt nu al tegen de vijfendertig graden. Over een uur zal de zevenenveertig graden bereikt zijn.

'Nou en of,' zeg ik. Ik heb mijn ogen dicht en leun achterover in de stoel naast hem. De koele lucht van de airco op mijn gezicht. Zolang we nog onderweg zijn, probeer ik me van de wereld om me heen af te sluiten.

'Wat vind jij van Carl Ellis?' vraagt hij.

Ik doe mijn ogen open. 'Een lul.'

'Vertel mij wat. Maar hij is ook slim. Geloof je hem?'

'Bepaalde dingen die hij heeft gezegd, zouden een kern van waarheid kunnen bevatten, ja.'

'Ze kunnen jou echt niets wijsmaken, hè?'

'Nee. Hij sprak alleen maar met ons om er zijn eigen draai aan te geven. Reken maar dat hij betrokken was bij die omkoping met Armando. Waarschijnlijk is hij degene geweest die de fik in de drankzaak heeft bedacht. Blijft over de vraag op wat voor manier hij bij de dood van Big Dick betrokken was.'

'Waarom denk je dat hij niet ook iets te maken heeft met de dood van Little Richard?' vraagt hij.

'Het was een ongeluk.'

'Zeggen ze.'

'Jij denkt dat-ie vermoord werd?'

314

'We mogen niets uitsluiten. Er zijn te veel toevalligheden. En ik vind dat Ellis' alibi omtrent Big Dick gewoon ongeloofwaardig is. Hij zei dat Angel, Little Richard en Marty Kent er nog waren toen hij wegging. Angel is al gearresteerd, en dus zal de politie alles wat ze zegt wantrouwen. Little Richard en Kent zijn dood. Als de politie geen nieuw bewijsmateriaal vindt, gaat Ellis vrijuit. Kortom, einde verhaal. Ze zullen Angel of een van die lijken de schuld geven.'

'En Eve?'

'Tja, wat wil je horen? Ze staafde Ellis' verhaal in elk geval.'

'Misschien moeten we haar als verdachte beschouwen.'

'Op grond waarvan?'

Ik denk even na en kom tot de conclusie dat er geen bewijzen zijn.

'Ik zal je nog wat vertellen,' gaat Pete verder. 'Eve en Petrillo hebben dit hele zaakje van tevoren bekokstoofd. Ze hebben elkaars verhaal vergeleken en staan nu klaar om met de beschuldigende vinger naar een ander te wijzen. Ik hoop alleen voor jou dat dat Angel niet zal zijn.'

'Je denkt aan een samenzwering?'

'De timing is wel erg toevallig: ze gaan de film uitbrengen en morgen wordt de bouwvergunning voor het China Basin-project aangevraagd. Denk je echt dat het toeval was dat Ellis midden in de nacht nog met ons wilde praten – ja, ons zelfs fêteerde? Denk je dat het soms gewoon toeval is dat Eve naar LA is gevlogen? Denk je dat Petrillo's privé-speurneus dat ook zonder zijn toestemming aan ons zou hebben doorgegeven? Word wakker, Mick. Allemaal doorgestoken kaart.'

Hij heeft nog altijd het instinct van een smeris. 'Wat denk jij dan dat er echt gebeurd is?' vraag ik.

Hij steekt zijn kin vooruit en antwoordt: 'Weet ik niet. Maar ik wil er hoe dan ook achter komen.'

Een halfuur rijden we in stilte verder. Ik begin net in te dutten als we Barstow bereiken. Pete kijkt me aan: 'Maarre, nog even een ander vraagje, Mick...'

Wat nu weer? 'Kom maar op.'

'Wie was ze?'

'Wie?'

'Die dame met wie je in bed lag toen ik je belde over Marty Kent.'

Nu even niet, graag. 'O, da's een lang verhaal. En bovendien is het niet relevant meer. Het is uit.'

'Dat is snel.'

'Ja.'

'Wie was ze dan?'

'Niet iemand die je kent.'

'Kom op, Mick.'

'Iemand met wie ik eigenlijk nooit had moeten aanpappen.'

'Je moet getrouwde vrouwen ook met rust laten, Mick.'

'Ze is niet getrouwd.'

Hij grinnikt. 'Een aanwijzinkje misschien?'

'Nee.'

'Alsjeblieft, alsjeblieft, ik zal het tegen niemand vertellen.' Hij lijkt Grace wel.

Hij zal het echt niet opgeven en we hebben nog drieënhalf uur te gaan voordat we in LA zijn. 'Beloofd?'

'Ik zweer het.'

Tja, hij blijft mijn broer. 'Ze is rechter.'

Zijn gezicht verstart onmiddellijk. 'Slecht plan, Mick.'

'Ja.'

Vervolgens probeert hij een kwartier lang Leslies naam uit me te wringen, maar dat zal hem niet lukken.

We rijden zwijgend verder. De stilte lijkt een eeuwigheid te duren. 'Hoe is het met Rosie?' vraagt hij even later.

'Niet best.' Ik vertel hem over de laatste onderzoeksresultaten en de prognose.

Hij hoort het aan. 'Wat is dat toch met jullie twee?' is vervolgens zijn vraag.

'Hoe bedoel je?'

'Ik heb nog nooit eerder twee mensen elkaar zo zien prikkelen en tegelijkertijd hun gevoelens voor elkaar zo zien onderdrukken. Waarom geef je niet gewoon toe dat je van elkaar houdt, in plaats van te doen alsof je liever op een geschiktere partner wacht?'

Geef hem een pluim voor zijn directheid. 'Ik wil het daar nu even niet over hebben.'

'Misschien dat je daar binnenkort toch eens mee moet beginnen.' Al meteen betreurt hij zijn woorden.

'Het getrouwd zijn ging ons niet al te best af, Pete.'

'Ik zeg toch niet dat je moet trouwen?'

'Het ligt gecompliceerder dan je denkt.'

'Helemaal niet.'

'Jezus, Pete, dit gaat je niks aan.'

Hij slikt. 'Laat me je wat broederlijk en gratis advies geven.'

'Heb ik anders niet om gevraagd.'

'Nou, ik geef het je toch, tenzij je de resterende driehonderd kilometer naar LA liever wilt lopen.'

Ik sla mijn armen over elkaar. 'Je doet maar.'

Hij klemt zijn linkerhand om het stuur en wijst met zijn rechterwijsvinger naar me. 'Dat is ook zoiets waar ik de schurft aan heb! Al veertig jaar flik je me dat geintje. Als het meezit, ben je vooral minzaam. Als het tegenzit ronduit neerbuigend. Ik heb een primeur voor je, Mick: jij bent helemaal niet zo kien als je zelf wel denkt. Ik weet dat jij me een idioot vindt, maar dat ben ik echt niet, hoor.'

'Dat is niet waar, Pete.'

'Lees me niet de les, ja?'

'Dat doe ik helemaal niet.'

'Jawel. Oké, ik heb geen universitaire graad, ik ben geen priester of een gesjeesde advocaat. Maar mijn kandidaats in strafrecht aan de staatsuniversiteit is wel degelijk iets waard. Ik heb daar veel harder voor moeten werken dan jij voor je rechtenbul.'

Wat dat laatste betreft, moet ik hem gelijk geven. Studeren is hem nooit echt makkelijk afgegaan. 'Ik heb nooit gezegd dat je niet slim bent, Pete.'

'Nooit hardop, nee.'

'Ga mij niet vertellen wat ik wel of niet denk.'

'Behandel me dan niet als een randdebiel. Ik was een goeie smeris voordat ze me eruit smeten. En ik ben een goeie stille.'

Ik heb anders nooit het tegendeel beweerd. 'Luister, Pete...'

Hij kijkt steeds kwaaier. 'Nee, luister jij maar eens naar mij. Denk je dat ík het zo gemakkelijk heb gehad? Ik was de op een na jongste van vier. Ik was geen sterspeler zoals Tommy en ook niet de beste van de klas, zoals jij. En bovendien was ik niet de baby en een meisje, zoals Mary. Niets wat ik deed, kon de goedkeuring wegdragen. Niets kon tippen aan wat jij en Tommy deden. Bij de leraren niet, bij ma niet en al helemaal niet bij pa. Mijn grootste jeugdtrauma is dat ik geen Tommy en geen Mike was. Over mij werd niet gesproken.'

Het is niet de eerste keer dat we het hier over hebben. Maar het is wel de eerste keer dat hij er zo openhartig over is. Het moet voor hem niet gemakkelijk zijn geweest twee strebertjes als oudere broers te hebben gehad. Ik weet even niet wat ik moet zeggen. 'Sorry, Pete. Misschien ben ik er wat laat mee, maar ik vind dat je juist heel goed bent in wat je doet. Daar respecteer en bewonder ik je om.'

Hij is niet onder de indruk. 'Dat had je de afgelopen veertig jaar ook best eens mogen zeggen.'

'Ik zal proberen het wat vaker te doen. En als je het weten wilt: als ik ooit in de problemen raak, ben jij de eerste die ik zou bellen.'

Het lijkt hem iets te sussen. 'Echt?'

'Echt.'

Hij denkt even na. Daarna geeft hij gas en razen we in stilte naar de Stad der Engelen.

Als we ongeveer twintig minuten later de welvarende metropool Victorville passeren, kijk ik hem aan: 'Maar wat was nou die goede raad die je me wilde geven?'

'Laat maar zitten, Mick.'

'Kom op, Pete, ik wil het weten.'

'Oké.' Hij kijkt me aan en zegt: 'Als je het weten wilt: ik vind dus dat jij en Rosie het nog eens moeten proberen.'

Jezus. 'Je kent het hele verhaal.'

'Je hoeft niet per se te trouwen. Je hoeft zelfs niet eens te gaan samenwonen. Misschien is het al genoeg als je gewoon besluit niet meer naar een ander op zoek te gaan. Jullie maken jezelf alleen maar gek als jullie denken dat er ergens een betere partner rondloopt.'

'We hebben het geprobeerd, Pete.'

'Misschien dat je het wat harder moet proberen.' Hij zucht. 'Luister, Mick, toen Wendy en ik trouwden, wisten we allebei dat het een gok was. We hadden heel weinig gemeen, maar we hielden van elkaar en we hadden het geweldig samen. Het was het proberen waard. Mensen die beweren dat ze liever alleen zijn, houden zichzelf voor de gek of ze liegen gewoon. Jij hebt de ware allang ontmoet, Mick. Dat weet jij, en dat weet zij.'

'We passen niet goed bij elkaar.'

'Wel als jullie daaraan werken.'

'Daar zijn we te koppig voor.'

'Zeg dat wel.' Zijn stem wordt kalmer. 'Wees ditmaal niet zo'n sukkel, Mick. Praat erover met haar. Jullie kunnen niet zonder elkaar. Binnenkort zul je in je eentje wakker worden en je afvragen waarover je al die jaren in 's hemelsnaam ruzie hebt gemaakt.'

Ik snuif de airconditioned lucht diep in me op, kijk mijn jongere broer – mijn zeer wijze, jongere broer – eens aan en antwoord: 'Nou, ik weet niet of zij daar zo op zit te wachten.'

'O, jawel hoor.'

'Hoe weet jij dat nou?'

'Omdat ik het haar zelf heb gevraagd.'

Rosie en ik lijken de laatste tijd nogal veel adviezen over ons liefdesleven te krijgen. 'Wanneer dan?'

'Een paar maanden geleden. Ik was gewoon nieuwsgierig. En jullie leken allebei niet happy.'

'Wat zei ze?'

'Dat ze niets uitsloot.'

'Meer niet?'

'Meer niet.'

Ik kijk op en zie het San Gabriel-gebergte in de verte. Daarna kijk ik Pete weer aan. 'En als het weer mislukt?'

'Het is het proberen waard. Of je wint, of je speelt quitte.'

46
'IT'S HOT! I LOVE IT!'

The Endeavor Talent Agency bedient vanuit zijn vestiging in Beverly Hills zijn
cliënten overal ter wereld. Een uitgebreid dienstenpalet staat ter beschikking van de
allergrootste namen uit de amusementswereld.
Van de website van The Endeavor Talent Agency

Mijn mobieltje gaat. Het is Carolyn. 'Waar zit je?' vraagt ze.

'Op Sunset Boulevard,' antwoord ik. 'Een paar straten van het Beverly Hills-hotel.'

Ik heb LA altijd al een leuke stad gevonden: een stad van dromen. Toen ik pas mijn rechtenbul op zak had, heb ik hier bijna een baan als strafpleiter aangenomen. Verandering van omgeving leek me toen wel goed. Maar toen ik veel dichter bij huis een ander aanbod kreeg, besloot ik thuis te blijven. Het zonnetje schijnt en er waait een zwoel Californisch briesje. Pete moet uitwijken voor een dubbelgeparkeerde Hummer. De mensen hier koesteren hun auto's en degenen die zich de eigenaar van een Hummer mogen noemen, hebben dan ook heel wat te koesteren.

'Ik belde vanwege Ben.'

O jee. Ik werp een blik op mijn horloge. Het loopt tegen de middag. Bens voorlopige hoorzitting moet inmiddels in volle gang zijn. 'Hoor jij nu niet in de rechtszaal te zitten?' vraag ik.

'Ja, eh... ik bedoel, nee,' klinkt het aarzelend. 'De hoorzitting is afgelast.'

'Hoorzittingen worden niet afgelast.'

'Deze wel.'

'Waarom?'

'Ik kreeg vanochtend een fax van Lisa Yee. Ze zijn overeengekomen de aanklacht af te zwakken tot een misdrijf als Ben akkoord gaat met zes maanden voorwaardelijk en een taakstraf.'

Kat-in-'t-bakkie. De deal vertoont in alles Leslies signatuur. Ze kreeg Yee en Ward weliswaar niet zover de hele aanklacht te laten vallen, maar het is haar gelukt hen over te halen Ben een lesje te leren zonder meteen zijn leven te ruïneren. 'Ik neem aan dat jij en Ben daarmee kunnen leven?'

'Nou en of. Ik weet niet wat je precies tegen ze hebt gezegd, maar het lijkt in elk geval te hebben geholpen.'

'Dat is goed nieuws.'

Ik hoor een opgeluchte zucht. 'Hoe kan ik je bedanken?'

Stuur Leslie maar een aardig briefje. 'Laat maar zitten, Caro. Ik ben allang blij dat alles op zijn pootjes terecht is gekomen.'

'Zullen Ben en ik je op een lekker etentje trakteren zodra je weer thuis bent?'

'Nou, graag.'

Het Beverly Hills Hotel is een icoon. Of je het hotel nu mooi vindt of niet, het in renaissancestijl opgetrokken 'Pink Palace', ooit gebruikt als decor voor *A Star Is Born*, geldt als een monument. Het werd in 1912 gebouwd toen hier eigenlijk alleen nog maar limaboonvelden waren, en werd de vaste stek van Marilyn Monroe en Humphrey Bogart. De huidige eigenaar, de sultan van Brunei, legde halverwege de jaren negentig 158 miljoen dollar neer om het hotel te kopen. En daarna nog eens honderd miljoen om de boel wat op te kalefateren. De duurste facelift van Hollywood heeft echter goed uitgepakt. Het karakteristieke, gestuukte gebouw op vierenhalve weelderige hectaren is wederom een van de mooiste hotels van Zuid-Californië. Hoewel de filmbonzen nu meer tijd doorbrengen in hotels als het Four Seasons en het Peninsula, is de legendarische Polo Lounge nog altijd een plek om gezien te worden.

We treffen Rosie in de lobby bij de Fountain Coffee Shop, nog altijd gedecoreerd met behang met bananenmotief, het handelsmerk van het hotel. 'Waar is Eve?' vraag ik.

'Ze zit in *cabana* nummer 8. Ze is rond drieën vanochtend gearriveerd. Reken maar dat de roddelbladen er nog voor vanavond lucht van hebben gekregen.'

'Is ze alleen?'

'Nee, met haar advocaat.'

Logisch. 'Heb je nog met haar kunnen praten?'

'Nee. Er is hier overal beveiliging. Ik kon niet in haar buurt komen.'

'Waar is Kaela Joy?'

'Die houdt Eves cabana in de gaten.'

Ik probeer even te bedenken hoe een aantrekkelijke, slanke blondine midden in een druk hotel erin slaagt toch niet op te vallen. Maar nu ik even om me heen kijk, besef ik dat hier alléén maar aantrekkelijke, slanke blondines rond lijken te lopen. 'Heb je verder nog iemand herkend?'

'Nee.'

Pete tikt me even aan. Zijn ogen schieten naar de hoek van de lobby en hij knikt in de richting van een magere, goedgeklede man die in zijn mobieltje praat. 'Dat is Tom Eisenmann,' zegt hij. 'Hij doet onderzoekswerk voor de officier van justitie. Hij is een goeie.'

'Ward moet dus weten dat Eve hier zit.'

'Ja. En nu weet ze dat wij er ook zijn.'

Rosie en ik kijken elkaar even aan. 'We houden ons koest en verliezen Eve niet uit het oog,' zegt ze tegen me. 'En we kijken wel wie er verder op komt dagen.'

Haar suggestie wordt twintig minuten later actueel als we Jack O'Brien de lobby zien betreden en even naar Eisenmann zien knikken. Hij toont zijn insigne aan de receptionist, die meteen de telefoon pakt. Even later duikt er vanachter de balie een perfect gekapt en in een zwart pak gestoken meneer op, die O'Brien de hand schudt. Hij knikt verscheidene malen en gebaart naar de ingang tot het zwembad en het terrein met de huisjes die dienstdoen als gastenverblijf.

Op het moment dat O'Brien naar de achterdeur van de lobby wordt geleid, ziet hij ons. We lopen naar hem toe en hij blijft staan. 'Jou hadden we hier vandaag niet verwacht, Jack,' zegt Rosie.

'Insgelijks,' is zijn reactie.

'Wat brengt jou naar het Beverly Hills Hotel?'

'Hetzelfde als jullie. Een kroongetuige verblijft hier in een van de cabanas. We willen graag even met haar praten.'

'Wij ook.'

Op O'Briens gezicht verschijnt nu een schuine grijns. 'Maar ik eerst.' Hij toont zijn insigne. 'Dat is namelijk de beloning voor als je zo'n ding bij je draagt.'

'Luister, Jack,' zeg ik, 'als zij over informatie beschikt die relevant is voor Angelina's zaak, dan hebben wij daar ook recht op.'

'Dat heb je ook, maar ik ben degene die het het eerst te horen krijgt.'

'Kom op, Jack…'

Hij heft de handen. 'Heb geduld. Haar advocaat heeft gezegd dat ze het een en ander aan ons kwijt wil. Over een paar minuutjes breng ik verslag bij je uit.'

Meer kunnen we niet doen. We volgens hem langs het zwembad. Het aanwezige beveiligingspersoneel wijkt uiteen als de Rode Zee. We kijken toe als hij op de deur van cabana nummer 8 klopt. Een man die ik niet herken, doet open en laat hem binnen. Ik neem aan dat het Eves advocaat is. De deur gaat weer dicht. Ik draai me om naar Rosie. 'En nu?' vraag ik.

'We wachten,' antwoordt ze en ze wijst naar het zwembad. 'Misschien heeft een van die dikke producenten wel een hoofdrol voor je? Je kunt nooit weten.'

We zitten aan een tafeltje bij het zwembad. Het is inmiddels bijna twee uur later. De middagzon geselt ons en Kaela Joy heeft zich bij ons gevoegd. Jack O'Brien zit nog steeds binnen met Eve en haar advocaat. Vanaf het moment dat we ons aan ons tafeltje zetten, hebben we een goedgeklede, ADHD-achtige jongeman geobserveerd die al die tijd in zijn mobieltje heeft zitten schreeuwen. Ik neem aan dat hij een agent is. '*It's hot! I love it!*' hoor ik hem voor minstens de vijfde keer roepen.

Pete slaat zijn ogen ten hemel.

Rosie kijkt me aan. 'Kun je nagaan hoe hij is als hij zijn medicijnen een keer vergeet,' merkt ze gortdroog op.

Ik glimlach, blij dat ze grapjes maakt.

We blijven nog een uur bij het zwembad zitten. Je tijd doden in het Beverly Hills Hotel is niet echt een marteling. Ten slotte kijk ik op naar Rosie. 'Wat denk jij ervan?' vraag ik.

'Er is duidelijk iets op til.'

Ze heeft het laatste woord nog niet uitgesproken, of de deur van de cabana gaat open. Jack O'Brien verschijnt als eerste, gevolgd door Eve, die een zonnebril en een enorme hoed draagt. Haar advocaat is de hekkensluiter. Hij kijkt weliswaar grimmig, maar zijn gesteven overhemd en Italiaanse pak staan hem nog altijd voortreffelijk.

We onderscheppen O'Brien als hij zich naar de lobby begeeft. 'Er zijn een paar nieuwe en interessante ontwikkelingen in de zaak-Angelina Chavez te melden,' laat hij ons weten.

'We hebben het recht te weten wat,' zegt Rosie.

'We zullen vandaag nog met een verklaring komen.'

'Waarom niet nu meteen?'

'Er moeten nog wat dingetjes worden nagetrokken. En we moeten naar Burbank,' legt O'Brien uit.

'Waarom?'

'Daar zit het hoofdkantoor van Millennium Studios. We willen met Dominic Petrillo spreken.'

'We gaan met jullie mee,' zegt Rosie.

'Jullie doen maar,' is het antwoord. 'Ik kan jullie niet tegenhouden. Zodra we Petrillo hebben gesproken, praten we jullie bij.' Daarna leidt hij Eve het hotel uit.

'Dit zint me niet,' zeg ik tegen Rosie zodra hij buiten gehoorsafstand is.

'Mij ook niet.'

'Wat denk jij ervan?'

'Tja...'

Pete heeft minder aarzelingen. 'Ze hebben een deal gesloten.'

'Hoe weet jij dat nou?'

Hij laat zijn blik even door de weelderige tuin glijden. 'Dit is het Beverley Hills Hotel. Dit is dé plek in Hollywood waar deals worden gesloten.'

47

DE TWEE GEZICHTEN VAN EVE

'Ik heb altijd al gedroomd van een dankwoordje bij de oscaruitreiking. Daar heb ik alles voor over.'
Aankomend actrice Evelyn ('Eve') laCuesta in het tijdschrift *People*

'Meneer Petrillo kan u nu ontvangen,' laat de receptioniste ons weten. Ze lijkt zo uit de *Playboy* te zijn gestapt. Rosie, Pete en ik bevinden ons in de strakke wachtkamer buiten Dominic Petrillo's werkkamer. Hij zit binnen met Jack O'Brien, Eve en haar advocaat.

Het is even na vieren. Een ongebruikelijke stoet is vanuit het Beverly Hills Hotel naar de Millennium Studios in Burbank gereden, met voorop een surveillancewagen van de politie van Los Angeles, gevolgd door een limousine met daarin Eve, haar advocaat en O'Brien, met daarachter Tom Eisenmanns gehuurde Ford Escort – ik vermoed dat de politie van San Francisco slechts een beperkt budget voor huurauto's ter beschikking heeft – gevolgd door Kaela Joy in een Jeep Cherokee, daarachter Pete, Rosie en ik in onze witte Taurus, en een tweede surveillancewagen als hekkensluiter.

Bij het passeren van de poort van het studiocomplex had ik me eigenlijk iets indrukwekkenders voorgesteld. Het omgebouwde businesspark ligt op een industrieterrein vlak naast de Golden State Freeway, niet ver van het Disney-complex aan Buena Vista. De oude pakhuizen zijn hard aan een nieuw verfje toe. Petrillo's kantoor is gehuisvest in een onopvallend gebouw van twee verdiepingen dat de indruk wekt pas enkele jaren geleden in een vloek en een zucht uit de grond te zijn gestampt. Niet echt betamelijk voor iemand van zijn gigantische statuur. Ik kan wel begrijpen waarom hij ten noorden van de stad een nieuw complex wil laten bouwen.

De deur naar het heilige der heiligen gaat open. Het lijkt wel alsof ik de poort naar de Stad van Smaragd betreed. Ik ben totaal niet voorbereid op wat me te wachten staat: Petrillo's werkkamer is ongeveer zo groot als een basketbalveld en blijkt een schatkamer van filmsouvenirs. De felrode muren zijn behangen met filmposters die tot bijna een eeuw teruggaan. In de vitrine naast de minibar bevindt zich een assortiment filmcamera's. Eén hoek is speciaal ingericht voor *Star Wars*. Verder zie ik een eerbetoon aan Francis Ford Coppola. Een pooltafel uit *The Hustler* staat naast een strijdwagen uit *Ben Hur*. Kaela Joy zit kaarsrecht op een regisseursstoeltje, om de hoek van de deur. Ze knikt even als we langs haar lopen.

Petrillo zit achter een enorm handgemaakt eikenhouten bureau. Zijn vingertoppen rusten tegen zijn slaap en hij klinkt ingetogen terwijl hij opstaat om ons te begroeten. Eve zit in een fauteuil naast zijn bureau. Ze knikt even naar ons. Petrillo stelt haar advocaat voor, een zilvergrijze senior genaamd George Hauer. Hij werkt voor een van de advocatenkantoren van Century City en vertoont een meer dan opvallende gelijkenis met Dan Rather. Zijn handdruk is ferm, zijn toon afgemeten. Jack O'Brien staat naast Petrillo's bureau. Zijn blik is ernstig.

Een moment kijken we elkaar zwijgend aan. Vanuit de *Star Wars*-hoek klinkt een vertrouwde vrouwenstem: het is Nicole Ward, die links op het grote Hollywood-toneel verschijnt. 'Hallo, meneer Daley,' klinkt het.

Rosie kijkt me even aan en richt het woord tot Ward: 'We wisten niet dat jij ook in de stad was, Nicole.'

Ward slaat ons gade. 'We beschikken over nieuwe informatie omtrent de zaak van jullie cliënte.'

Rosie staat nog steeds. Ze slaat de armen over elkaar. 'Laat maar horen.'

Ward kijkt Hauer even doordringend aan. Daarna richt ze zich tot Rosie: 'Eve – eh… mevrouw LaCuesta – is vandaag uit haar schulp gekropen en heeft ingestemd met een getuigenverklaring onder ede aangaande de omstandigheden rondom de dood van Richard MacArthur senior.'

Eve knikt.

Rosie houdt haar ogen op Ward gericht en vraagt: 'Wat is Eve bereid ons te vertellen?'

Ward kijkt even naar Hauer: 'Misschien is het beter als u namens uw cliënte antwoordt?'

Met een ernstige knik verheft Hauer zich uit zijn stoel. Advocaten staan altijd op wanneer ze iets belangrijks te melden hebben. Daar zijn ze op getraind. 'Dat mevrouw LaCuesta ons op dit moment ter wille wil zijn, getuigt van enorme moed,' zegt hij.

Waarvan akte.

'Ze vindt dat het belangrijk is dat de waarheid aan het licht komt.'

Even meen ik op Petes gezicht een glimp van ongeloof te zien.

Rosie heeft de armen nog steeds gevouwen. 'Kunnen we ter zake komen, meneer Hauer?'

'Ja. Mevrouw LaCuesta is bereid toe te geven dat ze inzake bepaalde details in haar verklaring tegen de politie naar aanleiding van de dood van de heer MacArthur niet helemaal volledig is geweest.'

Wanneer mijn cliënten iets zeggen wat niet waar is, noem ik dat meestal gewoon liegen. 'Wat voor details precies?'

'Details met betrekking tot de zoon van de heer MacArthur.'

Ik zie een duidelijke reactie bij Rosie, maar ik houd mijn mond. Laat hem maar praten.

'Zoals u misschien weet,' gaat Hauer verder, 'heeft mevrouw LaCuesta tegenover de politie verteld dat de heer MacArthur junior zaterdagochtend vroeg in zijn eentje naar de wijnmakerij is gereden. Dat was niet helemaal waar. Mevrouw LaCuesta vergezelde hem naar de wijnmakerij. Om precies te zijn: zij zat achter het stuur.'

Volgens mij was dat dus helemaal níét waar. Ik kijk even naar Rosie, die me met een handgebaar afkapt. Laat hem maar praten.

Hauer legt uit dat Eve over de autorit naar de wijnmakerij heeft gelogen, omdat Little Richard niet wilde dat zijn aanstaande ex erachter zou komen.

Rosie kijkt hem licht smalend aan. 'We weten allang dat ze naar de wijnmakerij is gereden, meneer Hauer. Uw cliënte heeft dat al tegenover ons bekend.' Haar toon blijft beheerst: 'Waar heeft uw cliënte nog meer over gelogen?'

Hauer zet even zijn bril af, en zet hem weer op. Hij kiest zijn woorden zorgvuldig: 'Bovendien heeft ze omtrent de omstandigheden met betrekking tot haar autorit naar de wijnmakerij de feiten onjuist weergegeven.'

Zo-even was ze nog 'niet helemaal volledig', nu maakte ze zich schuldig aan een onjuiste weergave van de feiten. 'Waar heeft uw cliënte nog meer over gelogen?' vraag ik.

Hij schraapt zijn keel. 'Het had te maken met de plek waar ze de heer MacArthur junior oppikte.'

'Ze vertelde ons dat ze hem voor zijn huis heeft opgepikt,' zeg ik. 'Sterker nog, ook híj vertelde dat ons.'

Opnieuw schraapt hij zijn keel en frummelt wat aan zijn bril. Daarna zet hij hem weer af om ermee te gebaren. 'Dat was incorrect. Ze pikte hem niet op voor zijn woning, meneer Daley. Ze pikte hem op op de parkeerplaats aan de rechterkant van de Golden Gate Bridge.'

Als versteend kijken Rosie en ik elkaar aan. Het moment lijkt wel een eeuwigheid te duren. Ten slotte vraagt ze: 'Hoe laat was dat?'

'Rond tien over halfvier in de ochtend.'

Een paar minuten voordat de bewakingsbeambte Angel aantrof. Rosie kijkt Eve aan: 'Gaf meneer MacArthur nog aan hoe hij op dat uur bij de brug terecht was gekomen?'

Hauer kijkt even naar Eve, die knikt. Vervolgens kijkt ze ons aan en antwoordt beheerst: 'Hij was met de auto van zijn vader naar de brug gereden.'

'Wat deed hij daar?' vraag Rosie met opeengeklemde kaken.

Eve werpt een hulpeloze blik naar Hauer, die voor haar het antwoord geeft. 'De heer MacArthur heeft tegen mijn cliënte verteld dat er in de woning iets was voorgevallen. Hij zei dat hij en zijn vader een handgemee hadden, waarna hij zijn zelfbeheersing verloor.' Met een melodramatische knik vervolgt hij: 'Hij haalde uit met het oscarbeeldje en sloeg zijn vader dood.'

Jezus. Rosie en ik staren elkaar een paar seconden verbijsterd aan. 'En hij probeerde onze cliënte erbij te lappen?' vraagt ze.

'Daar lijkt het wel op, ja. Mevrouw Chavez verkeerde buiten bewustzijn. Hij zette haar, en de oscar, in de auto en is toen naar de brug gereden. Mevrouw LaCuesta heeft de heer MacArthur vervolgens daar opgepikt en naar de wijnmakerij gereden. Hij vroeg haar niet aan anderen te vertellen waar ze hem heeft opgepikt.'

'En uw cliënte is bereid dit onder ede te verklaren als we dat nodig vinden?'

Hij zwijgt even en antwoordt ten slotte: 'Ja.'

Mijn ogen schieten naar Rosie, die geen spier vertrekt. Ik vraag Hauer: 'Als de heer MacArthur junior zijn vader met de oscar heeft geslagen, dan zouden er bloedsporen op zijn kleding zijn aangetroffen. Wat is er met zijn kleding gebeurd?'

Hauer aarzelt en kijkt vervolgens Eve aan, die antwoordt: 'Ik weet het niet. Richard moet ze onderweg naar de brug ergens hebben verstopt.'

Rosie kijkt me ernstig aan. De verdwenen kleren vormen nog steeds een belangrijk hiaat in ons verhaal. Aan de andere kant is het in het belang van onze cliënte dat we Eve op haar woord geloven.

Rosie richt het woord tot Ward: 'Zijn jullie van plan een aanklacht tegen mevrouw LaCuesta in te dienen?'

'Nee. We denken dat ze enkel een onbewuste rol heeft gespeeld na het misdrijf. We waarderen het dat ze heeft willen praten. We beschikken niet over bewijzen dat ze anderszins bij de zaak betrokken was.'

Opnieuw schieten Rosies ogen mijn kant op. Ik durf te wedden dat Eve in de cabana een immuniteitsovereenkomst heeft uitonderhandeld. 'Dit verandert alles,' merkt Rosie op tegen Ward.

'Dat weet ik.'

'Om precies te zijn, het ondermijnt zelfs jullie zaak tegen mijn cliënte. Wat gaan jullie daaraan doen?'

Ward trekt even met haar perfecte neusje. 'We kunnen niet anders dan de aanklacht intrekken. We zullen later vandaag met een persverklaring komen.'

Yes! Rosie werpt me nog even een blik toe en gaat in de aanval. 'Je beseft wat het risico is? Zodra je de zaak laat vallen, kun je hem niet meer opnieuw aanhangig maken.'

'Daarover kunnen we het te zijner tijd nog wel hebben. De enige manier waarop we iets dergelijks toch nog kunnen overwegen, is met nieuwe bewijsstukken.'

Rosie kan een glimlach niet onderdrukken. 'Het lijkt erop dat wij hier klaar zijn. Als jullie ons nu willen excuseren? We willen onze cliënte graag delen met het goede nieuws.'

6

48
'EEN KWESTIE VAN VERTROUWEN'

In wat niet anders dan een schokkende onthulling in een grote rechtszaak genoemd kan worden, heeft de officier van justitie van San Francisco, Nicole Ward, verklaard dat het OM de aanklacht tegen actrice Angelina Chavez heeft ingetrokken. Ward legde uit dat nieuw bewijsmateriaal overtuigend aantoont dat Richard MacArthur door zijn eigen zoon werd vermoord. De advocaten Rosie Fernandez en Michael Daley beschouwen het besluit als een triomf voor de rechtspraak.
KNX Radio, donderdag 10 juni, 18.00 uur

'Hoe reageerde Angel op het nieuws?' vraag ik Rosie. Ze zit voor in de Taurus. Pete zit achter het stuur en ik zit achterin. Het is druk op de I-110 terwijl we op weg zijn naar LAX, de luchthaven van LA.

Ze draait zich om. 'Eerst was ze door het dolle heen. Daarna begon ze te huilen. Maar ze is natuurlijk erg opgelucht.'

Ik hoor iets bezorgds in haar stem. 'Wat is er, Rosie?'

Ze draait zich weer om en staart door de voorruit. Ik zie een schouderophaal. 'Iets in haar stem,' antwoordt ze. 'Al bijna meteen klonk ze weer normaal. Het leek wel alsof ze niet anders had verwacht.'

Ze kent haar niet beter dan ik. 'Is er soms nog iets anders gaande dan?' vraag ik.

Ze zucht. 'Ik denk van niet. Misschien verbeeldde ik het me gewoon. Misschien was ze moe. Misschien ben ík wel moe.'

Misschien. Ik peins even. 'Wat is er in Petrillo's werkkamer eigenlijk gebeurd?' vraag ik.

Ze kijkt nog steeds voor zich uit terwijl ze antwoord geeft op mijn vraag. 'We hebben voor onze cliënte een prachtig resultaat bereikt.'

Het correcte antwoord. 'Dat begrijp ik. Maar wat is er nou eigenlijk gebeurd?'

Ik kijk nog steeds naar haar achterhoofd. 'Zulke vragen stellen hoort niet bij ons werk,' is haar antwoord.

Dat is te gemakkelijk. 'Denk je nu echt dat Little Richard zijn eigen vader vermoordde?'

Ze draait zich opnieuw om en kijkt me aan. 'Het ziet er anders wel naar uit dat het zo zal worden geïnterpreteerd. Het was onze taak het Nico

Ward moeilijk te maken om haar zaak onweerlegbaar te bewijzen. Als zij vindt dat het bewijs niet overtuigend is, dan is het niet aan ons daartegen in te gaan. Dat mógen we ook helemaal niet, want dat zou niet in het belang van onze cliënte zijn.'

Ik ontwaar een schalkse grijns op Petes gezicht. Hij kijkt even opzij naar haar. 'Dat geloof je echt, hè?' is zijn opmerking.

'Hoort bij mijn werk.'

'Nou, als je het mij vraagt, blijft het doorgestoken kaart,' is zijn vaststelling.

Rosie haalt haar schouders op. 'Ik heb jou niet om je mening gevraagd. En stel dat het inderdaad doorgestoken kaart was, dan heeft dat deze keer in ons voordeel gewerkt. De volgende keer zal het anders zijn. Dat gaat meestal om en om.'

Petes grimas wordt nog breder. 'Al dat correcte advocaten-geblabla even terzijde, zijn jullie dan niet geïnteresseerd in wat er werkelijk is gebeurd? Je weet wel: waarheid en gerechtigheid, dat soort dingen?'

Het is een fundamentele vraag waar elke strafpleiter zich voortdurend mee geconfronteerd ziet. Rosie glimlacht. 'Je lijkt wel een smeris,' zegt ze.

'Kan er niks aan doen. Nou?'

'Nou, wat?'

'Willen jullie dat niet weten dan?'

Rosie wordt ernstig. 'Ja,' antwoordt ze. 'Zolang Angel er maar buiten blijft. Beroepshalve zit ons werk er nu op.'

Pete geeft zijn ex-schoonzus een klopje op haar schouder. 'Jullie hebben goed werk verricht en een mooi resultaat bereikt,' luidt zijn oordeel. 'En wie weet, misschien sprak Eve inderdaad de waarheid.' Hij draait zich even naar me om. 'Je bent opvallend zwijgzaam, Mick? Hoe denk jij erover?'

'Het maakt allemaal niet meer uit.'

'Nee hè, begin jij ook al? Even onder ons: dit gesprek blijft tussen ons. Wat vind jij?'

Ik denk even na. Petes ogen zijn weer op de weg gericht, de mijne op Rosie. Ik haal mijn schouders op: 'Wat zei Dom Petrillo ook alweer? In de filmbusiness draait het allemaal om het creëren van illusies. Laat de waarheid een goed verhaal nooit in de wielen rijden.'

Met deze parel van wijsheid laat ik me achteroverzakken en sluit mijn ogen. We verlaten de I-110 en vervolgen onze weg in westelijke richting over de I-105 naar de luchthaven. Vanaf dit moment blijft het verder stil in de auto.

'Hoe is het met Angel?' wil Pete weten.

'Ze mag morgen naar huis,' antwoord ik.

Het is inmiddels halfnegen in de avond. Rosie is naar haar moeder om 'race op te halen. We zitten op het gerestaureerde arsenaal van Battery

Chamberlin, naast de parkeerplaats aan de rand van Baker Beach. Na twee dagen van auto's en vliegtuigen zijn we wel toe aan wat frisse lucht. Pete heeft een biertje, ik een Dr Pepper light. De dagen worden langer en we worden getrakteerd op een spectaculaire, gouden zonsondergang boven de oceaan en de Farrallon Islands.

'Geweldig,' is Petes reactie. 'Misschien dat Jerry Edwards haar in *Mornings on Two* wil interviewen.'

'Hoe ouder jij wordt, hoe cynischer.'

'Kan gebeuren.' Hij neemt een flinke slok van zijn Budweiser. 'Nou Mick, Angel is vrij en ze hebben het allemaal in Little Richards schoenen kunnen schuiven. Eind goed, al goed. Ja toch?'

Zijn toon verraadt meer dan een vleugje scepsis. 'Heb je daar een probleem mee, Pete?'

'Nee. Jij?'

Ik geef niet meteen antwoord. Het zonlicht weerkaatst van de torens van de Golden Gate Bridge. De koele zeebries ruikt ziltig. Na een paar dagen in de hitte van Vegas en LA te hebben vertoefd, is het lekker om weer thuis te zijn. Ik kijk hem aan: 'Wat zit je dwars, Pete?'

Hij verfrommelt zijn bierblikje. 'Niks.'

'Kom.'

Hij kijkt me aan. 'Ze hebben het allemaal bekokstoofd, Mick. Dat weet je best. Eves verhaal was klinkklare onzin. Zag je die blik in haar ogen toen je haar vroeg hoe het met die bebloede kleren zat? Ze zoog het ter plekke uit haar duim. Ze zegt dat ze actrice is – nou, ze had haar tekst niet eens doorgenomen.'

'Waarom zou ze hebben gelogen?'

'Moet ik het soms voor je uitspellen? Door Little Richard erbij te lappen, krijgt iedereen precies wat-ie wil. Petrillo kan zijn film op tijd uitbrengen, kan zijn kleine filmsterretje door het hele land op promotiecampagne sturen, en zijn voordeel doen met alle gratis publiciteit. Hij kan morgen naar de bouwcommissie stappen, zijn rondedansje doen en de loftrompet steken over het China Basin-project. Zelfs al is de commissie niet onder de indruk, dan kan hij het nog met zijn maatje Carl Ellis, en zonder de MacArthurs, opnieuw proberen. Voor Petrillo en Ellis is het kat-in-'t-bakkie.'

'Maar een verlies voor Nicole Ward.'

'Hoeft niet. Als Eve bereid is onder ede te verklaren dat ze Little Richard bij de brug heeft opgepikt, zal dat in Angels zaak voor gerede twijfel zorgen. Ward moest de aanklacht dus wel laten vallen. Tegenover de media zal ze vertellen dat ze de zaak heeft opgelost. En als over zes maanden de verkiezingen van start gaan, zal dát het enige zijn wat de mensen zich nog zullen herinneren.'

'Je vergeet iets,' zeg ik. 'Ook voor Eve zit er iets in. Wat zou voor haar d[e] prikkel kunnen zijn geweest om Little Richard te beschuldigen?'

'Geld. Ik durf er een weekendje in het Tuscany om te verwedden da[t] trillo haar wat flappen heeft toegestopt om haar over de brug te krijgen met haar verhaal. Reken maar dat het haar een hoop gratis publiciteit zal opleveren. En wie weet heeft hij haar wel een hoofdrol in een nieuwe film beloofd.'

De cynicus. Ik pak mijn blikje en loop terug naar mijn auto. 'Pete,' zeg ik, 'we hebben het resultaat waarop we hoopten. Angel mag morgen naar huis.'

'Wil je dan echt niet weten wat er echt is gebeurd?'

O, jawel, maar door de jaren heen heb ik geleerd dat de waarheid tamelijk ongrijpbaar is. 'Tuurlijk, Pete. Maar nu even niet,' zeg ik.

'Ik zal erachter komen.'

'Heel goed van je.'

'Ik ben ook goed.'

'Ik zal je helpen. Denk je echt dat iemand anders de dader is?'

'Misschien.'

'Wie?'

'Kent. Ellis. Petrillo. Niemand heeft aan Eve gedacht.' Hij peinst even en voegt eraan toe: 'En bovendien heb ik Angel nog niet weggestreept.'

'Die laatste mogelijkheid hebben we nu wel genoeg herkauwd. Bovendien hebben jullie de afgelopen week het hele gebied doorzocht om die bebloede nachtpon te vinden, maar zonder resultaat.'

'Misschien heeft ze hem op een andere plek verborgen. Misschien had ze hulp.'

'Je ziet dingen die er niet zijn.'

'Misschien. Misschien ook niet. Ik denk dat ik nog even wat ga rondneuzen, gewoon voor de lol.'

Ik werp mijn lege blikje in de vuilnisbak. 'Ik heb een vraag voor je. Verplaats jezelf eens in Angels situatie. Stel, je zoekt hulp. Wie zou jij dan hebben gebeld?'

Hij haalt zijn schouders op en laat zijn sleutel in het portierslot glijden. Daarna draait hij zich naar me om: 'Het komt, denk ik, gewoon neer op een kwestie van vertrouwen.'

49
FAMILIEZAKEN

Het late nieuws blijkt een mix van hapklare brokken en bravoure. Nicole
Ward eist de oplossing van de moord op MacArthur volledig voor zichzelf
op. Jack O'Brien toont zich wat minder overtuigd als hij meedeelt dat hij de
zaak gesloten acht. Om halftwaalf knip ik de lampen uit, maar van een goede nachtrust – het zou voor het eerst in een week zijn – komt weinig terecht.
Ik lig te draaien en te woelen terwijl ik in gedachten de hoogtepunten van
de zaak-Angel opnieuw de revue laat passeren. Stel dat Pete gelijk heeft.
Stel dat het inderdaad doorgestoken kaart was. Daarna pijnig ik mezelf een
paar uur met Rosies ziekte. Ik denk na over onze relatie. Misschien heeft
Pete op dat punt ook wel gelijk.

Om zes uur in de ochtend rijd ik naar Rosie. Ook zij is al op, zo blijkt, en
ze vertelt me dat ze zelf ook geen oog heeft dichtgedaan. We bekijken Angels foto op de voorpagina van de *Chronicle*. De kop luidt: AANKLACHT
TEGEN FILMSTER VAN DE BAAN.

'Hoe is het met Grace?' vraag ik. Ze ligt nog te slapen.

'Naar omstandigheden best wel goed,' antwoordt Rosie. 'Gisteren ging
het al een stuk beter op school.'

'Ze is een taaie.'

'Soms denk ik dat ze taaier is dan wij.' Ze aarzelt even. 'Ze kijkt uit naar
de zomervakantie. Ze vertelde me dat ze daar wel behoefte aan heeft.'

Wij ook.

De tv staat op Channel Two. Op Jerry Edwards' gezicht prijkt een triomfantelijke grijns. 'Men verwacht dat Angelina Chavez vandaag uit het ziekenhuis zal worden ontslagen,' meldt hij, en hij vervolgt met de mededeling dat de bouwcommissie het China Basin-project heeft afgewezen. 'Ee

grote overwinning voor de inwoners van deze stad, maar een verpletterende nederlaag voor Millennium Studios en het bouwbedrijf van Carl Ellis.' Zijn grijns wordt breder als hij meldt dat hij de zaak met grote belangstelling zal blijven volgen. Hij voegt eraan toe dat *The Return of the Master* in première gaat. Vervolgens worden we getrakteerd op een interview met Nicole Ward. Ze betuigt haar dank aan de hardwerkende ordehandhavers die de zaak zo snel wisten af te ronden. Jack O'Brien is in geen velden of wegen te bekennen.

Ik sla de *Chronicle* open en zoek de recensiepagina. De kop luidt: 'MacArthurs zwanenzang een gênant probeersel'.

'Hoe staat de kleine man erbij?' vraagt Rosie.

In tegenstelling tot het sterrenwaardeersysteem van de meeste kranten beoordeelt de *Chronicle* nieuwe films door de lezer de reactie te tonen van een getekend ministripfiguurtje dat bij iedereen bekendstaat als 'de kleine man', en wiens oordeel varieert van het opspringen uit zijn stoel, wild juichen en het in de lucht werpen van zijn hoed (ga dat zien!) tot snurken in zijn stoel (doe geen moeite). Al meer dan een halve eeuw heeft hij op deze manier zijn mening geventileerd. 'Niet echt positief. Hij zit gewoon voor zich uit te kijken in zijn stoel,' zeg ik tegen Rosie.

'Zo slecht kan die film toch niet zijn?'

Enige coulance kan de recensent niet worden aangerekend. 'De ware Richard MacArthur-fan zal onder de indruk zijn van zijn laatste werk,' zo schrijft hij, 'maar de rest van ons zal teleurgesteld achterblijven. Filmfanaten die zich zijn veelbelovende start nog herinneren, zullen niet echt blij zijn met deze finale, die duidelijk de stempel "vlees noch vis" verdient. Goed, het script is solide, zo nu en dan zelfs inspirerend, en de regie is zoals te verwachten stijlvol, maar de acteerprestaties variëren van redelijk tot houterig. Met name actrice Angelina Chavez, MacArthurs weduwe, blijkt met haar krampachtige performance in deze film totaal niet op haar plaats. We kunnen slechts hopen dat mevrouw Chavez in toekomstige films haar beperkte talenten op een onderhoudender manier zal kunnen uiten.'

'Au,' zegt Rosie.

'Laten we hem zelf gaan zien,' stel ik voor.

'Afgesproken.'

Mijn mobieltje gaat. Het is Pete. 'Ik probeerde je net thuis te bereiken, Mick.'

'Ik zit bij Rosie.'

'Beetje vroeg, lijkt me?'

'Kon niet slapen.' Ik kijk even naar Rosie. 'Waarvoor bel je?'

'Wanneer ga je Angel ophalen?'

'Later deze ochtend.'

'Zou ik je voor die tijd nog even kunnen spreken?'

'Tuurlijk. Waar gaat het over?'

'Misschien is het loos alarm…'

'Wat heerlijk om weer thuis te zijn,' zegt Angel. Het is vrijdagmiddag twee uur. Ze heeft weer kleur op haar gezicht en zit in haar oma's keuken. Ze draagt nog altijd een klein polsverbandje. Haar moeder zit naast haar. Ze houden elkaars hand vast.

Sylvia schrijdt binnen met een schaal gebraden kip. Ze kijkt haar kleindochter eens aan en zegt: 'Ik heb je lievelingseten gemaakt.'

Angel knikt en bedankt haar oma. Theresa straalt.

'Je blijft een paar daagjes, hè?' zegt Sylvia. Het is geen vraag, het is een bevel.

Angel knikt.

'Je gaat toch zeker niet terug naar dat huis, hè?' wil Theresa weten.

'Nee,' antwoordt Angel. 'Alleen maar nare herinneringen.'

Heel verstandig.

We scharen ons rond de kleine eettafel en tasten toe. Voor het eerst in dagen heb ik weer eens honger. Rosie wendt zich tot Angel: 'Hoe is het met je pols, lieverd?'

'Wel goed. Volgens de dokter is het over een paar weken allemaal weg. Mijn zelfmoordpoging was tamelijk amateuristisch, geloof ik.'

Het wordt even stil in de keuken. Theresa kijkt haar dochter aan en legt een vinger op haar lippen. Grapjes over zelfmoord zijn niet leuk.

'Bedankt voor de hulp, tante Rosie,' fluistert Angel vervolgens. 'Ik weet niet wat ik zonder u had moeten beginnen.'

Rosie knikt.

'En jij ook, mamma,' gaat ze verder. 'Zonder jou had ik het niet gered.'

De tranen springen in Theresa's ogen. 'Geen probleem, lieverd.'

Sylvia neemt plaats aan het hoofdeinde. Rosie schuift iets meer naar Angel toe en buigt zich wat voorover. Eerst kijkt ze Theresa aan en vervolgens Angel. 'Schat,' begint ze, 'nu dit allemaal achter de rug is, zijn er nog een paar dingetjes waar ik het even met je over wil hebben.'

'Geen probleem, tante Rosie. Wat precies?'

Rosie kijkt me even aan, reikt vervolgens in haar koffertje en trekt een computeruitdraai tevoorschijn.

Angel glimlacht. 'Is dat jullie rekening?'

Rosie blijft ernstig. 'Nee, lieverd.'

'Wat dan?'

'Telefonische gespreksgegevens.'

Perplex kijkt ze Rosie aan.

Rosie slaat haar ogen even neer en slikt. Ik zie haar ogen nog een keer mijn kant op schieten, waarna ze Angel weer aankijkt. 'Pete gaat heel grondig te werk,' zegt ze.

Angel knikt.

'Hij heeft een paar mannetjes ons laten helpen om Baker Beach en het Presidio te doorzoeken, gewoon om er zeker van te zijn dat ze niets zouden vinden wat jouw zaak kon ondermijnen.'

Angel knijpt haar ogen iets toe. 'Zoals wat?'

Zoals een bebloede nachtpon. Maar ik zwijg.

'Niets in het bijzonder,' antwoordt Rosie. 'We wilden alleen niet voor verrassingen komen te staan.'

'Natuurlijk.'

'Hoe dan ook,' gaat Rosie verder, 'Petes mensen hebben niets gevonden.'

Ik bespeur een zweem van opluchting bij Angel.

'Maar Pete is heel grondig,' gaat Rosie verder. 'Hij wilde er echt zeker van zijn dat we niets over het hoofd zagen. Want dat mag je van een privé-detective toch wel eisen, nietwaar?'

Angel knikt.

'Wat waarschijnlijk ook de reden was waarom jij hem inhuurde om Dick te volgen toen je het vermoeden had dat hij je bedroog, nietwaar?'

Ze slikt wat gespannen en knikt nogmaals.

'Nou,' gaat Rosie verder, 'zijn grondige aanpak heeft goed gewerkt. Sterker nog, hij denkt dat hij erachter is gekomen wat er precies is gebeurd.'

Angels ogen schieten inmiddels heen en weer. 'Richard heeft zijn vader vermoord,' zegt ze. 'Eve heeft dat bekend.'

Rosies lippen vormen zich tot een dunne streep. Ze kijkt haar niet even aan. 'Daar zijn we zelf nog niet zo zeker van…'

Angels gezichtsuitdrukking blijft onaangedaan. 'Waar hebt u het over, tante Rosie?'

Theresa kijkt haar zus vorsend aan. 'Wat wil je daarmee zeggen, Rosita?'

Ze legt de computeruitdraai voor Angel en Theresa op de tafel. 'De politie gaf ons de uitdraaien van alle telefoongesprekken vanuit de woning van Richard junior,' legt ze uit. 'Bovendien kregen we de gespreksgegevens vanuit Eves woning en het Ritz. Verder hebben we de gegevens bestudeerd van alle mobieltjes van alle gasten die op de bewuste vrijdagavond aanwezig waren bij de vertoning. Het duurde alleen even voordat we klaar waren met alles door te spitten.'

'En wat hebben jullie gevonden?' is Angels vraag.

'Niets, zo is gebleken,' is Rosies antwoord.

Het lijkt wel of ik in Angels ogen iets van opluchting bespeur. 'Maar wat is dit dan?'

Rosie leunt weer achterover in haar stoel. 'Pete kent iemand die 's nachts bij Pacific Bell werkt.'

'En?'

'Pete heeft hem gevraagd alle gegevens van alle telefooncellen in Noordwest-San Francisco van zaterdagochtend vroeg te verzamelen. Er zijn wat telefoontjes gepleegd vanaf Baker Beach, verscheidene vanuit het Presidio, en ook nog een paar vanaf de brug. Op deze lijst staan alle gesprekken vanuit de telefooncel op de hoek van Lincoln Boulevard en Bowley Street van middernacht tot zaterdagochtend vijf uur.'

In de eetkamer kun je nu een speld horen vallen. Alle ogen zijn op Rosie gericht. Angel kijkt even naar haar moeder. Geen van beiden zegt iets. Ten slotte verbreekt Rosie de stilte, 'In die korte periode is er slechts drie keer gebeld,' gaat ze verder. 'Wat op zich niet zo vreemd is. Het was midden in de nacht, in een afgezonderd gebied met weinig verkeer.'

Sylvia stopt met het snijden van haar kip. Ze neemt een slokje water en vraagt: 'Wat heeft dit allemaal te betekenen, Rosita?'

Rosie kijkt naar de uitdraai. Daarna vraagt ze Theresa: 'Herken je het laatste nummer van de lijst?'

Theresa bekijkt de lijst even. Haar gezicht wordt lijkbleek. Ze kijkt even naar Angel, daarna weer naar Rosie, en antwoordt: 'Dat is mijn telefoonnummer.'

Stilte. Alle ogen richten zich op Angel. Rosie pakt haar hand. 'Wie, denk je, kan op zaterdagochtend halfvier jouw moeder hebben gebeld?'

'Ik zou het niet weten.'

Rosie doet haar best kalm te blijven. 'Waarom belde je je moeder, Angel?'

'Weet ik niet meer. Ik had een black-out.'

'Dat is niet waar, Angel.'

'Wel waar.'

'Dat was het verhaal dat je hebt verzonnen. Ik geloofde je. En Mike ook. We wilden het zo graag geloven dat we het onszelf gewoon aanpraatten.' Ze geeft een kneepje in Angels hand. Vervolgens kijkt ze haar zus aan, die zichtbaar geëmotioneerd is. 'Alles wat hier wordt besproken, blijft tussen deze vier muren. Het is tijd om de waarheid te vertellen, Angelina.' Ze aarzelt even en voegt eraan toe: 'Ik wil het niet aan je moeder hoeven vragen. Ik wil het uit jouw mond horen.'

Ik zie de tranen in Angels ogen opwellen. Ze trekt haar hand terug en pakt die van Theresa vast. Vervolgens fluistert ze: 'Ik had veel te veel op, tante Rosie. Ik snoof wat coke met Daniel. Ik was zo kwaad over die miskraam. En daarna zette Dick me gewoon voor schut waar iedereen bij was. Hij zei dat mijn acteerprestaties waardeloos waren – dat ik waardeloos was. En dat hij het geld voor mijn acteerlessen zou terugeisen. Ik was er zo ziek van, ik voelde me vernederd en ben naar boven gegaan.'

Met haar servet dept ze haar tranen. Ze kijkt haar moeder even aan voor wat morele steun en kijkt weer naar Rosie. Vervolgens stroomt het hele verhaal naar buiten. 'Daarna snoof ik nog wat coke en toen iedereen weg was, ben ik weer naar beneden gekomen. Ik was zo kwaad. Dick en ik hebben enorm ruziegemaakt.'

'Waar ging die ruzie over?' vraagt Rosie.

'Over alles,' klinkt het zacht. 'De film, de baby, het huis, zijn ontrouw.' Ze slikt. 'Hij haalde het bloed onder mijn nagels vandaan, tante Rosie. Hij zwaaide de hele tijd met die oscar voor mijn gezicht. Hij had me alle kans gegeven, zei hij, had alles voor me betaald: een nieuwe neus, twee keer m'n borsten laten vergroten, een nieuwe garderobe, een nieuw huis en een auto. En bovendien veel maandgeld.'

Rosie en ik kijken elkaar zwijgend aan.

Angels stem is nog maar een fluistering. 'Hij sloeg me,' gaat ze verder. 'Hij zei dat hij miljoenen dollars voor niets aan me had besteed. Daarna drukte hij die klote-oscar in mijn handen met de woorden dat dit de enige keer was dat ik echt een oscar zou kunnen vasthouden.' Ze aarzelt even en gaat dan verder: 'Op dat moment knapte er iets in me. Toen hij zich omdraaide, gaf ik hem een mep. De oscar was zwaar, maar ik had totaal geen idee dat ik zo sterk was. Ik besefte niet wat ik deed. Daarna viel hij van het balkon naar beneden op het strand.'

Jezus. Het wordt ijselijk stil in de kamer. Het lijkt wel een eeuwigheid, maar waarschijnlijk duurt het niet langer dan een paar seconden. Rosie en ik kijken elkaar doordringend aan. 'Wat deed je toen?' vraagt ze Angel.

Ze neemt een slokje water. 'Het was als één grote waas. Ik raakte in paniek. Overal lag bloed. Ik wist dat ik daar weg moest. Ik ben daarna niet meer terug in de woning geweest. Ik rende naar buiten, waste mijn handen met de tuinslang. Zijn auto stond pal voor de mijne, dus legde ik de oscar in de kofferbak van zijn wagen. Mijn sporttas lag in de garage. Ik trok mijn joggingpak aan en stopte de bebloede nachtpon in een plastic tas. Daarna stopte ik alles in de wagen en begon te rijden. Waar ik heen wilde, wist ik niet precies. Ik besloot naar de wijnmakerij te gaan. Ik dacht: misschien gelooft de politie me wel als ik ze vertel dat toen iedereen al weg was ik ook ben weggegaan. Geen geweldig alibi, maar ik kon niets beters verzinnen.'

'Maar onderweg ben je gestopt, hè?' merkt Rosie op.

'Ja.'

'En toen heb je gebeld.'

'Ja.' Ze kijkt haar moeder aan: 'Ik had hulp nodig. Ik wist dat ik je kon vertrouwen.' Ze gaat verder en zegt dat ze Theresa toen alles heeft verteld. Met tranen in de ogen bevestigt haar moeder het verhaal van haar dochter.

Rosies handen liggen voor haar op de tafel gevouwen. 'Wat heb je toen aan je moeder gevraagd?' vraagt ze kalm.

'Ik was wanhopig, tante Rosie. Ik had net mijn eigen man vermoord. Ik liet de bebloede kleren achter in de vuilnisbak bij de telefooncel en heb mamma gevraagd ze op te pikken en ze te laten verdwijnen. Daarna ben ik gaan rijden.'

'Waarom heb je de oscar daar ook niet achtergelaten?' vraagt Rosie.

'Omdat het voor mamma misschien moeilijk zou zijn dat ding ook te laten verdwijnen. Ik wilde hem op weg naar de wijnmakerij vanaf de brug in het water gooien.'

'En je dacht echt dat niemand je daar zou zien?'

Ze slaakt een luide zucht. 'Ik kon niet meer helder denken.'

'Dus je bent bij de brug gestopt.'

'Ja.'

336

Rosie richt zich tot Theresa: 'Waar heb je die nachtpon gevonden?'

'Precies waar ze zei dat hij lag. Ik heb hem mee naar huis genomen en verbrand.'

'Je wist wat er gebeurd was?'

'Ja.' Ze heft de handen. 'Mijn dochter zat in de penarie, Rosita. Wat had ik anders moeten doen?'

Tja, wat had ze anders moeten doen? Angel blijkt een moordenaar, Theresa op zijn minst medeplichtig aan de nasleep. Ik zie een overweldigende frustratie op Rosies gezicht. Even reageert ze niet. Daarna kijkt ze Angel weer aan en vraagt: 'Wat gebeurde er bij de brug?'

'Ik kon de brug niet op. Het hek naar het voetgangersgedeelte zat op slot. Ik besloot naar de wijnmakerij te rijden om dat ding daar zien kwijt te raken. Ik denk dat ik op dat moment in de auto bewusteloos moet zijn geraakt.'

'En toen vonden die agenten je.'

'Ja.'

'Met het zakje coke op de stoel naast je?'

'Daniel had het me gegeven.' Ze laat een sarcastisch lachje horen. 'Behoorlijk gênant allemaal, niet? Een plan om me van het moordwapen te ontdoen, had ik niet, maar ik had er wel voor gezorgd dat ik wat coke bij me had voor de rit.'

Rosie steunt met haar kin op haar handen en slaakt een lange zucht. Ik voel een brandend gevoel diep in mijn maag. Rosies ogen schieten even naar haar moeder, die met een intens bedroefde blik naar haar bord staart.

'Wat bracht je ertoe, Angelina?' vraagt Rosie.

'Hij kwetste me op zoveel manieren, tante Rosie. Hij bedroog me, hij vernederde me. Hij manipuleerde me. Hij sloeg me.' Ze zwijgt even. 'En hij vermoordde mijn baby.'

In Sylvia's eetkamer heerst nu een doodse stilte. Angel en haar moeder zitten nog steeds hand in hand. Rosies ogen glijden opnieuw even naar Sylvia en haar frustratie gaat over in woede. Ze kijkt Angel nu aan met een blik die ik slechts enkele keren bij haar heb gezien. 'Dat gaf je nog niet het recht hem te vermoorden,' luidt haar reactie.

Angel staart naar haar bord – minutenlang, zo lijkt het. 'Dat weet ik, tante Rosie,' zegt ze. 'En echt, zo bedoelde ik het ook helemaal niet. Het gebeurde gewoon.' De berusting in haar stem is voelbaar.

Rosie benadrukt elke lettergreep: 'Een-moord-gebeurt-nooit- zomaar.'

'Deze wel.'

'En het had niets te maken met geld of films?'

'Niets.'

Zelf ben ik daar nog niet zo zeker van. 'Je moet van de huwelijkse voorwaarden af hebben geweten,' zeg ik. 'Je moet hebben geweten dat hij c een scheiding aanstuurde en zijn testament had laten wijzigen.'

'Ik zweer je dat het niets met geld te maken had,' luidt Angels ver

'Tuurlijk, ik wist van de huwelijkse voorwaarden en het testament. En ik wist dat ik beter af zou zijn als hij zou overlijden. En ook dat als we zouden scheiden hij me uit zijn testament zou laten schrappen. Maar het ging niet om geld. Het ging om respect voor mij, als mens en als actrice.'

Rosie voert een wanhopig gevecht om het beetje zelfbeheersing dat haar nog rest te bewaren. 'Je kunt niet zomaar mensen vermoorden omdat je vindt dat ze je te weinig respect tonen.'

Angel huilt nu. 'Hij vermoordde mijn baby! Hij ontnam me mijn zelfrespect! Misschien had ik niet het recht hem te doden. Maar het moet me het recht hebben gegeven in elk geval iets te doen.'

Rosie kijkt me hulpeloos aan. Ze aarzelt even en vraagt: 'En Daniel Crown? Was hij de vader van je kind?'

Ze slaat haar ogen neer. 'Nee. We hadden niets met elkaar.'

Rosies ogen spuwen vuur. 'En jij was bereid zijn reputatie en zijn huwelijk te verzieken enkel om jezelf te redden?'

'Ik was wanhopig, tante Rosie.'

'Dus daar heb je ook al over gelogen. Eigenlijk heb je tegen ons over álles gelogen, al vanaf de eerste dag!'

De tranen staan in haar ogen. 'Ik deed het echt niet expres, tante Rosie.'

'Per ongeluk liegen bestaat niet.'

'Wat moet ik dan zeggen? Ik wilde echt niemand kwetsen. Ik... Ik acteerde alleen maar.'

'Acteerde?' Rosies stem wordt allengs luider: 'Er is anders nog een groot verschil tussen liegen en acteren, Angelina. Dit is geen spelletje. Jij doodde jouw echtgenoot. Jij vermóórdde jouw echtgenoot. Je maakte je moeder medeplichtig aan moord. Marty Kent en Dicks zoon zijn inmiddels ook dood. Dit is geen acteren. Dit is geen auditie. Er zijn drie mensen gestorven – en dat is een féít.'

'Ik verwacht ook helemaal niet dat u het begrijpt, tante Rosie.'

'Begrijpen zal ik het nooit.'

Angelina's moeder trekt zich los van haar dochter. 'En ik ook niet.' Ze kijkt Angelina recht in de ogen en er klinkt teleurstelling door in haar stem: 'Je hebt iedereen gebruikt, Angelina. Je gebruikte je man om de filmwereld binnen te komen, daarna vermoordde je hem. Je gebruikte je tante om de kastanjes uit het vuur te halen. Maar jij loog tegen haar en tegen Mike. Ze heeft haar operatie speciaal uitgesteld om jouw zaak voor de rechter te kunnen verdedigen. En jij hebt het lef om over respect te beginnen?'

Theresa begint te huilen. Rosie pakt de hand van haar zus. Angel kijkt de twee doodstil aan.

Sylvia kijkt naar haar bord. Volgens mij kan ik haar mond een gebed zien prevelen.

Ten slotte vraagt Angelina: 'Gaat u me aangeven?'

Rosie zucht. 'We kunnen niets doen. De politie kan je pas arresteren als ieuw bewijsmateriaal hebben. En zelfs dan nog zouden we kunnen ei-

sen dat de zaak wordt geseponeerd wegens het gevaar van vooringeno-
menheid jegens de verdachte.' Venijnig wijst ze naar Angel. 'Jij bent door
het oog van de naald gekropen! Ik zou je willen adviseren je dat de rest van
je leven te realiseren.'

Angel reageert niet.

'En vergeet niet,' gaat Rosie verder, 'dat die gespreksgegevens nog altijd
ergens kunnen opduiken. En dan kun je er donder op zeggen dat het OM
meteen weer bij de rechter op de stoep staat zodra ze met nieuwe bewijzen
kunnen komen. In jouw situatie zou ik niet al te best slapen vanavond.' Ze
aarzelt even. 'Nog één ding, Angelina: als dat gebeurt en ze komen met een
nieuwe aanklacht, of stel je raakt opnieuw in de problemen, dan hoef je niet
langer op mijn diensten te rekenen. Is dat duidelijk?'

'Ja, tante Rosie.' Ze bijt even op haar onderlip. 'Zou u me misschien een
goede notaris kunnen aanraden? Ik heb waarschijnlijk wel wat hulp nodig
met Dicks nalatenschap.'

Rosie is zichtbaar geschokt door de kille onverschilligheid die uit Angels stem spreekt. Ze reageert niet.

Sylvia heeft het hele gesprek in stilte aangehoord. Met een ijzige blik
kijkt ze haar kleindochter aan. 'Je hebt je eigen man vermoord, Angelina.
En nu ben je ook nog op zijn geld uit? Dat is bloedgeld.'

'Nou Sylvia,' kom ik tussenbeide, 'ze zal er geen cent van krijgen.'

Het komt me op een geringschattende blik van Angel te staan. 'Ik ga die
wijziging in het testament aanvechten,' deelt ze me mee. 'Reken maar dat
ik er iets van opstrijk.'

Hebzuchtig meisje dat je er bent. 'Niks daarvan,' zeg ik. 'Ik heb met de
notaris van je man gesproken. Hij vertelde me dat de wijziging in alle opzichten aan de wet voldoet. Het is volkomen legaal. De zoon van jouw
echtgenoot is de enige erfgenaam.'

'Die is dood,' is Angels commentaar.

'Klopt,' zeg ik, 'maar dat wil nog niet zeggen dat je ergens aanspraak op
kunt maken. Alles zal naar de nalatenschap van zijn zoon vloeien.' Ik kijk
even naar Rosie. 'De notaris vertelde me bovendien dat ook Little Richard
een testament had. Maar hij had gezien zijn ophanden zijnde scheiding
nog geen tijd gehad het te wijzigen.'

'Dus?'

'Zijn bezit en zijn geld gaan allemaal naar zijn aanstaande ex.'

Rosie kijkt me aan. 'Betekent dat...?'

'Ja. Zijn aandeel in MacArthur Films, het huis aan Sea Cliff, de wijnmakerij en al zijn andere bezittingen gaan naar Little Richards echtgenote.'

De ironie ontgaat Sylvia niet en ze geeft Rosie een veelbetekenende
knik. Om Rosies mond meen ik nu een glimp van een glimlach te kunnen
zien. Ze kijkt haar niet aan en zegt op doodkalme toon: 'Als jij het testament van je man aanvecht, zal ik er alles aan doen om ervoor te zorgen dat
je er geen cent van krijgt.'

50
NOG LANG EN GELUKKIG

*'De bouwcommissie van het departement voor Stadsvernieuwing van San Francisco
deelde vandaag mee dat drie projectontwikkelaars uit de Bay Area belangstelling
hebben getoond voor een woningbouwproject voor de lagere inkomens in combinatie
met een bedrijventerrein in China Basin, voorheen de geplande locatie voor het
filmstudioproject van MacArthur Films.'*
Jerry Edwards, *Mornings on Two*, vrijdag 18 juni, 07.00 uur

Rosies ogen gaan knipperend open. Een blik van herkenning verschijnt op
haar gezicht. 'Hoe laat is het?' vraagt ze fluisterend.
'Negen uur.'
Ze glimlacht zwakjes naar me. 'In de ochtend of in de avond?'
'In de avond.'
'Is het nog steeds vrijdag?' Haar stem klinkt hees.
'Ja.'
We zijn een week verder. De privé-kamers van het universitair kanker-
instituut in het oude Mt. Zion-ziekenhuis zijn niet slecht. Ze is eergisteren
geopereerd.
'Hoe voel je je?' vraag ik.
'Heb dorst.'
Ik geef haar een slokje water en kijk even naar het infuus in haar arm en
het verband om haar borst. Mooie Rosie. 'Doet er nog iets zeer?' vraag ik.
'Alles doet zeer. Ze hebben mijn borstkas voor de helft uitgelepeld. Zul-
ke dingen doen zeer.'
'Ik kan even een verpleegster halen.'
'Relax, Mike.'
'Ik haal wel even een dokter voor je.'
Haar ogen lichten op. 'Laat maar zitten, Mike. Ondanks alles voel ik me
niet eens zo slecht. De verpleegster geeft me om het uur pijnstillers. Sinds
mijn studententijd heb ik me niet meer zo goed gevoeld.'
Ze heeft nog geen achtenveertig uur geleden een zware operatie onder-
gaan, ik ben een wrak, maar zij maakt gewoon geintjes. 'Volgens dokter Urbach is de operatie heel goed verlopen,' vertel ik haar. 'Ze denken dat er
geen uitzaaiingen meer zijn.'

'Ik hoop het. Nog zo'n operatie en ik moet het zonder intern sanitair stellen.'

Pas twee dagen na haar mastectomie en ze staat nu al klaar om haar arts te ontslaan. 'Ze zei me dat ze heel blij was met het resultaat, en dat de prognose er heel goed uitziet.'

'Dat zei ze de vorige keer ook.'

'Weet ik. Volgens haar mag je over een paar dagen al naar huis.'

Ze laat haar blik even door de kamer glijden. Op de tv is een wedstrijd van de Giants aan de gang, maar het geluid staat uit. De commode staat vol bloemen. Ze kijkt ernaar. 'Heb je het kaartje van Armando Rios al gezien?' vraagt ze.

'Ja. Ik vond het heel aardig van hem.'

'Het is pure zieltjeswinnerij.'

'Dat zeker.'

'Leslie stuurde ook bloemen. Aardig van haar.'

'Ze is niet zo kwaad.'

'Nee. Jammer dat het tussen jullie niet iets is geworden.'

'Ja, vind ik ook.'

'Misschien dat je de verpleegster kunt vragen een paar van de boeketten onder de andere patiënten te verdelen?'

'Zal ik doen.'

Ze sluit haar ogen, maar doet ze langzaam weer open. 'Alles goed met Grace?'

'Ja,' zeg ik. 'Ik heb haar nog even gesproken. Ze hebben vanavond hun tweede play-off gewonnen. Ze had twee goeie slagbeurten, één drie wijd. Ze spelen woensdag in de finale.'

'Misschien dat ik van dokter Urbach een stukje van de wedstrijd mag zien.'

'Wie weet.' Grace slaapt vanavond bij Sylvia. 'Ik breng haar morgenochtend hierheen.'

Een glimlach. 'Ik kan bijna niet wachten,' zegt ze. 'Heeft ze tegen jou nog iets over Angel gezegd?'

'Weinig.' Angel zit op dit moment in LA om de film te promoten. 'Ze heeft het druk met honkbal.' Ik aarzel even: 'Toen we gisteravond thuiszaten, had ze het er eventjes over.'

Rosie spitst de oren. 'Wat zei ze?'

'Nou het is niet zozeer wat ze zei, maar eerder wat ze deed.'

'En dat was?'

'Ze heeft in haar kamer alle foto's van Angel van de muren gehaald.'

Rosie kijkt me bezorgd aan. 'Zei ze ook waarom?'

'Ze zei dat het tijd was voor iets anders. Angel is duidelijk niet meer zo "hot" als een paar weken geleden.'

Rosies blik wordt ernstig. 'Je denkt niet dat ze de waarheid weet?'

Ik peins even. 'Ik denk het niet, nee.'

341

'Ze is anders behoorlijk schrander.'

Net als haar moeder. 'Ze is pas tien, Rosie.'

'Ze kijkt elke dag naar het journaal.'

'Het is onmogelijk dat ze het op de een of andere manier zelf heeft uit-gepuzzeld.'

Ze zucht. 'Daar ben ik nog niet zo zeker van.'

Ik eigenlijk ook niet.

Ze frunnikt wat aan haar infuus. 'Waar is Tony trouwens heen?'

'Toen jij lag te slapen, heeft hij ma naar huis gebracht. Ze wilden je niet wakker maken. Hij zei dat hij er morgenochtend weer zou zijn. Hij heeft wat sinaasappels voor je achtergelaten.'

'Alles nog rustig in de winkel?'

'Een status-quo. Rios kwam woensdag nog even langs. Klaarblijkelijk is hij gevraagd om een non-profitorganisatie te helpen die een bouwvergun-ning wil voor een woningproject voor lage inkomens in China Basin.'

'En, doet hij het?'

'Ja. En misschien zelfs voor niets, heeft hij tegen Tony gezegd.'

'Armando Rios krijgt zowaar een geweten?'

'Nou nee. Het is duidelijk dat Dominic Petrillo en Carl Ellis aan een con-currerend bouwvoorstel werken. Volgens mij wil Armando ze het een en ander betaald zetten.'

'Misschien doet-ie het nu eens volgens de wet.'

'Wie weet.'

Ze vraagt of ik Theresa nog heb gesproken.

'Heel even. Ze houdt zich goed staande. En ze heeft Angel overgehaald Big Dicks testament niet aan te vechten.'

'Dat is goed nieuws. Waar logeert Angel zodra ze uit LA terugkomt?'

'Voorlopig nog even bij Theresa. Het loopt niet echt storm voor *The Re-turn of the Master*. Het kan wel eens gedaan zijn met haar filmcarrière.'

Rosie neemt nog een slokje water. Ze slikt. 'Mijn kleine nichtje, een ge-wetenloze moordenaar...' fluistert ze.

Ik pak haar hand, maar zeg niets. Een jonge verpleegster verschijnt. 'Ik ben bang dat het bezoekuur ten einde is, meneer Daley...'

Rosie geeft haar even een knipoog. 'Nog een paar minuutjes.' De ver-pleegster glimlacht en sluit de deur weer achter zich. Rosie kijkt me aan. 'Ik wil je nog iets vragen.'

'En dat is?'

'Ik kreeg dinsdag een telefoontje van decaan Dwyer van de Boalt-facul-teit.'

'En?'

'Hij had moeite je te bereiken en dus vroeg hij me of ik zijn aanbod wil-de aanvaarden om deze herfst die werkgroepenreeks over de doodstraf te doen.'

O jee. 'Je bedoelt dat hij jóú vroeg of ík bereid was?'

'Nee, Michael. Hij was heel duidelijk. Hij wilde weten of het jou nog was gelukt míj over te halen jou bij die werkgroepen te assisteren.'

Oeps, daar hang ik. 'Hij wil echt dat ik het doe,' zeg ik.

'Daar lijkt het wel op, ja. Ga je Fernandez & Daley nu opheffen?'

'Nee, Rosie. Ik denk erover om Fernandez & Daley een beetje te reorganiseren – tot een vorm die voorziet in vaste salarissen.'

Ze tilt haar hoofd iets op. 'Wat had je in gedachten dan?'

'Ik heb tegen de decaan gezegd dat ik het alleen wilde doen als ik jou kon overhalen mij te helpen.'

'En wanneer wilde je dat tegen me vertellen?'

'Zodra je uit het ziekenhuis was.'

Ik zie haar mondhoeken opkrullen. 'En onze praktijk?'

'Die blijft bestaan, maar in afgeslankte vorm. De decaan vond het goed als we per jaar een beperkt aantal zaken op ons nemen.'

'En Carolyn en Rolanda?'

'Die zullen Fernandez & Daley vanuit onze schitterende burelen aan First Street blijven voortzetten. Waarschijnlijk zullen ze meer werk hebben dan ze aankunnen.'

'Hoe dat zo?'

'Die werkgroepen zullen heel wat van onze tijd opslokken. We zullen dus niet alles kunnen aannemen, maar we kunnen onze cliënten naar Carolyn en Rolanda doorsturen.'

Ze sluit haar ogen en denkt even na. Haar blik wordt bedachtzaam. 'Ik weet het niet, Mike.'

'Het zou wel lekker zijn om even iets stabiels te hebben. Het betaalt goed.' Wie weet kunnen we eindelijk eens wat geld opzij zetten voor ons pensioen. 'Bovendien,' ga ik verder, 'als het helemaal niets wordt, kunnen we ons altijd nog uit de naad gaan werken voor cliënten die ons niet betalen.'

Ze grinnikt. 'Moeten we dan naar Berkeley verhuizen?'

'Alleen als jij dat wilt.'

'Nee. Ik ben tevreden met waar ik woon. Grace heeft het naar haar zin op school.'

'Dan blijven we waar we zitten.'

Ze frunnikt wat aan het pleistertje dat haar infuus op zijn plaats houdt. Daarna kijkt ze me aan. 'Je hebt hier lang over nagedacht, hè?'

'Ja.'

'Het is iets wat je heel graag zou willen?'

'Ik denk van wel.'

'Waarom?'

'Dit is misschien het goede moment, Rosie. Al bijna twintig jaar voeren we andermans strijd. Volgend jaar word ik vijftig. Je moet ook eens een keer aan jezelf denken. We willen allebei wat meer tijd met Grace doorbrengen.' Ik pak haar hand. 'Ik vind dat we even aan onszelf moeten denken. Laat die jonge, fanatieke rechtenstudenten maar eens een paar jaar het draafwerk doen. Ondertussen kun jij weer gezond worden en kan ik Little League gaan coachen. We kunnen 's zomers vrij nemen. Wie weet kunnen we eens een keer écht op vakantie.' Ik geef haar een knipoog en voeg eraan toe: 'We zouden een paar dagen naar het Tuscany kunnen. Afgelopen week heb ik een paar uurtjes in een prachtige suite mogen logeren.'

Ik zie een glimlach. 'Lijkt me leuk.' Daarna wordt ze weer ernstig. 'Waarom nu?'

'Ik ben moe, Rosie. Toen we in Vegas zaten, moest ik aan mijn vader denken. Hij stelde zijn pensionering nog een paar jaar uit om wat extra geld te kunnen verdienen. Toen hij eindelijk met pensioen ging, was hij al ziek. Ik wil niet dat dat ons overkomt. Ik wil niet te lang wachten.'

Ze zwijgt.

Ik denk even na. 'En er is nog iets. We hebben de afgelopen paar weken aardig gepresteerd. Angel vermoordde haar man, en met onze hulp is ze er zonder kleerscheuren vanaf gekomen. Tony aanvaardde steekpenningen en ook hem hielpen we uit de brand. Carolyns zoon heeft misschien gedeald, maar we hebben hem met een corrigerend tikje vrij gekregen.'

Ze glimlacht. 'Driemaal gescoord, een zuivere goocheltruc. We zijn gewoon goed, Mike.'

'Weet ik. Maar er zijn grenzen. Angel kwam vrij omdat Dominic Petrillo en Carl Ellis met elkaar in zee gingen, enkel omdat het financieel in hun beste belang was de moord op Big Dick in de schoenen van zijn zoon te schuiven. Tony kwam vrij omdat Dennis Alvarez gewoon een goede smeris is die Armando Rios, die op zijn beurt weer een deal met Ellis had, eens flink liet zweten. Ben kwam vrij omdat ik toevallig het bed deelde met een rechter van de hogere rechtbank, die me een enorme dienst bewees omdat ze zich schuldig voelde nadat ze het met me had uitgemaakt.'

Haar glimlach wordt breder. 'Wat wil je precies zeggen?'

'Al met al hebben we als strafpleiters bijzonder weinig invloed op de eindresultaten gehad.'

'Maar die successen kunnen we nog altijd op ons conto schrijven, toch?'

Ik glimlach. 'Natuurlijk.'

'Maar eigenlijk wil je zeggen dat we gewoon mazzel hadden.'

'Ja.'

Ze kijkt me lang en ernstig aan. 'Je hebt gelijk. Ik zeg het niet graag, maar ik ben bereid toe te geven dat we de afgelopen weken een paar keer enorm veel geluk hebben gehad. De volgende keer kan dat wel eens een stuk minder zijn. In mijn ervaring speel je uiteindelijk min of meer quitte.' Ze haalt haar schouders op. 'Maar wat heeft dat te maken met je besluit of je nu wel of niet naar Boalt vertrekt?'

Ik probeer mijn woorden zorgvuldig te kiezen. 'Mijn vader speelde altijd blackjack. Hij had een systeempje – tenminste, dat zei hij. Hij heeft het me een of twee keer geprobeerd uit te leggen, maar ik heb het nooit kunnen

begrijpen. Ik kon die kaarten nooit onthouden, namelijk.'

Rosie begint moe te worden. 'Dus?'

'Vlak voor zijn overlijden vroeg ik hem of zijn systeem ook echt gewerkt had.'

'En?'

'Hij vertelde dat de slimste spelers niet de jongens waren met een goed geheugen. De slimsten waren juist de figuren die wisten wanneer ze goed bezig waren, wanneer het geluk ze toelachte, maar die vooral wisten wanneer ze piekten en moesten stoppen. Voor wat het waard is, denk ik dat wij nu onze piek hebben beleefd. Misschien is het tijd om te stoppen nu we nog op ons hoogtepunt zijn.'

Rosie neemt nog een slokje water. Ze kijkt even naar de eindscore van de Giants, die gewonnen hebben, en zet de tv uit. Ze pakt mijn hand. 'Voor wat het waard is, Michael, denk ik dat je misschien wel eens gelijk kunt hebben.'

Ik voel tranen opwellen. 'Dus je helpt me met die werkgroepen?'

'Ja.'

Yes!

'Maar gezien mijn huidige medicinale lethargie mag je me natuurlijk niet aan mijn woord houden.'

'Als je graag tot morgen bedenktijd wilt, kan ik dat begrijpen, hoor.'

'Er is nog een voorwaarde.'

'En die is?'

'Zodra ik me weer beter voel, neem je Grace en mij mee naar het Tuscany.'

'Afgesproken.'

Even zwijgen we. Rosie staart door het raam naar de mist. Ze frunnikt weer even aan haar infuus en vraagt: 'Wil je verder nog iets kwijt?'

'Eén dingetje nog maar.'

'Ja?'

Hoe zeg je zoiets? 'Ik heb een beetje over ons zitten nadenken.'

'Over ons?'

'Ja. Over jou en mij. Ik heb zelfs flink wat gratis advies gekregen.'

Ze kijkt me een beetje schuin aan. 'Ik ook. Wat hebben ze tegen jou gezegd?'

'Ze adviseerden me naar een werkbare relatievorm te zoeken.'

'En daar ben je het mee eens?'

'Ik wel. En jij?'

Ze denkt even na. 'Misschien ben ik te overreden. Wat heb je in gedachten?'

Ik trek de hoge plastic stoel bij haar bed en ga zitten. Ik pak haar hand en kijk in haar ogen. Goed, daar gaan we. 'Rosie,' zeg ik, 'ik wil niet de rest van mijn leven naar een ander moeten zoeken. Ik hou van je, Rosita Carmela Fernandez, en ik wil bij je zijn.'

Haar vermoeide ogen worden triest. 'Getrouwd zijn ging ons niet zo goed af, Mike.'

'Ik zeg ook niet dat we moeten trouwen. Misschien ooit, op een dag, maar nu nog niet. En ik wil niet eens suggereren dat we weer moeten gaan samenwonen. Op zich best een intrigerende gedachte, alleen denk ik dat we zoiets nu nog even niet aankunnen.'

'Maar wat bedoel je dan wél?'

'Wat ik bedoel, is dat we er eerlijk voor uitkomen dat we een vast koppel zijn. Wij gaan niet met anderen uit. Wij gaan samen naar bruiloften, begrafenissen en diploma-uitreikingen.'

Ze glimlacht. 'Je wilt me vragen of ik vaste verkering met je wil?'

'Ik vraag eigenlijk veel meer.'

Ik kan de tranen in haar ooghoeken zien. 'Dus je wilt dat ik instem met een volwassen, serieuze, monogame en anderszins vaste relatie, waarin we heel veel tijd samen doorbrengen, samen openbare vieringen bijwonen en ons aan de wereld presenteren als een koppel?' vraagt ze.

'Precies.' Ik schenk haar een brede glimlach. 'En waarbij we ook lekker kunnen seksen samen.'

Ik zie lachrimpeltjes in haar ooghoeken nu haar hele gezicht met een brede glimlach openbreekt. 'Een prima argument,' is haar commentaar. Ze wordt weer ernstig. 'Maar we gaan niet samenwonen.'

'Nog niet.'

'En ook niet trouwen.'

'Nog even niet. Misschien, op een goeie dag.' Misschien wel nooit.

'En we houden de financiën gescheiden?'

'Zeker weten.'

'En we blijven samenwerken?'

'Precies.'

'En jij denkt dat het dit keer wél goed zal uitpakken?'

'Geen idee, gezien ons verleden.' Ik pak haar hand weer. 'Het is een nieuwe kans waard. De vorige keer gingen we al meteen samenwonen en stapten we direct daarna in het huwelijksbootje. Daarom viel alles in duigen. Misschien dat we het ditmaal wat georganiseerder moeten aanpakken. Wie weet werkt dat beter zo.'

Ze kijkt me met een half lachje aan. 'Je meent het serieus?'

'Nou en of.'

'Wat zeggen we tegen Grace?'

'Dat mamma en pappa weer samen zakendoen – maar dan op een heel nieuwe manier…'

Haar ogen glinsteren. 'Dit is niet echt het soort relatie dat ik me als kind wenste,' klinkt het weer ernstig. 'Ik hoopte op een prins – een prins op een wit paard. Ik hoor de prinses te zijn.'

'Soms komen sprookjes niet helemaal uit zoals je had verwacht.'

'Dat is waar. Maar de goeden leven daarna altijd lang en gelukkig.'

'In de echte wereld, Rosie, kan dit wel eens het beste zijn waar we op kunnen hopen.'

Een paar minuten zwijgt ze. We kijken elkaar aan. Het lijkt wel een eeuwigheid, zo lang. Ten slotte zegt ze: 'Ik weet het nog niet zo…'

'Waarom niet?'

Ze kijkt naar haar infuus en daarna glijden haar ogen naar haar borst. 'Ik ben een beschadigd artikel. Dat is niet eerlijk tegenover jou. Misschien moet je mij de komende vijf jaar wel verzorgen.'

Wat nu te antwoorden? 'Maar ik wíl de komende vijf jaar gewoon bij jou zijn. En als je me nodig hebt, wíl ik je verzorgen.'

Ze glijdt met haar tong over haar lippen en neemt nog een slok water. Haar ogen staan nu vol tranen. 'Ik kan het niet, Mike. Het klópt gewoon niet.'

'Het klopt wél. Liefde is juist dat je er bent als iemand je nodig heeft.'

Ze laat zich achteroverzakken in haar kussen en veegt de tranen uit haar ogen. Vervolgens kijkt ze me aan en fluistert: 'Misschien overleef ik het niet, Mike.'

'Ik ben bereid dat risico te nemen.'

'Echt?'

'Ja.'

Ze wil haar linkerhand omhoog brengen, maar beseft bijna te laat dat ze met een infuus verbonden is. Ze laat haar hand zakken en brengt haar rechterhand naar mijn wang. 'Je bent een lieve schat, Michael Joseph Daley. En als jij mijn eeuwige, toegewijde, monogame partner wilt zijn, dan ben ik de jouwe.'

Yes! Ik slik mijn eigen tranen weg en fluister: 'Dat is dan geregeld.'

Ze schenkt me een vermoeide glimlach. 'Misschien beginnen je kansen eindelijk te keren?'

'Hoe dat zo?'

'Je hebt dus toch het meisje gekregen.'

Inderdaad.

Haar glimlach verdwijnt. 'Moet jou weer overkomen, Mike. Na al die jaren krijg je dan eindelijk het meisje – blijkt ze iets te mankeren.'

Ik sluit mijn ogen en voel een enorme brok in mijn keel. Ik kijk in haar vochtige ogen. 'Jij bent perfect, Rosie. En dat zul je altijd blijven.'

We kijken elkaar verlangend aan. De verpleegster klopt opnieuw op de deur en steekt haar hoofd om de hoek. 'U moet nu echt gaan, meneer Daley. Mevrouw Fernandez moet rusten.'

'Nog één minuutje.' De verpleegster verdwijnt. Ik kijk Rosie aan. 'Kan ik nog iets voor je doen verder?'

'Een geneesmiddel voor borstkanker, maar ik neem aan dat dat iets te veel gevraagd is?'

'Ik zal kijken wat ik kan doen.' Ik pak haar hand weer. 'Het komt echt allemaal goed, Rosie.'

'Hoe weet jij dat nou?'

Ik schenk haar een veelbetekenende glimlach: 'Ik heb een pact gesloten met God.'

Een grijns. 'Nog een? En wat voor deal heb je deze keer gesloten?'

'Ik heb God beloofd dat als Hij je beter laat worden, ik onze relatie niet meer zal verzieken.'

'De vorige keer heb ik je daar anders flink bij geholpen, hoor.'

'Deze keer gaan we echt ons best doen.'

'Heb je nog meer beloofd?'

'Ik heb God ook beloofd dat ik de rest van je leven van je zal blijven houden.'

Ze knippert haar tranen weg. 'En wat zei God?'

'"We hebben een deal."'

'Klinkt mij prima in de oren.'

'Toch leuk om te weten dat al die jaren op het seminarie niet helemaal voor niets zijn geweest.'

Het is even stil. Even later kijkt ze me weer aan: 'Wil je nog iets voor me doen?'

'Tuurlijk. Wat zal het zijn?'

'Zou je me even willen vasthouden?'

'Nou, ik weet niet of dat ziekenhuisbed wel plaats biedt aan twee.'

Ze doet het metalen hekje aan de zijkant omlaag. 'Dan máken we wel ruimte.'

Ik klim bij haar in bed en sla teder een arm om haar heen. Ze wrijft met haar hand over mijn wang. 'Geen rare spelletjes, vanavond, hoor Michael,' klinkt het droogjes. 'We gaan niet verder dan het eerste honk. Het is pas ons eerste afspraakje.'

Ik kus haar zacht op haar wang. 'Oké, Rosie. En trouwens, zo meteen komt de cipier terug om me weg te sturen.'

Haar blik krijgt iets dromerigs. 'Het is lang geleden dat iemand me vasthield. Ik heb het gemist.'

'Ik vind het ook fijn,' zeg ik.

Ze kust me teder op mijn mond. Dan geeuwt ze. 'Doe jij het licht even uit, Michael?'

'Natuurlijk, Rosie.' Ik doe wat ze vraagt. Een paar minuten later valt ze in slaap. Voorzichtig klim ik uit bed en pak nog even de stoel. Een paar minuten luister ik naar haar ritmische ademhaling. Hoewel haar borstkas helemaal in het verband zit en haar arm met een apparaat is verbonden, zie ik een glimlach op haar gezicht. Ik leg even een vinger op haar lippen. 'Droom lekker, Rosie.' Bij de deur van de kamer blijf ik staan, draai me om, kijk nog even naar haar en zeg: 'Ik hou van je, Rosita.'

Haar ogen zijn gesloten als ik haar hoor antwoorden: 'En ik van jou, Michael.'

DANKBETUIGING

Het zal veel van mijn lezers zijn opgevallen dat mijn dankbetuigingen meestal aan de lange kant zijn. Voor mij is schrijven nu eenmaal iets wat je niet alleen doet, en ik krijg veel hulp van mensen die een grotere kennis van het strafrecht hebben dan ik. Ik doe hier wederom een poging zoveel mogelijk mensen te bedanken.

Allereerst bedank ik mijn vrouw Linda, die me al meer dan twintig jaar helpt bij het schrijven van verhalen, en onze tweeling, Alan en Stephen, die over engelengeduld beschikken zodra ik weer eens voor een deadline sta en die zich in de nabije toekomst zelf als auteur zullen manifesteren.

Verder bedank ik Neil Nyren, mijn onvermoeibare en geduldige redacteur. Dankzij zijn doordachte op- en aanmerkingen worden mijn verhalen een stuk beter dan de eerste versies die in zijn inbox belanden. Ook bedank ik de harde werkers bij uitgeverij Putnam. Jullie maken mijn leven er een stuk gemakkelijker op, en daarvoor ben ik jullie uiterst dankbaar.

Dank aan mijn geweldige agent Margret McBride en haar medewerkers Kris Wallace, Donna DeGutis, Sangeeta Mehta en Renee Vincent.

Dank aan mijn mentoren Katherine V. Forrest en Michael Nava, en aan de Every Other Thursday Night Writers' Group: Bonnie DeClark, Gerry Klor, Meg Stiefvater, Kris Brandenburger, Anne Maczulak, Liz Hartka, Janet Wallace en Priscilla Royal.

Aan brigadier Thomas Eisenmann en agent Jeff Roth van de politie van San Francisco, en rechercheur Phil Dito van het OM van Alameda County.

Aan Zuster Karen Marie Franks van het St. Dominic-klooster in San Francisco.

Aan mijn lieve vrienden en collega's van Sheppard, Mullin, Richter &

Hampton (inclusief wederhelften en andere dierbaren). Met name bedank ik Randy en Mary Short, Cheryl Holmes, Chris en Debbie Neils, Bob Thompson, Joan Story en Robert Kidd, Lori Wider en Tim Mangan, Becky en Steve Hlebasko, Donna Andrews, Phil en Wendy Atkins-Pattenson, Julie en Jim Ebert, Geri Freeman en David Nickerson, Kristen Jensen en Allen Carr, Bill en Barbara Manierre, Betsy McDaniel, Ted en Vicki Lindquist, John en Joanne Murphy, Tom en Beth Nevins, Joe Petrillo, Maria Pracher, Chris en Karen Jaenike, Ron en Rita Ryland, Kathleen Shugar, John en Judy Sears, Dave Lanfermann, Avital Elad, Mathilde Kapuano, Jerry Slaby, Guy Halgren, Dick Brunette, Aline Pearl, Bob en Elizabeth Stumpf, Steve Winick, Chuck MacNab, Sue Lenzi, Larry Braun en Bob Zuber.

Dank aan mijn enthousiaste vrienden van de Boalt-rechtenfaculteit, mijn alma mater: Kathleen Van den Heuvel, Bob en Leslie Berring, Louise Epstein, decanen John Dwyer en Herma Hill Kay.

Dank aan al die genereuze zielen die zich door de eerste versies van mijn boeken heen hebben geworsteld: Rex en Fran Beach, Jerry en Dena Wald, Gary en Marla Goldstein, Ron en Betsy Rooth, Rich en Debby Skobel, Dolly en John Skobel, Alvin en Charlene Saper, Doug en JoAnn Nopar, Dick en Dorothy Nopar, Angele en George Nagy, Polly Dinkel en David Baer, Jean Ryan, Sally Rau, Bill en Chris Mandel, Dave en Evie Duncan, Jill Hutchinson en Chuck Odenthal, Joan Lubamersky en Jeff Greendorfer, Tom Bearrows en Holly Hirst, Melinda en Randy Ebelhar, Chuck en Ann Ehrlich, Chris en Audrey Geannopolous, Julie Hart, Jim en Kathy Janz, Denise en Tom McCarthy, Raoul en Pat Kennedy, Eric Chen en Kathleen Schwallie, Jan Klohonatz, Marv Leon, Ken Freeman, David en Petrita Lipkin, Pamela Swartz, Cori Stockman, Allan en Nancy Zackler, Ted George, Nevins McBride, Marcia Shainsky, Maurice en Sandy Ash, Elaine en Bill Petrocelli, Penny en Tom Warner, en Sheila, Alan en Leslie Gordon.

Aan Charlotte, Ben, Michelle, Margaret en Andie Siegel, Ilene Garber, Joe, Jan en Julia Garber, Roger en Sharon Fineberg, Jan Harris Sandler en Matz Sandler, Scott, Michelle, Stephanie en Kim Harris, Cathy, Richard en Matthew Falco en Julie en Matthew Stewart.

Ten slotte wil ik al mijn lezers bedanken die zich zo enthousiast hebben betoond, vooral degenen die de tijd hebben genomen me te schrijven of te e-mailen. De meeste advocaten krijgen nooit fanmail, maar ik wel, en daar ben ik enorm dankbaar voor.